Pour une anthropologie fondamentale

D1374186

Centre Royaumont
pour une science de l'homme

L'unité de l'homme

3

Pour une anthropologie
fondamentale

Essais et discussions
présentés et commentés par
Edgar Morin

Éditions du Seuil

En couverture :

Peinture murale, *La Forge de Vulcain*.
Naples. Photo Bulloz

ISBN 2-02-005815-4 (éd. complète)
ISBN 2-02-004824-8 (tome 3)

© ÉDITIONS DU SEUIL, 1974, TEXTE INTÉGRAL

Sommaire

sommaire

Liste des auteurs du colloque

Henri Atlan Professeur de biophysique, université Paris-VI.

Georges Balandier Professeur de sociologie, université Paris-V. Directeur d'études, École pratique des hautes études (VIe section).

André Béjin Centre d'études transdisciplinaires (CETSAS), Paris.

Jacques Bert Service d'exploration fonctionnelle du système nerveux, hôpital de la Timone, Marseille.

Walter Buckley Professeur de sociologie, université du New Hampshire, Durham.

Michael R. A. Chance Professeur d'éthologie, École de médecine, université de Birmingham.

Jean-Pierre Changeux Sous-directeur du Laboratoire de biologie moléculaire au Collège de France. Chef du Laboratoire de neurobiologie à l'Institut Pasteur, Paris.

Antoine Danchin Institut Pasteur, Paris.

Irenaüs Eibl-Eibesfeldt Directeur du groupe de travail sur l'éthologie humaine, Institut Max Planck pour la physiologie du comportement, Percha/Starnberg.

Léon M. Eisenberg Professeur de psychiatrie, École de médecine de Harvard. Directeur du Département de psychiatrie, Massachusetts General Hospital, Boston.

Heinz von Foerster Président du Comité d'études cognitives. Directeur du Laboratoire d'informatique biologique, université de l'Illinois, Urbana.

Allen R. Gardner Département de psychologie, université du Névada, Reno.

Beatrice T. Gardner Département de psychologie, université du Névada, Reno.

Henri Gastaut Président de la faculté de Médecine et Pharmacie de l'université de Marseille. Professeur au CHU de Marseille, Service d'exploration fonctionnelle du système nerveux, hôpital de la Timone, Marseille.

Maurice Godelier Sous-directeur d'études à l'École pratique des hautes études (VIe section). Laboratoire d'anthropologie sociale du Collège de France et de l'École pratique des hautes études, Paris.

Luc de Heusch Professeur d'ethnologie, université libre de Bruxelles. Directeur de recherches, Centre d'anthropologie culturelle de l'Institut de sociologie, Bruxelles.

François Jacob Professeur au Collège de France. Directeur du Département de biologie moléculaire de l'Institut Pasteur, Paris. Prix Nobel de médecine, 1965.

Michel Jouvet Professeur à l'université Claude-Bernard, Lyon. Directeur du Département de médecine expérimentale, Lyon.

Solomon H. Katz
Directeur du Centre Krogman pour la recherche sur la croissance et le développement de l'enfant. Conservateur du musée d'anthropologie, université de Pennsylvanie, Philadelphie.

Emmanuel Le Roy Ladurie
Professeur au Collège de France. Directeur d'études, École pratique des hautes études (VIᵉ section). Centre de recherches historiques, Maison des sciences de l'homme, Paris.

Salvador E. Luria
« Institute Professor », « Sedgwick Professor », directeur du Centre pour la recherche sur le cancer, Massachusetts Institute of Technology. Prix Nobel de médecine, 1969.

Paul D. MacLean
Chef du Laboratoire d'évolution du cerveau et du comportement, National Institute of Mental Health, Bethesda.

Humberto Maturana
Professeur de neurophysiologie, faculté des Sciences, université du Chili, Santiago.

Jacques Mehler
Maître de recherches au Centre national de la recherche scientifique. Laboratoire de psychologie, Maison des sciences de l'homme, Paris.

Abraham A. Moles
Directeur de l'Institut de psychologie sociale, faculté des Sciences humaines, université de Strasbourg.

Jacques Monod
Directeur de l'Institut Pasteur, Paris. Prix Nobel de médecine, 1965. Président du Centre Royaumont pour une science de l'homme.

Hubert Montagner
Professeur à la faculté des Sciences, Laboratoire de psychophysiologie, université de Besançon.

Edgar Morin
Directeur de recherches au Centre national de la recherche scientifique. Codirecteur du Centre d'études transdisciplinaires (CETSAS), Paris. Président du conseil scientifique du Centre Royaumont pour une science de l'homme.

Serge Moscovici
Directeur d'études, École pratique des hautes études (VIᵉ section). Laboratoire de psychologie sociale, Paris.

Massimo Piattelli-Palmarini
Directeur du centre de Royaumont pour une science de l'homme. Chargé de cours et conférences, École pratique des hautes études (VIᵉ section), Paris.

David Premack
Professeur de psychologie, université de Californie, Santa Barbara.

Jacques Ruffié
Professeur au Collège de France, Paris. Directeur du Centre d'hémotypologie au Centre national de la recherche scientifique, Toulouse.

Marco Schutzenberger
Professeur à l'UER de mathématiques, université de Paris-VII, Paris.

Thomas A. Sebeok
Professeur de linguistique. Président du Centre de recherche des sciences du langage, université de l'Indiana, Bloomington.

Pierre Smith
Chargé de cours, Laboratoire d'ethnologie et de sociologie comparative, université de Paris-X, Nanterre.

Dan Sperber
Chargé de recherches au Centre national de la recherche scientifique, Laboratoire d'ethnologie et de sociologie comparative, université de Paris-X, Nanterre.

Introduction générale

Edgar Morin
Massimo Piattelli-Palmarini

Ce livre réunit les contributions des participants au colloque sur
l'Unité de l'homme : invariants biologiques et universaux culturels,
organisé par le CIEBAF (Centre international d'études bioanthropologiques et d'anthropologie fondamentale), *devenu depuis* Centre
Royaumont pour une science de l'homme. *Ce colloque s'est tenu à*
l'abbaye de Royaumont en septembre 1972.

Le présent ouvrage réunit les communications écrites distribuées avant
le colloque ainsi que maintes interventions, revues et corrigées par leurs
auteurs, et une partie de la discussion.

Nous avions tout d'abord proposé de centrer les débats sur le problème,
aujourd'hui en voie de résurrection, mais sur un mode nouveau, des
universaux anthropologiques. Extrayons les passages les plus significa-
tifs du texte préalable adressé aux participants.

Un des buts essentiels de la recherche scientifique est la recherche
des traits invariants dissimulés sous le désordre des faits empiriques.
Les grandes conquêtes de la physique moderne, par exemple, sont
constituées, le plus souvent, par l'établissement final d'équations dont
les règles transformationnelles permettent la description des phénomènes dans n'importe quel cadre particulier de référence. La biologie
moléculaire, à travers des systèmes de modèles et des manipulations
standards, trouve des lois invariantes, s'appliquant de la bactérie aux
mammifères, un code génétique commun à tous les êtres vivants.

Cette promotion scientifique de l'invariant ne doit-elle pas s'accompagner d'une réhabilitation de tout ce qui pourrait constituer les
concepts universels applicables à tous les individus d'un genre ou d'une
espèce, c'est-à-dire des *universaux?*

Les universaux s'opposent non seulement aux particularités, mais
aussi aux généralités. La généralisation est une démarche en extension
allant du connu à l'inconnu, et dont la valeur heuristique se dégrade
dans son élargissement même... Les universaux, pour nous, ne sont
pas de simples « traits communs »; ce sont des structures génératives,
des unités systémiques, potentiellement organisationnelles. Ainsi,

il ne s'agit pas seulement de dire que c'est dans l'unicité de l'homme (par rapport aux autres espèces animales) que l'on peut fonder l'unité de l'anthropologie; *il faut ajouter que cette unité doit se concevoir sur la base des unités structurales ou systémiques à partir desquelles se développent non seulement des formes ou des processus constants, mais aussi les différences et les diversités, les schismogenèses ou les morphogenèses.*

Du même coup, la conception des universaux permet de faire leur place aux circonstances, non seulement dans le sens écologique du terme, mais aussi dans le sens événementiel, conflictuel, accidentel. Les potentialités systémiques à l'organisation et à la morphogenèse, les structures génératives ne peuvent s'actualiser que sous la conjonction, la stimulation, voire l'agression de facteurs extérieurs ou aléatoires. On peut dès lors réconcilier deux modes d'explication (jusqu'alors incapables d'expliquer parce que l'un excluait l'autre) qui, séparément, renvoyaient l'un à l'arbitraire providentialiste, l'autre à la platitude possibiliste.

S'ils pouvaient être dégagés et reconnus, les universaux anthropologiques se situeraient dans le capital inné de l'esprit humain, c'est-à-dire de l'espèce humaine. Mais, si de tels universaux consistent en des potentialités organisationnelles de la perception, de la pensée, du mythe, de la culture et de la société, alors le concept d'inné devrait être révisé. Cet inné, en effet, ne serait pas programmateur à la manière de l'instinct ou stratégie d'apprentissage *behavioral;* il serait plutôt l'aptitude aux constructions, transformations, déprogrammations et reprogrammations. Il ne constituerait pas un logos génétique, mais il ne serait pas non plus la créativité illimitée. Dès lors la frontière inné-acquis perdrait son intérêt principal : ici, la frontière entre le biologique et l'anthropologique ne veut plus rien dire en termes biologiques *stricto sensu* (excluant l'homme). Dans ces conditions, des oppositions traditionnelles, fondamentales en d'autres domaines, deviennent ici non pertinentes. Elles deviennent des problèmes que la pensée doit affronter, étudier, surmonter.

Le colloque a réuni des biologistes, des anthropologues, des sociologues, des mathématiciens, des cybernéticiens. Une telle diversité — ou disparité — a multiplié le problème sur des terrains et des niveaux extrêmement variés, allant de l'épistémologie aux objets expérimentaux. En filigrane sont apparues les oppositions et options fondamentales qui naissent aujourd'hui sur le terrain de la pensée scientifique.

Mais, à la lecture, refroidie, de ce foisonnement peu unitaire consacré à l'unité, il nous est apparu que le caractère buissonnant de l'ensemble en faisait aussi la vitalité. Il nous est apparu que, bien que fragmentaire et dispersé, cet ensemble constituait, non certes une encyclopédie de l'homme, mais dégageait une visée, un visage encyclopédisant. Il nous est apparu surtout qu'il se dégageait, à travers les fenêtres qui s'ouvraient et les serrures qui se déverrouillaient, un mouvement, ne serait-ce qu'inchoatif, vers une vision intégrée des sciences de l'homme. Il nous est apparu enfin que, bien que non totalisant, ce travail collectif posait fondamentalement l'homme comme phénomène total.

Cet ouvrage a essayé d'éviter deux écueils. Nous n'avons voulu ni faire un simple compte rendu, reflet magnétophonisé du colloque, englobant les redondances et les digressions adventices, ni imposer un discours extérieur qui serait celui des présentateurs.

Nous avons dû naviguer entre Charybde et Scylla : d'une part, la tentation de laisser telles quelles, non assemblées, les pièces d'un puzzle qui n'a pas encore dessiné sa vraie figure; d'autre part, dessiner a posteriori un dessin (dessein) fantomatique. Ou bien le désordre, ou bien la manipulation. Un plan préliminaire s'est peu à peu dégagé. Ce n'est pas le seul possible, et nous le proposons comme grille de lecture. Nous avons essayé de laisser respirer les textes, et nous avons cru dégager ainsi une figure, certes fragmentaire et lacunaire encore. Nous espérons que ce qui ressortira pour le lecteur sera bien ce qui pour nous a été essentiel : le caractère annonciateur, défricheur, exploratoire de cette aventure.

Ainsi l'intérêt de cet ouvrage est-il lié à ses insuffisances : il s'agit, croyons-nous, de la première manifestation d'ouverture générale entre les grandes disciplines séparées de la biologie et de l'anthropologie, de la première tentative intégrative menée sur un terrain collectif.

Ce livre comporte trois parties. La première établit le pont entre le primate et l'homme, et semble concerner principalement la biologie. La troisième est centrée sur le champ traditionnel des sciences de l'homme. Mais nous voyons que, dans l'une et dans l'autre, intervient le partenaire que l'on croyait chassé. La seconde partie est à l'intersection, l'interférence, et constitue véritablement la plaque tournante des problèmes ouverts.

L'unité de l'homme renvoie encore trop souvent soit à la banalité de la morphologie anatomique, soit à l'insipidité vaporeuse des essences universelles. Or l'unité qui nous intéresse se situe dans un no man's land à explorer. Il nous est apparu clairement que l'intérêt central de la rencontre est la liaison unité/diversité, et non l'opposition alternative des deux termes.

Ce n'est pas par amour du paradoxe que la recherche sur l'unité de l'homme s'ouvre sur deux chimpanzés, et de surcroît femelles. La leçon à tirer de Washoe et de Sarah est surtout une leçon de modestie. Les révolutions coperniciennes ne sont pas achevées, et il s'agit de comprendre que la dichotomie entre occuper le centre ou n'avoir pas d'espace a fait son temps non seulement en astronomie et en biologie, mais aussi dans l'univers cognitif. Mettre à l'épreuve la notion d'une nature typiquement et jalousement humaine ne signifie pas qu'il faille se vouer à l'éthologisme le plus réducteur. Si, de plus en plus, on éprouve le besoin de se questionner sur les origines de l'homme, ce n'est pas pour justifier nos obscures pulsions territoriales ou notre agressivité, sous prétexte de notre affiliation panprimatique. Le récit d'une genèse éthologique serait alors comme un substitut des contes mythico-religieux de jadis. Il s'agit plutôt de partir, comme le font certaines écoles d'astrophysique, d'un postulat de modestie chronologique et topologique, d'essayer de décrire la genèse et le développement de l'humanité non pas à partir d'un centre privilégié, mais par un jeu d'interférences entre plusieurs points de départ. Cette tentative de retracer une histoire aux accès multiples constitue la première partie du livre (tome 1).

La brèche ouverte par la découverte de potentialités jusqu'ici insoupçonnées chez les primates supérieurs nous conduit vers deux champs de réflexion : les modalités biologiques et socioculturelles de l'hominisation d'un côté et les théories de l'apprentissage de l'autre. C'est à ces dernières qu'est consacrée la deuxième partie. Les fondements neurophysiologiques, psychologiques et, plus généralement, méthodologiques de la science de l'apprentissage nous sont apparus comme un noyau bien défini et logiquement central de la science de l'homme. Ce qui, de plus, nous a semblé fascinant, c'est la double nature du système nerveux ouvert énergétiquement et biochimiquement, et pourtant renfermé dans son propre code intérieur, incapable de capter et d'élaborer tout ce qui n'est pas réduit aux impulsions nerveuses, aux contacts synaptiques et aux réseaux cérébraux. Système producteur de raison, capable d'apprentissage, mais aussi enfantant rêves, mythes, hallucinations, délires. Si des universaux humains existent, c'est bien à l'intérieur de cette « boîte noire » de mille cinq cents centimètres cubes. Observateur de soi-même, lieu de multiples miroirs se renvoyant des images et des leurres, le cerveau revendique une science de l'observateur, une science du sujet connaissant. La deuxième partie du livre touche à ces problèmes et propose des esquisses de réponse (tome 2).

Le champ traditionnel de l'anthropologie émerge dans la troisième partie de cet ouvrage (tome 3), qui formule en même temps le vrai début du discours unitaire et la frontière supérieure des approches biologiques, *éthologiques et psychologiques. Peu de disciplines présentent autant d'équivoques que l'anthropologie, écartelée entre ce qu'elle est et ce qu'elle devrait être, entre son visage du passé et son visage du futur, entre la science du même et l'observation de l'autre. L'anthropologie est évidemment la science de l'avenir, mais cela signifie aussi qu'elle n'existe pas encore en tant que vraie science de l'homme.*

Les implications éthiques et politiques de la science sont de plus en plus intégrées à son développement en tant qu'activité collective. Et c'est particulièrement dans les sciences humaines ou sous leur couvert que les idéologies et les Weltanschauungen tissent leur fondement et leur pratique. Une séance a été ainsi consacrée à « Science, éthique et société ». Multiples sont les problèmes qui se posent aujourd'hui avec de plus en plus d'insistance dans les sciences de l'homme. Le souci que représentent les implications éthiques de la science en général et des sciences humaines plus particulièrement fut ressenti d'une manière très profonde et passionnée par Cyrus Eaton, qui nous avait demandé de prendre en considération cet aspect lors de l'organisation du colloque. Nous lui avons donc dédié la conclusion générale (tome 3).

Nous exprimons notre gratitude aux auteurs et aux participants pour leur générosité et leur ouverture d'esprit dans un débat souvent difficile et aux contours mal définis. Tout le mérite de ce livre est dû à leurs efforts de clarté et de critique constructive; de tous les défauts et insuffisances, nous sommes seuls responsables.

Ce colloque a été rendu possible grâce à la contribution bienfaitrice de Cyrus Eaton, initiateur du mouvement Pugwash; de la Fondation Royaumont (Gouin-Lang) pour le progrès des sciences de l'homme; de la Fondation Ford; des Éditions du Seuil. Ce livre doit beaucoup au dévouement et à l'intelligente assistance de Sylvia Duchacek et de Marie-Louise Mehler. Le travail d'editing a été assuré par nous-mêmes, avec la collaboration d'André Béjin[1], responsable principalement de la deuxième partie, et d'Irène Chapellaubeau[2], pour la troisième partie. Constantin Jelinski a revu les traductions[3].

Paris, le 1er juillet 1974

1. Centre d'études transdisciplinaires : sociologie, anthropologie, sémiologie (CETSAS, École pratique des hautes études, 6e section). — 2. *Idem.*
3. Les traductions des rapports et interventions qui composent ce volume ont été assurées par Mmes Yvonne Noizet, Vitia Hessel, Abelleila et MM. Jean Matricon et Jean Bacri.

Présentation générale

Edgar Morin

Comme le suggèrent les deux premières parties de cet ouvrage, une science de l'homme ne peut qu'être ouverte, sur la primatologie d'une part (aussi bien pour relier l'homme aux autres primates que pour l'en distinguer) et, d'autre part, sur les problèmes organisationnels que pose le cerveau, et notamment la relation cerveau-organisme-environnement.

Cette troisième partie concerne plus particulièrement le champ traditionnel des sciences de l'homme. Et le thème profond, commun à presque toutes les interventions et communications, est « ouvrir l'anthropologie ». Le premier appel à l'ouverture (Atlan : l'Homme système ouvert) nous rappelle que tout être vivant, nécessairement, et l'homme y compris, doit être envisagé comme un système thermodynamiquement et informationnellement ouvert, c'est-à-dire qu'on ne peut le concevoir en dehors d'une relation fondamentale avec un écosystème (environnement) et un métasystème (l'ensemble organisationnel de la vie et de la physis). Il nous indique également que toute théorie doit désormais être ouverte. Le théorème de Gödel est généralisable à tout système théorique : nulle chaîne axiomatique ne peut se refermer sur elle-même, elle comporte toujours au moins une proposition indémontrable; autrement dit, nulle théorie ne peut trouver en elle-même sa propre preuve : il y a toujours une brèche, une insuffisance, mais qui est aussi une ouverture, aussi bien sur l'inconnu que sur une métathéorie qui, elle-même, comportera sa brèche et son ouverture.

Il s'agit donc ici, non plus seulement d'une exigence empirique qui nous pousse à ouvrir la science de l'homme, mais d'une exigence épistémologique qui nous pousse à élaborer une théorie nécessairement ouverte, contrairement à la tendance traditionnelle qui croyait que la rigueur exigeait la fermeture, c'est-à-dire l'autarcie théorique. En fait, la fermeture transformait la théorie en doctrine, la rendant du même coup inconsistante. (C'est là un des nombreux effets de la confusion entre rigueur et rigidité.)

La communication de Dan Sperber (Contre certains a priori anthropologiques) nous montre que l'exigence d'ouverture part aussi, aujourd'hui, de l'intérieur même de l'anthropologie. Elle n'est pas seulement un appel à des idées et hypothèses nouvelles, elle conduit aussi à une reconsidération générale des relations entre l'inné et l'acquis et à aborder de front le problème central des structures mentales de l'homme.

Enfin, l'intervention de Georges Balandier, en même temps qu'elle aborde certains problèmes posés par l'ouverture « interdisciplinaire », indique une autre ouverture, ouverture sur les problèmes d'action, étant donné que seule une théorie bioanthroposociologique pourra nous éclairer sur les possibilités et les limites de la transformation sociale.

*Partis, donc, de cette exigence d'ouverture, nous allons être amenés à explorer les deux grands types d'ouverture qui se sont déjà dessinés au cours des dernières années : l'ouverture bioanthropologique et l'ouverture cybernéto-systémique. Le second chapitre traite de l'ouverture bioanthropologique. Solomon Katz présente une indispensable introduction à l'histoire des relations bioanthropologiques et à leur problématique actuelle (*Anthropologie sociale/culturelle et biologie*). Emmanuel Le Roy Ladurie nous montre, sur des exemples historiques, comment interfèrent le social, le culturel, le biologique (*Homme-animal, nature-culture : les problèmes de l'équilibre démographique*).*

*Le troisième chapitre concerne l'ouverture cybernétique/systémique. Il faut noter que, déjà, l'ouverture bioanthropologique fait intervenir des notions relevant de théories formalisatrices ou transdisciplinaires, comme la notion d'information. Celle-ci peut-elle fournir un commun dénominateur aux phénomènes biologiques et aux concepts anthropo-sociologiques, comme le suggère Katz dans une brève intervention (*Le paradigme de l'information*)? Ce point est repris par Walter Buckley, dans le cadre élargi de la théorie générale des systèmes. Pionnier du systémisme en sociologie, Buckley voit naturellement dans cette démarche, qui assemble en elle des éléments théoriques issus de la théorie de l'information, de la cybernétique et de la conception thermodynamico-biologique des systèmes ouverts, la clef même du dépassement des alternatives bioanthropologiques, sans toutefois que l'anthropologique soit « réduit » au biologique. Mais, rétorque Jacques Monod, cette théorie n'est-elle pas trop séduisante dans son « holisme » qui enveloppe tout, mais de façon toujours vague, donc finalement sans intérêt?*

*Sans entrer dans ce débat même, Moles, qui avait déjà introduit un modèle cybernétique dans la sociologie de la culture, propose ici de considérer la société comme un écosystème pour les individus, où l'espace et le temps doivent être envisagés de façon plus riche que sous forme seulement géographique et historique (*Écologie des actes*).*

De telles ouvertures ne doivent nullement noyer, elles doivent faire ressortir au contraire ce qu'il y a d'unique et de spécifique dans la société humaine. C'est ce à quoi est consacré le quatrième chapitre. La nouvelle complexité qui se déploie chez Homo sapiens *se manifeste notamment par l'émergence de l'économique et du noologique. C'est au problème de l'anthropologie économique que s'attaque Godelier; il fait dialoguer les deux protagonistes dominants de la science sociale actuelle, le marxisme et le structuralisme, pour établir un point de vue original qui intégrerait en un même système complexe la relation entre l'économique et l'écologique d'une part, entre l'économique et l'idéologique de l'autre* (Une anthropologie économique est-elle possible?).

Luc de Heusch et Pierre Smith, dans leurs communications, abordent l'univers noologique en tant que tel, celui qui s'exprime à travers rites et mythes, magie et religion. Luc de Heusch veut réaffirmer la rupture entre l'humain et l'animal, et conteste l'application du terme de rite à des comportements animaux; il propose une théorie du rite sur une base sémiotique et structurale. Pierre Smith, de son côté, reprend le problème du mythe, s'interrogeant sur sa nécessité profonde dans la société humaine. L'un et l'autre, au terme de leur réflexion, détectent la présence du mythe au cœur même de la science contemporaine. « S'il est vrai que, pour l'ethnologue, comprendre une culture c'est d'abord comprendre ses mythes, faudra-t-il peut-être, pour rendre pleinement justice à la science, savoir connaître la part de mythe qu'il y a en elle » *(Smith)* Et : « Le discours scientifique, issu de la magie... [sera-t-il] le carrefour — provisoire? définitif? — de la ritologie et de la *mythologie univer-selles?* » *(de Heusch).*

Enfin, il fallait au moins une courte note sur un phénomène irréducti-blement humain qui émerge en cours de préhistoire hominienne, l'attitude à l'égard de la mort, témoin ce que Gastaut appelle le culte du crâne.

Un cinquième chapitre essaie de faire le point. Edgar Morin, en même temps qu'il soutient la nécessité de l'approche bioanthropolo-gique, en voit les limites dans le maintien de la traditionnelle discipli-narité, là où il faudrait à la fois de l'indiscipline, de l'a-discipline et de la transdiscipline. En même temps qu'il croit en la nécessité d'introduire un systémisme généralisé, il croit que la théorie des systèmes comporte encore de grandes insuffisances, parmi lesquelles l'absence d'une théorie de l'auto-organisation et d'une « logique de la complexité ». *Serge Moscovici* (Quelle unité : avec la nature ou contre?) *met en question les hypothèses fondamentales où, jusqu'alors, tout en divergeant dans leurs vallées respectives, les théories aussi bien biologiques que sociologiques et anthropologiques convergeaient en leur ligne de faîte. A ces idées d'un* « passé simple », *il oppose les nouvelles idées d'un* « présent complexe » *et, dans une problématisation à la fois radicale et générale, propose quelques pistes en vue d'une anthropologie générale ou* « anthropogonie ».

CHAPITRE I

Ouvrir l'anthropologie

L'homme : système ouvert

Henri Atlan

L'homme, dont Michel Foucault a annoncé la disparition, c'est en fait l'image d'un système fermé, qui a dominé le XIXᵉ siècle et la première partie du XXᵉ siècle, détenteur unique de la raison toute-puissante à rendre compte du reste du monde. Le fait que l'existence de cet homme et le fonctionnement de sa raison soient parties intégrantes de ce monde était certes reconnu mais comme un subphénomène dont seuls des biologistes et des neurophysiologistes étaient censés s'occuper : étant bien entendu qu'ils ne touchaient pas, en faisant cela, à l'essence de l'Homme, résidu par définition inaccessible et non réductible, responsable en revanche de toutes les manifestations soit de spontanéité imprévisible et créatrice, soit de rationalité ou d'ordre. Le service et l'accomplissement de l'Homme, entité abstraite posée en origine et fin de toutes choses, y étaient présentés comme le programme allant de soi, dès lors que la religion ne pouvait plus survivre à la mort de Dieu, mort annoncée et vécue par de plus en plus d'individus dans l'Occident chrétien. Aujourd'hui, cet « humanisme »-là n'est plus tenable, car l'image de l'homme éclate de toutes parts.

D'une part, ses réalisations les plus prestigieuses — la science et la technique — semblent lui échapper et se retourner contre lui. En fait, si sciences et techniques sont créées par certains individus, ce sont d'autres qui les appliquent : et ces applications elles-mêmes sont utilisées et manipulées par d'autres encore, parfois aux dépens de tous. En tout état de cause, il n'existe pas *un Homme* qui utilise sa raison à créer et à gérer, de façon consciente et cohérente, des outils de domination de la nature, mais une multitude d'individus, plus ou moins dotés de raisons et d'appétits, plus ou moins semblables et plus ou moins antagonistes, qui s'associent et se combattent au fil de leurs rencontres.

D'autre part, ces individus eux-mêmes, analysés en ce qui leur semble commun, ne peuvent plus être vus comme des hypostases de cet Homme en principe tout-puissant, tels que leurs

imperfections ne seraient que l'expression d'une part animale
— non humaine — qui serait en eux. Les découvertes — ou redé-
couvertes — de la vie de l'inconscient et des motivations incons-
cientes des discours et des actions des hommes, plongeant profondément leurs racines dans ce monde dit animal, ont été à
l'origine des premiers coups assenés, au nom de la Science, à
cette image de l'Homme créateur de ses discours et de ses actions
et dominant par eux un monde de la nature qu'il aurait trans-
cendé par essence. Aujourd'hui, bien d'autres arguments, venus
de nouvelles découvertes en ethnologie, en sociologie comparée,
en linguistique, en esthétique, en biologie et en anthropologie,
ont achevé de détruire cette image. Le résultat en est que, tandis
que certains essaient d'analyser et de disséquer les aspects les
plus cachés du phénomène sur le plan de l'épistémologie,
d'autres, affolés périodiquement par tel ou tel signe spectaculaire de cette disparition — par exemple, des greffes d'organes
vitaux extrapolées à de futures greffes du cerveau, ou des manipulations en génétique humaine à la Aldous Huxley, etc. —, se
lamentent sur la fin des humanismes, ne pouvant imaginer que
quelque chose de bénéfique puisse sortir de la fin d'une illusion.

Ce n'est que dans une culture abusivement humaniste que
cette vision des choses peut paraître pessimiste. Ce n'est que si
l'on a érigé l'homme en absolu que la constatation du caractère
partiellement illusoire — parce que non premier — de la volonté
consciente est désespérante. Et, pourtant, cette constatation
ne coïncide-t-elle pas avec l'expérience de tous les jours? La
volonté consciente n'est-elle pas sans cesse démentie par la
réalité dans la mesure où jamais les choses ne se passent comme
nous les avons voulues? N'apprenons-nous pas de l'expérience
quotidienne que la volonté consciente ne maîtrise pas les choses,
que celles-ci ne font qu'arriver ou se faire? L'Ecclésiaste et les
anciens sages ne nous en ont-ils pas avertis depuis toujours? C'est
l'illusion du contraire qui conduit au désespoir quand elle se dis-
sipe, car on s'imagine alors que la volonté consciente n'a pas
d'objet, qu'elle est niée, et par là même notre existence en tant
qu'êtres autonomes. Après avoir fait de l'homme un absolu, on
croit y reconnaître un jouet de forces aveugles. Ce n'est pas parce
que l'Homme disparaît et s'efface « comme à la limite de la
mer un visage de sable » (M. Foucault) que nous devons pleurer
sur nous-mêmes. L'homme qui s'efface, ce n'est pas nous, ce
n'est, comme l'a si bien montré Foucault, qu'un absolu imaginaire qui a joué un rôle commode dans le développement

des connaissances en Occident, en un temps d'ailleurs où le système physique par excellence était le système fermé — ou même isolé — en équilibre thermodynamique. Cet Homme est en voie d'être remplacé par des choses certes, *mais où nous pouvons nous reconnaître* parce qu'elles peuvent nous parler. Au lieu d'un Homme qui se prend pour l'origine absolue du discours et de l'action sur les choses, mais est en réalité coupé d'elles et conduit inévitablement à un univers schizophrénique, ce sont *des choses* qui parlent et agissent en nous, à travers nous comme à travers d'autres systèmes bien que de façon différente et peut-être plus perfectionnée. Grâce à cela, si nous ne nous laissons pas étouffer par elles, c'est-à-dire si notre vouloir — faculté inconsciente d'auto-organisation sous l'effet des choses de l'environnement — arrive à s'inscrire suffisamment en mémoire, de telle sorte que nous en ayons un degré suffisant de conscience, et si celle-ci en retour peut interagir avec les processus auto-organisateurs sans toutefois qu'il y ait conflit entre ces deux formes d'interaction [1], alors, lorsque nous regardons autour de nous, nous pouvons nous sentir chez nous parce que les choses *nous* parlent aussi [2]. Après tout, si l'on peut nous démonter comme des machines et remplacer des organes comme des pièces, est-ce que cela ne veut pas dire aussi que nous pouvons voir dans les machines, c'est-à-dire dans le monde qui nous entoure, quelque chose où nous pouvons nous retrouver, et avec qui nous pouvons, à la limite, dialoguer? Quand nous découvrons une structure dans les choses, n'est-ce pas retrouver, de façon renouvelée et épurée, un langage que les choses peuvent nous parler? Et est-ce payer trop cher ces retrouvailles que de constater, au passage, que notre propre langage n'est dans le fond pas radicalement différent de ce langage des choses? La seule conséquence de ces découvertes ne devrait être ni l'affolement puéril à l'idée d'être un jouet de forces aveugles, ni cette forme d'aveuglement qui consiste à

---

1. Voir *l'Unité de l'homme*, t. 2, *le Cerveau humain*, « Conscience et désirs dans des systèmes auto-organisateurs », du même auteur, p. 187-203 (N.d.É.).
2. Dans *les Mots et les Choses* de M. Foucault, au moins aussi important que l'annonce finale de la disparition de l'homme et du retour du langage, nous apparaît le rappel, dans le premier chapitre, d'une époque où les mots parlaient le langage des choses. Même si cette époque est à jamais révolue, son existence passée n'en suggère pas moins la possibilité, dans l'avenir, de nouvelles retrouvailles des mots et des choses, à travers, bien sûr, des formes et des langages nouveaux, véhiculant le savoir d'aujourd'hui et de demain.

vouloir à tout prix retrouver l'Homme quelque part, mais une détermination à atteindre la maîtrise de nous-mêmes en plus de la maîtrise des choses — à dialoguer avec nous-mêmes en même temps qu'avec les choses —, puisque notre existence même en tant qu'êtres doués d'unité, systèmes autonomes, n'est pas un phénomène premier mais peut pourtant être affirmée, car elle se crée dans cette affirmation même, et nulle part ailleurs. Cette détermination s'appuie sur la vision claire de ce que cette existence unifiée, bien que non assurée, est *possible*, car elle se joue *dans un univers qui cesse de nous être hostile et de nous détruire, dès qu'on se laisse traverser par lui*. L'unité dans le temps des systèmes auto-organisateurs et mémorisants que nous sommes n'est pas absolue — mais elle est non moins réelle que leur unité spatiale, délimitée par une peau et des muqueuses. La frontière qui protège l'autonomie d'un être vivant par rapport à l'univers qui l'entoure n'a de sens que si, en même temps que barrière, elle est lieu d'échanges et se laisse traverser.

Dans un article paru il y a quelques années, A. David constatait que chaque progrès de la cybernétique fait disparaître l'Homme un peu plus. Mais un dernier sursaut d'humanisme lui fait localiser en nous le dernier recoin d'où l'Homme serait indélogeable ; ce serait le désir (autrement dit notre programme ?). Moyennant quoi, il nous suggère une description futuriste d'hommes télégraphiés dans l'espace sous la forme de « purs programmes ». Mais qu'advient-il de cela s'il s'avère que, dans des systèmes cybernétiques auto-organisateurs ayant la complexité des organismes vivants, le programme ne peut pas être localisé parce qu'il se reconstitue sans cesse ? Eh bien, cela veut dire que l'Homme est finalement délogé même de là, et que cela vaut mieux pour nous, car, de cette façon, l'unité et l'autonomie de notre personne, dans la mesure où elles se font, ne pourront pas être plus télégraphiées dans l'espace, séparées du reste, que la surface qui limite un volume et en définit l'unité ne peut être séparée de ce volume. Des programmes d'organisations pourront peut-être être télégraphiés : les systèmes ainsi réalisés pourront peut-être nous ressembler et dialoguer avec nous. Il n'y a là rien d'inquiétant [1], bien au contraire, car ils ne seront pas nous ; pas plus que ne le sont les machines, même les plus puissantes, qui nous prolongent.

---

1. Sauf, bien entendu, quant à ce qu'on fera d'un tel pouvoir. Comme toujours, ce n'est pas sur le plan philosophique et théorique que des progrès scientifiques peuvent être dangereux ; c'est sur le plan politique.

Contre certains a priori anthropologiques

Dan Sperber

Si l'anthropologie est l'étude de la spécificité générique de l'homme, il faut bien admettre que les anthropologues sont des gens bizarres. Ils ont en effet consacré un demi-siècle (d'avant la guerre de 1914 à ces dernières années) à tenter de montrer que leur discipline n'avait pas d'objet.

Le relativisme culturel avait pourtant un semblant de rationalité. Les variations culturelles ne correspondent pas significativement à des variations génétiques. Donc, plus les cultures varient, moins elles sont intelligibles en termes d'héritage phylogénétique. Les anthropologues ont entrepris de montrer d'une part que les cultures varient indéfiniment, d'autre part que toutes les activités humaines sont culturellement déterminées, donc que la prétendue nature de l'homme ne le définit en rien, si ce n'est dans son être physique, dans son animalité. La spécificité générique de l'homme serait d'être, de tous les animaux, le moins génériquement spécifié, et l'ethnographie en apporterait la preuve. A voir.

Certes, les ethnographes ont montré qu'il n'est pas d'activité humaine, si humble soit-elle, qui ne soit aménagée, interprétée, souvent de manière méticuleuse, par des règles culturelles. Certes, chaque nouvelle étude donne l'exemple de variations souvent inattendues, parfois insoupçonnées. Mais de combien de variations imaginables, de combien de variations imaginées par les auteurs du siècle dernier a-t-il fallu renoncer à trouver l'exemple? Où sont ces matriarcats, quelle société pratique le mariage de groupe, pourquoi ces chasseurs ne parlent-ils pas une langue aussi primitive que leur technologie? Ou, pour prendre un cas plus récent et plus net encore, pourquoi, parmi les sociétés qui différencient terminologiquement les deux cousines croisées : la fille de la sœur du père et la fille du frère de la mère, un grand nombre d'entre elles désignent du même terme cette dernière et l'épouse (et, du même coup, le frère de la mère du même terme que le beau-père); tandis qu'aucune ne désigne du même terme la fille de la sœur du père et l'épouse, ni la sœur du père et la belle-mère?

Ou encore prenez cette société que décrit le Pr Möllberg : « Au-dessus des prêtres-gouverneurs, était le Roi. Sa puissance montait avec la lune : d'abord invisible, voilà qu'il commençait à se montrer quand paraissait le croissant, conférait les menues dignités. [...] Enfin la pleine lune faisait de lui le vrai Roi, le maître de la vie et de la mort. Alors, peint ou doré [...], paré du trésor royal, couché sur un lit élevé, il recevait les lavages sacrés, les bénédictions des prêtres. Il rendait la justice, faisait distribuer les vivres au peuple, adressait aux astres la prière solennelle du royaume.

La lune commençait à diminuer : il se cloîtrait dans le palais. Quand enfin venait l'époque des nuits sans lune, nul n'avait plus le droit de lui parler. Son nom, par tout le royaume, était interdit. Supprimé! Le jour lui était refusé. Caché dans l'obscurité, même pour la reine, il perdait les prérogatives royales. Ne donnait plus d'ordres. Ne recevait, ni n'envoyait de présents. Ne conservait de sa condition que cette réclusion sacrée. Dans le peuple entier, récoltes, mariages, naissances étaient liés à ces événements.

Les enfants nés pendant les jours sans lune étaient tués à leur naissance » (Malraux, nº 18 [1], p. 42, 43).

Quiconque a une certaine expérience de la littérature ethnographique sait de quels modèles cette description s'inspire, et il sait qu'elle est invraisemblable hors de l'imagination d'un écrivain. Pourquoi en irait-il ainsi si les cultures variaient bien indéfiniment?

Un ethnologue qui aborde un nouveau terrain sait à bien des égards à quoi s'attendre. Selon Murdock, il trouvera en tout cas (liste incomplète selon l'auteur lui-même) :

« ... les sports athlétiques, les ornements corporels, le calendrier, l'entraînement à la propreté, l'organisation communautaire, la cuisine, le travail coopératif, la cosmologie, courtiser, la danse, les arts décoratifs, la divination, la division du travail, l'interprétation des rêves, l'éducation, la scatologie, l'éthique, l'ethnobotanique, l'étiquette, la guérison, la famille, l'art de faire le feu, le folklore, les tabous alimentaires, les rites funéraires, les jeux, les gestes, les échanges de dons, le gouvernement, les salutations, les styles de coiffure, l'hospitalité, la construction de maisons, l'hygiène, les tabous de l'inceste, les règles d'héritage, les plaisanteries, les groupes de parenté, les nomenclatures de parenté, le langage, la chance, les superstitions, la magie, le mariage, les heures pour les repas, la médecine, la modestie concernant les fonctions naturelles, les rites funéraires, la musique, la mythologie, les nombres, l'obstétrique, les sanctions pénales, les noms personnels, une politique démographique, les soins postnatals, les usages concernant la

---

1. Les numéros entre parenthèses renvoient à la bibliographie, p. 40.

grossesse, les droits de propriété, la propitiation des êtres surnaturels, les coutumes de puberté, les rites religieux, les règles de résidence, les restrictions sexuelles, le concept de l'âme, la différenciation de statuts, la chirurgie, la fabrication d'instruments, le commerce, les visites, le sevrage, et le contrôle du temps » (Murdock, n° 19, p. 89). Ce qui ne l'empêche pas d'affirmer que la culture est un phénomène unique, « indépendant des lois de la biologie et de la psychologie ».

L'image qui se dégage de la littérature ethnographique accumulée n'est donc pas du tout celle d'une variabilité indéfinie, mais bien plutôt celle de variations extrêmement élaborées à l'intérieur d'un éventail qui semble arbitrairement restreint. Lorsqu'ils abordent le problème ainsi posé, les tenants du relativisme culturel affirment que la variabilité serait limitée par deux types de facteurs, historiques d'une part, écologiques de l'autre. Il ne fait pas de doute, en effet, que chaque culture est tributaire de celles qui l'ont précédée et de celles qui l'entourent; pas de doute non plus que chaque culture doit être compatible avec la survie du groupe humain qui l'adopte. Mais, que ces truismes puissent totalement ou même essentiellement expliquer les limites de la variabilité culturelle telles qu'on les observe, voilà une pure pétition de principe. Le fait est que la variabilité culturelle a des limites étroites; qu'on ne dispose d'aucune théorie, si vague fût-elle, de ces limites, et qu'il n'y a donc aucune raison de poser *a priori* que cette théorie à faire ne mettra en jeu que des facteurs anthropologiquement contingents.

Pour le relativisme culturel, il ne saurait y avoir de facteurs proprement anthropologiques : la nature humaine n'existe pas, si ce n'est comme objet de l'anthropologie physique. En quoi le relativisme culturel ressemble fort au behaviourisme, auquel on ne s'étonnera pas de le trouver associé. Par exemple, chez Linton, pour qui « la pensée n'est pas moins une question d'arcs réflexes que le clignement des yeux. Elle est basée sur une combinaison de réflexes non conditionnés et conditionnés et sur la sélection et l'orientation des stimuli » (Linton, n° 14, p. 65), et il est donc très probable que « les différences entre les mentalités animales et humaines sont purement quantitatives » (*ibid.*, p. 68). Ce qui revient à dire que l'homme n'a pas de nature spécifique, mais qu'il est seulement, de tous les animaux, le plus sensible au conditionnement.

Dans leur acharnement à établir un mélange d'*a priori* et de banalités, les tenants du relativisme culturel ont eu cependant le mérite de rendre manifestes non pas des variations culturelles indéfinies, mais une variabilité systématique dont ils multiplient les exemples sans en percevoir la portée.

On me permettra ici une petite fable irrévérencieuse : les tenants du relativisme culturel creusaient un terrain de fouilles paléontologiques. Ils trouvaient bien des ossements, mais ils n'y voyaient que des pierres et les jetaïent derrière eux. Vint à passer Lévi-Strauss qui, après avoir déterré un osselet pour faire comme tout le monde, reconnut la nature de ces prétendues pierres et reconstitua un squelette de brontosaure. On appréciera d'autant mieux son génie lorsqu'on saura qu'il s'agissait en fait des restes d'un ichtyosaure, d'un diplodocus et de deux ou trois dinothériums.

Avec Lévi-Strauss, donc, tout change. Non qu'il ait été le seul ou le premier à percevoir les régularités sous les variations (même les relativistes n'étaient pas si bornés); non qu'il ait su vraiment les expliquer (et ce n'est pas demain qu'on y parviendra); mais parce qu'il a compris et fait comprendre que les variantes accumulées par l'ethnographie n'étaient que le matériau de l'anthropologie; que l'objet en était la variabilité, et que le caractère systématique de cette dernière renvoyait, pour une part au moins, aux potentialités et aux contraintes de · l'esprit humain tel qu'il est phylogénétiquement déterminé.

Retour, donc, à la notion de nature humaine. Lévi-Strauss précise qu'il n'entend pas désigner par cette notion « un empilage de structures toutes montées et immuables, mais des matrices à partir desquelles s'engendrent des structures qui relèvent toutes d'un même ensemble, sans devoir rester identiques au cours de l'existence individuelle depuis la naissance jusqu'à l'âge adulte, ni, pour ce qui est des sociétés humaines, en tout temps et en tout lieu » (n° 13, p. 561).

Soit des matrices universelles qui sous-tendent des manifestations variables. Jusque-là, on ne peut qu'être d'accord, mais on aimerait en savoir plus. Combien y a-t-il de matrices? Sont-elles spécialisées et sous-tendent-elles chacune un champ ou un type d'activité intellectuelle, ou bien concourent-elles toutes à l'engendrement de chaque structure? Quelles sont leurs propriétés spécifiques? Etc. Lévi-Strauss ne répond à aucune de ces questions; mais, par son silence même et par le tour général de ses recherches, il indique tout au moins la direction dans laquelle il faut chercher.

Son adhésion réitérée à la linguistique structurale donne une première indication. Pour les structuralistes, le langage suppose essentiellement deux opérations : la combinaison et la sélection qui déterminent deux axes, syntagmatique et paradigmatique, sur lesquels tout s'articule; qui sous-tendent deux tropes : la métaphore et la métonymie; qui sont liées l'une à la compatibilité, l'autre à l'opposition, etc. Ces deux opérations fondamentales ne sont pas spécifiques au langage, mais relèvent bien plutôt d'un dispositif intellectuel non spécialisé. Dans la conception structuraliste, le langage ne se voit pas affecté d'un dispositif inné propre (sinon l'appareil phonatoire); il se suffit des opérations intellectuelles les plus générales.

De même, chez Lévi-Strauss, il n'est jamais question de dispositif inné spécialisé, ni pour la parenté, ni pour l'art, ni pour le rituel, ni pour la mythologie, ni même pour le symbolisme. Tout tourne autour de l'opposition entre le continu et le discontinu, la tendance aux classifications binaires, les opérations de combinaison, de sélection, de symétrie et d'inversion.

Les structures particulières ne sont jamais préformées dans l'esprit; elles sont le produit d'une combinatoire qui établit entre elles des rapports de transformation. J'ai tenté de montrer dans un travail antérieur (Sperber, n° 22) que cette notion de transformation (sans rapport particulier avec la notion chomskyenne — faut-il le préciser) ne relevait pas d'une justification méthodologique, contrairement à ce que Lévi-Strauss semblait penser, mais constituait au mieux une hypothèse théorique très improbable par sa généralité même, et qui manquait à ce jour de confirmation empirique.

Ainsi la position de Lévi-Strauss relève-t-elle pour une grande part d'un nouvel *a priori*, méthodologique en apparence, théorique en fait. Méthodologique si l'on y voit seulement un légitime souci de limiter les hypothèses sur la nature humaine au minimum nécessaire et suffisant pour rendre compte de ce qu'elle détermine; d'éviter en tout cas d'enrichir ces hypothèses au détriment de toute plausibilité. Théorique si l'on veut bien se rendre compte que la part des mécanismes universels dans la détermination des phénomènes culturels est une question empirique non résolue; que, par voie de conséquence, nous ne sommes aucunement à même de circonscrire la complexité nécessaire et suffisante de ces mécanismes; et qu'enfin une structure hypothétique ne serait implausible que si elle impliquait l'impossibilité de phénomènes dont l'existence serait attestée ou du moins vraisemblable.

L'*a priori* théorique de Lévi-Strauss a sans doute sa source dans une certaine conception du rapport entre l'inné et l'acquis. Ce rapport donne lieu à quatre confusions qui sont toutes commises par les relativistes culturels, tandis que Lévi-Strauss (comme dans une large mesure Piaget) ne se laisse aller qu'à la quatrième. La première confusion consiste à croire qu' « inné » peut qualifier des organes ou des comportements, alors qu'à strictement parler seule une information est génétiquement transmise. La seconde confusion consiste à croire que l'inné et l'acquis sont mutuellement exclusifs alors qu'ils ne sont opposés que comme concepts. La troisième confusion consiste à croire qu'il en est de l'acquisition comme de l'acquis, alors que l'acquisition suppose toujours un dispositif qui, s'il est lui-même acquis, en suppose un autre, et ainsi de suite jusqu'à ce que le principe même de l'acquisition se trouve nécessairement dans un dispositif génétiquement déterminé.

La quatrième confusion enfin — la seule que commettent systématiquement les structuralistes — consiste à croire que la part de l'inné et la part de l'acquis varient nécessairement en proportion inverse. Si tel était le cas, l'homme, chez qui la part d'acquis est considérablement plus grande que celle d'aucune autre espèce animale, n'aurait corrélativement qu'une part d'inné négligeable. Mais, puisque l'acquisition — l'acquisition systématique et adaptée s'entend — suppose en fait des mécanismes innés supplémentaires, il est beaucoup plus raisonnable de penser que l'inné et l'acquis varient proportionnellement et que, par conséquent, la richesse extraordinaire de l'acquis humain suppose non pas une indigence mais au contraire une richesse comparable de la nature humaine.

Cohérents avec eux-mêmes — avec l'idée d'un développement inverse de l'inné et de l'acquis —, les structuralistes ne prêtent à l'esprit humain que les aptitudes les plus générales, générales dans leur forme, générales dans leur champ d'application. Pas de préprogrammation à certaines tâches d'acquisition spécifiques, et par conséquent pas de dispositif d'apprentissage spécialisé. En quoi leurs vues se heurtent à deux types au moins de considérations empiriques.

Les premières concernent la disparité entre l'expérience et le savoir. Le problème est aujourd'hui bien compris en ce qui concerne le langage. Premièrement, chaque enfant construit sa grammaire à partir de données fragmentaires et, pour une large part, défectueuses. Deuxièmement, ces données « expérimentales » — les phrases entendues — sont essentiellement différentes de sujet à sujet à l'intérieur même du groupe dialectal. Or, à partir de ces données disparates, les grammaires construites sont complètes et essentiellement similaires entre elles. Comment rendre compte de ces faits à moins de postuler une structure spécialisée phylogénétiquement déterminée, que l'expérience active et complète?

Le langage constitue à cet égard un phénomène particulièrement net, mais non pas une exception. La vie sociale sous tous ses aspects suppose l'apprentissage d'un nombre considérable de règles dont une très petite partie seulement est explicitée et directement enseignée. Quelques-unes seulement des situations que chacun rencontre sont stéréotypées. En dépit de ses expériences fragmentaires et disparates, chacun des membres d'une même culture ou sous-culture intériorise des schèmes d'évaluation et d'anticipation essentiellement semblables. La part commune de ses schèmes fait tellement partie de la vie quotidienne de chacun que seules les différences sont l'objet d'une véritable attention.

Or, les structures innées dont les structuralistes seraient prêts à concéder l'existence sont d'une telle généralité, pour ne pas dire d'un tel vague, que chaque individu pourrait construire à partir de son expérience fragmentaire les schèmes les plus divers et, *a fortiori*, aucune similarité interindividuelle ne saurait être anticipée.

Comme l'écrit Chomsky : « Nous devons postuler une structure innée qui soit suffisamment riche pour rendre compte de la disparité entre expérience et connaissance, qui puisse rendre compte de la construction des grammaires génératives empiriquement justifiées dans les limites données de temps et d'accès aux faits. En même temps, cette structure mentale innée que nous postulons ne doit pas être riche et restrictive au point d'exclure certaines langues connues. Il y a, en d'autres termes, une limite supérieure et une limite inférieure au degré et au caractère exact de complexité de la structure mentale innée que l'on peut postuler. La situation est suffisamment obscure pour laisser le champ libre à toutes les opinions sur la vraie nature de cette structure mentale innée qui rend possible l'acquisition du langage. Il me semble, cependant, que c'est sans aucun doute là une question empirique qui peut être résolue dans la perspective que je viens d'esquisser.

« Mon sentiment en la matière est que le vrai problème de demain sera de découvrir une hypothèse concernant la structure innée qui soit suffisamment riche, et non pas de trouver une hypothèse suffisamment simple et élémentaire pour être ' plausible ' » (Chomsky, n° 3, p. 117). Ce point de vue vaut aussi bien pour tous les phénomènes culturels qui relèvent d'une anthropologie cognitive, et pour les mêmes raisons.

Les secondes considérations portent non plus sur la richesse, mais sur la spécialisation des dispositifs phylogénétiquement déterminés dont il faut supposer l'existence. Dans la conception de Piaget et de ses élèves telle que la rappelle Fodor, et avec quelques réserves qui sont assez bien connues pour qu'il soit inutile de les rappeler ici, « les opérations permettant un certain type de calcul ou de raisonnement sont ou bien disponibles ou bien absentes dans tous les domaines à un moment donné du développement. A un moment donné les concepts de l'enfant ou bien sont concrets, ou bien ne le sont pas; les opérations booléennes ou bien sont présentes, ou bien sont absentes. Un enfant a, ou bien n'a pas, des opérations ' réversibles ' « (Fodor, nº 5, p. 92).

Cependant, l'aptitude à utiliser ces schémas mentaux varie radicalement selon le type d'information et le mode de traitement. « Par
exemple, personne ne peut aujourd'hui rationnellement douter de la
puissance formelle des mécanismes qui sous-tendent l'acquisition
de la syntaxe. Ce qui est frappant, c'est que l'enfant qui exploite ces
mécanismes d'acquisition du langage, apparemment ne dispose
pas de systèmes dont la puissance serait analogue pour le traitement
des problèmes généraux (par exemple, pour accomplir des tests avec
des blocs de Vygotsky). On pourrait sans doute faire des remarques
essentiellement similaires sur la puissance et la spécificité des procédures de calcul qui sous-tendent l'ontogénèse de l'orientation spatiale,
de la reconnaissance des visages, de la locomotion, de la perception de
la profondeur, de la constance des objets, etc. » *(ibid.).* Les exemples
ne manquent pas, qui montrent que des schèmes mentaux opèrent
dans certains domaines et sont totalement absents dans d'autres où
pourtant leur utilité ne semblerait pas moindre. On notera en passant
que, si tel n'était pas le cas, et si en particulier les schèmes dont l'utilisation reste en fait inconsciente pouvaient être consciemment utilisés,
la tâche de la psychologie s'en trouverait ridiculement simplifiée.
Ces considérations indiquent pour le moins que l'hypothèse de dispositifs mentaux spécialisés n'a rien d'invraisemblable ou d'exorbitant
et ne saurait être rejetée *a priori.*

Les schèmes mentaux universels dont Lévi-Strauss a développé
l'hypothèse (règles booléennes de classification et « transformations »
plus ou moins mal définies) sont donc deux fois trop généraux :
trop généraux pour rendre compte de la disparité entre l'expérience
et le savoir (l'expérience fragmentaire reste compatible avec les
modèles les plus divergents), trop généraux pour rendre compte de la
disparité des aptitudes spécifiques (les schèmes unitaires s'appliquent
sans discrimination aux expériences les plus divergentes).

Ainsi, la position de Lévi-Strauss s'oppose à celle des relativistes
parce qu'elle rend à la nature humaine le rôle qu'on lui avait ôté;
mais elle s'y apparente en ceci que, pour lui comme pour eux, c'est
toujours d'une nature humaine minimale qu'il s'agit. Or, de même
que les behaviouristes n'ont jamais expliqué par quel miracle un paquet
d'arcs réflexes déterminerait notre comportement, de même on voit
mal ce qui permet de penser qu'un esprit humain aussi démuni aurait
été capable de s'emparer d'un monde. Lévi-Strauss a brisé le cercle
étroit du relativisme culturel, mais, si l'on s'en tenait à cette conception
— que d'ailleurs il n'a jamais présentée comme définitive —, on se
retrouverait vite enfermé dans un cercle à peine plus large.

En partie sous l'influence de Lévi-Strauss et de Chomsky, la notion d'universaux est redevenue respectable en anthropologie. Quelques recherches ont été menées avec des résultats encourageants. Je voudrais en donner deux exemples et envisager certains des problèmes qui se posent aujourd'hui.

La première recherche porte sur le vocabulaire des couleurs. On sait que le vocabulaire des couleurs était devenu l'exemple bateau des tenants du relativisme linguistique et culturel. Ainsi Hjelmslev écrit : « Derrière les paradigmes qui, dans les différentes langues, sont formés par les désignations de couleurs, nous pouvons, par soustraction des différences, dégager ce continuum amorphe : le spectre des couleurs dans lequel chaque langue établit arbitrairement ses frontières » (Hjelmslev, no 8, p. 52). On trouvera des citations analogues dans Berlin et Kay (no 1, p. 159, 160). Cette conception était si bien devenue un article de foi que d'importantes recherches antérieures, en particulier celles de Magnus (no 17), tendant à montrer l'existence d'universaux en ce domaine, étaient tombées dans un oubli quasi total (cf. Berlin et Kay, *op. cit.*, p. 134-151).

Vient l'étude de Brent Berlin et Paul Kay. Ceux-ci considèrent les termes fondamentaux de couleurs définis comme :

1. mono-lexémiques (bleu, vert, mais pas bleu-vert);
2. du plus haut niveau taxinomique (rouge, mais pas écarlate, sous-catégorie de rouge);
3. applicables à toutes les classes d'objets (brun, mais pas alezan, réservé aux chevaux);
4. « psychologiquement saillants », excluant par là des termes comme ocre, pétrole, blanchâtre. Leurs matériaux portent sur 98 langues, parmi lesquelles 20 étudiées expérimentalement. On peut critiquer l'insuffisance des critères et des procédures, mais leur imperfection n'explique guère la quasi-perfection des résultats que voici :

Il y a au maximum onze termes fondamentaux. Ces onze termes correspondent à onze points focaux sur le solide des couleurs, dont la localisation ne varie pas plus entre locuteurs de la même langue qu'entre locuteurs de langues différentes. Ces onze points focaux universels correspondent à : blanc, noir, rouge, vert, jaune, bleu, brun, violet, rose, orange et gris. Toutes les langues ont au moins deux termes, pour le blanc et le noir. Si elles en ont trois, le troisième est le rouge. Le quatrième est soit le vert, soit le jaune. Si elles ont cinq termes, elles ont et le vert, et le jaune. Le bleu apparaît dans les langues à six termes, le brun avec le septième terme. Enfin, dans les langues ayant entre huit et onze termes, on trouve diverses combinaisons du violet, du rose, de l'orange et du gris.

Ces faits permettent aux auteurs de conclure qu' « il existe de manière universelle pour les êtres humains onze catégories perceptuelles fondamentales de couleurs, qui servent de référents psychophysiques pour au maximum onze termes fondamentaux de couleurs dans toutes les langues. Deuxièmement, dans l'histoire d'une langue donnée, le codage des catégories perceptuelles dans les termes de couleurs fondamentaux suit un ordre partiel donné » (*op. cit.*, p. 104).

On laissera de côté les conclusions évolutionnistes, intéressantes mais hors de notre propos. On remarquera, en revanche, que :

1. les résultats de Berlin et Kay vont tout à fait à l'encontre du relativisme culturel puisque la classification des couleurs dans chaque culture suit un schéma universel;

2. ces résultats vont aussi à l'encontre des deux hypothèses structuralistes concevables en ce domaine. Le structuraliste pourrait considérer que la couleur est l'exemple idéal d'un continu sur lequel l'esprit humain impose arbitrairement une organisation discontinue (cf. la citation de Hjelmslev, *supra*), donc variable de culture à culture comme dans l'hypothèse relativiste. Il pourrait aussi à l'inverse supposer que, face au problème que pose la continuité des couleurs, l'esprit humain établit des écarts maximaux, ce qui est le cas pour les trois premières couleurs : noir, blanc et rouge, mais ne semble plus l'être au-delà. En tout état de cause, cette hypothèse ne rendrait jamais compte du seuil observé à onze couleurs fondamentales. De surcroît, le structuraliste devrait s'attendre à une division du solide des couleurs en termes de traits définissant des régions du solide, et non de points focaux bien déterminés, entourés chacun d'une aire dont les contours sont mal définis. Comme les auteurs le remarquent, « il est possible que la procédure de *storage* primaire du cerveau pour la référence physique des catégories de couleurs concerne des points (ou de très petits volumes) du solide des couleurs plutôt que des volumes étendus. Des processus secondaires, moins marqués et moins homogènes intersubjectivement, pourraient alors rendre compte de l'extension de la référence à des points du solide des couleurs qui ne sont pas équivalents au point focal ou qui n'y sont pas inclus. Les théories formelles actuelles de la définition lexicale ne sont pas à même de traiter de manière naturelle un pareil phénomène. Si les résultats empiriques de ce genre devaient s'accumuler, les théories de la définition lexicale fondées sur des fonctions booléennes simples devraient être révisées en faveur de formalismes plus puissants » (*op. cit.*, p. 13). Or l'organisation booléenne des systèmes catégoriels fait l'objet d'une des seules hypothèses structuralistes bien définies.

Les auteurs, qui s'interrogent plutôt favorablement sur une hypothèse structuraliste du second type envisagé et qui esquissent un parallèle avec le travail de Jakobson et Halle (n° 9) sur les universaux phonétiques, doivent néanmoins conclure : « Peut-être avons-nous ici, dans le domaine de la sémantique, une découverte analogue à certains phénomènes récemment notés dans le domaine de la syntaxe et dans celui de la phonologie. Chomsky (n° 2) et Lenneberg (n° 12) ont soutenu que la complexité de la structure du langage, plus certaines limitations connues de la neurophysiologie humaine, impliquent que le langage ne peut pas être considéré simplement comme une manifestation d'une intelligence générale. Il faut plutôt y reconnaître une aptitude générique et, en fin de compte, basée sur des structures biomorphologiques propres à l'espèce » (*ibid.*, p. 109).

Rien ne permet d'affirmer absolument que le schème établi (et qu'il faudra sûrement réviser) s'applique au seul champ des couleurs; en revanche, on ne risque guère de se tromper en disant, d'une part, qu'il ne saurait concerner que certains champs sémantiques particuliers, et, d'autre part, qu'il n'est pas uniquement déterminé par des structures mentales dont la logique serait toute générale.

Le deuxième exemple de recherches actuelles que j'évoquerai concerne les terminologies de parenté. Les termes de parenté ont des connotations sociologiques tenues à juste titre comme essentielles. Ils n'en désignent pas moins chacun un ensemble de relations généalogiques. L'ensemble des relations généalogiques est infini. L'ensemble des termes de parenté dans une culture donnée est limité, quelques dizaines au plus. On peut considérer que le problème est d'appliquer l'ensemble infini des relations de parenté sur l'ensemble fini des termes. Une procédure possible, qui remonte à Kroeber (n° 11) mais qui a été fortement développée depuis les années cinquante sous le nom d'analyse componentielle, consiste à diviser l'ensemble des relations au moyen de traits et de considérer les termes comme des produits booléens de traits.

Lounsbury (n° 15) propose une nouvelle analyse. L'ensemble des relations généalogiques serait appliqué sur un de ses sous-ensembles finis, lequel serait appliqué sur l'ensemble des termes. Cette seconde application se fait en termes de traits. Mais la première application fait appel à tout un petit nombre de règles de ré-écriture (en partie différentes, selon les terminologies) qui permettent de réduire toutes les relations généalogiques à un petit sous-ensemble fini. Pour le détail, qu'il serait fastidieux d'exposer ici, je renvoie à Lounsbury. Qu'il suffise de dire, premièrement, que ce type d'analyse se révèle

universellement efficace et permet des généralisations impossibles
dans l'analyse componentielle; deuxièmement, que les règles utilisées
et les généralisations qu'elles expriment sont d'un type tout particulier, étroitement lié au type d'informations auxquelles elles s'appliquent
(alors que l'analyse componentielle, elle, n'est en aucune façon liée à
un champ sémantique particulier).

Lounsbury tire de son analyse des conclusions sociologiques qui
me semblent douteuses. Il laisse de côté, en revanche, les conclusions
anthropologiques et plus spécialement sémantiques qui me paraissent
les plus intéressantes. Son travail suggère notamment une hypothèse
importante sur la limite externe de la composante sémantique des
grammaires.

Dans tous les travaux sémantiques, qu'ils relèvent de la linguistique
structurale, de la grammaire générative « standard » ou de la sémantique générative, on tient pour acquis que la sémantique linguistique
devrait décrire intégralement le sens intrinsèque tel qu'il est défini
par les intuitions de paraphrase et d'analyticité. Or les règles dégagées
par Lounsbury sont d'un format tel (si spécifique à leur objet particulier) qu'elles ne sauraient prendre place dans une sémantique générale
homogène. Ce qui suggère l'hypothèse suivante : la composante
sémantique de la grammaire (distincte ou non de la syntaxe) ne décrirait que partiellement, dans certains cas au moins, le sens intrinsèque
des phrases. Le complément serait apporté par des dispositifs spécifiques liés à des champs sémantiques particuliers. Pour donner un
exemple : des deux sens de « oncle » en français, à savoir « frère du
père ou de la mère », et « époux de la sœur du père ou de la mère »,
seul le premier relèverait intégralement de la compétence linguistique
strictement entendue. Le second serait dérivé par une règle générale
en français qui étend (sous certaines conditions) les termes consanguins
aux alliés. Ainsi, des deux phrases : « Le frère de mon père est mon
oncle » et « le mari de ma tante est mon oncle », toutes les deux ana-
lytiques, seule la première serait définie comme telle par la grammaire,
tandis que l'analyticité de la seconde serait donnée par un dispositif
sémantique particulier.

Le travail sur les champs sémantiques n'est pas nouveau et a toujours intéressé les structuralistes. Mais, vu leurs hypothèses de départ,
ils n'envisageaient pour tous les champs qu'un seul et même type de
logique componentielle. L'exemple concernant les couleurs et, plus
nettement encore, celui qui a trait aux termes de parenté, montrent
le côté restrictif de cet *a priori*. Ce deuxième exemple permet en outre
de donner une portée plus concrète à cette remarque de Chomsky :
« Il paraît évident que, dans tout système linguistique donné, les

entrées lexicales entretiennent des relations sémantiques intrinsèques, bien plus systématiques que ce que nous avons dit jusqu'ici ne le suggère. Nous pourrions employer le terme de propriétés de champ pour désigner ces aspects indéniablement importants, quoique peu clairs, de la théorie sémantique descriptive. Considérez, par exemple, les adjectifs mutuellement exclusifs dans un domaine référentiel, par exemple les termes de couleurs. De tels ensembles antinomiques (cf. Katz, nº 10) fournissent un exemple simple de propriétés de champ qui ne peuvent être décrites naturellement en termes d'entrées lexicales séparées, bien qu'elles jouent manifestement un rôle dans l'interprétation sémantique » (Chomsky, nº 2, p. 160).

Ces recherches nouvelles, stimulantes certes, laissent cependant insatisfait. Il semble que leurs auteurs, en renonçant aux *a priori* généraux, aient du même coup renoncé aux hypothèses générales sur les structures mentales humaines, et aient fait porter tous leurs efforts sur des cas limités et exemplaires sans doute, mais exemplaires de quoi?

L'esprit humain est une machine complexe que l'on ne pourra décrire qu'à condition d'y distinguer des dispositifs généraux autonomes comme la compétence linguistique. La démarche de Lévi-Strauss s'arrête devant cette étape nécessaire. Les études sur des universaux parcellaires la contournent sans la franchir.

Une des difficultés qu'éprouvent les anthropologues à aborder la définition de dispositifs mentaux autonomes provient, je pense, du type de matériaux qu'ils traitent : à savoir des observations de comportement, d'une part, et des textes, d'autre part (avec les deux tendances behaviouristes et sémiologistes liées à ces deux types de matériaux). Or, si parfois dans ces matériaux-là certaines structures se dégagent, rien ne permet de manière générale d'affirmer que les propriétés analysées sont essentielles et non contingentes, qu'elles renvoient à un dispositif constitutif sous-jacent. Pour beaucoup d'anthropologues, la question est sans portée ou même « métaphysique » (voir la position de Leach à cet égard, discutée dans Sperber, nº 21, p. 132-140). Ce qui me paraît « métaphysique » au contraire, c'est de se satisfaire d'analyses structurales sans même envisager que l'agencement établi soit le produit d'un dispositif concret.

A cet égard, je voudrais suggérer qu'il est un type de données que les anthropologues ignorent ou refusent d'utiliser, et sans lequel des hypothèses sur l'autonomie de dispositifs mentaux sont généralement impossibles. Je veux parler des données d'intuition. L'étude du langage, on le sait, repose sur des intuitions de sens et de grammaticalité. Il n'est pas exagéré de dire que, pour une très large part, la description d'une langue ne fait rien d'autre qu'expliciter ces intuitions. Or nos intuitions systématiques ne se bornent pas au domaine du langage. C'est un pur postulat de principe que d'affirmer que les faits d'humour, d'esthétique, de bonnes manières, par exemple, peuvent être délimités par des critères de comportement ou d'analyse textuelle. La vérité est que ces ensembles de faits sont définis intuitivement. On dira peut-être que les intuitions en ces domaines sont beaucoup trop incertaines et variables pour constituer des faits. Cette objection me semble erronée en principe et en fait. En principe, parce qu'il n'y a aucune raison de considérer que des faits dont la délimitation est floue ne méritent pas d'être étudiés. En fait, parce que, comme on l'a déjà dit, l'attention se porte plus sur les différences marginales d'intuition que sur leur base commune, sans laquelle les différences mêmes ne seraient pas conçues comme telles.

Les faits d'intuition sont d'ailleurs utilisés sans cesse par ceux même qui prétendent les bannir et qui se contentent en fait de les traiter sans rigueur. Que l'on pense par exemple à la manière dont les ethnographes traduisent les catégories des sociétés qu'ils étudient — faits de sens donc d'intuition — soit avec de maigres critères distributionnels, soit le plus souvent sans critères du tout.

Lorsqu'il y a des intuitions systématiques — par exemple celles que révèlent les travaux de Goffman (nº 6) sur la vie quotidienne, de Grice (nº 7) sur la conversation, de Searle (nº 20) sur les actes de paroles, les travaux sur le symbolisme effectués avec mes collègues du laboratoire d'ethnologie de Nanterre (Sperber, nº 23) —, c'est qu'il y a des schèmes mentaux qui les sous-tendent, et décrire ces schèmes ou expliciter ces intuitions ne font qu'un. Ces schèmes à leur tour permettent de définir certaines propriétés que toute théorie de l'esprit humain devra nécessairement incorporer. Je ne vois pas, à cet égard, ni comment on pourrait, ni pourquoi on devrait se passer des faits d'intuition.

Cependant, réadmettre les faits d'intuition n'ira pas sans conséquences graves pour le développement de l'anthropologie. Leur rejet, en effet, est profondément lié à la pratique actuelle des anthropologues. L'anthropologue utilise presque exclusivement des données recueillies par lui-même ou par des collègues au cours de séjours dépassant rarement deux ans dans des sociétés très différentes de celle du chercheur. Dans ces conditions, l'ethnologue pourrait présenter des intuitions sur des faits mais pas des faits d'intuition, seuls ethnographiquement pertinents. Il faut une tout autre familiarité avec une culture — le mieux est d'y appartenir de naissance — pour avoir des intuitions dont on soit assuré que le schème sous-jacent est celui de la culture elle-même. Les anthropologues ont alors raison de se méfier d'intuitions qui sont souvent plus révélatrices de l'ethnographe que des ethnographiés. Qu'est-ce à dire sinon, en premier lieu, qu'il faut réformer l'ethnographie et, en second lieu, que le matériau ethnographique ne saurait servir seul à constituer une anthropologie?

Réformer l'ethnographie de deux manières : premièrement, développer la recherche sur la culture même de l'ethnographe; toute une série de faits apparaissent alors et alors seulement (voir les travaux de Goffman, déjà cités, et ceux de Jeanne Favret, nº 4). Deuxièmement, lorsque la recherche se fait dans une société lointaine, former certains informateurs à la problématique même de l'anthropologie (comme cela se fait déjà en linguistique), afin de leur permettre d'exprimer des intuitions analysables.

En second lieu, l'étude des dispositifs mentaux humains (qui, à mon sens, mériterait beaucoup plus que le nom d'anthropologie que ce qui se fait actuellement sous cette étiquette — mais je ne me battrai pas là-dessus) suppose qu'on fasse entrer en ligne de compte une partie seulement des recherches ethnographiques (celles qui traitent des processus cognitifs, et du symbolisme en particulier) et qu'on y joigne des travaux qui relèvent traditionnellement de la psychologie expérimentale, de l'esthétique, de la « logique naturelle », etc.

Dans ces conditions, on peut se demander si les anthropologues sont qualifiés pour traiter de l'anthropologie. La formation donnée dans la quasi-totalité des départements d'anthropologie prépare au travail de terrain et aux arguties typologiques, mais guère à l'étude des problèmes que l'on vient d'évoquer. La jeunesse de l'anthropologue est consacrée à la collecte des faits, et l'activité théorique n'est bien acceptée que de la part des chercheurs confirmés — confirmés dans leur routine, le plus souvent. Cette orientation n'est pas injustifiable : l'ethnographie a sa propre valeur, ses urgences et ses contraintes particulières. Elle a aussi ses habitudes, ses institutions, ses mandarins. L'anthropologie dont je parle n'a rien de tout cela et, d'ailleurs c'est plutôt d'idées et d'hypothèses qu'elle a besoin.

Bibliographie

1. B. Berlin et P. Kay, *Basic Color Categories*, Berkeley et Los Angeles, UC Press, 1969.

2. N. Chomsky, *Aspects of the Theory of Syntax*, Cambridge, MIT Press, 1965.

3. N. Chomsky, *Le Langage et la Pensée*, Paris, Payot, « Petite Bibliothèque », 1970.

4. J. Favret, « Le malheur biologique et sa répétition », *Annales ESC*, vol. 26, nos 3-4, 1971.

5. J. Fodor, "Some reflections on L. S. Vygotsky's *Thought and Language*", *Cognition 1*, 1972 (1).

6. E. Goffman, *The Presentation of Self in Everyday Life*, New York, Anohor Books, 1959.

7. M. P. Grice, *Logic and Conversation*, polycopié, 1968.

8. L. Hjelmslev, *Prolégomènes à une théorie du langage*, Paris, Éd. de Minuit, 1968.

9. R. Jakobson et M. Halle, *Fundamentals of Language*, La Haye, Mouton, 1956, traduit dans *Essais de linguistique générale*, Paris, Éd. de Minuit, 1963.

10. J. J. Katz, "Analyticity and contradiction in natural language", *in* Fodor et Katz, *The Structure of Language*, Englewood Cliffs, Prentice Hall, 1964.

11. A. Kroeber, "Classificatory systems of relationship", *Journal of the Royal Anthropological Institute*, vol. 39, 1909.

12. E. H. Lenneberg, *Biological Foundations of Language*, New York, Wiley, 1967.

13. C. Lévi-Strauss, *L'Homme nu*, Paris, Plon, 1971.

14. R. Linton, *The Study of Man*, New York, Appleton Century Co, 1936.

15. F. Lounsbury, "A formal account of the Crow and Omaha-type kinship terminologies", *in* W. Goodenough, *Explorations in Cultural Anthropology*, New York, McGraw Hill, 1964.

16. F. Lorrain, *L'Organisation réticulaire interne des systèmes sociaux et les modes culturels de classification*, Paris, à paraître.

17. H. Magnus, *Untersuchungen über der Farbensinn der Naturvölker*, Iena, Fraher, 1880.

18. A. Malraux, *Antimémoires*, t. I, Paris, Gallimard, 1967.

19. G. P. Murdock, *Culture and Society*, Pittsburgh Univ. Press, 1965.

20. J. R. Searle, *Speech Acts*, Cambridge, Cambridge Univ. Press, 1969, traduit dans *les Actes du langage*, Paris, Hermann, 1972.

21. D. Sperber, "Leach et les anthropologues", *Cahiers internationaux de sociologie*, vol. XLIII, 1967.

22. D. Sperber, « Le structuralisme en anthropologie », *in* O. Ducrot *et al.*, *Qu'est-ce que le structuralisme?*, Paris, Éd. du Seuil, 1968.

23. D. Sperber, *Le Symbolisme en général*, Paris, Hermann, 1974.

Quelques remarques
sur l'interdisciplinarité bioanthropologique
Inégalité et société

Georges Balandier

Lorsque, voilà seulement deux décennies, ou trois, nous voulions mieux définir la société, nous recourions à un comparatisme qui se fondait sur la diversité des cultures, procédait à l'inventaire des différentes réalisations sociales et culturelles et tentait de déterminer ce qui est sous-jacent et commun à travers cette diversité. C'était le rôle de l'ethnologie dans le vieux sens français du terme. Mais maintenant nous sommes passés — sans jouer sur les mots — de l'ethnologie à l'éthologie. Je veux dire que nous avons reculé d'un nouveau cran la frontière et que nous avons réinséré, dans les investigations de type comparatiste, les sociétés animales. Ce déplacement de frontière n'est pas indifférent; il ne correspond pas à un accident ou à une sorte de mode des sciences. Il est dans le fil, en quelque sorte, d'un courant philosophique qui n'a plus sur l'homme et sa définition, de nos jours, les mêmes conceptions que naguère. A mesure que l'on annonce davantage, en langage de philosophes, la mort de l'homme, on a tendance à transformer la définition même de la société et à réexprimer, en termes de nature, ce qui autrefois se concevait essentiellement en termes de culture. Je comprends donc les raisons qui expliquent un colloque comme celui-ci; et ce qui fait qu'en dépit des grandes difficultés de communication, une réunion de cette sorte est, disons, rémunératrice pour chacun d'entre nous, même si les langages sont imparfaits d'un côté (celui des sciences sociales) et plus parfaits de l'autre, celui de Jacques Monod.

En second lieu, comment, à partir de ce constat et des intentions qui lui sont sous-jacentes, peut-on imaginer instaurer des rapports réels entre les disciplines, et non pas de ces rapports un peu fictifs, relevant d'une sorte de politesse de discipline à discipline, établis par des gens de science bien élevés mais communiquant parfois avec l'obsession de la forme qui est propre à la communication des gens bien élevés? Par conséquent, comment rendre la communication plus authentique?... Il me semble qu'il y a en quelque sorte des niveaux privilégiés ou scientifiquement stratégiques. J. Monod a évoqué certains d'entre eux. Il en est d'autres. Et ce serait, sans doute, un résultat extrêmement intéressant de ce colloque si les participants parvenaient à établir une liste, même étroite, des domaines où les disciplines communiquent le mieux. Il est plus facile, en particulier, d'établir une collaboration entre certaines sciences sociales, par exemple la psychologie entendue d'une façon très large, très extensive, et les sciences biologiques (en employant la formule très grossièrement) lorsqu'il s'agit de définir l'individu, les comportements individuels, la manière dont l'apprentissage *(learning)* s'effectue, ce qui concerne le développement de l'enfant; nous avons eu l'occasion d'entendre des propos fort pertinents et passionnants sur ce point. Mais la coopération devient beaucoup plus aléatoire dès l'instant où nous envisageons, non plus l'individu, ou de petites unités sociales mettant en cause un nombre restreint d'individus, mais ce que l'on appelait naguère, dans le langage de la sociologie française, des sociétés globales, c'est-à-dire des collectifs de grande extension; et, à ce moment-là, nous nous apercevons que, croyant communiquer, nous utilisons souvent, de façon purement métaphorique, le langage relativement établi de disciplines plus scientifiques que les nôtres (j'entends les sciences humaines). Et quelquefois — ce qui nous permettra tout de même de nous sentir moins complexés — je crois aussi que les biologistes recourent à la métaphore, en employant des concepts forgés par d'autres sciences pour en faire des instruments utiles en ce qui les concerne.

D'autre part, en dehors des domaines privilégiés que l'on pourrait définir, il existe un autre niveau de communication, et cela m'a été sensible au cours de nos débats. Il semble, d'après les diverses modes qui ont affecté les sciences sociales, qu'elles sont toujours prêtes à saisir ce qui va augmenter ce que j'appellerai leur quota de scientificité; si bien qu'à une certaine époque la théorie de l'information, la cybernétique, ou certains types de formalisation mathématique ont paru nous donner les outils dont nous avions besoin. Il nous semble maintenant — tout au moins c'est le sentiment de quelques-uns d'entre nous, je pense que c'est le cas pour Morin et aussi pour moi-même — que la biologie en tant que discipline de pointe peut nous fournir des modèles d'investigation scientifique transposables, de quelque manière, dans nos disciplines. Je crois qu'il faudrait rechercher ces modèles, étant bien entendu qu'il s'agit de

modèles de lecture scientifique et non pas, une fois de plus, de
métaphores créatrices d'illusions, de concepts dépaysés et
devenus métaphores.

De même, je crois que nous pouvons apprendre beaucoup les
uns par les autres lorsque nous faisons l'inventaire des contenus
et des usages très divers que nous affectons à des concepts précis.
Quelques termes sont revenus fréquemment dans les débats :
code, information, système, replication ou reproduction, et bien
d'autres. Or, si ces termes sont vus comme des termes clefs
constituant, en quelque sorte, le vocabulaire scientifique
commun, je crois qu'il s'agit encore bien plus d'une apparence
que d'un fait. Car je ne suis pas convaincu du tout que j'emploie
le terme « système » avec une zone d'acception commune, lorsque je dis le « système nerveux » — on en parlait dans nos
débats — et le « système de la société globale » ou « la société
française comme grand système ». Il y a, me semble-t-il, très loin
de l'un à l'autre usage; et il ne faut pas nous laisser duper
par ces emprunts de vocabulaire.

Comme tout le monde ici, je suis à la recherche d'une communication plus satisfaisante, et il me semble que, s'il nous est si
difficile d'établir ce rapport, c'est que nous connaissons moins,
il n'y a pas de doute, les systèmes socioculturels que nous ne
connaissons les autres systèmes qu'Edgar Morin nous appelle
à mettre en confrontation. C'est une constatation que les gens
des sciences sociales ont à faire en toute humilité, et je la fais
publiquement pour ce qui me concerne, me mettant en cause,
sinon mes collègues. Je ne suis pas sûr que, si l'on lançait une
interrogation à l'ensemble des *social scientists*, on obtiendrait
un consensus même pour la définition de la société. Chacun
d'entre nous le sait et nous devons en prendre acte. Pour certains,
la société est une chose faite; pour d'autres — et je serais plutôt
de ce côté-là —, la société n'est jamais constituée; elle est
toujours en train de se faire, c'est quelque chose qui est devant
mais jamais là, et toujours en train de se donner une signification.

Il me semble qu'il y a un troisième domaine que nous pourrions retenir éventuellement — ici je retrouve les recherches de
M. Chance — et qui recouvre tout ce qui est relatif aux rapports
d'ordres, de hiérarchies, de pouvoirs. Nous savons tous que le
débat fondamental des sociétés humaines concerne l'inégalité, et
la place qu'il convient d'attribuer au pouvoir pour qu'il ne soit
pas abusif. Et, au bout du compte, ce que recherchent les uto-
pistes dans la description de sociétés autres, c'est la réalisation

de sociétés où les quota d'inégalité, les quota d'iniquité seront réduits au minimum. Or, sur ce point, les éthologues peuvent nous aider à définir ce qui est incompressible en matière d'inégalité, et en matière d'intervention du pouvoir à l'intérieur de collectivités organisées. Il y a là, je crois, un grand débat de notre temps.

Ce colloque est placé sous la rubrique des « universaux ». Eh bien, je vous avoue qu'en tant que sociologue je suis frappé, tout autant que par ce qui se répète et se maintient dans de larges proportions, par le fait que les individus, comme les collectivités, s'acharnent à créer des différences, et quelquefois dans les conditions les plus arbitraires sinon les plus contraires même à l'entretien de la collectivité à laquelle ils appartiennent. C'est donc l'autre versant du problème, qui n'est pas dissocié du premier mais qui me semble aussi fondamental et qui ne devrait pas être perdu de vue : cet acharnement des collectivités humaines à produire, envers et contre tout, de la *différence*. Car, produisant de la différence, au bout du compte elles se donnent la possibilité tout d'abord de fonctionner en tant que système, parce qu'il y a là au moins une condition initiale d'existence du système ; et puis elles se donnent aussi une possibilité de se définir une personnalité, de se donner un sens. Privée de sens, la collectivité se dissout, et les considérations qui ont été faites à propos des systèmes ne peuvent ignorer une obligation comme celle-ci. Voici donc ma suggestion. Les universaux, certes, mais parallèlement et presque nécessairement liés à cette production des différences lorsqu'il s'agit de sociétés humaines. Ensuite, on pourra peut-être aller plus loin et voir que la production de différences est tout aussi nécessaire que le maintien d'un certain nombre d'invariants, la reproduction d'un certain nombre de constantes. Toutes les sociétés humaines — et, c'est, je crois, une caractéristique à laquelle nous n'avons pas été assez sensibles jusqu'à présent — font une large part à l'arbitraire et à la gratuité, à ce qui contredit d'une certaine manière la rigueur que nous voulons leur imputer parce que nous recourons à des analyses telles que l'analyse structurale ou l'analyse systémique. L'arbitraire est tel qu'après tout on peut concevoir que certaines sociétés (et il y en a qui s'en sont vertigineusement approchées) se donnent des conditions de fonctionnement qui les mènent à leur propre destruction. Mais — pour en revenir aux comparaisons auxquelles nous a incités le Pr Chance — il semble bien que l'ordre, la hiérarchie, l'inégalité, les positions de pouvoir soient liés, même dans le cas des sociétés animales, au fait qu'il s'agit de sociétés, c'est-à-dire de collectivités ayant choisi, ayant conçu une organisation, même minimale. Ma notion de niveau minimum d'inégalité se rapporterait alors à ces propriétés que l'on trouve déjà dans les sociétés animales. Quant à me demander : « Est-ce là une utopie, ou est-ce un projet possible ? », je répondrai que cette constatation penche plutôt du côté de l'utopie que du côté du projet immédiatement réalisable. Mais on sait que c'est par les utopies qu'on arrive à grignoter sur la part d'iniquité que comporte toute société, à commencer par la sienne. Cette réponse peut décevoir, ou être vue comme celle d'un militant plus que comme celle d'un chercheur scientifique.

CHAPITRE II

L'ouverture bioanthropologique

Anthropologie sociale/culturelle et biologie*

Solomon H. Katz

Introduction

Le concept d'universaux culturels et sociaux a joué un rôle vital dans la croissance et le développement de l'anthropologie sociale et culturelle. Dans bien des cas, les universaux ont fourni la structure à partir de laquelle se sont formées beaucoup des idées les plus importantes sur les sociétés humaines. Ce document retracera d'abord rapidement l'histoire de ce concept, ses origines au XIXe siècle, puis ses modifications et sa formulation au début et au cours du XXe siècle. Une période qui a été essentiellement marquée par une tendance toujours plus forte de la recherche vers l'établissement de quelques thèmes communs allant de similitudes interculturelles *(cross-cultural)* spécifiques rationnellement et empiriquement démontrées, jusqu'à de très abstraites généralités sur le processus et les systèmes socioculturels.

L'une des caractéristiques particulièrement intéressantes des universaux sociaux et culturels est que, jusqu'à une date récente, ils étaient fondés sur une conceptualisation très simplifiée de la biologie humaine fondamentale. La base biologique des modèles universaux est généralement admise, mais le niveau de la connaissance des facteurs biologiques est tel qu'il interdit bien des généralisations.

Aussi, la deuxième partie de l'exposé explorera les prolongements d'un certain nombre d'exemples qui tentent de démontrer la complexité de la dimension biologique dans l'utilisation de schémas holistiques de l'écosystème humain pour expliquer les universaux sociaux et culturels.

I. ARRIÈRE-PLAN ET HISTOIRE

Eiseley (1958 [1]) a tracé une histoire soigneusement documentée du sens et de l'importance du concept d'évolution. Il a ainsi établi une

---

* Traduit par Chantal Hunt.
1. Voir la bibliographie, p. 83, nº 14.

synthèse, entre son contexte historique et ses implications scientifiques, précieuse pour l'interprétation d'une série d'autres perspectives à la fin du XIXe siècle. L'une de ces perspectives fut la tentative, par des sociologues, des anthropologues et des philosophes, de décrire la nature fondamentalement sociale et culturelle de l'homme.

Rétrospectivement, plusieurs éléments semblent particulièrement importants dans cette tentative d'explication de la nature de l'homme. Tout d'abord, l'émulation intellectuelle que produisit le développement de la théorie de l'évolution et de ses applications à l'homme vers la fin du XIXe siècle, par Alfred Russel Wallace et, plus tard, par Charles Darwin et Thomas Huxley, eut une immense influence sur la façon dont l'homme fut conçu par les premiers anthropologues. Jusque-là, le concept de *scala naturae* était appliqué à tous les êtres vivants, homme compris. L'échelle montrait les différents stades du progrès humain, avec l' « homme occidental » au sommet. On sait, bien sûr, que la théorie de l'évolution darwinienne, elle aussi, s'emmêle dans le même ethnocentrisme qui est à la base de la *scala naturae*, et aboutit à un darwinisme social qui soutint le colonialisme des nations occidentales. En même temps, le colonialisme permet un contact beaucoup plus large avec les peuples et les cultures dans le monde entier. Ce qui fit naître les premières enquêtes anthropologiques sur le prétendu « homme primitif ». Des anthropologues tels que Topinard, Berchel, Morgan, Tylor et Spencer ont tous joué un rôle important par leurs descriptions des variations biologiques et culturelles de l'homme. Peut-être à cause de l'abolition de l'esclavage aux États-Unis, et de la dispute acerbe entre la religion occidentale organisée et le darwinisme, un vif désir d'en savoir plus long sur l'unité et la diversité de l'espèce humaine est né chez l'homme cultivé du XIXe siècle. L'idée de « L'unité psychique de l'Humanité », avancée par Tylor et Spencer, fut certainement reçue avec empressement par le public cultivé et même scientifique [1]. C'était aussi le début d'une recherche qui continue encore aujourd'hui, au nom de principes variés et universels, à vouloir unifier notre concept de l'homme.

Au début du XXe siècle, des théories combinant évolution et culture ont été développées. La théorie de la « récapitulation » de J. G. Frazer

---

1. Si nous devions étendre ce survol historique de la théorie sociale, Durkheim (1893) prendrait rang parmi les novateurs les plus importants de cette liste. Sa conception des sociétés unies par une « solidarité mécanique » (société primitive dont les liens sont ceux de la parenté) ou unies par une « solidarité organique » (formalisée par des lois et des types de comportements plus complexes) est toujours un des thèmes classiques de la théorie sociale.

suggérait une forme d'évolution « unilinéaire » qui aurait pu expliquer les variations ethnographiques et individuelles. Selon Hallowell (1960 [1]), cette théorie vient d'une idée prédarwinienne du progrès social jointe à des théories biologiques d'orthogenèse. Une autre théorie, développée par Spencer (1893 [2]), était que la société pouvait être analysée comme un phénomène « superorganique ». Il démontrait qu'au changement social pouvait être appliquée la même théorie darwinienne que celle qui avait été utilisée pour l'évolution organique. Cependant, les deux théories avaient de graves faiblesses. Le modèle de Frazer fut rejeté parce qu'il reposait sur une théorie de la récapitulation qui voulait définir l'évolution mentale de l'homme en termes totalement ethnocentriques. Dans ce schéma, l'homme occidental était le plus évolué, et la « mentalité enfantine » de l' « homme primitif », la moins évoluée. La théorie « superorganique » de Spencer fut finalement rejetée car elle voyait la société comme un organisme isolé, analogue à une colonie de fourmis, et ne laissait pas de place aux variations que les premières études ethnographiques sur le terrain avaient rendues si apparentes. Ailleurs, les anthropologues britanniques tels que Maine, Tylor, McLennon et Evans-Pritchard tentèrent d'établir des étapes universelles du développement. Cependant, Eggan (1954 [3]) les accuse d'être des anthropologues de « salon » qui commettaient de graves erreurs théoriques.

En même temps que le déclin de ces théories, un certain désenchantement à l'égard des explications biologiques des variations culturelles se manifesta chez les anthropologues du début du XXe siècle. Ce rejet des premières tentatives vers une union de l'homme et de son système social avec son évolution fit éclater la grande révélation de la théorie darwinienne de l'évolution qui lie étroitement l'homme au reste du règne animal et le soumet aux influences d'une même évolution. Culture et société furent alors étudiées tout à fait séparément de l'évolution biologique, à laquelle s'intéressèrent surtout les anthropologues physiciens orientés vers la morphologie. Vers 1911, Boas avait déjà écrit le chapitre intitulé « Universalité des traits de la culture » de son livre *The Mind of Primitive Man*. La culture était donc étudiée en termes de traits, systèmes et modèles. Selon Hallowell (1960 [4]), « cette préoccupation de la culture conduisait à une *re*-création du vacuum entre l'homme et les autres primates que, pensait-on, l'adoption d'un système de référence évolutionniste aurait pu combler. L'insistance à considérer le langage et la culture comme caractéris-

1. Voir la bibliographie, p. 83, n⁰ 24. — 2. *Ibid.*, n⁰ 63.
3. *Ibid.*, n⁰ 13. — 4. *Ibid.*, n⁰ 24.

52 *Pour une anthropologie fondamentale*

tiques uniques de l'homme mettait sur une voie de garage l'essence même du problème de l'évolution. Certains caractères distinctifs des primates les plus évolués étaient signalés sans référence aux aptitudes, conditions ou accidents précédemment intervenus dans le processus de leur évolution, et qui rendaient possibles ces formes caractéristiques d'adaptation. Car, à moins de considérer culture et langage comme des apparitions soudaines et radicales, ceux-ci doivent prendre naissance dans le processus du comportement, de la même façon que les caractéristiques structurelles particulières à l'homme s'intègrent dans l'évolution morphologique » (p. 319).

Dix ans après Boas, le titre d'un des chapitres du livre de Wissler (1923 [1]) *Man and Culture* est « Le modèle universel de la culture ». Wissler y suggère que le « terrain de base » est très similaire pour toutes les cultures. Cependant, le retour à une analyse quelque peu systématique des universaux ne s'amorça que vers les années 40. Pendant cette période, l'accent fut mis sur la description et l'histoire des différentes cultures. Murdock fut l'un des premiers, vers 1940, à revenir à cette tradition d'analyse des universaux (voir aussi Malinowski, 1944 [2]). Il s'intéresse à l'histoire de la culture ainsi qu'à l'étude comparative de cultures différentes. Il suggère [3] que des lois universelles gouvernent le processus mental et symbolique de l'homme, lois révélées par la formation des idées et des expressions. Plus tard, en 1945, après avoir entrepris la rédaction de *Human Relations Area Files*, il appelle universaux « les similitudes dans les catégories et non dans le contenu » (p. 123). Cependant, le classement en catégories est souvent purement opérationnel (Murdock *et al.*, 1950 [4]), et Kluckhohn (1952 [5]) déclare : « Une organisation adéquate de l'information ne peut se faire avant que ne soit établie la théorie des catégories universelles de la culture » (p. 306 *in* Tax). D'autres tels que Trimborn (1949 [6]) et Herskovits (1955 [7]) se sont intéressés aux relations entre l'information empirique et les limites du concept des universaux. Ainsi se révèle un effort vers le développement d'un système d'idées et de généralisations à propos de la culture.

Si l'existence de catégories d'organisation socioculturelles fut rarement contestée, leur nombre, leur niveau d'abstraction, leur importance dans l'inventaire de la culture ont été discutés. Ainsi Textor (1967 [8]) a récemment essayé de prendre toutes les catégories de l'*Atlas ethnographique* de Murdock, et d'établir par des tests des

---

1. Voir la bibliographie, p. 83, nº 73. — 2. *Ibid.*, nº 49. — 3. *Ibid.*, nº 53.
4. *Ibid.*, nº 56. — 5. *Ibid.*, nº 38. — 6. *Ibid.*, nº 69. — 7. *Ibid.*, nº 27.
8. *Ibid.*, nº 68.

coefficients de corrélation entre les différents niveaux d'abstraction. Ses 4 000 pages environ d'informations sur fiches électroniques sont une monumentale mise en évidence de la complexité de l'entreprise d'énumération de catégories significatives et de leurs relations entre elles. Mais Krœber soulève un autre problème : les tentatives d'organisation et de catégorisation de la culture aident-elles vraiment à la compréhension des variations culturelles, ou révèlent-elles l'ethnocentricité de l'homme occidental [1]? Il suggère que les « constances culturelles » sont des systèmes subculturels déterminés en fait par les limites physiques et organiques de l'espèce. Dans ce sens, ce sont des « cadres biopsychologiques bourrés d'un contenu culturel... » (1949 [2], p. 188). Évidemment, selon Lévi-Strauss, Krœber rejette ainsi toute base de généralisation à propos de la culture. Ce qui équivaudrait à créer une situation où l'étude de la relativité culturelle serait impossible, et à réduire l'anthropologie culturelle au niveau de la description ethnographique. Où trouver, sans universaux, la base d'une comparaison objective? En fait, Herskovits (1948 [3], 1955 [4]) pense que l'analyse des universaux de Murdock (1945 [5]) nous offre deux solutions : ou bien nous considérons les universaux comme satisfaisant « des exigences biologiques élémentaires », et des réponses à ces exigences naît l'acquis culturel..., ou nous mettons l'accent sur des réponses secondaires (habitudes formées par des besoins), les rattachons aux aspects généraux de la culture humaine, et les considérons comme les premiers facteurs de l'évolution de l'espèce. Le fait est, souligne-t-il, que le sujet exige que nous connaissions l'origine et le développement de la culture, sur lesquels nous n'avons pas d'information, et ne sommes apparemment pas près d'en avoir [6] (p. 115). D'une part, les anthropologues culturels se trouvaient continuellement confrontés à une incroyable diversité dans les systèmes de culture [7], et d'autre part,

---

1. Au moins dans notre esprit, Krœber se demande si ces tentatives ne reflètent pas les « compartiments de notre propre structure occidentale logico-verbale »
2. Voir la bibliographie, p. 83, n⁰ 39. — 3. *Ibid.*, n⁰ 26. — 4. *Ibid.*, n⁰ 27.
5. L'analyse de Murdock comprend trois catégories : des impulsions instinctives primaires qui, transmises génétiquement, deviennent des comportements; des comportements secondaires acquis nés d'exigences biopsychologiques fondamentales; et des habitudes culturelles tertiaires qui ne sont que de loin liées à la satisfaction de besoins secondaires. C'est alors qu'apparaît un processus de sélection où les comportements institutionnels les mieux « adaptés » survivent aux dépens des moins « adaptés ».
6. Voir la bibliographie, p. 83, n⁰ 27.
7. La diversité elle-même fut utilisée pour « tester » quelques-unes des théories fondamentales du développement psychosexuel avancées par Freud. En particulier, le complexe d'Œdipe fut remis en question par les travaux de Malinowski.

ainsi que le suggère Linton (1952 [1]), il existe des caractères communs
fondamentaux, qu'il désigne par « objets », « traits » et « activités ».

Pour les anthropologues, ces ressemblances existaient dans un
sens plus relatif qu'absolu. Les universaux ne sont pas des structures
invariables (ou fixes), ils sont plutôt des similitudes grossières empiriquement établies après l'étude de systèmes variés découverts et
observés dans différentes cultures. Par exemple, le langage et la communication non verbale sont des universaux, mais ils varient nettement
par degrés de façon à la fois systématique et non systématique d'une
culture à l'autre. Et il en est ainsi de la religion, de la guerre, de
l'esthétique — art, danse et musique —, du développement de
l'homme, du sexe, de l'habitat, de l'hygiène, etc. [2]. Cependant, la
façon de traiter les universaux et les invariants culturels sur le plan
théorique demeurait encore très discutable. D'une part, Steward
(1949 [3]) déclare que « les règles culturelles peuvent être formulées
sur différents plans, chacune dans ses propres termes » (p. 2). Actuellement, c'est le plan culturel ou « superorganique » qui offre le plus
de possibilités ; en effet, l'intérêt des anthropologues s'étant surtout
porté vers la culture, un grand nombre d'informations sont à notre
disposition. De plus, la plus grande partie de l'histoire de la culture ne
peut être étudiée qu' « en termes superorganiques » (p. 2). D'autre
part, selon Kluckhohn, « il est une structure générale qui sert de base
aux faits les plus évidents et les plus frappants de la relativité culturelle.
Toutes les cultures constituent autant de réponses distinctes aux
mêmes questions essentielles posées par la biologie humaine et l'ensemble de la situation humaine. Des comparaisons valables entre les
différentes cultures pourraient être faites à partir de points de référence invariants issus de ' données ' biologiques, psychologiques et
socioculturelles de la vie humaine. Celles-ci et leurs relations mutuelles
déterminent les ressemblances entre les principales catégories et les

1. Voir la bibliographie, p. 83, n° 47.
2. Cette analyse du concept d'une structure de base de la culture et de la société
humaine a non seulement eu une importante influence sur la discipline elle-même,
mais elle a aussi largement ouvert la voie, du moins aux États-Unis, au développement du concept très populaire de la relativité culturelle. Après le *Pattern of Culture*
de Ruth Benedict et le *Coming of Age in Samoa* de Margaret Mead, une forte tendance se manifesta qui expliquait la culture par les variations de quelques thèmes
fondamentaux très apparentés aux universaux. Au milieu des années 50, ce concept
se renforça, et les interprétations sérieuses se firent plus rares en raison même de
sa popularité. Les universaux cessèrent d'être l'objet d'une sérieuse quête scientifique pour devenir, dans le domaine de l'anthropologie culturelle, une donnée
essentielle mais difficile à explorer.
3. Voir la bibliographie, p. 83, n° 65.

caractéristiques générales que présentent toutes les cultures... et le biologique conduit facilement au psychologique... [Ensuite, ces] aptitudes et prédispositions mêlent leur influence à celle des universaux du comportement social de l'homme et de son environnement ».

Cependant, le principe de l'utilisation des « invariants » biologiques comme base des universaux culturels, si soigneusement établi plus haut par Kluckhohn, semble ne jamais avoir été vraiment retenu par l'anthropologie sociale et culturelle. En 1959, Goldschmidt, dans un chapitre intitulé « Le contenu biologique » tiré de son livre *Man's Way*, une fois de plus essaie de séparer la biologie humaine et la culture. « La culture, ensemble acquis d'actes, de croyances, de sentiments partagés par une communauté, et la société, système d'influences et de relations organisé entre ses membres, sont toutes deux nées des caractéristiques animales de l'homme. Mais ces caractéristiques ne font qu'établir les conditions très générales dans lesquelles culture et société s'accomplissent. Elles ne déterminent pas les formes culturelles et ne dessinent pas l'organisation sociale. L'étude du comportement humain n'est pas un simple complément des sciences psychologiques. Le phénomène social doit plutôt être entendu en termes sociologiques, et l'étude de la nature et de la variété des formes sociales doit s'appuyer principalement sur les dynamiques sociales et culturelles. Le biologiste reconnaît les limitations de la biologie dans les propriétés chimiques de la matière, mais n'explique pas la variété des formes de vie en faisant appel aux lois de la chimie; de même l'étude du comportement humain permet aussi de déceler la constante biologique en déterminant les caractères communs à tous les systèmes sociaux, mais il n'a pas recours aux divergences biologiques pour expliquer les différentes manifestations du comportement social. La tendance à expliquer des systèmes complexes en termes des phénomènes qui les composent créa l'illusion réductionniste. Un tel réductionnisme doit être évité. Mais reconnaître les éléments qui composent un phénomène complexe n'est pas du réductionnisme. La constante biologique sert de base à tous les systèmes sociaux, mais elle ne les explique pas plus que leurs variations » (Goldschmidt, 1959 [1]).

Au début des années 40 et 50, une autre ligne de pensée se développa qui devait avoir une influence primordiale sur le concept des universaux tel que l'entend aujourd'hui l'anthropologie culturelle. Elle naquit avec les œuvres de Gordon Childe en 1936, Leslie White en 1943, et Julian Steward en 1949. Ils formulèrent une série de principes spécifiques fondés sur l'analyse des effets de ce que nous appellerons

1. Voir la bibliographie, p. 83, n° 22.

facteurs « extrinsèques », tels que la technologie, l'économie et l'environnement, sur les similarités culturelles. Tandis que Wissler, Murdock, Kluckhohn, Herskovits et d'autres s'intéressaient plutôt aux facteurs « intrinsèques » qui révélaient les universaux culturels communs à l'espèce, le groupe ci-dessus s'attacha au rôle joué par les facteurs « extrinsèques » dans les similitudes culturelles [1]. Le développement historique de cette dernière théorie fournit d'autres champs d'investigation tels que l'anthropologie économique et l'écologie culturelle. A la base de toutes ces recherches se trouve le fait que certaines règles communes peuvent être trouvées dans les cultures n'ayant que peu ou pas de contacts récents. Par exemple, dans la zone arctique, l'environnement exige un certain type de vêtements et d'habitat ; il limite le genre et les ressources de nourriture, en même temps qu'il détermine le rôle de la technologie pour l'utilisation des ressources, l'importance des groupes, et un certain nombre d'autres facteurs ; tous ces facteurs contribuent aux très grandes similitudes que l'on rencontre dans différentes communautés du territoire arctique.

Ces recherches, pas plus que celles des anthropologues sociaux et culturels sur les ressemblances et les comparaisons entre catégories, ne firent aucun usage intéressant de la biologie. On commence alors à comprendre pourquoi Hallowell (1960 [2]), dans son fameux essai *Self, Society and Culture*, pouvait conclure que les études sur la culture étaient des vues de l'esprit qui, pour la plupart, avaient presque totalement perdu le contact avec le processus biologique.

Le début des années 60 apporta quelques changements radicaux à ce schéma. Pour la première fois, des anthropologues physiciens et biologistes coopérèrent à l'élaboration d'idées neuves : ils s'intéressèrent à la primatologie et à l'adaptation de l'homme, deux domaines qui furent et demeurent importants. Washburn et DeVore (1961 [3]), dans leurs excellentes études des babouins, ainsi que l'essor de l'école de pensée issue de l'étude du comportement des primates [4], eurent une influence importante sur la théorie bioculturelle. Ainsi, quand Herskovits disait : « La question [des universaux] dans l'étude exhaustive de la culture qui nous concerne ici est en fait parmi les plus difficiles. Y répondre signifie peser les éléments fondamentaux

---

1. Cette dernière conception se rapproche de celle de Durkheim dans son analyse des sociétés mécaniques et organiques *(op. cit.)*.
2. Voir la bibliographie, p. 83, nº 24. — 3. *Ibid.*, nº 71.
4. Miyadi et Imanishi au Japon, Hall en Angleterre et Bourlière en France apportèrent une contribution importante à l'étude des primates. Voir aussi les études de Carpenter sur le comportement et de Schultz sur la morphologie, qui eurent une grand influence dans ce domaine.

responsables de l'origine et du développement de la culture, au sujet desquels nous n'avons pas d'informations, et, autant que nous puissions le prévoir aujourd'hui, ne sommes pas près d'en avoir dans l'avenir » (p. 115), il n'imaginait pas que, dix ans plus tard, l'étude des primates fournirait des informations nouvelles sur l'organisation de base des groupes sociaux, sur la famille, la communication, l'utilisation des outils et l'écologie. Le rôle des études faites sur les primates fut alors de dissiper le doute qui planait sur le sens absolu ou relatif des universaux tels qu'ils avaient été définis en 1940 et 1950. Bien sûr, l'étude des primates est encore faussée par nos tentatives de classer et d'observer d'après nos propres références anthropocentriques. Mais au moins est-il possible de noter les éléments fondamentaux du comportement des primates. Une autre observation intéressante fut le nombre de variations « culturelles » constatées dans des groupes de primates appartenant à la même espèce. Les expériences récentes permettent de penser que les variations écologiques jouent un rôle important dans ce mécanisme.

L'un des effets secondaires les plus heureux de ces études fut la disparition de la critique selon laquelle les généralisations anthropologiques étaient basées sur une interprétation anthropocentrique de l'espèce humaine. Les manuels récents d'anthropologie font une large part aux descriptions du comportement des primates ; il est vrai que celles-ci forment souvent une section nettement séparée de celle qui traite du comportement humain, mais certains manuels montrent clairement les relations entre la biologie, le comportement et la culture.

Les bioanthropologues qui étudient les possibilités d'adaptation de l'homme au niveau de la fonction génétique, physiologique ou psychologique, ont une perspective bien différente. Ils se sont en général intéressés à l'étude de la microévolution et à l'adaptation physiologique et psychologique pendant une seule génération (voir Katz, 1970 [1]). En 1962, Baker, un bioanthropologue, remarquait que « le concept de culture, tel qu'il est défini par certains, dénie pratiquement tout rôle de quelque importance à la biologie humaine dans le comportement de l'homme ». La même année, les anthropologues culturels Steward et Shimkin disaient : « Il ne semble en général pas prouvé que la variabilité de l'homme ait une influence sur la culture » (1962 [2], p. 72). Cette question importante est loin d'être résolue. Ainsi que nous le verrons plus tard dans ce rapport, les variations biologiques de l'homme jouent un rôle important, vital même, dans notre com-

1. Voir la bibliographie, p. 83, n° 33. — 2. *Ibid.*, n° 66.

préhension des variations sociales et culturelles de l'humanité. En fait, sans l'introduction des *variables* biologiques dans nos modèles d'universaux sociaux et culturels, beaucoup de ressemblances ou différences subtiles entre sociétés humaines ne peuvent raisonnablement s'expliquer.

Tandis que dans les années 60 la bioanthropologie faisait des progrès spectaculaires, des progrès d'égale importance dans la biologie sociale et culturelle eurent une influence décisive sur le problème des universaux. Des étapes importantes furent franchies dans le domaine de la linguistique par Chomsky, Lenneberg, Hymes, Goodenough, et d'autres. Les universaux de la communication devinrent un phénomène reproductible et Chomsky explore un certain nombre de concepts qui suggèrent la possibilité d'une grammaire neurologique universelle ou, au moins, un développement universel dans les mécanismes de perception du monde. De même, les travaux de Lévi-Strauss en anthropologie structurale ont impliqué que certains traits de la pensée humaine sont des invariants de l'espèce, et très probablement des produits de la substance neurologique [1]. Dans le domaine de l'anthropologie psychologique, Wallace (1970 [2]) établit des ponts importants entre la biologie, la psychologie, la connaissance et la culture. Ainsi il révéla des liens intéressants entre variations biologiques et culturelles. Enfin, des recherches dans le domaine de l'écologie culturelle (Rappaport, 1963 [3]) entraînèrent à considérer l'environnement sous forme de modèles évolutifs et du point de vue de l'écologie humaine (Katz et Foulks, 1972 [4]).

Ces développements ont sur le concept des universaux culturels une influence très importante, bien que, malheureusement, encore incomplète. L'analyse d'un travail récent de Harris (1971 [5]) révèle bien la perspective de ces développements. Utilisant un schéma « holistique », Harris exprime certains de ces thèmes courants dans son maître plan des « systèmes socioculturels » qui oriente son livre, *Culture, Homme et Nature*. Ce schéma « universel » comprend « trois aspects de l'adaptation de tout le système social » qui sont des variations des définitions sociologiques fondamentales de Radcliffe-

---

1. Lévi-Strauss, dans la seconde édition des *Structures élémentaires de la parenté*, dit : « Finalement, on découvrira peut-être que l'articulation de la Nature et de la Culture ne revêt pas l'apparence intéressée d'un règne hiérarchiquement superposé à un autre et qui lui serait irréductible, mais plutôt d'une reprise synthétique permise par l'émergence de certaines structures cérébrales qui relèvent elles-mêmes de la nature, de mécanismes déjà montés, mais que la vie animale n'illustre que sous forme disjointe et qu'elle alloue en ordre dispersé. »
2. Voir la bibliographie, p. 83, n° 70. — 3. *Ibid.*, n° 60.
4. *Ibid.*, n° 37. — 5. *Ibid.*, n° 25.

Brown (1952 [1]), et révèle une théorie de l'adaptation à tendance fortement écologique. Les perspectives sont : 1) l'écologie — adaptation du système à l'environnement ; 2) la structure sociale — organisation de la société selon un plan ordonné ; et 3) les caractéristiques mentales qui permettent l'adaptation d'une population à son écologie et à sa structure sociale, contribuant à expliquer et justifier son organisation et son existence de façon rationnelle.

Dans son explication des modèles écologiques, Harris cite la technologie, l'environnement et la démographie comme variables principales. La technologie rend possible l'exploitation de l'énergie et des ressources de l'environnement. Les éléments démographiques interviennent aussi dans le système socioculturel pour modifier sa relation avec l'environnement. La structure sociale se réfère aux amalgames sociaux grâce auxquels une société ordonne ses relations avec le « techno-environnement » et aux variables démographiques.

Ces amalgames sociaux relèvent à la fois de l'économie domestique et politique, et de ce qui est « loi et ordre ». Selon Harris le concept général de l'idéologie est particulier à l'homme et relève de sa faculté de communiquer par le langage. Cependant, les modèles de pensée et les théories sont créés pour s'adapter à des systèmes où sont confrontés des problèmes sociaux et écologiques particuliers, et le système socioculturel. Ainsi, l'approche émotionnelle du monde et sa découverte par un individu forment en grande partie le processus de sa pensée, ainsi que les amalgames idéologiques de sa société tels que la religion, la science, l'éducation, la philosophie, l'art, et autres systèmes qui expliquent et rationalisent son existence et le sens de celle-ci.

Harris a réussi à construire un système théorique universel qui est une méthode et non un classement comme les concepts fondamentaux de Murdock [2]. En reliant bien des éléments, il se sépare des modèles d'économie et d'écologie quelque peu déterministes proposés autrefois par Steward et White. Harris rejoint cependant la longue liste des anthropologues sociaux et culturels qui n'ont pas incorporé les variations biologiques de l'homme dans leur système d'universaux. C'est une école de pensée qui semble avoir tenu compte de pratiquement tous les éléments, sauf de la biologie de l'individu. On dirait que l'anthropologue social et culturel moderne ne se demande jamais si, par exemple, l'environnement pourrait avoir une influence de quelque importance sur les mécanismes biologiques de l'adaptation des individus et des populations dont ils analysent le système socioculturel avec tant d'attention (voir Ginsburg et Laughlin, 1966 [3]).

1. Voir la bibliographie, p. 83, n⁰ 59. — 2. *Ibid.*, n⁰ 53. — 3. *Ibid.*, n⁰ 21.

Après une analyse attentive de l'état actuel du concept d'universaux sociaux et culturels, plusieurs commentaires peuvent être faits.
Au début, l'histoire de ce concept, au niveau superficiel, fut liée
étroitement à la théorie biologique de l'évolution et influencée par elle ;
ce lien originel fut abandonné tandis que grandissait la complexité
des problèmes traités à la fois par la bioanthropologie ou la physio-
anthropologie, et par l'anthropologie sociale et culturelle. Ce qui
conduisit à considérer alors les universaux sociaux et culturels comme
des concepts de classement dont la généralisation était basée sur une
connaissance de la biologie humaine très superficielle et largement
dépassée. On discute même de l'appartenance de certaines catégories
d'universaux à la culture, tandis que d'autres n'étaient considérées
que comme des formes « plus basses » de généralisations basées sur la
biologie. Le développement d'études de primates faites sur le terrain
confirmèrent l'existence de modèles universaux basés sur l'observation
d'espèces autres que l'homme. La critique d'anthropocentrisme humain
se trouve alors considérablement réduite. Les études de primates faites
sur le terrain fournirent aussi à l'analyse des structures évolutionnistes
et des cadres écologiques. Elles contribuèrent à renforcer un point de vue
plus « holistique » qui exigeait l'inclusion de l'évolution du comportement dans la théorie explicative des universaux socioculturels.

L'introduction de schémas évolutionnistes permet d'envisager une
union nouvelle, quoique partielle encore, entre le champ énorme de la
connaissance biologique de l'homme et les manifestations de son
influence sur les variations socioculturelles. En intégrant les informations biologiques dans une théorie évolutionniste « holistique » et
dynamique, mais faisant aussi place aux probabilités (pas une théorie
statique basée sur la typologie), il semble que, fondamentalement, nous
devrions être à la veille de progrès considérables dans la connaissance de l'homme. Nous pourrions ainsi mieux comprendre l'évolution humaine qui n'est ni purement biologique, ni purement culturelle, mais bien une évolution *bioculturelle*.

II. UNE THÉORIE HEURISTIQUE BIOCULTURELLE
DES UNIVERSAUX

Si nous partons de facteurs biologiques comme le suggère
Kluckhohn (1952 [1]), en y ajoutant le concept plus moderne de variations biologiques, nous avons à notre disposition une mine de connaissances concernant les mécanismes biologiques. La recherche biologi-

---

1. Voir la bibliographie, p. 83, nº 38.

que fondamentale a fourni un grand nombre d'informations sur les mécanismes phylogénétiques à différents niveaux, applicables à l'homme. D'autre part, on sait beaucoup de choses sur les mécanismes des variations génétiques, physiologiques et psychologiques de l'homme. On peut considérer que les gènes et l'environnement, en agissant conjointement sur le cycle entier de la vie de l'individu, produisent les variations physiologiques et psychologiques. Cependant, les effets des modifications de l'environnement se font surtout sentir pendant l'enfance et l'adolescence. Afin de situer ces variations biologiques dans un contexte significatif, nous envisagerons un schéma heuristique qui nous permettra de classer théoriquement les variables décisifs. Le schéma comprend des paramètres biologiques, écologiques, sociologiques, culturels et démographiques. Tous les éléments de ce schéma peuvent se rencontrer à n'importe quel moment (voir fig. 1).

Si nous prenons un quelconque facteur biologique commun à toute l'espèce, nous pouvons retracer ses rencontres avec le système socioculturel. Cependant, ce n'est pas la seule « donnée » biologique qui se manifeste alors dans ce système, mais bien un caractère unique du système tout entier défini à un moment précis par les influences multiples de tous les éléments de ce système. En d'autres termes, imaginer que la même variable biologique produira toujours la même réponse, quelles que soient les conditions particulières du système dans l'espace et dans le temps, est au mieux un calcul mathématique de probabilité. Selon les variables choisies, on pourra prévoir certaines constantes probables, en comparant différentes cultures, et en s'appuyant sur la connaissance de variations écologiques pertinentes. Cependant, contrairement aux généralisations faites par des anthropologues tels que Murdock à propos de la biologie humaine, qui établirent des catégories ou « dénominateurs communs de la culture », un tel schéma heuristique utiliserait avec bonheur le nombre considérable d'informations spécifiques actuellement à notre disposition sur les variations et les ressemblances humaines. Si la cohésion biologique doit inclure des variables psychologiques issues de la structure biologique du système nerveux central, et particulièrement des fonctions corticales, une profusion de nouvelles hypothèses s'offre à nous pour expliquer quelques-uns des mécanismes fondamentaux des variations socioculturelles.

Dans ces conditions, les universaux seront assortis de « probabilités conditionnelles » dépendant de l'état actuel et de l'histoire du système (voir Katz et Foulks, 1972 [1], Katz, 1972 [2]). Les concepts ainsi

---

1. **Voir la bibliographie, p. 83, n° 35. — 2. *Ibid.*, n° 34.**

formés peuvent être modifiés par toute nouvelle découverte ou information du système socioculturel applicable au problème étudié. Ainsi pouvons-nous utiliser largement le concept des mécanismes de *feed-back* et les concepts cybernétiques pour faciliter nos analyses. Cette attitude est moins déterministe que « probabiliste ». C'est dire que la possibilité de prévoir de façon universelle et catégorique un événement particulier semble improbable. Ce schéma suggère cependant que, dans un système idéal donné, où passé et présent seraient connus, la possibilité de prévoir un certain événement ou l'avènement d'une conjoncture universelle similaire pourrait être qualifiée de probabilité.

Ainsi, dans cette perspective, peut-on considérer que, mettant de l'ordre dans nos connaissances des variations sociales et culturelles, les théories traditionnelles sur les universaux furent utiles au début. Cependant, une fois découverts les pièges d'un tel système, une approche évolutionniste, partant de faits raisonnablement établis, semble meilleure. La plupart de ces faits, à quelques exceptions près (les règles de la parenté, les grammaires universelles...), seront probablement mieux compris grâce aux vastes connaissances de la biologie fondamentale et de la psychologie de l'homme actuellement à notre disposition. L'approche évolutive est dynamique et exige donc que soit déterminée son orientation dans le temps. Ainsi, tous les matériaux ethnographiques de l'approche historique sont encore utilisés, de même que les informations sociales et psychologiques, théoriques ou émanant des études des cultures différentes. Mais l'orientation holistique comprendra une autre dimension, largement reconnue, la biologie humaine, et sera un élément de développement très important.

III. ILLUSTRATION DU SCHÉMA HEURISTIQUE : LYSINE ET MAÏS

Afin de montrer l'importance d'une approche basée sur la biologie dans le schéma heuristique tracé plus haut, ce chapitre donnera plusieurs exemples sur les plans différents de l'abstraction et de l'influence réciproque des systèmes. Ainsi passera-t-on de l'examen de théories à l'exposé d'une évidence scientifique qui prouvera l'importance de notre approche.

Un exemple très intéressant d'invariant biologique dont, à ma connaissance, la littérature anthropologique n'a jamais parlé, implique un problème de nutrition concernant les acides aminés essentiels. Les sources animales de protéines comportent une dose convenable d'acides aminés, mais certaines nourritures végétales tel le maïs ont un taux de lysine particulièrement bas [1]. Aussi un régime essentiellement composé de maïs peut-il très bien provoquer une importante déficience en protéines et provoquer la disparition de la population tributaire d'une telle source de nourriture. Bien que certaines sortes de maïs contiennent de la lysine, toute cette lysine sans exception se trouve emprisonnée dans l'endosperme du grain. Biochimiquement, on libère cette lysine essentielle à la nutrition par l'emploi d'une faible solution alcaline. Cependant, chez l'homme, la lysine ne peut être libérée par la mastication, ou par la digestion acide de l'estomac, et aucune enzyme n'est capable de la libérer. Si donc la lysine n'est pas dégagée par un procédé digestif légèrement alcalin, cet acide aminé essentiel ne peut profiter à la nutrition de l'homme qui le consomme.

Notre tâche pour retrouver cet invariant biologique à l'intérieur d'un système socioculturel est claire. Nous chercherons des populations qui se nourrissent essentiellement de maïs et supposerons que, si elles doivent survivre à ce régime, le problème de l'extraction alcaline de la lysine devra être résolu.

Pour démontrer cette hypothèse, nous avons choisi sept cultures mexicaines citées dans *The Human Relations Area Files.* Nous avons élu le Mexique à cause du grand nombre de vestiges archéologiques révélant le rôle essentiel du maïs dans le régime de différentes tribus d'Indiens d'Amérique. Sur sept cultures examinées, quatre seulement étaient assorties d'une documentation complète sur la nourriture à base de maïs. Un tableau des résultats de cette enquête est présenté ci-dessous.

Culture : Tarahumara

Recette : tortillas

« Une fois le maïs décortiqué, il est mis à bouillir avec de l'eau dans une grande bassine *(olla). Des cendres de chêne sont utilisées en guise de soude* pour ramollir les grains et retirer la peau. Le procédé typiquement mexicain qui consiste à *faire bouillir avec de la chaux* est utilisé seulement dans les régions tarahumaras où ont pénétré les Mexicains. La lessive de cendres de chêne est généralement préparée avec l'écorce du chêne, qui est plus efficace. Les Indiens la gardent dans une grande jarre. Il est intéressant de constater que le procédé du *bouillon de maïs et de soude,* forme simplifiée de la confection de la

---

1. Le taux de tryptophane est aussi très bas dans le maïs, mais on le trouve en quantités raisonnables dans les graines des légumineuses.

tortilla, est une technique fondamentale de la préparation du maïs, qui a suivi la migration de celui-ci vers le nord. Débarrassée du broyeur comme s'il était trop lourd à transporter, cette technique arriva jusqu'au Nord de la Nouvelle-Angleterre, sous forme de semoule de maïs, nourriture typique de l'Indien d'Amérique » (Bennett et Zingg, 1935 [1], p. 33).

« Les Tarahumaras peuvent se procurer de la chaux commerciale — il s'en servent cependant très peu. Ils préfèrent récolter d'amples provisions de chaux sur les pierres qui bordent les chutes d'eau dans certaines gorges de l'Ouest. Les Tarahumaras détachent des morceaux de cette chaux et les apportent chez eux. Ils creusent alors un petit trou qu'ils tapissent de fiente *(witaka)*. La pierre de chaux est placée sur la fiente et recouverte par celle-ci. La fiente est allumée et brûle pendant plusieurs heures, après lesquelles le contenu du trou est récolté dans un panier plat, et tamisé. La chaux brute ainsi obtenue est alors mise en réserve jusqu'à son utilisation » (Pennington, 1963 [2], p. 79).

« Le maïs cuit est retiré de la bassine avec une cuillère de bois ou une gourde et lavé à plusieurs eaux dans un panier ou une bassine jusqu'à eau claire. Le mélange s'appelle alors *nixtamal (napiwari)* » (Pennington, *ibid.*).

Culture : Sierra Tarascans

Recette : tortillas et gordos

« Pour les tortillas et les gordos, le maïs est *bouilli avec de la chaux*, ce qui ramollit et jusqu'à un certain point dissout l'écorce extérieure du grain. Après un lavage soigneux dans un panier spécial, il est moulu en *nixtamal* ou pâte » (Beals, 1946 [3], p. 496).

« Les tortillas sont servies pratiquement à tous les repas, quel que soit le menu, et sont l'élément principal de la nourriture » (Beals, *ibid.*).

Culture : Tepotzlan

Recette : tortillas et gruau

« La préparation de la pâte de maïs ou *nixtamal* avec de la chaux est la même en Tepotzlan et dans les autres parties du Mexique » (Lewis, 1951 [4], p. 187).

1. Voir la bibliographie, p. 83, nº 3. — 2. *Ibid.*, nº 58. — 3. *Ibid.*, nº 2.
4. *Ibid.*, nº 45.

Culture : Yucatec Maya

Recette : tortillas

« Le maïs, qui est la base de cette chère simple, *comme il l'a été de toute cuisine mexicaine pendant des millénaires*, est (sauf pour un petit nombre de plats) *bouilli dans la chaux pour le ramollir*. Un peu de chaux est mélangé à un peu d'eau bouillante. Puis le maïs est jeté dans le mélange et cuit quelques minutes, puis laissé à tremper, en général toute une nuit. Les grains ainsi ramollis sont alors lavés dans plusieurs eaux, jusqu'à eau claire. Le maïs bouilli, dont les grains sont gonflés et mous *(nixtamal, kuum)*, n'est pas consommé tel quel, mais broyé sur la meule. Le produit obtenu *(maza, zacan)* sert à faire les tortillas *(uah)*; celles-ci sont étalées sur des morceaux de feuilles de bananier et chauffées sur un gril. Une tortilla à demi cuite, mise un moment sous la cendre, gonfle et devient une sorte de pain creux et croustillant *(opp)*.

La préparation du maïs la plus simple est le zaca. *Le maïs est cuit dans son écorce sans chaux et moulu*, puis mis en boules. Une petite quantité est mélangée à de l'eau. *Le zaca ne fait pas partie de la cuisine séculaire traditionnelle*, mais c'est sous cette forme que le maïs est généralement offert aux dieux non chrétiens et aux esprits » (Redfield et Villa Rojas, 1934 [1], p. 39).

« Les tortillas, ou gâteaux de maïs, tantôt chauds, tantôt froids, quelquefois grillés, *sont à la base essentielle de la nourriture de l'Indien*. Il en mange à tous les repas, et pourrait au besoin subsister très longtemps en ne mangeant que cela » (Gann, 1918 [2], p. 21).

Ce tableau nous montre les moyens particuliers qu'emploie chacune de ces populations pour extraire la lysine de l'élément essentiel de leur nourriture. Nous devons aussi remarquer que l'usage de la chaux, ou de quelque autre élément alcalin, pour cuire le maïs dans beaucoup de régions d'Amérique où celui-ci est la base de la nourriture, pourrait être considéré comme un « trait universel » (Bennet et Zingg, *op. cit.*). Cet exemple assez clair, considéré dans l'optique de notre modèle, peut ouvrir la voie aux ramifications complexes d'une telle limitation.

Cet exemple nous montre aussi comment un écosystème donné, dépendant de la culture du maïs, dépend aussi de l'utilisation maximale des acides aminés qu'il contient. Dans l'ignorance des problèmes concernant la consommation de maïs brut, nos interprétations de telles coutumes auraient été des interprétations « de chez nous » : « Le maïs

1. Voir la bibliographie, p. 83, n° 61. — 2. *Ibid.*, n° 16.

cuit avec de la chaux est plus facile à digérer. » Cependant, connaissant l'importance du rôle de l'élément alcalin, la généralisation de son utilisation nous permet de réinterpréter bien des comportements sociaux et culturels.

Ceux-ci vont des techniques de la cuisine jusqu'aux méthodes de ramassage des pierres à chaux et de la préparation de celle-ci, au temps que l'on passe à tout cela, aux termes linguistiques qui décrivent tout le procédé, et aux croyances dans les bienfaits de la chaux sur un plan humain général et non plus sur le plan des nourritures locales, etc. Le même processus peut être appliqué à l'utilisation des cendres de bois. Successivement, nous pouvons imaginer soit la pénurie de chaux, soit le manque de cendres dans l'environnement, et leur influence possible sur l'économie locale. Dans un autre contexte, nous pouvons étudier quelles croyances différentes éliminent l'utilisation de la chaux dans la préparation du blé, probablement tout aussi fibreux et dur que le maïs, mais beaucoup plus riche en lysine disponible, et sur lequel le traitement alcalin est donc inutile. Enfin, nous pouvons étudier l'extension du traitement alcalin sur le territoire américain, et peut-être rechercher les populations qui, pour une raison ou pour une autre, ont cessé d'y recourir.

Ces questions et bien d'autres nous amènent à l'essentiel. Il existe un très grand nombre d'exemples de déficiences ou d'excès de nourriture qui jouent des rôles limitatifs dans la biologie des populations humaines. Ainsi avons-nous étudié les déficiences en calcium (Katz et Foulks, 1970 [1]) et en iode (Greene, 1972 [2]) mais d'autres pourraient être analysées (certaines vitamines particulières et autres éléments spécifiques de la nourriture). Expliquer la culture, ses schémas et ses variations sans tenir compte de ces sortes de relations vitales est une entreprise insuffisante et sujette à erreurs.

Toutes les différences dans la nutrition ne se placent pas sur un plan aussi radical que les acides aminés essentiels, mais beaucoup de populations humaines se sont adaptées génétiquement à leur écosystème. On peut citer à ce propos l'exemple maintenant classique des différents niveaux de lactase chez l'adulte (*cf.* McCracken, 1971 [3]), la lactase étant une enzyme qui transforme le lactose en galactose et glucose. Les adultes dont le système gastro-intestinal ne possède pas cette enzyme ne peuvent pas transformer le lactose ; celui-ci s'accumule dans le colon, et la flore intestinale *Lactobacille* le transforme en produisant en système fermé une grande quantité d'acide lactique.

1. Voir la bibliographie, p. 83, n° 35. — 2. *Ibid.*, n° 23.
3. *Ibid.*, n° 51.

Cet acide irrite le colon, provoque une sécrétion excessive, interrompt la réabsorption des fluides, et la diarrhée en résulte. Tandis que la plupart des adultes blancs européens ont un taux de lactase important, beaucoup de populations sans produits laitiers n'en ont pas. Ces dernières sont intolérantes au lactose. Cependant, il est intéressant de constater que certaines de ces populations intolérantes au lactose consomment beaucoup de laitages. Elles s'en tirent en faisant convertir le lactose par des bactéries hors du circuit gastro-intestinal par la transformation du lait en fromage. Ce simple changement rend le régime laitier parfaitement tolérable. On trouvera de nombreuses ramifications de ces sortes d'altérations dans notre schéma heuristique [1]. Elles comprennent, entre autres, les influences possibles et réciproques, d'une part du processus génétique de l'adaptation, et d'autre part de l'intervention de *la technologie pour remplacer ce facteur biologique absent*.

Tout un jeu d'analyses semblables pourrait être fait à propos des relations de l'homme avec l'écologie de la maladie, sur le plan biologique, culturel et démographique (voir Katz et Wallace, 1971 [2]). Cependant, nous n'en parlerons pas ici.

Nous avons jusqu'à présent proposé des exemples plutôt simples, dont les implications dans les phénomènes d'adaptation culturels ou biologiques sont générales, qu'elles soient génétiques, physiologiques, psychologiques ou une combinaison des trois. Dans ce dernier cas, on trouverait les influences du climat, de la température, de l'altitude, de la pollution, de l'accroissement de la population, de la maladie, etc. (voir Katz, 1970 [3]).

Cependant, pour beaucoup d'anthropologues qu'intéressent les universaux sociaux et culturels, le vrai problème réside directement dans le système nerveux central. C'est alors que l'analyse des mécanismes biologiques devient d'une complexité considérable, due à la complexité du système nerveux central lui-même. En conséquence, il nous arrive de ne pouvoir qu'observer, sous la forme d'une variation du comportement, un mouvement commun ou interdépendant. Le comportement, produit d'éléments intégrés au système nerveux central, serait presque aussi difficile à comprendre que la culture sans une connaissance biologique étendue.

La dernière partie de cet exposé étudiera deux exemples de la

---

1. Katz, *Homme, adaptation et environnement : l'évolution de l'homme au XXᵉ siècle* (en préparation), comporte tout un chapitre sur ce sujet et traite tout le concept de cet exposé de façon beaucoup plus détaillée.
2. Voir la bibliographie, p. 83, n° 36.
3. *Ibid.*, n° 33.

complexité des fondements psychologiques du comportement humain. Dans la mesure où notre connaissance des bases biologiques du comportement humain est incomplète, ces exemples auront seulement valeur de suggestion. Je crois cependant que notre information est suffisante pour influencer sérieusement notre conception des universaux sociaux et culturels. Le premier exemple traitera du phénomène de la puberté, le second du fondement neural du langage.

IV. LE DÉVELOPPEMENT DE L'ENFANT ET LA PUBERTÉ

L'un des éléments les plus importants du fondement des universaux sociaux et culturels est le mécanisme par lequel la culture se transmet d'une génération à l'autre. Ce mécanisme implique, bien sûr, plusieurs facteurs : 1) une longue période pendant laquelle l'individu en voie de développement peut découvrir les exigences sociales et culturelles indispensables; 2) un cerveau capable d'apprendre des tâches complexes; 3) le moyen d'envoyer et de recevoir de l'information (le langage); et 4) une faculté d'abstraction et d'intervention créative dans tous les éléments de l'environnement, y compris le système socio-culturel.

Le premier point relève d'un concept appelé néoténie (pædormorphose ou fœtalisation) qui concerne cette période exceptionnellement longue de la croissance et du développement de l'enfant, si déterminante et vitale dans le cycle de la vie humaine. Les deuxième, troisième et quatrième points se rapportent aux capacités du système nerveux, dont nous discuterons dans la section suivante.

L'importance du concept de néoténie [1] dans l'évolution en général est à peu près unanimement reconnue. Ashley Montagu (1955 [2]) déclare : « Le passage de l'état de singe à l'état d'être humain fut le résultat de mutations néoténiques qui, pendant les phases de développement de l'adolescent et de l'adulte, provoquèrent le maintien des tendances à la croissance du jeune cerveau et de ses capacités d'apprendre... (et) ces capacités elles-mêmes ont dû subir des changements intrinsèques » (p. 22). Julian Huxley (1954 [3]) fait un commentaire semblable en disant que le système nerveux particulier de l'homme et sa qualité de bipède l'ont définitivement aidé à échapper à la spécialisation de l'évolution. C'est ce processus d'hominisation « vers une ère nouvelle de malléa-

---

1. Il est intéressant de remarquer que le phénomène de néoténie est une des tendances évolutionnistes impliquées dans la phylogénie des primates les plus évolués (voir Napier et Napier, 1967, n° 57; Molly, 1972).
2. Voir la bibliographie, p. 83, n° 52. — 3. *Ibid.*, n° 30.

bilité et d'adaptation qui, dans la théorie de l'évolution, rend l'idée de pædomorphose si séduisante. Ses ouvertures et ses limites méritent la plus soigneuse exploration » (p. 20).

Comment cette phase importante et unique de l'évolution peut-elle s'insérer dans notre schéma d'universaux sociaux et culturels? Malinowski (1944 [1]) propose un simple schéma d'universaux où il nomme « croissance » cette période, et « éducation » la réponse culturelle à cette croissance. D'autres anthropologues ont justement utilisé le mot socialisation pour définir cette période, et beaucoup de psychologues, sociologues et éducateurs ont aussi étudié la phase critique du développement humain où la culture est transmise d'une génération à l'autre. Cependant, concevoir un instant que ce processus est indépendant du développement du système nerveux central est certainement folie. Ainsi Bowlby (1969 [2]) décrit longuement l'attachement de l'enfant à la mère comme une série de périodes critiques provoquant des phases de comportements différents chez l'enfant qui cherche à s'assurer la proximité de la mère. En fait, Rivinus et Katz (1972 [3]) ont proposé récemment un modèle de comportements évolués qui suggère que ces phénomènes d'attachement se manifestent déjà aux périodes apparemment précognitives suivant immédiatement la naissance. Cette période de développement précoce ouvre beaucoup de perspectives aux universaux. Bien qu'ils soient similaires chez chaque enfant, leur expression phénotypique offre néanmoins de larges variations. Sans aucun doute, le moment et l'expression de ces comportements sont le produit combiné des gènes et de l'environnement. C'est le phénotype malléable de l'enfant qui, finalement, devient adulte porteur de la culture de la génération suivante.

Une autre phase cruciale de cette période de néoténie est la transition de l'enfance à la maturité sexuelle. Cette période de puberté est classiquement considérée comme une source importante de phénomènes universaux sociaux et culturels. Cependant, la tenir pour une sorte d'invariant biologique monolithique serait ignorer toutes les variations biologiques importantes inhérentes au processus de maturité sexuelle. Le problème ici est simple : il nous faut maintenant introduire dans la structure de nos modèles d'universaux un point de vue évolutif qui tienne compte, par exemple, des influences réciproques de l'environnement et de la culture, mais aussi de celles de l'environnement et de la biologie. Sans ce mélange d'influences mutuelles qui nous permet de mieux expliquer la probabilité de variations dans les systèmes de comportements et dans les systèmes socioculturels, nous

1. Voir la bibliographie, p. 83, n° 49. — 2. *Ibid.*, n° 5. — 3. *Ibid.*, n° 62.

ne pouvons guère espérer mieux que quelques généralisations de portée limitée.

Un article récent (Katz, 1972 [1]) a tenté de montrer le grand nombre de variables pouvant influencer le déclenchement de la maturité sexuelle. Essentiellement, les recherches sur les glandes endocrines indiquent que l'hypothalamus participe directement au processus de maturation. Pendant l'enfance, de petites quantités d'hormones gonadiques (œstrogène chez la femme et testostérone chez l'homme) suffisent à empêcher l'hypothalamus de sécréter les petites particules moléculaires productrices d'hormones qui elles-mêmes contrôlent la libération des hormones gonadotrophiques de la glande pituitaire antérieure. A cette époque de la puberté (spécialement chez la femme), l'hypothalamus perd en quelque sorte sa sensibilité aux effets inhibiteurs de petites quantités d'hormones gonadiques. Dans ces conditions la partie médiane saillante de l'hypothalamus sécrète ses hormones libératrices à l'entrée du système pituitaire, et produit une augmentation considérable de la folliculine (FSH) et de la progestérone (LH) qui, à leur tour, produisent une maturation de la fonction des gonades. Cependant, la réciprocité des effets *(feed-back)* ne s'arrête pas là : l'activité accrue des gonades a toutes chances d'entraîner une augmentation importante d'hormones sexuelles itinérantes qui influencent à la fois les centres de contrôle de l'hormone gonadique libératrice, et d'autres centres plus élevés dans le système périphérique du cerveau. Cette dernière partie du système nerveux central est essentiellement le siège de l'expression du comportement émotionnel. Ainsi, la maturation physiologique de l'un des centres du système nerveux central, l'hypothalamus, finit par provoquer un certain nombre de changements somatiques et psychologiques. Bien que l'évidence en soit limitée, il est aussi possible que le processus de la connaissance change pendant cette période. L'œuvre de Piaget indique que le stade « final opérationnel » du développement de la connaissance est atteint à peu près au moment où survient la puberté. On trouve l'indication d'un changement analogue dans le processus de la connaissance dans l'ouvrage d'Elkind (1967 [2]). Dans une perspective évolutionniste, il serait raisonnable de supposer que la maturité sexuelle et celle de la connaissance surviennent au même moment ; ainsi seraient augmentées les chances de renouvellement dans la sélection des couples, le rôle des parents, les soins à donner aux jeunes, et le maintien d'une sorte de clan familial dans la génération suivante.

Dans un contexte d'universaux, nous aimerions essayer d'utiliser

1. Voir la bibliographie, p. 83, n° 34. Voir aussi p. 137-140. — 2. *Ibid.*, n° 15.

notre schéma heuristique pour analyser quelques facteurs qui influencent le début de la puberté. Pour les besoins de l'analyse, nous diviserons ces facteurs en facteurs génétiques, facteurs psychologiques et facteurs de comportement.

La maturation de l'hypothalamus qui détermine la puberté présente un exemple d'interférences bioculturelles plus complexe que celui de la réponse au besoin en lysine. Essentiellement, cette complexité réside dans les interférences de la maturation du cerveau avec les caractères psychologiques et physiques déterminés par le système socioculturel particulier et par l'environnement. La maturation des contrôles de l'hypothalamus sur la puberté subit les influences conjuguées de facteurs génétiques et de l'environnement; le fait que la puberté surgisse à des moments divers selon les individus et les sociétés, semble indiquer la très grande importance des variations génétiques et des variations de l'environnement. Les principales influences de l'environnement sur le déclenchement de la puberté sont la maladie, la lumière, l'altitude, la nourriture, la température, la surpopulation, etc. (Katz, 1972 [1]). Tous ces facteurs sont des variables de l'environnement dans un écosystème humain qui, à des degrés divers, peut être altéré par la technologie de l'homme. Une altération importante de l'une de ces variables par un changement de l'environnement ou par la technologie pourrait provoquer un changement de l'époque de la puberté. Ce changement pourrait à son tour modifier le comportement de l'enfant [2] qui, n'étant plus en harmonie avec les exigences de sa culture, aurait alors à s'adapter à la fois au développement de sa psychologie individuelle et au processus socioculturel communautaire. En d'autres termes, l'apparition de la puberté, phénomène multiple et sensible à l'environnement, est un changement biologique dans le développement de l'hypothalamus, qui à son tour déclenche la maturation gonadale et les changements psychologiques qui en résultent, eux-mêmes agissant sur le système socioculturel. A bien des points de vue, nous avons là un exemple classique de la manière dont un trait évolué du développement biologique, essentiel et propre au maintien de la culture humaine, s'introduit d'une certaine façon dans un écosystème humain donné, et en influence un autre d'une manière différente. Dans cet exemple, les *feed-backs* entre biologie et systèmes socioculturels sont réels et complexes. Essayer d'en détacher un et de le relé-

---

1. Voir la bibliographie, p. 83, n° 34.
2. On trouve de nombreuses indications dans les études sur les animaux de l'influence importante de l'œstrogène, de la progestérone, de la testostérone et autres androgènes sur les régions de l'hypothalamus et les systèmes périphériques qui contrôlent les émotions.

guer au niveau de constante universelle, comme on aurait pu le faire il y a trente ans, serait ignorer toutes les interférences qui sont autant d'ouvertures sur les variations des modèles de comportement socio-culturel établis à partir du développement de la puberté.

Le fait que l'âge chronologique de l'apparition de la puberté ait spectaculairement baissé au cours du siècle dernier nous fournit une preuve importante et apparemment grandissante de ces rapports de *feed-back* entre la biologie du développement, la psychologie de l'individu et les adaptations socioculturelles collectives. Cette tendance séculaire, selon l'expression de Tanner (1962 [1]), pourrait être un des exemples les plus significatifs des effets de changements rapides de l'environnement (nourriture, maladie, lumière, etc., Katz, 1972 [2]) sur la malléabilité inhérente à ce mécanisme. L'âge de l'apparition de la puberté a dans certains cas baissé de quatre ou cinq ans (de 16,5-17,5 à 11,5-12,5) chez les femmes. Ce qui représente un abaissement de 50 % sur l'âge prévu par les systèmes socioculturels où ces changements eurent lieu. Dans les sociétés occidentales, la réponse socio-culturelle à un tel changement fut de prolonger les exigences de l'adolescence et de retarder l'accès à l'âge adulte de jeunes ayant atteint la maturité sexuelle apparemment la plus précoce de l'histoire de l'évolution de l'espèce. Cette tendance ne s'accompagne pas seulement de changements socioculturels et psychosexuels importants ; des changements peuvent aussi intervenir sur le plan intellectuel. Si la « tendance séculaire » n'est pas un simple phénomène cyclique où la situation actuelle correspondrait à un nadir et celle d'il y a cent ans à un zénith dans la chronologie de l'âge de la puberté, une altération rapide du temps pendant lequel un enfant est dépendant, soumis à l'éducation de ses parents, et acquiert des comportements encore associés à la néoténie, pourrait avoir une influence importante sur l'évolution.

En bref, ce sujet de la puberté indique l'échelle et la complexité de la faculté d'adaptation de l'homme à un changement rapide de l'environnement tant sur le plan psychologique que neurologique. La réponse de l'adaptation pourrait engendrer un certain nombre de réponses socioculturelles qui, à leur tour, par un phénomène de *feed-back*, modifieraient le comportement de l'individu à ce moment critique de son développement. L'existence d'un tel ensemble de facteurs psychologiques et psychosociaux milite fort en faveur de l'utilisation d'un modèle heuristique évolutionniste de l'écosystème humain, qui mêlerait étroitement les variations biologiques de l'homme à l'étude des universaux sociaux et culturels [3].

1. Voir la bibliographie, p. 83, nº 67. — 2. *Ibid.*, nº 34.
3. Voir aussi la présentation et la discussion à la fin de ce chapitre.

V. LES UNIVERSAUX ET LE SYSTÈME NERVEUX CENTRAL

A l'origine de la culture de l'homme se trouve la communication par le langage. La faculté de communiquer de façon précise avec des mots est l'un des traits les plus caractéristiques de l'adaptation de l'homme, un trait crucial dans son évolution. Le langage permet l'accumulation et la transmission d'un individu à l'autre de quantités de connaissances culturelles à travers le temps et l'espace. A la base du langage et de toutes les généralisations qui surgissent d'une analyse de la structure linguistique elle-même (cf. Chomsky, 1965 [1]), se trouve l'organisation neurologique du système nerveux central. Si nous considérons le rôle du système nerveux central dans le processus de l'évolution, nous pouvons avancer un certain nombre de principes importants. L'une des clefs essentielles à la compréhension des universaux sociaux et culturels est la base fondamentalement neurophysiologique du langage.

Ce chapitre associera une approche évolutionniste de la neurobiologie du système nerveux central avec l'essentiel de nos connaissances sur les universaux socioculturels. Nous essaierons ainsi de faire une synthèse des relations entre les différences et les ressemblances de certains comportements biologiques et socioculturels. Bien qu'il soit possible d'utiliser une approche synchrone des écosystèmes décrivant les caractéristiques biologiques de l'homme sans recourir aux étapes de l'évolution dans le temps, peut-être sera-t-il plus efficace d'expliquer les structures universelles de la culture en étudiant l'évolution bioculturelle de l'homme depuis les australopithécinés jusqu'à l'*Homo sapiens*.

Tandis que la plupart des anthropologues ont traditionnellement cru que le langage avait effectivement déterminé la culture, de récentes études faites sur des chimpanzés remettent fortement cette idée en question (Jay, 1968 [2]). L'utilisation d'outils par les chimpanzés (Lawick-Goodall, 1968 [3]), leur utilisation effective du langage par signes (Bronowski et Bellugi, 1970 [4]) ainsi que l'évidence archéologique de la fabrique d'outils d'Olduvai (Leakey, 1971 [5]) et d'autres observations de comportements complexes semblent indiquer qu'une forme de culture existait chez les australopithécinés [6].

1. Voir la bibliographie, p. 83, n⁰ 8. — 2. *Ibid.*, n⁰ 31. — 3. *Ibid.*, n⁰ 40.
4. *Ibid.*, n⁰ 6. — 5. *Ibid.*, n⁰ 41.
6. Il est important de noter que la récente découverte par Richard Leakey et Desmond Clarks d'un nouveau crâne peut conduire à la conclusion que l'australopithèque ne s'inscrit peut-être pas dans l'évolution hominide vers l'*Homo erectus* aussi directement que certains l'avaient cru jusqu'alors. Voir l'exposé de J. Ruffié dans le premier tome de l'ouvrage, *le Primate et l'Homme*, p. 107-137.

D'Aquili (1972 [1]), après avoir minutieusement analysé ce que pouvaient révéler les empreintes internes des crânes des australopithécinés, en particulier le crâne de Taung (Le Gros-Clark, 1964 [2]), conclut à l'absence probable de la parole en soi. Selon lui, « ni la région temporale, siège de l'association auditive, ni la circonvolution inférieure frontale, région motrice du langage chez l'*Homo sapiens*, ne semblent être plus développées chez les australopithécinés que chez les singes anthropoïdes ». Cependant, la région du lobe pariétal principal inférieur est beaucoup plus développée chez les australopithécinés. C'est chez l'homme que cette région est la mieux développée. Elle apparaît chez un seul autre primate, le chimpanzé, mais sous une forme très rudimentaire. D'après Geschwind (1965 [3]), cette région serait le siège centralisateur des aires d'associations primaires telles que la vue, l'ouïe, les sens « somato-esthétiques ». En d'autres termes, à chacune de ces formes sensorielles correspond une aire d'association qui atteint un haut degré d'évolution chez les primates (d'Aquili, 1972 [4]). Cependant, seuls les chimpanzés et les hominidés en particulier ont un système bien développé qui centralise ces aires d'associations primaires. Une association déclenchée dans un système sensoriel quelconque peut donc être transférée dans l'aire d'association d'un autre système sensoriel. Le rôle final de ce système centralisateur « en forme de croix », hautement organisé, est de permettre la théorisation, la conceptualisation et l'organisation des stimuli (d'Aquili, 1972 [5]). Ce système devait être convenablement développé chez les australopithécinés et responsable de leurs aptitudes à la fabrication des outils. Aussi (cf. Hewes, 1970 [6]) d'Aquili pense-t-il que le premier stade de l'hominisation fut effectivement cette aptitude à fabriquer des outils; puis vint l'évolution du langage. Ceci est partiellement confirmé par l'examen des empreintes internes du crâne de l'*Homo erectus*, qui montrent clairement le développement de la seconde circonvolution temporale, de la circonvolution frontale inférieure et, bien sûr, du lobe pariétal inférieur (cf. Geschwind, 1965 [7] et Luria, 1966 [8] pour une excellente description de la fonction de ces régions). Pour d'Aquili (1972 [9]), la parole a bien des chances d'avoir été donnée à l'*Homo erectus*, puisque les empreintes observées sur les moulages des faces internes des crânes correspondent à la structure neurologique de la parole. Pour que la parole soit possible, plusieurs systèmes neurologiques doivent être complètement incorporés les uns aux autres.

1. Voir la bibliographie, p. 83, n° 9. — 2. *Ibid.*, n° 42. — 3. *Ibid.*, n° 20.
4. *Ibid.*, n° 10. — 5. *Ibid.*, n° 10. — 6. *Ibid.*, n° 28. — 7. *Ibid.*, n° 20.
8. *Ibid.*, n° 48. — 9. *Ibid.*, n° 10.

La région préfrontale est le siège de l'un d'eux, apparemment chargé de conserver l'ordre séquentiel des termes et les opérations de finalité. Cette région est reliée à la fois au lobe pariétal inférieur (décrit ci-dessus) et au « centre » de la parole. Ce dernier se compose du siège moteur de la parole (région de la circonvolution frontale inférieure qui contrôle l'expression de la parole, décrite par Broca), du siège de l'association auditive (région de la portion supérieure du lobe temporal principal, décrite par Wernicke) et de leurs connexions par l'intermédiaire du *fasciculus arcuatus* (Geschwind, 1965 [1]). Ces trois régions agissent ensemble et les unes sur les autres pour produire la parole [2]. Sans le développement de la région du lobe frontal, remarque d'Aquili, les activités et influences réciproques du centre de la parole et les capacités multiples d'associations du lobe pariétal inférieur n'auraient jamais pu s'ordonner en un système de communication signifiant. Une fois ce système établi, toujours selon d'Aquili, « le trait du comportement de l'homme le plus universellement caractéristique de son adaptation se développa : le langage. Le langage fournit aux groupes sociaux déjà existants un moyen de communication libéré de l'exigence de références démonstratives, donc libéré des stimuli de l'environnement immédiat » (p. 13).

Les implications biosociales de cette intelligence, même limitée, de la neurologie fondamentale du système nerveux central sont immenses. Leur faire justice à toutes serait certainement le sujet d'un énorme livre. Nous nous attacherons néanmoins à quelques-unes de ces implications en relation avec notre modèle heuristique.

Bien des points importants de ce modèle sont implicitement suggérés par ces observations. Premièrement, l'évolution des caractéristiques de l'homme implique ces facultés du système nerveux central qui sont responsables de la technologie, de la culture et du langage d'aujourd'hui. Deuxièmement, il semble que certains traits neurologiques permettent à l'homme d'organiser et d'abstraire les associations par le canal du lobe pariétal inférieur, indépendamment des associations issues des centres émotionnels du système périphérique. Troisièmement, les observations semblent indiquer que la formation de la parole et du langage sont tributaires de multiples centres nerveux qui ont probablement évolué en groupe. Enfin, la structure des différents

1. Voir la bibliographie, p. 83, n° 20.
2. Plusieurs articles récents, s'appuyant sur des analyses détaillées qui reconstruisent chez des espèces fossiles les capacités potentielles de l'apparat vocal, ont indiqué que la possibilité d'une phonation complète n'est pas apparue avant l'*Homo erectus* et même, à la limite, avant l'*Homo sapiens* (Lieberman, Crelin et Klatt, 1972, n° 46; Hill, 1972, n° 29).

centres nerveux n'exclut pas la possibilité de l'intervention concurrente de changements généraux et spécifiques dans l'évolution de l'homme.

A propos du premier point, Dobzhansky (1972 [1]) a dit récemment : « La culture n'est pas brusquement tombée du ciel, entière et inaltérable. Sa base génétique s'est composée petit à petit par sélection naturelle des éléments d'une matière première qui existait chez les ancêtres préculturels de l'homme. Cette base génétique s'est formée à la suite d'échanges évidents entre évolution biologique et évolution culturelle. Ni la culture ni sa base génétique ne sont maintenant immuables ou stationnaires. Pour le meilleur ou pour le pire, elles continuent d'évoluer.

Deux points doivent être éclairés ici, car leur méconnaissance provoque la confusion. D'abord, la base génétique de la culture est un attribut commun à l'humanité, espèce biologique. Ensuite, cette base génétique n'est pas un invariant, mais est soumise à des changements individuels ou collectifs. Le caractère universel de l'aptitude de l'espèce humaine à la culture n'est pas plus étonnant que la température à peu près égale du corps de tous les hommes en bonne santé, ou leur faculté de marcher debout, ou l'importance de leur cerveau par rapport à la taille de leur corps. [...] Le développement des traits indispensables à la survie est protégé génétiquement et physiologiquement. Ceux-ci se développent chez tous les individus qui survivent.

La possibilité d'acquérir une culture, de se cultiver, est certainement indispensable à l'homme. Il ne s'ensuit pas, cependant, que cette faculté doive être monolithique et unidimensionnelle. Les individus humains jouent des rôles variés à l'intérieur d'une même culture et dans des cultures différentes » (p. 528).

Cette aptitude à la culture dont parle Dobzhansky pose les problèmes fondamentaux des universaux linguistiques et cognitifs. Il faut dire qu'en l'absence de référence neurologique à laquelle on puisse confronter les hypothèses concernant les relations fondamentales, beaucoup de découvertes linguistiques devront attendre d'être confirmées. Cependant, des progrès ont été faits dans ce domaine. Luria (1966 [2]), analysant l'observation de lésions du cerveau, montra que les modifications fondamentales de la région de Broca sont liées à la faculté d'ordonner les mots selon la structure du discours d'un langage particulier. Le lobe pariétal inférieur relié à ce centre a aussi un rôle dans les relations logico-grammaticales. Les actions conjuguées des deux centres servent probablement de base à bien des univer-

---

1. Voir la bibliographie, p. 83, n° 11. — 2. *Ibid.*, n° 48.

saux linguistiques, comme au processus de la pensée humaine en général. Ce qui pourrait bien avoir une relation étroite avec ces aptitudes génétiques que Dobzhansky a qualifiées de vitales pour le développement de tous les individus. Mais il est aussi important de savoir que, bien que présente chez toutes les populations humaines, cette aptitude peut varier d'un individu à l'autre et de population à population.

En outre, le développement du lobe dominant inférieur [1] pariétal semble apporter aux phénomènes d'acquisition de la connaissance un avantage important : il les libère apparemment de leur dépendance totale à l'égard du système périphérique (d'Aquili, 1972 [2]). Ainsi, semble-t-il, les théories de l'acquisition des connaissances grâce aux récompenses et aux punitions ne suffisent pas à expliquer les aptitudes de l'homme à s'instruire et à penser, lesquelles dépendent moins d'associations émotionnelles que chez nos ancêtres ou « parents » primates encore vivants. Il faut donc un modèle plus ouvert au développement de la pensée, qui permettrait une théorie d'un ordre plus élevé englobant toutes les sphères d'idées, depuis le processus même de la pensée jusqu'à l'univers. On peut considérer que, essentiellement, la communication humaine et le processus de la pensée sont étroitement liés aux exigences d'une adaptation écologique spécifique de la population, et un produit des contraintes imposées et des facilités offertes par des structures neurologiques qui sont la base de ces facultés.

Ceci nous amène à notre dernier point qui concerne à la fois l'unité et la diversité de l'homme. Sur le plan social et culturel, unité et diversité sont, à beaucoup d'égards, le produit de deux types de facteurs ; le premier est le très large éventail d'écosystèmes qui abritent les différentes populations et les cultures humaines variées. Les différences entre les écosystèmes ont engendré une diversité de l'évolution à la fois biologique et culturelle. A cette complexité s'en ajoute une autre lorsque nous observons que cet éventail d'écosystèmes sélectionne aussi les variations de comportement les mieux adaptées à un écosystème particulier. Puisque le comportement est un produit de la neuro-architecture du système nerveux central et de ses fonctions, l'évolution se fera dans la structure et dans les fonctions (la capacité d'apprendre est une fonction) du cerveau, et dans ses centres spécifiques. Ainsi la sélection au sens biologique agit-elle sur tous les

---

1. Notre terminologie diffère légèrement de celle de Geschwind lorsqu'il appelle cette région, distincte du point de vue de l'architecture microscopique du sinus angulaire, le sinus supramarginal, et utilise, pour les zones associées, le terme inclusif de lobule pariétal inférieur de dominance.
2. Voir la bibliographie, p. 83, n° 10.

différents traits morphologiques et physiologiques du corps humain,
y compris le cerveau. Sans aucun doute, chez l'homme, les phénomènes les plus importants d'adaptation de l'évolution ont pris place
dans le cerveau.

Le cerveau humain n'est pas seulement une structure biologique,
il fait aussi partie de la structure sociale. Donc, un changement dans
le fonctionnement d'une certaine région du cerveau, dans une population, pourrait entraîner des formes d'adaptation différentes de celles
d'une population exposée à un écosystème identique, mais où une
telle modification ne serait pas intervenue. Évidemment, la question
est plus compliquée que cela, et Spiro (1972 [1]) fait preuve de pénétra-
tion quand il dit : « L'invention de la culture permit à l'homme de
réaliser à la fois la souplesse et l'ordre ; bref, il a presque réussi à avoir
son gâteau et à le manger. Presque, puisque ce qu'une personne doit
apprendre à faire pour participer au système social n'est pas nécessairement ce qu'elle peut apprendre à faire, ni ce qu'elle voudrait
faire » (p. 589).

Néanmoins, s'il est tant d'occasions de diversité dans le comportement de l'homme, qu'en est-il des similarités ou des éléments communs ? Il nous faut porter notre attention sur le très grand nombre de
similitudes sociales et culturelles manifestes dans le langage et dans
tous les domaines très généraux de l'effort humain, si souvent citées
par les premiers fonctionnalistes (Malinowski, 1944 [2]) et quelques
autres. Peut-être l'une des solutions à ce problème d'unité et de
diversité se trouve-t-elle dans la génétique et l'évolution du système
nerveux central. Le lobe pariétal inférieur, les sièges de la parole et
d'autres éléments des lobes frontaux combinent tous leur évolution
pour produire la base générale de l'aptitude au langage, à la pensée et
à la culture. Ce complexe apporterait de grands avantages dans la
sélection puisqu'il permet la fabrication des outils, la communication,
l'établissement de hiérarchies abstraites, l'éducabilité et la malléabilité si particulières à l'homme. Cependant, là possibilité de deux
autres sources de variations apparaît aussi clairement dans ce schéma.
D'abord, on trouve des variations génétiques dans toute population,
même si le complexe générateur du langage ne semble pas présenter
de différences. Deuxièmement, un tel schéma n'exclut pas les sélections
de talents particuliers qui dépendent de différents systèmes neurologiques spécifiques tels que le système « somato-esthétique », les
systèmes visuel, auditif, et autres. Tandis que combinaisons et permu-
tations entre ces différents centres sont nombreuses, il n'est pas interdit

---

1. **Voir la bibliographie**, p. 83, n° 64. — 2. *Ibid.*, n° 49.

d'envisager la possibilité d'un trait commun à beaucoup de fonctions essentielles à la culture humaine. Ainsi pouvons-nous introduire une variable de l'environnement, qui pourrait certainement produire un ordre de variations avec d'autres ordres possibles de variations dues à des différences génétiques, et obtenir ainsi des différences considérables dans certains comportements primatiques (tels que ceux qu'on obtient dans les tests) et une très grande uniformité dans la plupart des fonctions et des capacités du SNC humain.

Si, dans notre modèle heuristique, nous considérons une telle variation comme représentative de la complexité des interactions réciproques de la variable biologique et des autres, nous aurons parcouru un bon chemin vers une approche neuve de l'unité et de la diversité de l'homme. La conception des modèles moins heuristiques rabaisserait nos explications au niveau de simples généralisations.

VI. CONCLUSION

Historiquement, une théorie générale de l'évolution humaine impliquant à la fois la biologie et la culture aurait dû bientôt suivre la théorie darwinienne de l'évolution. Ce qui, nous le savons, ne se produisit pas. Le souci de l'évolution biologique de l'homme demeura séparé de l'intérêt pour son évolution culturelle. On admit généralement qu'une fois l'évolution biologique terminée, elle était remplacée par l'évolution culturelle, et ainsi ces deux domaines restèrent semblables à deux chapitres séparés du même livre. Geertz (1965 [1]) résume cette position intellectuelle en disant [2] :

« L'homme devint homme, raconte-t-on, quand, ayant franchi quelque Rubicon mental, il devint capable de transmettre ' la connaissance, la foi, la loi, la morale, les coutumes ' (pour ne citer que les éléments de la définition classique de la culture de Sir Ed. Tylor) à ses descendants et voisins en les éduquant, et de les acquérir en se faisant éduquer par ses ancêtres et ses voisins. Après ce moment magique, le progrès des hominidés fut presque entièrement tributaire de la provision culturelle, de la lente acquisition d'habitudes conventionnelles, alors que, pendant les âges précédents, ce progrès avait reposé sur le changement physique et organique » (p. 59).

1. Voir la bibliographie, p. 83, n° 19.
2. Bien sûr, Geertz continue en disant que les observations de la paléontologie montrent au contraire que l'homme évolue lentement avec ses dimensions culturelles et non séparé d'elles.

C'est alors que prévalut la séparation entre biologie et culture, et que se développa la théorie des universaux sociaux et culturels. Cette attitude ne signifie pas cependant que certains schémas d'universaux abandonnèrent toute base biologique : elle montre surtout à quel point il était simple d'établir une base biologique aussi élémentaire. Le début d'un changement de position se manifeste à la suite du développement de la théorie synthétique de l'évolution (cf. Mayr, 1963 [1]) et de ses applications à l'homme et aux primates vers la fin des années 40. Vers 1950 et surtout après 1960, des études éthologiques portèrent sur le comportement, l'écologie, l'évolution des primates dans l'optique de cette théorie. Aussi les explications jusqu'alors assez élémentaires du comportement humain se firent plus subtiles, et la distance entre les perspectives biologiques et culturelles de l'homme a-t-elle encore diminué. Vers 1960, la plupart des études génétiques des groupes sanguins en anthropologie physique cessèrent d'établir des différences entre populations pour s'intéresser à la micro-évolution. Cette dernière réclamait une enquête attentive des facteurs biologiques dans l'environnement, et contribue au développement des études de l'adaptation de l'homme. Il n'y a qu'un pas, semble-t-il, entre l'adaptation des poumons, par exemple, dans un écosystème particulier, et l'adaptation des centres de la parole dans le système nerveux central. Celui-ci ne fut pourtant franchi que récemment.

Dans le domaine de l'anthropologie sociale et culturelle, les années 60 ont vu se développer une forte tendance vers la conception de modèles à perspectives holistique et évolutive. Geertz (1965 [2]) disait :

« Croire qu'un phénomène culturel, à moins qu'il ne soit empiriquement universel, ne peut rien révéler de la nature de l'homme, est à peu près aussi logique que l'idée que, puisque la cellule de l'anémie falciforme n'est, heureusement, pas universelle, elle ne peut rien nous apprendre sur le processus génétique. Ce qui est important en science n'est pas la constatation de phénomènes communs — pourquoi Becquerel se serait-il tant intéressé au comportement particulier de l'uranium? —, mais de savoir si ces phénomènes communs peuvent révéler les développements naturels durables qui les provoquent. Voir le ciel dans un grain de sable n'est pas réservé aux poètes. En bref, il nous faut chercher des relations systématiques entre divers phénomènes, et non pas des identités substantives entre phénomènes similaires. Et, pour faire cela avec quelque efficacité, il nous faut remplacer la conception ' statigraphique ' des relations entre les différents aspects de l'existence par celle d'une synthèse ; c'est dire que

---

1. Voir la bibliographie, p. 83, nº 50. — 2. *Ibid.*, nº 19.

les facteurs biologiques, psychologiques, sociaux et culturels seront des variables à l'intérieur de systèmes d'analyse globaux. »

Le même thème se retrouve récemment chez Forde (1972 [1]) dans sa conférence à l'occasion du *Huxley memorial lecture*, où il critique l'école anglaise d'anthropologie sociale, et montre la rareté de l'approche écologique dans l'analyse de la structure sociale. Dans la conclusion de son examen des quelques travaux écologiques et culturels importants, qui démontrent la complexité des relations et des interférences, il prie le lecteur de ne pas esquiver le problème à cause de cette complexité :

« Recourir à des systèmes clos pour analyser un secteur ou un aspect quelconque d'un phénomène, et à une méthode de principe qui décrirait et interpréterait, par exemple, les activités techniques de l'utilisation des ressources d'une part, les relations sociales d'autre part, comme des systèmes virtuellement autonomes, c'est appauvrir l'anthropologie en ignorant à quel point ces systèmes sont non seulement interdépendants, mais aussi influencés par certaines conditions de l'environnement biophysique. »

Bien qu'admettant dans sa conclusion la présence de facteurs biologiques, il semble cependant les considérer comme les parties purement mécaniques de son schéma quand il dit :

« Les relations réciproques importantes ne sont pas les phénomènes physiques, biochimiques et génétiques; les variations des effets de leurs processus pourraient cependant, dans certains contextes, jouer un rôle majeur en tant que conditions de l'adaptation sociale et culturelle, et pourraient à leur tour être modifiées par celle-ci. »

Bien qu'il soit l'un des anthropologues sociaux et culturels les plus proches d'un schéma holistique, Forde exprime des idées et donne des exemples qui, en attirant fortement l'attention sur la dimension biologique, doivent permettre de franchir une autre étape. Cette prochaine étape est la synthèse de la vaste accumulation des connaissances biologiques et de notre connaissance sociale de l'homme; elle requiert de nouvelles méthodes et de nouvelles théories qui pourraient s'appliquer aux traits généraux d'un écosystème humain, mais aussi à la grande diversité de nos interprétations du passé, du présent et du futur de l'homme.

---

1. Voir la bibliographie, p. 83, n° 17.

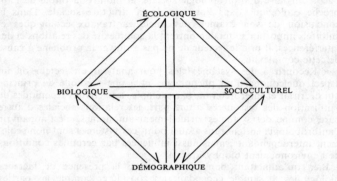

ÉCOLOGIQUE

BIOLOGIQUE   SOCIOCULTUREL

DÉMOGRAPHIQUE

FIGURE 1 : LE MODÈLE HEURISTIQUE BIOCULTUREL

Je voudrais remercier Eugène d'Aquili, Edward Foulks, Evelyn Hornes, Robert Netting, Kathy Silverman et Linda Walleray pour l'aide précieuse qu'ils m'ont apportée pendant la rédaction de ce texte, ainsi que pour leurs commentaires.

Bibliographie

1. P. T. Baker, "The application of ecological theory to anthropology", *American Anthropologist*, vol. 64, n° 1, 1962, 1ʳᵉ partie, p. 15-22.

2. R. L. Beals, *Cheran : A Sierra Tarascan Village*, Washington, Smithsonian Institution, publication n° 2 de l'Institute of Social Anthropology, 1946.

3. W. C. Bennett et R. M. Zingg, *The Tarahumara : An Indian Tribe of Northern Mexico*, Chicago Univ. Press (Anthropology Ethnological Series), 1935.

4. F. Boas, *The Mind of Primitive Man*, New York, McMillan, 1938, nouvelle édition.

5. J. Bowlby, *Attachment and Loss*, New York, Basic Books, 1969.

6. J. Bronowski et V. Bellugi, "Language, name, and concept", *Science*, n° 168, 1970, p. 669-673.

7. G. Childe, *Man Makes Himself*, Londres, Watts, 1936.

8. N. Chomsky, *Current Issues in Linguistic Theory*, La Haye, Mouton, 1965.

9. E. G. d'Aquili, *The Biological Determinants of Culture*, Reading (Mass.), Addison-Wesley, Modular Publications, 1972.

10. E. G. d'Aquili, *Higher Cortical Adaptation in the Context of Hominid Evolution*, présenté au Symposium "On the Fringe", New York, université de l'État de New York, Oswego campus, 1972.

11. T. Dobzhansky, "Genetics and the diversity of behavior", *American Psychologist*, n° 27, 1972, vol. 6, p. 523-530.

12. E. Durkheim, *The Division of Labor in Society* (De la division du travail social), 1893, Illinois, Free Press, 1947.

13. F. Eggan, "Social anthropology and the method of controlled comparison", *American Anthropologist*, vol. 56, n° 5, 1954, 1ʳᵉ partie, p. 743-763.

14. L. Eiseley, *Darwin's Century*, Londres, Doubleday, 1958.

15. D. Elkind, "Egocentrism in adolescence", *Child Development*, n° 38, 1967, p. 1025-1034.

16. T. Gann, *The Maya Indians of Southern Yucatan and Northern British Honduras*, Washington, Smithsonian Institution, Bureau of American Ethnology, bulletin n° 64, 1918.

17. D. Forde, "Ecology and social structure. The Huxley memorial lecture", 1970, *Journal of the Royal Anthropological Institute of Great Britain and Ireland*, 1971, p. 15-29.

18. S. Freud, *Totem und Taboo*, Leipzig, Heller, 1913.

19. C. Geertz, "The impact of the concept of culture on the concept of man", *in* J. R. Platt, *New Views of the Nature of Man*, Chicago Univ. Press, 1965.

20. N. Geschwind, "Disconnexion syndromes in animals and man", *Brain*, no 88, 1965, p. 237-294, p. 585-644.

21. B. E. Ginsburg et W. S. Laughlin, "The multiple bases of human adaptability and achievement : a species point of view", *Eugenics Quarterly*, no 13, 1966, p. 240-257.

22. W. Goldschmidt, *The Biological Constant. Man's Way*, New York, Holt, Rinehart & Winston, 1959.

23. L. Greene, *Physical Growth and Development, Neurological Maturation and Behavioral Functioning in Two Ecuadorean Communities in which Goiter is Endemic*, Kansas, colloque de l'American Association of Physical Anthropologists, 1972.

24. A. I. Hallowell, "Self, society and culture in phylogenetic perspective", *in* Sol Tax, *The Evolution of Man*, Chicago Univ. Press, 1960.

25. M. Harris, *Culture, Man, and Nature*, New York, Crowell, 1971.

26. M. Herskovits, *Man and His Works*, New York, Knopf, 1948.

27. M. Herskovits, *Cultural Anthropology*, New York, Knopf, 1955.

28. G. Hewes, *New Light on the Gestural Origin of Language*, San Diego (Calif.), 69e colloque annuel de l'American Anthropological Association, 1970.

29. J. H. Hill, "On the evolutionary foundations of language", *American Anthropologist*, no 74, 1972, p. 308-318.

30. J. Huxley, "The evolutionary process", *in* J. Huxley, A. C. Hardy et E. B. Ford, *Evolution as a Process*, Londres, Allen & Unwin, 1954.

31. P. C. Jay, *Primates, Studies in Adaptation and Variability*, New York, Holt, Rinehart & Winston, 1968.

32. A. Jolly, *The Evolution of Primate Behavior*, New York, McMillan, 1972.

33. S. H. Katz, Symposium sur l'adaptation humaine, *American Journal of Physical Anthropology*, no 32, 1970, p. 225-316.

34. S. H. Katz, "Biological factors in population control" (1972), *in* B. Spooner, *Population Problems and Anthropology*, à paraître.

35. S. H. Katz et E. Foulks, "Calcium homeostasis and behavioral disorders", Symposium sur l'adaptation humaine, *American Journal of Physical Anthropology*, no 32, 1970, p. 299-304.

36. S. H. Katz et A. F. C. Wallace, "An anthropological perspective of behavior and disease" (1971), *in* C. Bahnson, compte rendu du Symposium "Behaviour and Disease", *American Journal of Physical Anthropology*, à paraître.

37. S. H. Katz et E. Foulks, "An ecosystems approach to health in the Arctic" (1972), Second International Symposium of Circumpolar Health, *Acta Sociomedica Scandinavica*, à paraître.

38. C. Kluckhohn, "Universal values and anthropological relativism", *in Modern Education and Human Values*, Pittsburgh Univ. Press, 1952.

39. A. L. Krœber, "The concept of culture in science", *Journal of General Education*, n⁰ 3, 1949, p. 182-188.

40. J. Lawick-Goodall, "The behavior of free-living chimpanzees in the Gombe Stream Reserve", *Animal Behaviour Monograph*, n⁰ 1, 1968, p. 165-311.

41. M. D. Leakey, *Olduvai Gorge*. I. *Excavations in Beds I and II, 1960-1963*, Cambridge Univ. Press, 1971.

42. W. E. Le Gros-Clark, *The Fossil Evidence for Human Evolution*, Chicago Univ. Press, 1964.

43. C. Lévi-Strauss, "French sociology", *in* G. Gurvitch et W. Moore, *Twentieth Century Sociology*, New York, Philosophical Library, 1945.

44. C. Lévi-Strauss, *The Elementary Structures of Kinship* (les Structures élémentaires de la parenté), Toronto, Beacon Press, 1969.

45. O. Lewis, *Life in a Mexican Village : Tepoztlan Restudied*, Urbana, Illinois Univ. Press, 1951.

46. P. Lieberman, E. S. Crelin et D. H. Klatt, "Phonetic ability and related anatomy of the newborn and adult human, Neanderthal man and the chimpanzee", *American Anthropologist*, n⁰ 74, 1972, p. 287-308.

47. R. Linton, "Universal ethical principles : an anthropological view", *in* R. N. Anshen, *Moral Principles of Action*, New York, Harper, 1952.

48. A. R. Luria, *Higher Cortical Functions in Man*, New York, Basic Books, 1966.

49. B. Malinowski, *A Scientific Theory of Culture and Other Essays*, North Carolina, Chapel Hill, 1944.

50. E. Mayr, *Animal Species and Evolution*, Cambridge (Mass.), The Belknap Press of Harvard Univ. Press, 1963.

51. R. D. McCracken, "Lactase Deficiency : an example of dietary evolution", *Current Anthropology*, oct.-déc. 1971, p. 479-519.

52. M. F. A. Montagu, "Time, morphology and neoteny in the evolution of man", *American Anthropologist*, n⁰ 57, 1955, p. 13-27.

53. G. P. Murdock, "The cross-cultural survey", *American Sociological Review*, V, n⁰ 3, 1940, p. 361-370.

54. G. P. Murdock, "The common denominator of cultures", *in* R. Linton, *The Science of Man in the World Crisis*, New York, Columbia Univ. Press, 1945.

55. G. P. Murdock, "The common denominator of cultures", *in* S. H. Washburne et C. Phyllis Jay, *Perspectives on Human Evolution*, New York, Holt, Rinehart Winston, 1968.

56. G. P. Murdock *et al.*, *Outline of Cultural Materials, Human Relations, Area Files*, New Haven, 1950.

57. J. R. Napier et P. H. Napier, *A Handbook of Living Primates*, Londres, Academic Press, 1967.

58. C. W. Pennington, *The Tarahumara of Mexico. Their Environment and Material Culture*, Salt Lake City, Utah Univ. Press, 1963.

59. A. R. Radcliffe-Brown, *Structure and Function in Primitive Society. Essays and Addresses*, Londres, Cohen & West, 1952.

60. R. A. Rappaport, "Aspects of man's influence upon island ecosystems : alteration and control", *in* F. R. Fosbery, *Man's Place in the Island Ecosystems*, Honolulu, Bishop Museum Press, 1963.

61. R. Redfield et A. Villa Rojas, *Chan Kom : A Maya Village*, Chicago Univ. Press, 1934.

62. H. A. Rivinus et S. H. Katz, "Evolution, newborn behavior and maternal attachment" (1972), *Com. Contemp. Psych.*, à paraître.

63. H. Spencer, *The Study of Sociology*, New York, Appleton Century Crofts, 1893.

64. M. E. Spiro, "An overview and a suggested reorientation", *in* F. Hsu, *Psychological Anthropology*, Cambridge (USA), Schenkman Publishing Co, 1972.

65. J. Steward, "Cultural causality and law", *American Anthropologist*, nº 51, 1949, p. 1-27.

66. J. H. Steward et D. B. Shimkin, "Some mechanisms of sociocultural evolution", *in* H. Hoagland et R. W. Burhoe, *Evolution and Man's Progress*, New York, Columbia Univ. Press, 1962.

67. J. M. Tanner, *Growth at Adolescence*, Oxford, Blackwell Scientific Publications, 1962.

68. R. B. Textor, *A Cross-Cultural Summary*, New Haven, HRAF Press, 1967.

69. H. Trimborn, "Das Menschliche ist gleich im Urgrund aller Kulturen", *Beitrage zum Beschichtsunterricht*, t. 9, Braunschweig, A. Limbach, 1949.

70. A. F. C. Wallace, *Culture and Personality*, New York, Random House, 1970, 1re édition : 1961.

71. S. L. Washburn et I. DeVore, "The social life of baboons", *Scientific American*, nº 204, 1961, p. 62-71.

72. L. White, "Energy and the evolution of culture", *American Anthropologist*, nº 45, 1943, p. 335-356.

73. C. Wissler, *Man and Culture*, New York, Crowell, 1923.

Homme-animal, nature-culture les problèmes de l'équilibre démographique

Emmanuel Le Roy Ladurie

Une convergence est-elle possible, au niveau même de l'objet de la recherche, entre la pensée du biologiste, et les constatations de l'historien? Je n'ai pas qualité pour répondre à une question aussi générale; mais, sur un point précis qui concerne l'obtention, plus ou moins consciente ou inconsciente, d'un équilibre démographique, tel qu'il est mis en œuvre par les populations animales, ou par les peuplements humains des sociétés traditionnelles, il me semble qu'on peut du moins présenter certains dossiers; dossier « animal » d'abord, tel qu'un profane comme moi peut l'apercevoir, à travers l'œuvre de Wynne-Edwards, zoologiste influencé par la théorie malthusienne; dossier « humain » d'autre part, tel qu'on peut l'inférer des recherches biologico-historiques sur l'aménorrhée de famine; tel qu'on peut le construire aussi à partir des travaux récents des historiens démographes ou sociologues... Le rapprochement que j'ai voulu instituer ici entre ces trois ordres de données n'est peut-être qu'analogique. J'ai estimé cependant qu'à l'occasion d'une rencontre entre spécialistes de la vie et spécialistes des sciences de l'homme, il n'était pas mauvais de mettre les uns et les autres à même de juger de la spécialité du voisin; et cela dans un domaine où les contacts ont été anciens et féconds, et où, une fois n'est pas coutume, les sciences sociales, depuis Malthus, ont donné l'exemple. Je sollicite pour commencer l'indulgence du jury : dans ce qui n'est destiné qu'à la discussion, je me suis permis une incursion sur les terres de la zoologie, qui ne sont absolument pas les miennes; les hommes de l'art souriront donc des bévues, maladresses d'expression, erreurs pures et simples, archaïsmes et références à une bibliographie vieillie, que contient nécessairement la première partie de mon exposé, sise totalement à l'écart de mon territoire personnel. En revanche, dans la seconde et plus encore dans la troisième partie, je me suis senti de plus en plus chez moi... Au biologiste de dire, à son tour, s'il se tient pour tout à fait dépaysé chez mes paysans et paysannes du XVIIe siècle (voir *infra*, troisième partie, p. 118).

I. DU COTÉ DE CHEZ WYNNE-EDWARDS

En janvier 1889, l'entomologiste F. C. Sinclair, professeur à Trinity College, parvint à observer pour la première fois, dans son laboratoire des nouveaux musées de Cambridge, le processus de ponte du mille-pattes commun *(Lithobius forficatus)* [1]. L'épisode s'annonça par quelques mouvements convulsifs des segments terminaux du corps de la lithobie femelle. Après une dizaine de minutes, l'œuf apparut, au bout de l'oviducte. Il fut immédiatement recueilli, agrippé plutôt par les deux crochets mobiles qui ornent l'extrémité postérieure du mille-pattes, ces crochets dont nul naturaliste jusqu'à Sinclair n'avait pu expliquer les fonctions précises. C'est à ce stade du « crochetage » qu'intervint l'épisode, fréquemment observé depuis, et dont la répétition a tant intrigué les spécialistes de la démographie animale. Le mille-pattes mâle, comme il arrive souvent au temps de la ponte, se trouvait dans les parages. Il se rua sur sa femelle, lui arracha la petite sphère fraîchement pondue, qu'il dévora sans désemparer.

Tous les œufs du mille-pattes, bien sûr, ne finissent pas de façon aussi fatale. La pondeuse se comporte comme si elle prévoyait le danger. Dès qu'elle le peut, elle s'éloigne du mâle, elle traîne l'œuf, toujours agrippé entre les crochets terminaux, vers une place commode ; et elle le dissimule dans la terre, où il est soustrait à la voracité de l'époux. Le fait demeure constant, néanmoins, qu'une certaine proportion de la progéniture est détruite par l'activité même d'un des deux parents. La loterie de la sélection naturelle, dans ce cas précis du cannibalisme des œufs, et dans quelques autres, a-t-elle retenu et fixé la possibilité d'une relative autolimitation des effectifs de l'espèce ?

C'est en tout cas la thèse de Wynne-Edwards [2], à qui je dois la référence première de cet épisode, et qui cite beaucoup de faits du même genre, dans son grand livre sur la sociologie du comportement, appliquée à la dispersion animale. Il évoque notamment la variété européenne du martin-pêcheur *(Alcedo atthis)*, bel oiseau bleu et roux, si commun aux côtes de l'Écosse. Dans sept cas, en 1936, on a pu montrer que les œufs d'*Alcedo atthis*, disparus du nid-terrier où

---

1. Cf., à ce propos, F. G. Sinclair, *Myriapods*, in *The Cambridge Natural History*, Londres, 1895, p. 39 (d'après V. C. Wynne-Edwards, *Animal Dispersion in relation to Social Behaviour*, Edimbourg et Londres, 1962, p. 511).
2. Wynne-Edwards, *op. cit.*, p. 511 ; citons aussi, en un style plus diffus, Errington, dans *Science*, 1956, p. 304-307.

ils reposent normalement, avaient été traînés et roulés hors de ce nid, puis dévorés, par des martins-pêcheurs venus d'autres nids; ou peut-être avaient-ils été cannibalisés par leurs père et mère. Les bruants d'Amérique ou passereaux-mélodie *(Melospiza melodia)*, les faucons pèlerins si répandus *(Falco peregrinus)* sont eux aussi, de façon coutumière, des « parents indignes », gloutons des œufs produits par leurs congénères, voire des œufs pondus par leur propre nid. Certaines années (1951), ces destructions « autoprovoquées » peuvent ravager, chez les faucons, près de la moitié des futures nichées.

Du côté des hirondelles de mer ou « sternes », Olin Pettinghill a décrit, dans la revue *The Auk* (le pingouin), les mœurs des sternes de l'Arctique, dont deux mille couples environ vivent en colonie, dans une île de la baie de Fondy, entre Nouvelle-Écosse et Nouveau-Brunswick. Dans cet îlot, véritable paradis des hirondelles marines, où nul oiseau prédateur ne vient exercer ses ravages, et dont les seuls visiteurs humains sont quelques ornithologistes fanatiques, c'est aux membres de la colonie eux-mêmes qu'il appartient de faire la police démographique, et de limiter, par quelque moyen, l'expansion de leurs effectifs. Des sternes maraudeurs se chargent « objectivement » d'une partie de cette besogne. Ils atterrissent à l'improviste près d'un nid mal gardé; à coups de bec, ils perforent un œuf, et ils tentent d'en gober le contenu. Les voisins courroucés ne leur en laissent générale-ment pas le temps, et l'intrus doit s'enfuir. Mais le « mal » est fait; l'œuf est perdu pour l'expansion démographique : 5,5 % des œufs de la colonie sont ainsi perforés, ce qui contribue, avec bien d'autres techniques, à déprimer une fécondité qui autrement serait exubérante et dangereuse [1].

Les savants actuels, quand ils apprécient ces pratiques antinatales, ont un jugement très différent de celui des naturalistes du temps de Fabre. Moralistes du XIXe siècle, ceux-ci considéraient les comporte-ments destructeurs d'œufs comme autant de perversions, déshono-rantes pour les espèces animales qui les pratiquent. La nouvelle école au contraire, avec Wynne-Edwards, est familière de la pensée post-malthusienne, et des conquêtes scientifiques de la démographie [2]. Dans cette perspective renouvelée, le cannibalisme des œufs, perpétré par certains individus de l'espèce pondeuse, apparaît (quelles que soient les « motivations » des cannibales) comme une forme objectivement

1. O. Pettinghill dans *The Auk*, vol. 56, 1939, p. 421 et p. 426 (tableaux statis-tiques).
2. Cf. Wynne-Edwards, *op. cit.*, p. 490-495; paragraphe consacré à l'œuvre du démographe Carr-Saunders (A.M. Carr-Saunders, *The Population Problem...*, Oxford, 1922).

réussie d'adaptation, retenue par la sélection naturelle, et conférant, aux insectes ou oiseaux qui la pratiquent, l'avantage d'une limitation des effectifs : « Chez tous les types d'insectes sociaux, abeilles, bourdons, guêpes, fourmis et termites, l'*egg-eating* (consommation des œufs) existe : il constitue probablement une adaptation », écrit Wynne-Edwards. Celui-ci parle encore, à ce propos, d'un contrôle homéostatique de la population par elle-même, contrôle qui contribue à éviter un surpeuplement désastreux. O. W. Richards, dans son livre *The Social Insects*, note lui aussi : « *La régulation du nombre des œufs est essentielle au bien-être de la colonie, et l*'egg-eating *peut être regardé comme une forme de* birth control [1]. »

Cette vision nouvelle et ce « regard froid » sur le monde animal sont issus d'une double réflexion, dérivée de Malthus et de Darwin. Malthus, c'est l'accent mis sur l'équilibre et sur les avantages conférés à un groupe d'hommes ou d'animaux et à la vie dans sa globalité, par une régulation des effectifs. Darwin, c'est la sélection naturelle, conservant de préférence les individus que le hasard a faits porteurs d'adaptations réussies : au nombre de ces adaptations figureraient dans ce cas celles qui aboutissent à un certain contrôle du peuplement.

Les possibilités de régulation démographique sont nombreuses. Elles se situent à divers stades du cycle complet qui mène depuis la conception jusqu'après la naissance d'un nouvel être. Et les espèces animales ont souvent sélectionné, dans l'éventail ouvert de ces possibilités, une ou plusieurs d'entre celles-ci.

L'une des moins compliquées, dont les termes mêmes sont familiers à notre culture contemporaine, c'est *l'espacement des naissances*. Wynne-Edwards, encore lui, a présenté, dans sa belle communication au Congrès d'ornithologie de Bâle (1955), le cas spécialement intéressant des oiseaux à basse fécondité, notamment des oiseaux de mer. Le naturaliste anglais conteste l'idée fort répandue, et suggérée notamment par Lack (1951 [2]), selon laquelle « les faits indiquent que les oiseaux se reproduisent aussi rapidement qu'ils le peuvent ». Bien au contraire, chez les oiseaux marins, à longue vie et dont le taux de mortalité adulte est relativement bas, on note, en contrepartie normale, toute une série d'adaptations fortuites et favorables, conservées par la sélection naturelle : du fait de ces adaptations, des taux

1. O. W. Richards, *The Social Insects*, Londres, 1953, p. 55, cité par Wynne-Edwards, *op. cit.*, p. 510.
2. Communication de Lack au Xe Congrès international d'ornithologie (d'après Wynne-Edwards, *Low Reproductive Rates in Birds, especially Sea-Birds*, Acta XI Congr. Internat. Ornith., Bâle, 1955, p. 540).

très bas de reproduction ou de « recrutement des adultes » sont la règle dans ces espèces [1].

Premier phénomène : la réduction de l'effectif des couvées. Ainsi, dans la famille des manchots, la plupart des espèces pondent deux ou trois œufs par couvée. Mais, au terme d'un processus de « réduction », quelques espèces, comme *Aptenodytes forsteri*, ou *Apteno patagonica*, ne pondent plus qu'un seul œuf par couvée. Cette réduction peut être poussée plus loin encore. Certaines espèces, qui ne pondent qu'un seul œuf par an, ont même perdu la faculté qu'ont généralement les oiseaux de remplacer au moins une fois cet œuf, s'il est perdu ou détruit; elles ont perdu aussi la capacité de remettre l'œuf en place, s'il s'écarte du nid, ou du lieu dans lequel il doit être normalement couvé. Disons qu'elles ont perdu cette faculté, ou bien, si j'ose m'ex-primer ainsi (le lecteur pardonnera ce langage anthropomorphique), qu'elles ont laissé tomber en désuétude cette prérogative inutile.

Jean Prévost, lors de l'expédition Paul-Émile Victor en Terre Adélie, a bien noté le fait, à propos précisément du manchot empe-reur : la femelle de cette espèce, peu après sa ponte annuelle, et au terme d'un délai qui varie de six heures à vingt-quatre heures, aban-donne en effet son œuf qu'elle confie au mâle. Puis elle quitte la colonie d'oiseaux ou rookerie, pour aller résider sur les lieux de pêche, à proximité des glaces. Prévost, intrigué par ce manège, a donc subtilisé les œufs de trois couples de manchots, et il a enfermé ces couples dans un parc pour interdire tout départ aux femelles. Mais, en dépit de cet enfermement, qui dura vingt et un jours, « *aucune nouvelle ponte ne fut observée* ». Une fois libérées, au terme de ces trois semaines, les femelles n'eurent rien de plus pressé que de se diriger vers la mer et vers la pêche. Quant aux mâles, pendant toute la durée de l'enfermement, ils demeurèrent « de marbre », et parfaitement indifférents à leurs compagnes. La renonciation à la seconde ponte est donc un trait solidement fixé chez *Apteno forsteri* [2].

Des faits du même genre ont été signalés chez les albatros et surtout chez les pétrels (pour ce dernier cas, dans 85 % des espèces) : seules, deux espèces de « pétrels-tempête » ont coutume de remplacer leurs œufs, si l'on en croit l'étude qu'a donnée P. Davis dans *British Birds* [3].

Les observations des vieux naturalistes, sur des espèces aujour-

1. Wynne-Edwards, *Low Reproductive Rates in Birds...*
2. Tout cela d'après J. Prévost, *Formation des couples, ponte et incubation chez le manchot empereur*, Alauda, 1953, p. 141-156 et notamment p. 150.
3. P. Davis, « The breeding of the storm petrel », *British Birds*, 1957, d'après Wynne-Edwards, *op. cit.*, 1962.

d'hui éteintes, fournissent des indications analogues. A la fin du xviie siècle, le voyageur anglais M. Martin visita, dans les Hébrides, l'île gaélique de Saint-Kilda, aux roches mouchetées de vert et de gris. Cette île où abondent, coupés de toute intrusion humaine pendant huit mois de l'année, les macareux, les fous et les fulmars. Là Martin put contempler à loisir les mœurs du grand pingouin (*Alca vinpennis*, maintenant disparu) : « *Le grand pingouin*, écrit Martin, *pond son œuf sur la roche nue, et si on le lui enlève, il n'en pond plus d'autre pendant l'année*[1]. »

Hors du domaine des oiseaux de mer, des faits semblables sont signalés, comme fréquents, chez le condor de Californie *(Gymnogyps)*. Certains grands vautours, comme *Aegypius monachus*, et des falconidés de forte taille, tel l'aigle doré *(Aquila chrysaetos)*, n'ont pas régulièrement de ponte de remplacement, en cas de disparition accidentelle de l'œuf annuel[2].

Il est impossible d'expliquer cette prétendue « carence » par le coût trop élevé que représenterait la production d'un nouvel œuf, en termes d'épuisement physiologique de l'individu pondeur. En fait, chez les oiseaux de mer et les rapaces qu'on vient d'évoquer, la taille des œufs est relativement dérisoire, par rapport à celle de l'animal qui les produit. Pas davantage, il ne faut parler, bien sûr, d'animaux dénaturés! En fait, il s'agit simplement de formes d'adaptation, sans doute « inventées » par le hasard, mais retenues par la sélection naturelle, et qui contribuent à maintenir l'équilibre démographique de l'espèce, et celui du milieu qui la fait vivre.

« Sauter une ponte », par le non-remplacement d'un œuf perdu, n'est pas la seule technique qui permette d'espacer les naissances, en étalant la reproduction sur plus d'un an. Certaines espèces d'oiseaux de mer, encore eux, parviennent, non pas seulement par accident, mais de façon régulière, au même résultat : la « technique » mise en œuvre par la sélection naturelle consiste, en ce qui les concerne, à prolonger la période vouée à « l'empennage » ou *fledging*. Pour la plupart des espèces de manchots, en effet, la phase dont il s'agit (incubation plus empennage) ne dure que de trois à cinq mois. Mais, dans un cas au moins, celui du manchot roi *(Aptenodytes patagonica)*, cette période est beaucoup plus longue, et le cycle reproductif s'étale sur quatorze à seize mois, parfois même un an et demi. Un mois de mue prénuptiale, deux ou trois semaines d'engraissement à la mer,

---

1. M. Martin, *A late Voyage to Saint Kilda*, Londres, 1698, p. 541.
2. Wynne-Edwards, *op. cit.*, 1962, p. 488; et *op. cit.*, 1955, p. 542. Et N. Mayaud, *Biologie de la reproduction*, in P. Grassé *Traité de zoologie*, t. XV, *Oiseaux*, 1950, p. 602.

trois à six semaines de « cour » amoureuse sont suivis de 55 jours d'incubation; viennent enfin dix à treize mois d'éducation des petits (contre trois à cinq mois seulement chez les autres espèces). Tout cela étant nécessaire pour que les enfants du manchot roi aient le temps de revêtir le plumage qui leur permettra d'aborder la mer. Au terme de cette période incroyablement longue, les parents manchots sont mûrs pour une nouvelle mue prénuptiale, et pour un nouveau cycle reproductif. Telles sont du moins les mœurs de la colonie de 5 000 manchots rois, étudiée par Bernard Stonehouse à Ample Bay (Georgie du Sud) [1].

Le manchot roi joue les prolongations, donc; comment expliquer ce fait? Par des carences alimentaires et par une nutrition déficiente, coupables d'un allongement du temps de croissance? Sûrement pas. Puisque aussi bien le jeune manchot en question atteint déjà son poids adulte, trois ou quatre mois avant d'être revêtu du plumage, qui marque son émancipation véritable.

Quelles que soient les causes, les résultats sont probants et même extraordinaires : moins d'un œuf par couple et par an. En moyenne, deux petits seulement, élevés successivement, dans l'espace de trois années. Un tous les quinze mois. Trouverait-on des intervalles tellement plus longs si l'on étudiait, pour le XVIIIe siècle, la fécondité des femmes bretonnes [2]...?

Quoi qu'il en soit, les autres espèces de manchots sont bien loin d'avoir obtenu, pour leur compte, un contrôle des naissances aussi efficace. Le manchot empereur élève son poussin en huit ou neuf mois; et, plus prolifique encore, la plupart des espèces restantes, et notamment les manchots Adélie, viennent à bout de la ponte et de l'éducation de deux jeunes en moins de six mois. Soit une fécondité six fois plus forte que celle du manchot roi, dont les prouesses sophistiquées, quant à l'espacement des élevages, apparaissent d'autant plus remarquables [3]. Des « exploits » analogues se rencontrent cependant, bien qu'assez rares, chez certains albatros (notamment *Diomedea exulans*, et aussi *Diomedea epomophora* : l'albatros royal); dans leur cas aussi, la période d'empennage est démesurément, faut-il dire providentiellement, prolongée.

Wynne-Edwards, intéressé par ces cas rarissimes, mais remar-

1. Stonehouse, « The Penguin of South Georgia », *Nature*, Londres, 1956, p. 1424-1426.
2. P. Goubert, *in* F. Braudel et E. Labrousse, *Histoire économique et sociale de la France*, t. II, Paris, PUF, 1969.
3. P. Grassé, *op. cit.*, tome XVII, fasc. 1, p. 766-767; Wynne-Edwards, *op. cit.*, 1962, p. 490.

quables, de cycles reproductifs étalés sur plus d'un an chez les oiseaux, compare ces faits aux phénomènes du même genre, notés parmi certains mammifères. La sélection naturelle, là encore, a dû jouer son rôle. Le résultat final est toujours l'espacement des naissances, mais les solutions mises en œuvre sont différentes : elles procèdent d'un allongement démesuré du temps de gestation. Ainsi la gestation chez l'éléphant d'Asie dure de 17 à 23 mois, d'après les observations faites en Birmanie. Et elle est de 22 mois pour l'éléphant d'Afrique, dans les stations du Congo-Léopoldville. Comme la femelle de l'éléphant n'accepte le mâle que huit à dix mois après avoir enfanté, les « intervalles intergénésiques » (intervalles entre naissances) sont de ce fait très longs : ils atteignent trois ou quatre ans. Le naturaliste indien E. P. Gee, observant un rhinocéros en captivité *(Rh. unicornis)*, a trouvé un temps de gestation assez semblable, qu'il a fixé à dix-neuf mois (en fait, le « veau » naquit, semble-t-il, prématurément, à 18 mois et demi)[1].

Assez récemment, des données nouvelles sont venues s'ajouter à ce dossier. Elles concernent les mammifères à forte longévité, en particulier les baleines. Il n'est pas facile, on s'en doute, d'élever celles-ci en captivité... ; leurs dates d'accouplement, de gestation et de « vêlage » sont donc mal connues. Mais Huggett et Widdas en 1951 ont ingénieusement démontré qu'il existe une relation linéaire entre deux caractéristiques du fœtus : son âge d'une part, et d'autre part sa longueur[2]. De ce fait, les très nombreuses mensurations de fœtus, recueillies par les *Statistiques internationales des baleiniers*[3], ont pu faire l'objet de calculs. Les statistiques ont confirmé les données couramment admises : les baleines, pour la plupart, portent leurs petits pendant une période qui va de 9 à 12 mois. C'est le cas notamment des baleines bleues. Mais, pour certaines espèces, on a calculé des gestations beaucoup plus longues : quinze à seize mois pour la *sperm whale (Physeter catodon)* d'après 1 706 fœtus. Seize mois pour la baleine pilote *(Globicephalus melanea)*.

Dira-t-on que ces longs séjours dans le « sein maternel » s'expliquent aisément du fait même que le baleineau, gros fœtus, exige de sa mère un effort nourricier gigantesque? Mais une telle explication serait inexacte. En fait, le fœtus en question est minuscule par rapport à l'animal qui le porte. Le « veau » nouveau-né du rorqual

1. Wynne-Edwards *op. cit.*, 1962, p. 490.
2. A. S. G. Hugget et W. F. Widdas, « The relationship between mammalian foetal weight and conception age », *The Journal of Physiology*, 1951, vol. 144, p. 306-317.
3. *International Whaling Statistics.*

commun *(Balaenoptera sp.)* ou de la baleine bleue *(Balaenoptera musculus)* pèse une tonne et demie ou deux tonnes... Mais qu'est-ce que cela auprès du poids de la baleine adulte (50 à 80 tonnes). Le prélèvement sur les ressources nourricières du corps maternel est en fin de compte moins « prenant », chez ces gros mammifères, qu'il ne l'est par exemple chez de petits animaux comme le rat noir *(Rattus rattus)* ou chez tel campagnol dont la portée, composée d'un ou de plusieurs individus, pèse entre 28 % et 43 % du poids maternel.

Autre exemple : le nouveau-né de la chauve-souris fer à cheval pèse 2,1 g, soit un tiers (34,4 %) du poids maternel (6,1 g).

Ce n'est donc pas le poids, relativement dérisoire, du baleineau qui rend sa gestation plus longue. « *Il est beaucoup plus plausible d'admettre qu'il s'agit là d'une adaptation à base de sélection naturelle, limitant la fécondité potentielle chez un animal à forte longévité* », où les adultes ne font « *place aux jeunes* » qu'au terme d'un long délai [1].

Bien que le contexte soit évidemment tout différent, les notations de Wynne-Edwards suivent une logique assez semblable à celle qui inspira Louis Henry et Pierre Goubert, étudiant la fécondité dans la démographie d'ancien type. Un vieux préjugé voulait que les femmes de l'Ancien Régime eussent un enfant par an, « *trois enfants en trois ans... cas typique de la fécondité physiologique* [2] ». Vérification faite [3], ces accouchements de jadis étaient en réalité plus espacés, intervenant tous les vingt-six ou vingt-neuf mois environ. L'explication de ce délai est bien connue ; c'est la stérilité due à l'allaitement qui, dans beaucoup de cas, remet à plus tard la grossesse suivante. Chez certains mammifères aussi, le même intervalle peut être assez long. Dans le cas du morse par exemple, un nouvel accouplement « n'intervient normalement que dans l'année qui suit celle de la parturition, de sorte que les femelles ne vêlent que tous les deux ans [4] ».

Les processus de police démographique, chez telle ou telle espèce animale, peuvent être flexibles. Leur force de freinage est capable de varier, s'appliquant au maximum quand les effectifs sont trop nom-

1. H. B. Leitch, « The maternal and neonatal weight of some mammalia, *Proceedings of the Zoological Society*, Londres, 1959, p. 11-28, et notamment p. 14, 16, 18. Wynne-Edwards, *op. cit.*, 1962, p. 489.

2. Duplessis-Le Guelinel. *Les Mariages en France*, Paris, 1954, p. 12.

3. Goubert, *Beauvais et le Beauvaisis au* XVIIe *siècle*, Paris, SEVPEN, 1960, p. 34 ; Henry, *Crulai, paroisse normande*, Paris, Travaux et documents de l'INED, 1958.

4. Wynne-Edwards, *op. cit.*, 1962, p. 490.

breux et quand les subsistances se font rares. En dernier recours, c'est la mortalité qui tranche, et qui élimine les bouches en surnombre. Mais, précisément, dans le cas d'une disette, ou d'un surpeuplement, des mécanismes « homéostatiques » préviennent la régulation la plus féroce, celle de la mort. Et ils tendent à instaurer une autolimitation de la fécondité, une diminution des naissances.

Les premières expériences, à ce propos, sont celles de Pearl [1] sur la mouche drosophile *(Drosophila melanogaster)* à partir de 1922. Pearl, en adoptant un modèle de type malthusien, se donne un univers clos, à substances limitées, où les blocages démographiques peuvent être observés en réduction : cet univers, c'est une bouteille de lait désaffectée, d'une demi-pinte; elle contient un milieu nutritif, dans lequel germent les levures de bière, qui constituent la nourriture des mouches drosophiles. Au fur et à mesure que ces insectes se multiplient, et qu'ils peuplent plus densément la bouteille-univers, leur fécondité décroît. Leur fertilité potentielle pourtant n'est pas atteinte. La production des œufs, par ovaire, demeure constante, semble-t-il. Mais c'est la ponte, « l'oviposition », qui est affectée. A cause du manque de nourriture : la sous-alimentation diminue, si l'on en croit Robertson et Sang [2], l'aptitude à la ponte, chez la drosophile. A cause aussi d'un effet secondaire de surpeuplement : les femelles drosophiles sont perturbées par les rencontres plus ou moins agressives, et par les chocs trop fréquents avec leurs congénères adultes. Bousculées sans cesse, elles ne trouvent plus le temps, l'énergie ou le goût de pondre aussi souvent que par le passé. Et le grouillement des mouches est tel, dans cette bouteille devenue infernale, qu'un accès paisible à la nourriture et aux sites éventuels de ponte n'est plus possible. Les pondeuses s'abstiennent.

La fécondité serait donc en proportion inverse des subsistances, et de l'espace disponible, à un certain degré de saturation par le nombre d'adultes. Les collisions trop fréquentes « grignotent » le temps nécessaire pour la ponte, le repos et la nourriture. C'est aussi, répétons-le avec les bons auteurs, une question de sites de ponte : des expériences pertinentes ont été réalisées [3] dans cette perspective, à propos de groupes d'insectes parasites du grain, tels que charançons, teignes,

1. Wynne-Edwards, *op. cit.*, 1962, p. 495; W. C. Allee, Emerson, Park, Schmidt, *Principles of Ecology*, Londres, 1949.

2. F. W. Robertson et J. H. Sang, « Fecundity of adult flies », *Proceed. Royal Soc.*, B. 132, 1944, p. 258-277.

3. A. Crombie, « ... Competition in *Larvae* », *J. Exp. Biol.*, 20, 1944, et Mac Lagan et Dunn, d'après Allee et Park, *op. cit.*, 1949; Wynne-Edwards, *op. cit.*, 1962.

papillons et cafards. Le cas des charançons est typique, le charançon requiert en effet une surabondance de sites de ponte : « *Il ne pond son maximum d'œufs que si le nombre de grains (disponibles comme sites de ponte) est au moins onze fois supérieur au nombre de grains réellement utilisés dans ce but. Toute réduction du nombre de grains est accompagnée par une réduction du nombre d'œufs pondus par la femelle.* » Faute d'un meilleur mot, MacLagan a qualifié de « *psychologique* » le mystérieux processus de régulation qui incite cette femelle à limiter sa ponte, dès que pointe à l'horizon la menace encore lointaine d'une disette des grains. Une chose est claire : les mécanismes qui limitent la fécondité se mettent en marche, dans ce cas précis, bien avant qu'un manque effectif de nourriture se fasse sentir. Une telle observation a valeur générale : Anthony Wrigley, étudiant la fertilité des populations britanniques au XVIIe siècle, a fait une remarque tout à fait semblable qu'il a explicitement rapprochée des constatations faites à ce propos dans le monde animal [1].

Mais revenons à nos insectes pondeurs sur grain : la compétition pour le site de ponte n'est pas seulement chez eux le fait des adultes. Elle se poursuit, une fois écloses, au niveau des larves, notamment chez les cafards, teignes et papillons. La larve, tapie dans l'un des trous qui criblent le grain, est lovée contre toute intrusion ; elle défend son tunnel à coups de mandibules, meurtriers pour toute congénère qui voudrait lui enlever son gîte. Le nombre d'individus ainsi massacrés, dans ces combats singuliers, est directement proportionnel à la population d'un grain donné : plus on y est de larves, candidates au logement, plus on s'entre-tue.

Les expériences fondamentales [2] sur la régulation automatique de la fécondité chez les insectes ont été réalisées par une série de chercheurs, entre 1928 et 1949. Elles concernent l'escarbot de la farine, cafard ou meunier *(Tribolium confusum : flour-beetle)*. Au point de départ, il s'agissait d'expliquer un fait patent : dans un « univers clos », peuplé de cafards et tapissé à la base d'une couche uniforme de 2 cm de farine, quel que soit le nombre initial d'insectes adultes originellement introduits, on arrivera toujours, au terme d'un certain délai, à une densité uniforme, et stabilisée, d'individus par gramme de farine.

1. A. Wrigley, *in Ec. Hist. Rev.*, 1966.
2. Wynne-Edwards ; et Allee et Park, *op. cit.*

Les premières explications, concernant ce plafonnement progressif d'une population, étaient assez grossières. Elles mettaient en cause une mortalité cannibale. Si l'effectif des cafards finit toujours par se stabiliser, écrivait Chapman en 1928, c'est simplement parce que les adultes « *mangent les œufs ou mangent les jeunes en nombres proportionnels à la concentration des individus par gramme de farine* ».

Peu à peu cependant, des facteurs plus subtils, et qui mettent en cause la fertilité des cafards, ont été identifiés. Ce serait une substance toxique, l'éthylquinone, qui jouerait le rôle principal, dans ce freinage d'une fécondité, chez *Tribolium confusum*. L'éthylquinone est libérée par de petites glandes, disposées sur le thorax et sur l'abdomen du cafard. Ces glandes sont stimulées par le surpeuplement, par les chocs incessants qu'il engendre, et par l'irritation qu'il entretient ; et le produit qu'elles émettent tend à imprégner la farine, qui constitue la nourriture et la litière des insectes, dans l'expérience envisagée. La farine ainsi imprégnée ou « conditionnée » prend peu à peu des teintes rosâtres.

Dès lors, elle constitue un véritable milieu à tendance contraceptive. Qu'on en juge : il suffit de mêler une simple pincée de cette farine « conditionnée » à un lot de farine fraîche où vivent depuis peu des cafards, pour réduire de trois à quatre fois la fécondité des femelles de cette colonie. Cet effet devient perceptible au bout de quelques jours. Les mâles eux-mêmes sont incommodés par cette adjonction de « farine rose » : leurs capacités de fertilisation paraissent atteintes. Enfin, le développement larvaire est plus lent, plus hasardeux, dans une farine imprégnée d'éthylquinone. Les larves et chrysalides traitées par ce produit ont un pourcentage de traits anormaux plus élevé que celles qui vivent dans un milieu normal. Les causes de cette action, due à l'éthylquinone, ne sont pas connues parfaitement : on soupçonne cette substance de jouer, par rapport aux cafards, le rôle d'un antiaphrodisiaque. Et on sait d'autre part qu'elle peut avoir des effets spermicides chez les mammifères.

Quoi qu'il en soit, une telle expérience fournit un bel exemple d'autorégulation des effectifs, sans qu'intervienne pour autant une mortalité par famine. La quantité d'éthylquinone débitée par les glandes *ad hoc* s'accroît, en même temps qu'augmente la densité de la population. Ce débit croissant provoque un freinage progressif des naissances, de plus en plus efficace, au fur et à mesure que pointent les dangers de mort, par congestion démographique. Et la baisse du potentiel reproductif suffit à conjurer, pour l'essentiel, la menace d'une mortalité apocalyptique. Les populations d'insectes, dans ce cas, sont bel et bien *self-limited*, « autocontrôlées ».

On objectera que l'expérience ainsi décrite ne concerne guère que des insectes, chez lesquels tout s'opère de façon simple, et presque automatiquement. Quand il s'agit de mammifères, plus proches de l'homme, les processus de régulation sont plus complexes; ils ne peuvent se réduire à l'action d'une substance chimique, sorte de contraceptif providentiel, introduit dans la nourriture.

Il existe cependant, quant aux limitations démographiques des mammifères, toute une série d'observations et d'expériences. L'une d'elles au moins est cruciale, dans la mesure où elle permet des comparaisons avec les données humaines.

Dès 1939, Selye, à ce propos, expérimentait sur des rats [1] : il montrait qu'en cas de réduction *brutale* de sa nourriture, la femelle de cet animal présentait tout un tableau de signes, articulés entre eux. Notamment : un déclin net du poids des ovaires, une augmentation du poids des adrénales, une cessation du cycle sexuel, accompagnée de stérilité. Selye rattacha ces faits à l'action des glandes endocrines et, notamment, de l'hypophyse. Celle-ci, dit-il, faisant face à une situation dramatique de jeûne réagit vivement selon les normes du « syndrome général d'adaptation » : elle produit davantage d'hormones « adénotropiques » anti-inflammatoires, qui activent les glandes surrénales et qui contribuent de la sorte à protéger l'organisme en péril. Et, par compensation, elle sécrète beaucoup moins d'hormones gonadotropiques, qui stimuleraient les fonctions ovariennes. L'urgence de la survie l'emporte sur les besoins de la vie sexuelle : une stérilité temporaire est le prix que doit payer l'animal s'il veut vaincre dans une lutte sévère pour son existence.

Selye, théoricien du stress, fut l'un des premiers à rapprocher ces phénomènes de faits du même genre, observés chez les femmes allemandes pendant les pénuries de la Grande Guerre : ces faits sont généralement connus sous le nom de *Kriegsamenorrhöe* [2] (aménorrhée de guerre), celle-ci diagnostiquée au xxe siècle pendant les grandes guerres, et au xviie siècle pendant les crises de subsistance au temps du Grand Roi. J'y reviendrai plus loin, dans la seconde partie de cet article.

1. H. Selye, « The effects of adaptation to various damaging agents on the female sex organs in the rat », *Endocrinology*, vol. 25, 1939, p. 615-624.
2. Cette expression, qui désigne l'absence de règles et du cycle menstruel, en liaison avec les conditions négatives dues à la guerre mondiale, fut proposée pour la première fois par le médecin H. A. Dietrich, 1917.

Tel était, fort partiellement évoqué ici, l'état des problèmes et recherches vers 1962 en ce qui concerne l'obtention d'un équilibre démographique dans les populations animales. Depuis la parution du livre de Wynne-Edwards, certaines expériences ou observations évoquées par le maître anglais ont été critiquées; d'autres, confirmées. Mais le sens général des conclusions qu'il a proposées conserve de chauds défenseurs. Tout récemment encore, M. Chance et C. Jolly dans une sociologie comparée de l'homme et du singe ont affirmé l'existence d'une « autolimitation des peuplements animaux », dans le cadre de laquelle l'espèce exerce « un contrôle de la densité démographique » [1]. Les deux auteurs pensent que ce contrôle intervient à un moment très « précoce », et bien avant que soient épuisées ou « surexploitées » les possibilités alimentaires que recèle, à l'égard de l'espèce animale mise en cause, l'espace géographique habité par elle. Ce qui déclenche le contrôle, c'est, par exemple, l'exacerbation du comportement belliqueux, provoquée par un essor intempestif de la démographie. Chez diverses espèces de rongeurs, les intrusions des mâles d'un groupe donné, sur le territoire d'un autre groupe, inévitablement provoquées par la multiplication des individus, entraînent, outre les coups et blessures, divers dégâts physiologiques. Les adrénales se gonflent, avec inconvénients pour le rein, ce qui accroît le taux de mortalité. La capacité que manifestent les jeunes animaux, dans l'espèce mise en cause, à devenir, plus tard, bons reproducteurs, est affectée de façon significative quand des combats de frontière ont ainsi troublé leur enfance. Tout cela contribue en fin de compte à casser l'essor démographique, qui se révélait préjudiciable à la bonne harmonie des divers groupes avec leur milieu nourricier. Chez l'homme, par chance ou malchance, il n'existe pas de mécanisme semblable... En revanche, les remarques de M. Chance et C. Jolly, relatives au contrôle de la démographie par les infections, rendront un son familier pour les historiens des peuplements humains : chez les singes Rhésus, par exemple, comme chez les paysans d'Anjou du XVIIIe siècle [2], la dysenterie constitue l'une des garanties puissantes, et des plus barbares qui puissent jouer, en faveur d'une population stabilisée. Plus généralement, les recherches menées sur les singes *howlers* de l'île Barro Colorado, ont démontré statistiquement ce qui n'était jusqu'alors qu'évidence intuitive : dès que se chevauchent leurs territoires jusqu'alors distincts, la transmission devenue plus facile des épidémies induit un

---

1. M. Chance et C. Jolly, *Social Groups of Monkeys, Apes and Men*, Londres, 1970.
2. F. Lebrun, *Les Hommes et la Mort en Anjou*, Paris, 1971.

dépeuplement· compensatoire. De la même façon se produisit, à l'échelle humaine et même planétaire, depuis le XIVe jusqu'au XVIe siècle, l'unification microbienne du monde ; elle devait réagir comme un formidable mouvement de contrecoup et d'après-coup, à l'essor démographique mondial, peut-être imprudent des XIe-XIIIe siècles. En multipliant, à tort et à travers les contacts commerciaux, routiers, migratoires, impériaux et maritimes, cet essor n'avait-il pas creusé sa propre tombe, dans la mesure où il avait frayé la voie aux diffusions incontrôlées de la peste noire, de la variole, de la rougeole, qui devaient exterminer des millions ou dizaines de millions d'hommes en zone ouest-européenne et amérindienne?

Restons-en, pourtant, dans le cadre de cet article aux limitations par la non-mort. Les phénomènes humains d'anovulation et d'aménorrhée nous en fourniront une illustration intéressante, et souvent tragique à sa manière, ou dans son contexte.

II. L'AMÉNORRHÉE DE GUERRE ET DE FAMINE [1]

Dès 1946, Jean Meuvret [2], travaillant sur les famines louisquatorziennes, diagnostiquait, comme phénomène concomitant, outre une prévisible mortalité, la très forte raréfaction des naissances. Il en offrait le premier un diagnostic fin, qui acheminait vers une explication causale, sans pour autant proposer celle-ci avec certitude. Compulsant les registres paroissiaux, et, spécialement, les chiffres de baptêmes, Jean Meuvret décida de ne plus raisonner en termes de naissances, mais de conceptions. Pour aboutir à cette donnée primaire, il décala, comme on sait, de neuf mois vers l'amont chronologique toutes les dates des baptêmes ; et il parvint ainsi à suivre, mois par mois, le mouvement des conceptions elles-mêmes. Du coup se fit jour, avec force, une vérité qu'on avait seulement soupçonnée : au moment précis où culminaient les prix du grain, et où se multipliaient les décès par famine ou consécutifs aux épidémies, on voyait s'effondrer le nombre des conceptions. Le diagramme présentait littéralement « le phénomène se produisant ». Le lien entre famine et stérilité qu'avaient perçu, à tort ou à raison, les gynécologues au cours de deux guerres mondiales

1. Cette deuxième partie a déjà été publiée dans les *Annales ESC*, en décembre 1969.
2. J. Meuvret, « Les crises de subsistance et la démographie de la France d'Ancien Régime », *Population*, 1946, p. 643-650. Voir aussi D. S. Thomas, *Social and Economic Aspects of Swedish Population Movements, 1750-1933*, New York, 1941.

devenait lisible, par une astuce graphique, en pleine crise de subsistances du XVIIᵉ siècle. Restait à expliquer le processus : pourquoi des femmes mariées, normalement fertiles, devenaient-elles brusquement infécondes lors des pires semaines ou mois de la faim?

Huit années plus tard, Pierre Goubert [1], à son tour, posait des questions de même type; il étudiait, sur documents beauvaisins, la disette géante de 1693-1694 dont il avait constaté le caractère d'épouvantable massacre : il signalait la diminution du nombre des naissances (— 62 % dans six paroisses) lors de la pointe cyclique des prix et des morts. Invoquant un texte de la *Genèse*, il expliquait, en première analyse, cette grève mystérieuse des ventres par un *birth control* de catastrophe.

Diverses explications, concurrentes, étaient cependant proposées par d'autres chercheurs. Joseph Ruwet, se penchant lui aussi sur la famine liégeoise de 1693-1694, y notait, comme prévu, la baisse effrayante des conceptions [2]. Sans écarter l'hypothèse d'une fruste limitation des naissances, à déterminations volontaires, il proposait également, comme autres facteurs possibles de dénatalité provisoire en temps de crise : l'abstinence sexuelle par prévoyance ascétique ou manque d'appétit; la baisse momentanée du nombre des mariages; enfin, la crue plausible des avortements précoces et spontanés, provoqués par la mauvaise santé des femmes enceintes, sous le coup de la faim, des infections, des épidémies; incidemment, Ruwet signalait d'autre part qu'avaient pu se produire en 1694 des événements semblables à ceux qui furent enregistrés aux Pays-Bas, lors de la famine de 1944-1945 : en ces deux années, plus de la moitié des femmes fécondes, dans les grandes villes hollandaises, furent frappées d'aménorrhée temporaire (suspension des règles, accompagnée de stérilité). Ce qui vaut pour 1944, déclarait Ruwet, ne vaut-il pas aussi, *mutatis mutandis*, pour 1693 ou 1661?

Cette argumentation, ses propres recherches, et les progrès de la démographie historique amenèrent finalement P. Goubert, en 1960, à réviser ses positions initiales. Les recherches de Louis Henry, notamment, avaient montré que le *birth control*, dans les milieux populaires, était beaucoup moins répandu, au XVIIᵉ et au XVIIIᵉ siècle, que les historiens n'avaient pu le penser [3]. Goubert, en 1960, rejette donc,

1. P. Goubert, « Une richesse historique : les registres paroissiaux », *Annales'* 1954, p. 92.

2. J. Ruwet, « Crises démographiques : problèmes économiques ou crises morales; le pays de Liège sous l'Ancien Régime », *Population*, 1954, p. 451-476.

3. E. Gautier et L. Henry, *La Population de Crulai, paroisse normande*, Paris, Travaux et documents de l'INED, 1958. Dans les villes, cependant, grandes et petites, les « funestes secrets de la contraception » se répandent au XVIIIᵉ siècle, surtout après 1750 : cf. notamment les travaux de A. Chamoux et C. Dauphin sur

d'une phrase superbe, l'interprétation contraceptive et volontariste
qui fut un moment la sienne, à propos de la baisse des conceptions
en période de famine. Forçant peut-être sa pensée, il écrit : « Plus on
connaît les paysans beauvaisins du XVIIᵉ siècle, et quelques autres, et
moins on les voit capables d'exercer fréquemment, fût-ce en temps de
crise, le *birth control* le plus élémentaire [1]. » Dans la logique de cette
prise de position, l'auteur du *Beauvaisis* met désormais au premier plan
des explications possibles l'aménorrhée de famine comme cause
importante (mais non exclusive) de stérilité temporaire. Il rappelle à
ce propos que Moheau, en 1778, signalait comme allant de soi « le
défaut de reproduction à laquelle sont inhabiles des êtres souffrants
et exténués [2] ».

Le même historien pose enfin, judicieusement, la question documen-
taire : « On nourrit l'espoir, écrit-il, que quelque mémoire de vieux
médecin nous fera confidence... des phénomènes d'aménorrhée en
temps de famine [2]. »

Les problèmes ainsi proposés, voilà près de dix ans, aux réflexions
des chercheurs, n'ont pas, dans l'intervalle, reçu de réponse ou solution bien nouvelle ou consistante. Sans nous aventurer sur le terrain
technique de l'histoire médicale [3], qui n'est pas le nôtre, nous voudrions
simplement, comme historien d'histoire sociale et régressive, et pour
une contribution indirecte à la connaissance de l'équilibre démographique ancien, rouvrir le dossier de l'aménorrhée de famine. Ce
dossier, en effet, est beaucoup plus important que ne le laisseraient
croire les seules allusions, aujourd'hui bien connues, aux événements
précités de la disette hollandaise.

En conclusion, nous tenterons d'élargir le débat; nous essaierons

---

Châtillon-sur-Seine (*Annales*, 1969, p. 662-684); de M. Lachiver, sur Meulan
(EPHE, 1969); de El Kordi, sur Bayeux; des élèves de P. Goubert, sur Argenteuil;
et, bien entendu, pour une période un peu antérieure, la démonstration de Louis
Henry, *Anciennes familles genevoises. Étude démographique*, Paris, Travaux et
documents de l'INED, 1956.

1. P. Goubert, *op. cit.*, p. 49-50.

2. Moheau, *Recherches et Considérations sur la population de la France, 1778*,
cité par P. Goubert, *op. cit.*, p. 50.

3. On se reportera, pour une mise au point médicale, à A. Netter, *Comment
soigner les aménorrhées*, Paris, 1955, p. 61, et du même auteur, en collaboration
avec P. Lumbroso, « Aménorrhées, dysménorrhées », *in le Précis du praticien*,
Paris, Baillière, 1962, p. 58 *passim :* l'aménorrhée de dénutrition y est définie parmi
les diverses aménorrhées *secondaires;* cf. aussi « Les aménorrhées non ménopausiques », *les Assises de médecine*, t. XXIII, 26ᵉ année, nº 2, mai 1968, notamment p. 102.

aussi, éventuellement, de répondre à la question précise qu'a posée Pierre Goubert sur les témoignages possibles des médecins de jadis.

Les premières observations rigoureuses, quant à l'aménorrhée dite de famine [1] ou de guerre, *Kriegsamenorrhöe*, sont le fait d'un médecin polonais : en août 1916, J. von Jaworski, gynécologue à l'hôpital Saint-Roch de Varsovie, découvre chez les clientes très pauvres qui viennent à sa consultation une fréquence insolite des cas d'aménorrhée (suppression des règles), accompagnée, sauf exceptions, d'une stérilité temporaire [2]. Il croit pouvoir expliquer ces faits par les carences alimentaires, de plus en plus graves, dans les empires centraux, du fait de la guerre : le prolétariat varsovien mange si mal, en 1916, que nombre de femmes et de jeunes filles qui sont au bord de l'inanition, sont en même temps victimes d'une absence insolite de règles. D'où l'expression d'aménorrhée d'inanition quelquefois employée pour caractériser ces phénomènes.

Bon premier en tout cas, Jaworski publie, dans le *Wiener Klinische Wochenschrift*, les cent cas initiaux d'aménorrhée qu'il a constatés. Très vite, des faits analogues sont signalés un peu partout. Les médecins allemands voient venir à eux de nombreuses jeunes femmes qui, apeurées ou joyeuses, s'imaginent enceintes [3] : elles apprennent avec stupeur, au terme de l'examen, qu'elles sont seulement aménorrhéiques. A Vienne, « l'épidémie » signalée dans les consultations d'assurances sociales commence en octobre 1916. A Hambourg, les premiers cas sont signalés le 2 octobre. A Fribourg, en novembre de la même année. Toutes les grandes villes de l'Allemagne impériale, Berlin, Cologne, Kiel, etc., sont touchées. Seule paraît épargnée la région de Tübingen. L'apogée du phénomène se situe au printemps de 1917,

1. J. V. Jaworski, « Mangelhäfte Ernährung als Ursache von Sexualstörungen bei Frauen », *Wiener Klinische Wochenschrift*, août 1916, n° 24, p. 1068 *sq.* Il est à noter que, dès le temps de paix (1898), on signalait encore, dans les régions arriérées et misérables de la Galicie polonaise, une influence négative des mauvaises récoltes et des hauts prix du blé sur le nombre des naissances, alors qu'une telle corrélation, caractéristique de l'ancien régime céréalier, avait disparu depuis longtemps des régions développées d'Europe (« En Galicie, après la mauvaise récolte de 1897, le nombre des mariages baissa de 3 506, mais celui des naissances de 45 438 », d'après Buzek, « Der Einfluss der Ernsten resp. der Getreidepreise auf die Bevölkerungsbewegung in Galicien, 1878-1898 », *Der Statistische Monatschrift*, 1901, cité par Julius Wolf, *Der Geburtenrückgang*, Iena, G. Fischer, 1912, p. 124-125).

2. Sur ces phénomènes, sur les données cliniques et le syndrome biologique qui les accompagne, et sur les exceptions mentionnées, cf. « Les aménorrhées non ménopausiques », *loc. cit.*, p. 101-102.

3. A. Giesecke, « Zur Kriegsamenorrhëe », *Zentralblatt für Gynäkologie*, 1917, p. 865-873; et J. Czerwenka, « Kriegsamenorrhëe », *ibid.*, p. 1162-1165.

vers mars-avril [1]. Les aménorrhées sont en général assez brèves : deux ou trois mois, six mois quelquefois. Chez certaines femmes spécialement fragiles (comme sont, à Berlin, les pensionnaires d'une clinique pour épileptiques, affectées par les restrictions d'aliments), les règles disparaissent beaucoup plus longtemps : pendant deux années en moyenne. Divers symptômes, parmi lesquels naturellement la stérilité, accompagnent ces épisodes.

Dès l'origine, et Jaworski en tête, les gynécologues incriminent la mauvaise nourriture : à Hambourg, Spaeth constate que la grande vague des troubles menstruels fait suite à l'introduction de la carte de viande, au renchérissement des produits alimentaires : « Les œufs sont introuvables... les pommes de terre sont remplacées par des raves. » Les femmes sont perturbées par cette dénutrition. « Aucun médecin qui a des yeux pour voir ne le contestera. » Ailleurs c'est le manque de pain, de farine, de graisse, de viande qui est mis en cause. Le plus souvent, du reste, en supprimant la cause, et en donnant, quand c'est possible, un régime plus nutritif aux femmes atteintes de ce mal étrange, on les guérit : « Heureusement pour l'avenir de notre patrie, tout revient en ordre quand la nourriture s'améliore », écrit Giesecke, qui souhaite une reprise de natalité, et qui ordonne à ses clientes du lait, des œufs, des légumes frais. Dans le Schleswig-Holstein, en 1917, lard, œufs, pain, farine et gruau manquent cruellement et ces carences sont rendues responsables de l'aménorrhée très fréquente. A Berlin, enfin, on dispose d'évaluations chiffrées : dans la clinique berlinoise déjà évoquée, on peut comparer les données précises qui concernent l'aménorrhée et la ration alimentaire. Entre 1914 et 1918, sur 142 femmes internées, âgées de seize à quarante-quatre ans, 129 (soit 90,8 %, proportion énorme) furent affectées par l'aménorrhée ; et la plupart d'entre elles à partir de 1916. Ces phénomènes étaient consécutifs à la réduction draconienne de l'« ordinaire » des repas. Le rationnement de la viande, à Berlin, fut en effet institué à Pâques de 1916 ; en octobre, c'était le tour du lait ; simultanément, topinambours et rutabagas remplaçaient les pommes de terre, et faisaient leur entrée dans le pain et la marmelade. Suite aux restrictions, l'aménorrhée battait tous ses records dans cette clinique au dernier trimestre de 1916 et au premier de 1917. Or la disette y était bel et bien traduisible en chiffres [2] : les malades non travailleuses, nourries à la clinique, consommaient en moyenne, d'après la comptabilité de l'établissement,

1. *Ibid.* Voir aussi F. Spaeth, « Zur Frage der Kriegsamenorrhöe », *Zentralblatt für Gynäkologie*, 1917, vol. 2, n° 27, p. 664-668 ; et C. Kurtz « Alimentäre Amenorrhöe », *Monatschrift für Geburtshilfe und Gynäkologie*, 1920, p. 367-378.

2. Kurtz, *loc. cit.*, p. 371-372.

2 995 calories par jour en août 1914, et seulement 1 961 calories en décembre 1916. Quant à leur ration de graisse, elle avait baissé, dans le même intervalle, de 69,2 %.

Les causes alimentaires de l'aménorrhée, de l'avis des médecins allemands de l'époque, sont corroborées par les données sociologiques. Dans la clientèle viennoise du médecin Czerwenka (1917), par exemple, deux groupes s'affirment [1] : les aménorrhéiques, d'une part, qui sont d'origine populaire et inscrites aux caisses d'assurances sociales ; et, d'autre part, les femmes mieux nourries de la clientèle privée, qui sont épargnées par cet « accident ». A Königsberg, la même année, le Dr Hilferding [2] constate des faits semblables : dans une consultation d'hôpital, où viennent chaque année plusieurs milliers d'assurées, le nombre des aménorrhéiques passe de 0,55 % en 1912 à 14 % dans l'année 1917, en pourcentage du total des clientes. Au contraire, dans la clientèle privée, moins pauvre, qui consulte chez Hilferding, seulement 5 % des femmes (10 sur 200) sont dans la même situation. A Hambourg enfin [3], le contraste est semblable, toujours en 1917, entre la clientèle payante, totalement exempte d'aménorrhée, et les jeunes femmes inscrites aux *Krankenkasse*, ouvrières, filles de salle, midinettes, qui sont mal nourries et dont un grand nombre ne sont plus réglées.

La recherche la plus détaillée est celle de Teebken [4] sur Kiel : 375 cas sont présentés pour la période 1916-1919. Les femmes affectées sont pour 33 % d'entre elles des ouvrières et employées de maison, pour 7,5 % des « employées » (postières, vendeuses et lingères) et pour le reste, essentiellement, des ménagères, femmes d'ouvriers et d'artisans. Alors que la clientèle de la polyclinique qu'étudie Teebken se compose à 65 % de citadines, le groupe des femmes aménorrhéiques est urbain à 84 %, rural à 16 % seulement ; les mauvaises conditions de vie de la ville en disette sont évidemment à mettre en cause ; chronologiquement, les aménorrhées apparaissent en août 1916, après qu'a commencé la baisse de la ration de pain, et au moment même où s'instaure le rationnement de la viande : elles

1. Czerwenka, *loc. cit.* Czerwenka insiste beaucoup sur le manque d'hydrates de carbone : on notera qu'il s'agit là d'un trait commun avec les disettes françaises du XVIIe siècle.
2. Hilferding, « Zur Statistik der Amenorrhöe », *Wiener Klinische Wochenschrift*, 1917, no 27, d'après le compte rendu du *Zentralblatt für Gynäkologie*, no 50, col. 2, p. 1139.
3. Spaeth, *loc. cit.*
4. G. Teebken, « Amenorrhöe in der Kriegs- und NachkriegsZeit, ein Rückblick um 10 Jahre nach dem Kriege », *Zentralblatt für Gynäkologie*, 1928, vol. 52, tome III, p. 2966-2978.

se multiplient pendant l'automne de 1916 quand les rations individuelles tombent à 1 558 calories (48 g de protéines, 27 g de graisse,
274 g d'hydrates de carbone). Elles sont au maximum de fréquence
dans l'hiver de 1916-1917, au moment où le rutabaga remplace, tout
à fait, la pomme de terre et la « marmelade ». A partir de l'automne
1917, les rations remontent, de grosses distributions de pommes de
terre sont effectuées, les aménorrhées régressent. A Kiel, il s'est agi
en somme, dans l'année de récolte 1916-1917, d'une crise de subsistances
modérée, et comparable à une disette relativement bénigne de l'Ancien
Régime... une disette dont on aurait pu mesurer les effets, grâce aux
observations des médecins, avec beaucoup plus de précision qu'on ne
le faisait réellement au xviie siècle.

A Lille [1], en territoire envahi par l'Allemagne, mais aussi en pays
classique des études de démographie historique, la situation, en 1914-
1918, semble avoir été beaucoup plus grave : sur 200 Lilloises, d'une
clientèle d'hôpital, interrogées par le médecin Boucher, 79, normales
avant guerre, furent affectées par une aménorrhée, qui, pour 57
d'entre elles, dura plus de six mois. La moitié des cas se produisit
pendant la dernière année du conflit, « année des plus grandes restrictions » [2]; sans nier l'influence des facteurs psychologiques, Boucher
incrimine surtout la « dénutrition profonde » [3]; il cite la réduction
draconienne, pire qu'en Allemagne, des rations alimentaires; et il
signale que, sur une vingtaine de femmes aménorrhéiques qui notèrent
leur poids pendant le conflit, 12 lui indiquèrent « des chiffres précis
d'amaigrissement de 10 kg ou plus » [4].

En Allemagne, cependant, dès la dernière année de la guerre (1918),
la situation s'améliore : le nombre des aménorrhées diminue. La
nourriture germanique est-elle redevenue plus substantielle une fois
passée la disette de l'hiver 1916-1917, connu depuis sous le nom
d'*hiver des rutabagas* [5]? C'est bien possible, mais il est douteux que la
moisson de 1917 ait réellement ramené l'abondance. Faut-il penser,
avec Selye [6] et d'autres auteurs, qu'après le premier choc brutal des
restrictions (1916) les organismes humains se sont progressivement
adaptés à la pénurie? Nous n'en savons rien, et à vrai dire nous nous

1. M. Boucher, *L'Aménorrhée de guerre dans les régions envahies*, Lille, Impr.
centrale du Nord, 1920, thèse de la faculté de Médecine de Lille, notamment p. 24.
2. *Ibid.*, p. 52. — 3. *Ibid.*, p. 28.
4. Le poids médian de ces douze personnes passa en effet de 65 kg à 49,5 kg
(*ibid.*, p. 29).
5. T. Heynemann, « Die Nachkriegs-Amenorrhöe », *Klinische Wochenschrift*,
26 mars 1948, p. 129-132.
6. H. Selye, *Stress, the Physiology and Pathology of Exposure to Stress*, Montreal,
1950, p. 366-367.

garderons bien de proposer une explication : *Ne sutor ultra crepidam.*
Mais pour l'historien, du simple point de vue bibliographique, certains
faits sont évidents : à partir de cette année-là (1918), les discussions
sur l'aménorrhée, un moment très vives dans la presse médicale
allemande, se calment [1]. En 1920, la nourriture redevient à peu près
normale, et les femmes d'Allemagne n'ont plus, « statistiquement »,
de problèmes de ce genre. C'est en Russie, pendant les années décisives
(1917-1921), que s'effectuent maintenant les observations topiques :
à Petrograd, où les restrictions sur le pain et la graisse sont accablantes,
Leo von Lingen voit apparaître en 1916, comme partout, les premiers
exemples d'aménorrhées insolites dans sa consultation [2] : en quelques
années il observe 320 cas, dont les plus nombreux surgissent dans
l'hiver 1918-1919, quand les jeunes femmes des milieux populaires, à
Petrograd, souffrent et travaillent durement, dans d'invraisemblables
conditions de faim et de froid. Par suite, von Lingen émigre et ses
observations s'interrompent. Mais un chirurgien soviétique, W. Stefko,
est là pendant les années de la faim (1920-1921). A la suite d'interventions effectuées pour des raisons diverses, et qui rendent possible une
étude histologique de l'ovaire, il diagnostique chez 120 femmes
affectées par la disette et par l'aménorrhée, en ces années-là, un
« blocage » plus ou moins complet des processus physiologiques qui
rendent possible l'ovulation [3].

Le deuxième conflit mondial est « riche », hélas, en données semblables ; et le dossier de l'aménorrhée, de nouveau, devient considérable
pendant la décennie tragique entre 1936 (guerre d'Espagne) et 1946
(dernières pénuries alimentaires).

Cette fois, les informations débordent le monde austro-germanique ;
elles s'étendent à toute l'Europe, y compris la France, où les restric-

1. Aux articles déjà cités, il faut ajouter : Schilling, « Kriegsamenorrhöe »,
Zentralblatt für innere Medizin, nº 31, 1917 (compte rendu dans *Zentralblatt für
Gynäkologie*, 1918, 2, p. 712) ; Graefe, « Über Kriegsamenorrhöe », *München
Med. Wochenschrift*, nº 32, 1917 (compte rendu *Zentralblatt für Gynäkologie*, 1917,
2, p. 1140). En 1916, une polémique importante oppose, d'une part, A. Hamm, de
Strasbourg (« *Geburtshilflich-Gynäkologische Kriegsfragen* », *Zentralblatt für
Gynäkologie*, 1918, 1, p. 82), qui croit davantage au rôle des traumatismes psychiques dans le déclenchement de l'aménorrhée de guerre, et, d'autre part, les tenants
de la thèse du rôle dirimant de la sous-alimentation (ceux-ci s'exprimant notamment
dans les travaux de Graefe et Spaeth, *loc. cit.;* de Dietrich et Pok, *Zentralblatt für
Gynäkologie*, nºs 6 et 20, 1917 ; de Schweitzer, *Müncher Med. Wochenschrift*, nº 17,
1917).
2. L. von Lingen, « Kriegsamenorrhöe in Petersburg », *Źentralblatt für Gynäkologie*, sept. 1921, vol. 45, p. 1247-1248.
3. W. H. Stefko, *in Virchows Arch.*, nº 252, 1924, p. 385, d'après T. Heynemann,
loc. cit., 1948, p. 130 et 132.

tions de nourriture en 1940-1944 sont plus pénibles que pendant la guerre de 1914-1918. Les médecins des pays alliés [1], dans le premier conflit, n'avaient connu l'aménorrhée de guerre que par ouï-dire, et par la lecture lointaine des revues gynécologiques d'Allemagne et d'Autriche. Les recensions exhaustives de Teebken [2] en 1928 ne signalèrent dans la presse médicale d'Angleterre, de France et d'Amérique, pour le temps de guerre et d'après-guerre, qu'un seul article consacré à la question et publié par *The Lancet*, en 1918 [3] : lecture faite, il ne s'agit que d'une note brève, anonyme, et faiblement informée.

Vingt ou vingt-cinq ans plus tard, il n'en est plus de même dans les grands pays de l'Ouest [4]. En Espagne, à Madrid et Barcelone, les cas d'aménorrhée sont nombreux en 1936-1938; ils ne rétrocéderont qu'après la guerre civile [5]. En France, à partir de 1940, et surtout de 1942, les médecins sont alertés : en juin 1942, lors d'une « soudure difficile » (stocks alimentaires vidés par l'occupant, moisson qui se fait attendre), la Société d'obstétrique, à Paris, s'inquiète de la fréquence croissante des aménorrhées : les signes de la puberté (premières règles) apparaissent plus tard chez les écolières parisiennes : soit à treize ans et demi ou quatorze ans, au lieu de douze ans et demi en 1937, dans les groupes scolaires de la banlieue prolétarienne. Beaucoup de femmes qui sont en proie au surmenage, aux troubles nerveux, et par-dessus tout aux carences alimentaires, n'ont plus leurs règles. Il semble bien, tous comptes faits, que l'année 1942 marque l'apogée des aménorrhées françaises de la Seconde Guerre (tout comme l'an 1917, dans l'Allemagne du premier conflit). Après 1942, le ravitaillement français reste mauvais; néanmoins, par suite d'accoutumances possibles [6], ou pour toute autre raison, le nombre des aménorrhées plafonne ou même décroît. Le phénomène est tel, pour en revenir à 1942, que Laurent

1. Il faut mettre à part, bien entendu, le cas des territoires occupés (Boucher *op. cit.*).
2. *Loc. cit.*
3. « Amenorrhea in wartime... », *The Lancet*, 1918, p. 712.
4. Pour la France, la bibliographie du sujet cette fois est vaste; cf. notamment les *Questions gynécologiques d'actualité* (t. III, 1943, recueil collectif); et aussi G. Laroche et E. Bompard, « Les aménorrhées de guerre », *Revue française de gynécologie et d'obstétrique*, mars 1943, p. 65 *sq.*; G. Cotte, *Lyon médical*, 28 mars 1943, vol. 169, p. 263 (qui insiste surtout sur les facteurs psychologiques); M. Sendrail et J. Lasserre, *Revue de pathologie comparée et d'hygiène générale*, janv.-févr. 1948, vol. 48, p. 63-75 (importante bibliographie). Les renseignements qui suivent sont tirés, sauf indications particulières, de ces articles.
5. E. Olivier-Pascual, *in Clinica y laboratorio*, nov. 1941, d'après Sendrail et Lasserre, *loc. cit.*
6. Laroche et Bompard, *loc. cit.*

Quéméné, jeune docteur du Finistère, en fait le sujet d'une thèse soutenue à Paris en novembre de cette année [1]. Malheureusement, Quéméné se borne à compiler certains résultats déjà observés par les auteurs allemands et par Boucher, en 1914-1918 : ses aménorrhées sont en retard d'une guerre. Il faut attendre l'année suivante pour avoir quelques chiffres, raisonnables, mais approximatifs et trop généraux (de l'avis même de leurs auteurs) pour être solides : d'après Guy-Laroche, Bompard et Trémolières, 4 à 7 % des femmes françaises, d'âge fertile, sont affectées par « l'aménorrhée de guerre », en ces dernières années de l'occupation. Dans une grande usine, le pourcentage atteint 12,6 % du personnel féminin. Le premier chiffre (4 à 7 %) est proche de celui, indiscutable, que proposait Teebken (5,11 %) pour Kiel [2], en 1917.

Quels que soient les pourcentages exacts, la répartition géographique est digne d'intérêt : le Midi français [3], sous-alimenté, paraît spécialement atteint, notamment à Toulouse, Bordeaux, Montpellier... Veut-on un exemple « régional » spécialement net et tragique? C'est hors de France qu'il convient de le chercher : le Nord-Ouest des Pays-Bas, en 1944-1945, expérimente en plein XXe siècle une détresse analogue à celle qui accompagnait les pires famines médiévales, ou classiques.

Le 17 septembre 1944, autour d'Amsterdam, Rotterdam et La Haye [4], la grève générale des transports commence, déclenchée à la demande du gouvernement hollandais de Londres. La libération paraît toute proche... Erreur. Elle n'interviendra qu'en mai 1945. Mais les grévistes s'obstinent, les chemins de fer demeurent frappés de paralysie. Les Allemands, par représailles, bloquent les routes et les canaux. Les villes ne reçoivent pas ou peu de nourriture : c'est l'hiver de la faim; à La Haye, plus de cent personnes meurent de faim, chaque semaine, de janvier à mai 1945. A Rotterdam, davantage encore. Les rations officielles des femmes enceintes, relativement favorisées, tombent à 1 144 calories par jour au début de 1944. Tout s'effondre à la fois, qu'il s'agisse de l'apport en protéines, en graisses, en hydrates de carbone. De ce fait, l'aménorrhée atteint des proportions énormes,

1. F.-L. Quéméné, *Les Aménorrhées de guerre*, Paris, 1942, thèse.
2. Mais il est vrai qu'il s'agit de 5,11 % d'une clientèle d'hôpital.
3. Thèses de S. Vidal (Toulouse), 1945, et de Castan-Pollin (Montpellier), 1945, citées par Sendrail et Lasserre, *loc. cit.*
4. Sur ce point, les articles essentiels, et remarquables, sont ceux de C. A. Smith, « Effects of maternal undernutrition upon the newborn infant in Holland (1944-1945) », *Journal of Pediatrics*, mars 1947, vol. 30; et de J. A. Amer, « The effect of wartime starvation in Holland upon pregnancy », *Obstetric and Gynecologia*, avr. 1947, p. 599-608.

historiques, inconnues dans l'Allemagne de 1917 et dans la France de 1942, où la disette n'était vraiment tragique qu'au niveau des minorités les plus pauvres : dans la Hollande citadine, en ce dernier hiver de l'occupation nazie, pratiquement toutes les femmes souffrent de la faim. Résultat : 30 % seulement demeurent normalement réglées. Le chiffre des conceptions, tel qu'il est connu par les naissances neuf mois plus tard, tombe au tiers de sa valeur normale. L'aménorrhée, et la stérilité qui l'accompagne, est évidemment l'une des causes — mais pas la seule! — de cette dénatalité temporaire. A Utrecht, un autre auteur aboutit, indépendamment, à des conclusions analogues : tous autres facteurs élucidés, l'hiver de la faim, dans cette ville, fait 33 % d'aménorrhéiques chez les femmes d'âge fertile [1].

Ces pourcentages effrayants, jamais vus jusqu'alors dans la littérature médicale, sont encore peu de chose à côté des données que décèlent, dans l'immédiat après-guerre, les révélations des déportées : au camp de Theresienstadt, 54 % des 10 000 internées cessèrent, au bout d'un, deux ou trois mois d'enfermement, d'avoir leurs règles. Après dix-huit ou vingt mois de camp, l'immense majorité des survivantes parmi ces « 54 % », furent réglées de nouveau. Les conditions de vie ne s'étaient pourtant pas améliorées à Theresienstadt mais un phénomène d'adaptation s'était produit : l'organisme de ces femmes s'était involontairement « accoutumé » à l'intolérable [2]. Bien des faits semblables ont été signalés, notamment à Auschwitz [3]. Et les médecins hongrois [4] notent en 1944-1945 quelques pourcentages effarants, dont certains sont peut-être exagérés :

Pourcentage de femmes aménorrhéiques habitant à Budapest pendant le siège de la ville (1944-1945)	50 à 60 %
Même pourcentage parmi les femmes déportées par les Allemands	99 %

1. J. A. Stroink, « Kriegsamenorrhöe », *Gynaecologia*, 1947, vol. 123, p. 160-165.

2. Selye, *op. cit.*, p. 366-367.

3. A. Binet, « Les aménorrhées chez les déportées », *Gynécologie et Obstétrique*, « 1944 » (1945), t. 44, nº 1, 2, 3, p. 417. Voir aussi L. S. Copelmann, « L'aménorrhée des déportées », *Revue de pathologie comparée et d'hygiène générale*, 1948, 48e année, p. 102-107 (386-391), qui conclut son étude détaillée par ces réflexions : « La proportion des cas d'aménorrhée est en relation directe avec l'intensité de la famine... [dans les camps]. La reprise de l'activité ovarienne a lieu immédiatement après la reprise de l'alimentation. »

4. K. Horvath, C. Selle, R. Weisz, « Beiträge zur Pathologie... der Kriegsbedingten Amenorrhöe », *Gynaecologia*, 1948, vol. 125, p. 368-374. Les conclusions de ces auteurs sur la reprise d'activité ovarienne après la famine sont plus nuancées que celles, précédemment citées, de L. S. Copelmann.

A. Netter, dans les deux ouvrages qu'il a consacrés à la question, note à ce propos : « Tous les états de dénutrition et surtout les carences protéiques peuvent déterminer une aménorrhée. Cela a été de constatation fréquente pendant la dernière guerre, et en particulier chez les déportées... Au retour des déportées, lorsque les conséquences de la famine étaient surmontées, seul demeurait encore, comme cause d'aménorrhée, le souvenir des conditions physiologiques atroces de la déportation [1]... »

A côté des pénuries alimentaires, si évidentes dans les camps de la mort, les facteurs psychiques ou psychosomatiques ont donc joué un rôle important, quant au déclenchement et au prolongement des aménorrhées. La famine après tout est un phénomène total, qui provoque la dénutrition, mais qui cause également une anxiété débilitante. Ces facteurs psychosomatiques [2] apparaissent bien parmi les publications des médecins américains, enfermés pendant la Seconde Guerre mondiale dans les camps japonais, où se trouvaient aussi, fort nombreuses, des femmes originaires des États-Unis. A Manille, au camp de Santo Thomas, les règles avaient cessé chez 14,8 % des internées. Mais cet arrêt était antérieur aux difficultés alimentaires ; il avait débuté la plupart du temps avec le bombardement de la ville, et avec les premiers jours d'internement : la cause en était tout simplement l'angoisse et le choc [3]. De même à Hong-Kong, au camp Stanley (1942), l'aménorrhée frappa 60,6 % des détenues. Or, bien souvent, elle intervint dès les premières restrictions et du seul fait du choc psychique consécutif à l'enfermement. Quant au régime alimentaire lui-même, fort insuffisant au camp Stanley, il ne différait pourtant pas de celui que supportaient sans aménorrhée, et bien avant la guerre, les femmes chinoises. Mais, comme le fait remarquer le Dr Annie Sydenham, qui observa et publia ces données, c'est moins le bas niveau de la ration quotidienne, en chiffres absolus, qui importe, que la détérioration subite de celle-ci « en qualité comme en quantité [4] ».

Même aux États-Unis, où les restrictions alimentaires, en 1941-1945, furent insignifiantes ou nulles, on nota, pendant la Seconde Guerre mondiale, une recrudescence des aménorrhées : dans les hôpitaux de Dallas (Texas), les troubles menstruels de ce type affectaient seulement

---

1. A. Netter, *loc. cit.*, p. 59 *sq.*, et *op. cit.*, p. 61.
2. Cf. aussi, à ce propos, le recueil, déjà cité, des *Assises de médecine*, p. 102-103.
3. F. Whitacre et B. Barrera, « War amenorrhea, a clinical and laboratory study », *Journal of the American Medical Association*, 12 février 1944, vol. 124, n° 7, p. 399-403.
4. A. Sydenham, « Amenorrhoea at Stanley Camp, Hong-Kong, during internment », *British Medical Journal*, août 1946, vol. 2, p. 159.

82 femmes sur 9 141 consultantes âgées de 19 à 39 ans, pendant l'année « d'avant-guerre », 1940. Or, en 1945, au terme de quatre ans de tensions nerveuses et accumulées dues à la guerre, les troubles en question atteignent 368 femmes sur 2 398 consultantes[1]. Statistiquement testée[2], la différence entre 1940 et 1945 serait significative. Ces Américaines perturbées de la guerre finissante ne sont pourtant pas dénutries. Mais elles sont épouses, filles ou fiancées de combattants. Et à ce titre, anxieuses. Voilà qui contribuerait grandement, parmi d'autres facteurs possibles, à expliquer leur état.

De toute façon, l'aménorrhée « de guerre » serait, si l'on en croit les spécialistes, le résultat d'une agression multiple contre l'organisme féminin : angoisse et restrictions, privations alimentaires et frustrations morales se combinent dans le tableau des causes, en un complexe indéchirable[3]. La formation même d'un tel complexe ne requiert pas de façon obligatoire l'arrière-plan traumatisant d'une guerre mondiale. La paix aussi peut aller de pair avec la faim ou l'angoisse perturbatrice : ce fait, capital pour l'élucidation des famines anciennes[4], a été mis en évidence à plusieurs reprises. En 1948, par exemple, Theodore Heynemann, résumant d'innombrables observations faites à Hambourg les années précédentes dans les hôpitaux de l'université, a pu parler des *Nachkriegsamenorrhöe*, aménorrhées d'après-guerre. L'appellation ferait sourire... si le problème n'était réel. En deux mots : l'Allemagne hitlérienne, assez bien défendue contre la pénurie alimentaire grâce aux prestations obligatoires des nations conquises, avait échappé aux plus graves disettes, et aux aménorrhées que celles-ci entraînent, jusqu'au début de 1945. Para-

---

1. J. S. Sweeney *et al.*, « An observation on menstrual misbehaviours », *The Journal of Clinical Endocrinology*, 1947, vol. 7, p. 659 *sq.* — 2. Cf. *ibid.*, p. 660.

3. Il est utile de rappeler à ce propos les définitions d'Alfred Netter : « L'aménorrhée est un symptôme, comme la fièvre ou l'amaigrissement... ce n'est jamais une maladie, ce n'est qu'un symptôme, une manifestation inquiétante d'une lésion ou d'un trouble fonctionnel qui atteint le mécanisme complexe dont l'aboutissement est le cycle menstruel... L'aménorrhée n'est bien souvent qu'un *cri de souffrance*, souffrance physique des maladies infectieuses ou cachectisantes, souffrance morale des émotions brusques...; l'enquête doit considérer la malade dans son ensemble somatique, social, psychologique... L'aménorrhée n'est pas sous la seule dépendance d'une lésion de l'utérus, des ovaires ou de l'hypophyse, elle peut relever de multiples causes, atteignant d'autres organes, d'autres fonctions... L'aménorrhée peut être ' le témoin d'une souffrance organique ', ou bien ' le témoin d'une souffrance psychologique, émotion brutale, situation conflictuelle, épuisement nerveux ' » (A. Netter, *op. cit.*, p. 5, 61 *passim*, et *loc. cit.*, p. 7, 59, *passim*).

4. Heynemann, *loc. cit.*

doxalement, c'est en 1945 et en 1946, donc pour une grande part après le conflit, que les graves restrictions d'aliments, de calories et de protéines firent sentir leurs effets maximaux chez les Allemandes : à quoi il faut ajouter, bien entendu, les facteurs psychiques consécutifs à la défaite totale; quoi qu'il en soit, le nombre des cas d'aménorrhéiques, à la polyclinique d'Heynemann, passa de 16 (0,8 % des consultantes) en 1938, à 396 (8,7 % des consultantes) en 1946. Les pourcentages de cas semblables avaient oscillé entre 2,1 % et 3,5 % des consultantes, de 1939 à 1944. Ils étaient montés à 7,6 % de mai à décembre 1945, pour culminer ensuite, comme on l'a vu, l'année suivante, et pour décroître enfin, à partir de 1947, avec le retour à une situation plus normale.

En 1947, précisément, au sortir de la tragédie, deux chercheurs américains, Strecker et Emlen, décident d'étudier, de façon expérimentale, et sur des mammifères proches de l'homme, ce problème difficile du lien entre famine et stérilité. Leur méthode consiste à déclencher, dans une population de souris, une crise de subsistances, disette ou famine. Pour quiconque s'intéresse à l'histoire sociale, sans limitation anthropocentrique [1], l'épisode comparatif (en dépit de ce qu'il peut avoir d'humainement choquant) est, malheureusement, à considérer : la crise de subsistances constitue, en effet, un moment pathétique dans la démographie des vieilles sociétés d'Occident. Hausse de la mortalité, baisse du nombre des mariages, effondrement plus que proportionnel des naissances ou plutôt des conceptions, s'y entrecroisent avec la régularité d'un mécanisme. Il est donc important de connaître ce qui se produit, en pareil cas, chez des animaux en liberté ou en laboratoire.

C'est à l'aide de souris capturées dans la ville de Madison que Strecker et Emlen ont entrepris l'expérience cruciale [2]. Ils ont enfermé ces petites bêtes dans les locaux vides, aux murs soigneusement obturés d'une ancienne caserne du Wisconsin. Ils les ont nourries de froment, maïs, viande, sel, huile de foie de morue. Ils les ont recensées, pesées à intervalles fixes.

1. C. Lévi-Strauss, *La Pensée sauvage*, p. 326.
2. R. L. Strecker et T. T. Emlen, « Regulatory mechanisms in house-mouse populations : the effect of limited food supply », *Ecology*, 1953, p. 375 *sq.* Voir aussi B. Ball, « Caloric restriction and fertility », *American Journal of Physiology*, 1947, vol. 150, p. 511 *sq.*

La crise de subsistance fut simplement déclenchée par un « laisser-faire ». Tandis que la population des souris, dans les casernements, croissait sans cesse, la ration globale de nourriture qu'on distribuait à tout l'effectif demeurait bloquée à un niveau journalier toujours constant. La ration individuelle est d'abord pléthorique. Par le jeu de la multiplication démographique, elle devient, à un certain moment, insuffisante. La disette commence

Les premiers résultats se font sentir dans la mortalité infantile. Les jeunes souris nées avant la famine se défendent bien, pourtant. Elles ne meurent pas. Mais des 13 souris (en trois portées), qui naissent immédiatement après les débuts de la disette, 12 meurent dans les cinq semaines qui suivent la naissance. Strecker et Emlen n'ont pu déterminer la cause exacte de ces morts. Les mères sous-alimentées ont-elles manqué de lait, et d'attention pour leurs nouveau-nés ? C'est possible. Mais non certain. Car tous ces décès infantiles sont postérieurs au sevrage. Ils peuvent dériver tout simplement de la compétition pour la nourriture, les souriceaux trop faibles étant évincés des mangeoires par les adultes plus vigoureux. Les jeunes, dans ce cas, sont condamnés à mort par inanition : d'une certaine façon, c'est de l'infanticide.

Mais un autre fait, fort important, c'est la limitation de la fécondité des souris en temps de disette. L'appétit sexuel des sujets de l'expérience diminue à la suite du jeûne, tandis que s'exaspère, insatisfait, l'appétit pour la nourriture. Cette réduction de l'activité génitale est quantifiable. Les deux auteurs ont observé *in vivo*, ou autopsié, un grand nombre de souris : chez celles qui jeûnent, ils n'ont pas rencontré, ou si peu, les signes habituels de l'activité génitale : grossesse, vagin perforé, etc. Quant à ce dernier critère, le pourcentage des femelles présentant une telle caractéristique tombe de 70 %, chez les bien nourries, à 17 % parmi les jeûneuses.

Chez les mâles aussi, les deux chercheurs américains signalent, après le déclenchement de la disette, divers symptômes de ralentissement des fonctions sexuelles : diminution de la taille des vésicules séminales, etc. En fonction de toute une série de signes, observés par dissection comparée des jeûneurs et non-jeûneurs, il apparaît que le pourcentage des mâles sexuellement actifs tombe de 100 % à 80 %, dès la mise en place des restrictions alimentaires. Cette baisse est donc moins importante que celle qui affecte parallèlement les femelles : de 70 % à 17 %, comme on l'a vu.

L'expérience est décisive. Elle détruit l'image d'Épinal, selon laquelle les animaux, faute de savoir limiter leur accroissement numérique, sont promis sans remède à la misère physiologique et à la mort, dès

que sévit une grave crise de subsistances. Dans le cas étudié, assuré-
ment, il n'en va pas ainsi : la mortalité est circonscrite aux très jeunes.
Et une « politique » inconsciente, mais fort effective, de baisse des
conceptions commence à jouer. Elle prévient, par le jeu de certains
mécanismes physiologiques, la multiplication normale des souris,
dont les conséquences, en période de disette, seraient catastrophiques.
Les adultes deviennent chastes, sans doute. Mais ils ne meurent pas.
Mieux : ils ne maigrissent même pas. En limitant sévèrement leurs
effectifs, ils parviennent, tant bien que mal, à maintenir leurs rations
alimentaires. On proclamerait volontiers, en usant d'une image péda-
gogique, inexacte et finaliste, que ces souris sont des malthusiennes-
nées, dont l'organisme préfère, quand il le faut, la « vertu » à la
« misère ». En un vocabulaire plus scientifique, il est permis de redire
à leur propos ce qu'A. Netter écrit [1], au sujet des aménorrhées
secondaires, provoquées par la dénutrition, ou par telle ou telle
affection atteignant de façon sérieuse l'état général : « Ce serait une
erreur, note Netter, de traiter l'aménorrhée dans ce cas; car elle
constitue sans doute une réaction de défense : tout se passe
comme si l'organisme supprimait la *fonction de luxe* qu'est, au prix
de la fonction vitale, la fonction de reproduction. »

Au terme de cette enquête, essentiellement bibliographique, une
conclusion semble patente : les observations scientifiques sur les
animaux proches de l'homme, et surtout l'expérience, amère et
multiple, des guerres mondiales, scientifiquement enregistrée,
démontrent clairement qu'il existe un lien entre famine aiguë et stérilité temporaire. Sur la nature physiologique de cette relation, nous
n'avons pas à nous prononcer ici; mais l'existence même du processus
est indéniable. L'aménorrhée de famine est bien l'un des facteurs
qui rendent compte de la baisse violente des conceptions [2], aux pires
moments des crises de subsistances, telles que les étudie l'historien
du XVIIᵉ siècle.
Il reste à répondre, pour finir, à la question posée par P. Goubert :
« On nourrit l'espoir que quelque mémoire de vieux médecin nous
fera confidence... des phénomènes d'aménorrhées en temps de

---

1. A. Netter, *op. cit.*, p. 59.
2. Parmi les autres facteurs, figurent bien entendu l'abstinence, et peut-être
aussi certaines tentatives de limitation des naissances; le problème qui reste à
résoudre est de savoir quel est le poids respectif de ces divers facteurs, dans le
phénomène global qu'est la baisse des conceptions en période de crise aiguë des
subsistances.

famine [1]. » Les recherches, certes incomplètes, que nous avons entreprises à ce propos dans les ouvrages *ad hoc* du XVIIe et du XVIIIe siècle, ont été peu fructueuses. L'*Emménologie* (science des règles) du médecin anglais J. Freind (mort en 1728) ne nous a rien apporté : Freind s'attendrit sur la condition malheureuse des femmes; et il signale que les jeunes filles, en son temps, atteignent leur maturité pubertaire à quatorze ans; mais il ne dit rien de plus sur les phénomènes qui nous intéressent. En revanche, le philosophe et médecin matérialiste La Mettrie, dans son commentaire de Boerhave, est plus explicite, sans être pourtant tout à fait topique, quant à notre sujet. Il n'établit pas le lien direct entre famine et aménorrhée : mais il note que l'*atrophie*, qu'il définit par des symptômes de sous-alimentation (« grande maigreur », consumption, marasme), s'accompagne de l'arrêt des règles : « Les atrophiques, écrit-il, sont peu ou rarement réglées communément [2]. » Est-il exagéré de dire, si l'on suit jusqu'au bout le raisonnement implicitement posé par La Mettrie, qu'en temps de famine le nombre de ces femmes atrophiques, et donc aménorrhéiques, augmentait considérablement?

Quoi qu'il en soit de cette exégèse, les conclusions formulées par V. C. Wynne-Edwards, dans un grand livre déjà cité [3], sont pleinement fondées : il est exact que l'homme (tout comme l'animal) dispose de mécanismes capables de juguler massivement les naissances, en cas de détresse et de disette graves. La contraception volontaire n'est pas absolument indispensable pour atteindre un tel objectif. Chez la femme, comme chez la femelle du rat ou de la souris, des automatismes virtuels sont prêts à tout moment à fonctionner : ils assoupissent éventuellement cette « fonction de luxe » qu'est la reproduction; ils sont comme un pouvoir inconscient de l'humanité sur elle-

---

1. Cf. *supra*.

2. H. Boerhave, *Institutions de médecine*, avec un commentaire de M. de La Mettrie, docteur en médecine, Paris, trad. t. I (éd. 1743), p. 231 et t. VI (éd. 1747), p. 108 *sq*. Il existe, d'autre part, des textes pertinents sur le retard pubertaire, spécialement marqué dans les régions misérables. Cf., par exemple (dans les données que m'a communiquées J.-P. Peter), les citations qui concernent Bressuire, et la Bretagne : « Les filles dans ce pays sont très sujettes aux pâles couleurs et sont rarement réglées avant l'âge de dix-huit et vingt ans » (Archives départementales des Deux-Sèvres, canton 14, subdélégation de Bressuire : « Topographie de la ville et de la subdélégation de Bressuire », par Berthelot, docteur en médecine, juillet 1786); et encore : « Parmi les personnes du sexe, celles qui ne sont pas employées aux travaux de la campagne sont réglées de onze à quatorze ans, celles qui y sont occupées ne le sont que de quatorze à dix-huit » (Académie de médecine, Archives SRM, carton 179 « Topographie de Vieillevigne, Bretagne », Baudry, docteur en médecine, octobre 1787).

3. *Animal dispersion in relation to Social Behavior*, notamment le chapitre 21.

même. Ils ont été mis en évidence, en pleine Europe, lors des famines
de l'époque classique, et deux siècles et demi plus tard, dans les conflits
mondiaux de notre époque : ceux-ci peuvent donner la mesure de
celles-là. Dans les deux cas, l'aménorrhée de dénutrition est bien le
cri de la souffrance silencieuse [1] des millions de femmes sous-alimentées et traumatisées [2].

III. LES FACTEURS SOCIOCULTURELS DE L'ÉQUILIBRE
DÉMOGRAPHIQUE DANS LES POPULATIONS ANCIENNES

Avec l'aménorrhée de famine, nous en restons, cependant, au
niveau de mécanismes d'équilibre démographique qui sont purement
physiologiques. Or le biologiste est en droit d'attendre de l'historien
certains éclaircissements sur des mécanismes plus proprement culturels. Ces éclaircissements, par chance, sont dorénavant disponibles.

Vers 1650-1660, en effet, la réalité démographique fait désormais
l'objet (grâce aux enquêtes récentes des historiens) de recherches d'une
incroyable précision. Celles-ci permettent de décrire non seulement
les *trends*, mais aussi les structures et le fonctionnement des populations anciennes.

Ces structures sont essentiellement — elles aussi! — d'équilibre :
dans le très long terme, elles sous-tendent la stabilité des populations
françaises de l'âge classique, stabilité qui s'impose à travers des oscil-
lations négatives (1645-1665, 1690-1715) ou positives (1600-1640),
ou légèrement positives (1664-1685).

L'équilibre est assuré, bien sûr, par la très forte mortalité : opérant
avec régularité ou par intervalles de fortes crises, elle moissonne
l'excédent des naissances, et elle autorise la reproduction, sans plus,
du volume démographique existant. En Hurepoix, dans la période
1636-1650, à Boissy-Saint-Yon, la mortalité infantile (de 0 à 1 an)
est de 21 %, la mortalité juvénile (de 1 an à 19 ans révolus) est de 33 %.
Au total, 54 % des « nouveau-nés » meurent ou mourront « avant
d'avoir atteint l'âge du mariage et de la reproduction » (Jacquart [3]).
La situation n'est guère différente après 1650, en Beauvaisis, en Normandie, dans la région de Meaux... Du fait du grand nombre des « lits
brisés » (unions conjugales rompues par la mort prématurée d'un
des conjoints, avant la fin de la période de fertilité de l'épouse), le

1. A. Netter, *op. cit.*
2. Je remercie Jean-Pierre Peter, Antoinette Chamoux et le Dr Michel Bitker
pour les indications bibliographiques ou médicales qu'ils ont bien voulu m'apporter.
3. Jean Jacquart, thèse de doctorat d'État (inédite) sur les campagnes parisiennes
au XVIe et au XVIIe siècle.

nombre des naissances effectives par couple moyen ne dépasse guère quatre ou cinq (P. Goubert [1]). Avec une mortalité infantile et juvénile de 50 %, et quelquefois plus, tout espoir d'accroissement démographique à long terme est interdit : deux enfants, dans la bonne moyenne, remplaceront un jour deux parents...; la démographie est condamnée à la stagnation; et même, dès que les choses s'aggravent, au déclin.

Ces mécanismes brutaux, qui garantissent l'équilibre au moyen d'une mortalité débordante, dérivent des crises de subsistances; mais aussi et surtout, combinées avec les famines, ou intercalées entre celles-ci, des épidémies : peste; et puis variole, typhus, typhoïde, dysenteries diverses, grippes, pneumonies (cf. P. Goubert [2]); tous ces fléaux complètent les pestes, ou bien ils remplaceront celles-ci par fonction « vicariante » après 1650-1670, quand elles auront disparu de France. La guerre qui, je le répète, fait partie du système au XVIIe siècle, est également productrice de morts, à coups d'épée ou de mousquet; et surtout à coup de disettes et d'épidémies, qu'elle dissémine.

Mais il serait absurde de tout expliquer par la mort. Même la sociologie animale a depuis longtemps réfuté l'idée « malthusienne » (en fait pseudo-malthusienne) selon laquelle les effectifs des bêtes, à l'état sauvage, sont réglés par le seul volume des subsistances disponibles dont la disparition déclenche automatiquement les misères, les famines et les épidémies *ad hoc* qui limitent, dans l'intérêt général, le nombre des parties prenantes au grand banquet de la vie. En fait, les espèces animales, du pingouin au mille-pattes, en passant par l'éléphant et la baleine, ont une politique ou du moins une police intelligente, quoique instinctuelle, de régulation des effectifs (Wynne-Edwards) : elle permet à leur groupe d'évoluer numériquement aux environs d'un optimum démographique, et non pas d'un maximum ou d'un pessimum. Il en va de même, *a fortiori*, chez nos paysans français du Grand Siècle, à ceci près que chez eux cette police n'est pas purement biologique ou inconsciente, mais culturellement déterminée.

L'arme décisive [3] du *birth control* de nos rustres, c'est bien sûr le mariage tardif, obligatoirement assorti (sinon il perdrait tout son sens) d'une forte dose de chasteté préconjugale. Vers 1550, encore, les paysannes normandes se mariaient relativement tôt, aux alentours de

1. P. Goubert, *op. cit.*
2. Dans *Annales*, 1969, et dans *Médecine, climat, épidémies à la fin du* XVIIIe *siècle*, Paris, Mouton, 1972; enfin, dans sa thèse de 3e cycle, université de Rennes, 1971.
3. P. Chaunu, dans l'*Europe classique*, Paris, Arthaud, 1968.

vingt et un ans. Après 1650, leurs arrière-petites-filles attendront souvent, et sagement, d'avoir coiffé Sainte-Catherine pour convoler en justes noces avec le Jacques Bonhomme de leurs rêves. Disons que, dans la vaste zone défrichée par les démographes, qui s'étend du Beauvaisis au Bocage normand et même à l'Aquitaine, le premier mariage des filles vers 1650-1700 pouvait se situer vers 24-26 ans, et parfois plus tard. Trois, quatre, ou cinq ans de retard au mariage au xviie siècle par rapport au xvie, voilà qui pouvait signifier une réduction de 15 à 20 %, au bas mot, du nombre moyen d'enfants portés par une femme, pendant la totalité de sa carrière maternelle. Nul doute que les curés, plus compétents, plus résidents aussi, qui furent mis en place, dans les campagnes, par la Contre-Réforme des années 1630, n'aient contribué à diffuser le modèle de ces noces plus tardives et plus responsables ; ils conseillaient à leurs ouailles, comme l'a souligné Noonan, la réflexion et une bonne dose de patience. A cela s'ajoutait le souci du paysan (dans ce monde du xviie siècle où n'abondaient ni les emplois, ni les subsistances, ni les opportunités d'enrichissement) d'arriver au mariage avec un minuscule trousseau : soit, pour la jeune fille, quelques draps, quelques serviettes, une vache, des écus parfois... Il fallait, pour y parvenir, prévoir une période d'épargne ; celle-là d'autant plus tardive que, bien souvent, les années d'adolescence des jeunes avaient été, bon gré mal gré, consacrées à payer les dettes qu'avaient jadis contractées leurs parents quand ceux-ci étaient nouveaux mariés. Plus d'une fois, c'était après vingt ou vingt-cinq ans bien sonnés qu'il devenait possible pour un jeune (ses deux parents ou l'un d'entre eux étant morts) de songer au trousseau ou au mariage, et pas seulement aux dettes paternelles.

La transition du modèle de mariage précoce (Normandie vers 1550) au modèle de mariage tardif (campagnes françaises et petites villes, vers 1660-1730) paraît s'être faite graduellement pendant la première moitié du xviie siècle (l'âge moyen du mariage des filles est encore vingt-quatre ans à Corbeil, et il est même antérieur à vingt-quatre ans, à Saint-Denis, entre 1600 et 1650).

Cette politique de mariage tardif, cependant, n'aurait eu aucun sens, si elle n'avait été complétée, chez les jeunes paroissiennes, par une volonté délibérée de pruderie préconjugale. A défaut de cette chaste stratégie, en effet, de nombreux bâtards seraient venus augmenter le taux de natalité ; ils auraient détruit le bel équilibre démographique qui demeurait l'idéal à demi conscient mais incontestable du *système* de peuplement du xviie siècle (on sait que poser ainsi la question, à propos des bâtards, n'est pas faire preuve d'académisme désincarné. Il existe effectivement des cultures paysannes — dans la

Bavière du XIXᵉ siècle et aussi dans de vastes zones de l'Amérique latine d'aujourd'hui — où une forte portion des naissances et du croît démographique est fournie par l'illégitimité). Que cette chasteté préconjugale ait été réalisée dans les faits, c'est ce que prouvent à partir de 1580 ou de 1650, et pendant tout le règne de Louis XIV, les statistiques relatives aux naissances illégitimes et aux conceptions prénuptiales [1]. Au Nord, au Sud et à l'Ouest, à Crulai, à Auneuil et en Languedoc, chez les paysans protestants des Charentes de la fin du XVIᵉ siècle, comme chez les catholiques de partout ailleurs, au XVIIᵉ siècle, les taux de naissances illégitimes, fruit d'amours ancillaires plus que du concubinage ou de la prostitution, sont dérisoires, de l'ordre de 1 à 3 %. Et l'on pourrait bien sûr, avec un brin d'hyper-critique, expliquer ces taux très bas de bâtardise par l'hypocrisie épouvantée des filles-mères : celles-ci exportant vers les hôpitaux des villes leurs bébés inavouables, ou les déposant de façon subreptice aux porches des églises. Mais cette affirmation, ce soupçon jeté sur la vertu des filles, soupçon qui n'est pas entièrement infondé et qui correspond à certaines réalités du XVIIᵉ siècle (et, davantage encore, du XVIIIᵉ), se heurte, en ce qui concerne l'époque classique dans sa moda-lité agraire, à l'impeccable raisonnement fondé sur les conceptions prénuptiales : sur 100 couples, dans un village français typique du XVIIᵉ siècle (car, bien entendu, il y a, par exemple dans le Bocage normand, des villages et des régions atypiques), on en trouve à peine un, deux, ou trois au plus qui osent transgresser le Neuvième Com-mandement de Dieu ; et qui se permettent de faire l'amour pendant les mois qui précèdent la célébration du mariage : « faute » ou « crime » tellement commun de nos jours qu'il affecte d'une concep-tion prénuptiale le quart ou le tiers des premières naissances, dans les pays développés, et cela en dépit d'habitudes contraceptives large-ment répandues : « faute » ou « crime » qui, s'il avait été commis dans un régime sans contraception ou à très faible taux de contra-ception en milieu agraire (comme était le régime démographique du XVIIᵉ siècle), se serait implacablement soldé par de très nombreuses conceptions anténuptiales. A moins d'admettre [2], ce qui paraît bouffon,

---

1. Voici à ce propos une statistique toute récente, publiée après la première rédaction de cet essai : à Saint-Denis, de 1567 à 1670, soit en plein dans la période envisagée par ce texte, on compte 1 % de conceptions prénuptiales et 1 % de naissances illégitimes. En revanche, à Lyon, dès le début du XVIIIᵉ siècle, les pour-centages de naissances illégitimes atteignent 7 à 10 % ; car les filles immigrées de la campagne se trouvent soumises, dans la grande ville, à des séductions très pressantes (Maurice Garden, *Lyon au* XVIIIᵉ *siècle*, Paris, Les Belles Lettres, 1971).
2. Comme l'a fait avec un peu d'irréflexion M. Flandrin (*Annales*, 1969).

que nos paysans, virtuoses du *birth control* avant le mariage, aient
perdu brusquement toute compétence à cet égard une fois les noces
faites, la conclusion suivante semble impeccable : protestantes ou
catholiques, les paysannes françaises du Grand Siècle étaient préma-
ritalement chastes, et respectaient les commandements de l'Église.
On ne peut qu'admirer, avec Pierre Goubert, l'indomptable vertu
de nos arrière-grand-mères villageoises. (On n'en dira pas autant,
selon Peter Laslett, des Anglaises du XVIIᵉ siècle !)

Une telle constatation est éclairante, dans la mesure où elle permet
de définir un système, sis à l'intersection de plusieurs types de structures : structures démographiques d'abord, exigeantes d'équilibre,
et dont il a déjà été question. Structures familiales et villageoises
aussi : c'est parce que les filles sont sévèrement contrôlées par les
parents, par les pères surtout, par les familles, et par les commères
malveillantes du village, qu'elles marchent droit. Structures religieuses : on devine, sous-jacente à la pureté des mœurs, la pression
instante des confesseurs, et des curés efficaces, postés dans les villages
depuis la Contre-Réforme. Plus fondamentales peut-être sont les
structures psychologico-religieuses : indiscutablement, une personnalité paysanne austère sous-tend les habitudes sexuelles extrêmement prudes, qui sévissent dans la campagne française, au XVIIᵉ siècle
après 1650. Ces filles qui restent chastes jusqu'à vingt-six ans, ces
jeunes hommes dont beaucoup, trop éloignés des villes, et donc des
prostituées, conservent leur virginité jusqu'à vingt-sept ou vingt-
huit ans, âge fréquent du mariage masculin, agissent ainsi par conformité à une éthique qui leur est imposée de l'extérieur par la famille,
par le village ou par le curé. Mais, pour parvenir à ce comportement
d'unanimité quasi parfaite, il a bien fallu aussi que ces jeunes intério-
risent l'éthique citée, sous l'effet de l'éducation ; l'austérité leur est
donc dictée tout autant par leur *surmoi* individuel que par le surmoi
collectif, familial ou paroissial. Ceci nous ramène donc aux problèmes
psychologiques que la plus quantitative des recherches ne saurait se
dispenser d'examiner, sous peine de sombrer dans une démographie
régimentaire dont l'unique devise serait : *comptez, comptez vos
hommes, comptez, comptez-les bien*. En termes de psychologie, il
existe, parmi les populations rurales de l'Ancien Régime, un modèle
largement diffusé de personnalité austère ; les instincts de la *libido*
s'y trouvent solidement contrôlés, censurés, refoulés par l'organisation consciente du moi rustique. L'histoire de l'éducation et la
psycho-histoire rejoignent à ce propos les préoccupations de la démographie et de la sociologie historiques. En même temps, la recherche
quantitative, fondée sur les comptages rigoureux des conceptions

prénuptiales tirés des registres paroissiaux, permet de rectifier certaines images trop littéraires que les grands écrivains ont données du village français : le Bigre de Diderot et la paroisse érotico-nostalgique décrite par Restif de La Bretonne dans *la Vie de mon père* correspondent aux plus fameuses parmi ces images... Disons tout de suite que celles-ci se rattachent plus à des lieux communs de la culture, ou à des minorités paysannes ou régionales en voie de développement pendant le xviiie siècle, ou tout simplement aux fantasmes et obsessions personnelles de Restif, voire de Diderot, qu'à la réalité massive et majoritaire qui était celle du village français pendant l'âge classique de l'austérité.

Loin de ces représentations trop littéraires, on est donc renvoyé à la grande œuvre sociologique dont les intuitions rejoignent au plus près, sans nulle complicité de part et d'autre, les trouvailles quantitatives des démographes : Max Weber a souligné le rôle central qu'occupe la personnalité austère dans la sociologie religieuse de l'Ancien Régime. Certes, on est contraint de réévaluer l'œuvre de Weber et de recentrer ses théories : la personnalité austère n'est pas essentiellement, comme le croyait le vieux maître allemand, une prémisse du capitalisme. Tout au plus peut-on dire que la propension à l'épargne, qui pousse nos chastes paysannes à se bâtir un trousseau avant de se marier assez âgées, constitue l'une des composantes classiques de l'esprit petit-bourgeois. Mais, dès lors qu'on s'intéresse à un capitalisme de plus vaste envergure, on est contraint de reconnaître que Max Weber avait techniquement tort : pionniers des grandes affaires, les fermiers généraux, par exemple, n'étaient pas des foudres d'ascétisme; et Benjamin Franklin, dont les prudes écrits fournirent à Weber tant de citations relatives à l'austérité dans le siècle, était en fait, jusqu'à un âge avancé, couvert de maîtresses. Beaucoup moins qu'un prodrome du capitalisme, la personnalité austère, ascétique, refoulée, renfrognée, mais fonctionnant néanmoins dans le siècle, telle que l'a décrite Max Weber, est tout simplement l'une des clefs de voûte de notre démographie d'ancien type, programmée pour l'équilibre.

Il ne suffit pas, du reste, de réévaluer Max Weber en le justifiant, et de déplacer le centre de gravité de son analyse afin de mieux montrer la validité de celle-ci. Il convient aussi d'élargir l'horizon éthico-religieux de sa théorie : celui-ci, en effet, pour la plus grande joie des chauvins du calvinisme, a été trop étroitement limité au monde protestant. C'est-à-dire, de nos jours, à l'univers anglo-saxon. Or le rôle incontestable qu'a rempli le calvinisme à l'époque moderne, comme diffuseur et multiplicateur des modèles d'austérité, fut joué simultanément dans le monde catholique par le jansénisme. Certes, celui-ci, sous l'influence des curés purs et durs issus des séminaires, ne se répandra dans les campagnes françaises qu'à la fin du XVIIᵉ siècle et au début du XVIIIᵉ. Mais il y devait trouver (voir Noonan) des auditoires par avance réceptifs dans la mesure où l'Église catholique, bien avant Jansénius, bien avant Calvin, avait fondé sa morale conjugale sur de formidables traditions d'austérité, de sévérité, et d'ascèse augustiniennes : on en trouve l'écho, dès le début du XVIIᵉ siècle, même chez un théologien doux et melliflue comme est saint François de Sales ; et même chez les jésuites pommadés qui confessent les péchés des nobles dames ! Si un spécialiste des sciences sociales devait aujourd'hui récrire le livre de Max Weber, il pourrait l'intituler d'un titre qui habille large, *la Personnalité austère et l'Éthique de la démographie*. Il s'agirait bien sûr de la démographie d'Ancien Régime...

Énoncé en termes simplistes, le résultat visé par cette austérité, par cette politique de mariage tardif presque obligatoirement assorti de la chasteté préconjugale, c'est l'harmonisation du peuplement avec le volume disponible des terres, des emplois, des subsistances disponibles. Comme l'écrit Freud [1] : « Ne produisant pas assez de subsistance pour permettre à ses membres de vivre sans travailler, la société est contrainte de limiter leur nombre et de détourner leur énergie de l'activité sexuelle vers le travail. »

Dans la pratique, les jeunes hommes candidats aux noces vivent souvent leur mariage tardif (vers vingt-cinq ans ou même plus tard) comme une attente de la mort du père (vers cinquante-cinq ans) ; et comme la possibilité enfin réalisée de disposer d'une maison et d'un logement, pour y installer un ménage. Ce précieux logement, unité indispensable à la vie d'un nouveau couple, ce peut être par exemple la petite maison du vigneron, assortie d'une grange minuscule, où sont couchés quelques lits de gerbes de grains ; assortie aussi, dans un coin de la cour, d'un infime appentis couvert de chaume, où l'on tient la vache ; avec, dans le voisinage, quelques quartiers de vigne en location... Les paysans des anciens et très anciens régimes agraires ne considéraient pas que le nombre de ces unités conjointes d'habitation et d'exploitation pût augmenter indéfiniment (« *Je me marierais si j'avais une maison dans laquelle je pourrais prendre une femme* », dit un personnage mis en scène par le dominicain John Bromyard dans l'un de ses sermons, au XVIᵉ siècle [2]. Tout se passait en fait

---

1. *Introduction à la psychanalyse*, p. 291.
2. Cité par Noonan, *Théologie et Contraception*.

comme si les rustres estimaient que le nombre des unités d'habitat
devait être maintenu à un effectif grossièrement stable. En se mariant
tard, on héritait de la maison dont jouissaient auparavant le ou les
parents décédés; et l'on contribuait à maintenir la stabilité primordiale du groupe villageois.

Certes, en termes de représentativité, le modèle d'austérité-stabilité
que j'ai proposé est simplement *prédominant* dans les campagnes
françaises du XVIIᵉ siècle, dans celles du moins qui sont connues à ce
jour grâce à la démographie historique. Mais, bien sûr, il n'est ni
unique, ni unanimiste. Il y a partout, à cette époque, et dans toutes les
provinces, des paysans paillards, à la Bigre, qui engrossent avant le
mariage des filles consentantes. Il y a des dégourdis qui connaissent,
apprennent ou redécouvrent pour leur propre compte les « funestes
secrets » de la contraception *(coitus interruptus)*. Dans certaines
régions, dès la seconde moitié du XVIIᵉ siècle, ces secrets sont assez
couramment pratiqués par une faible minorité des habitants dans les
bourgades ou même parfois dans tel ou tel village. Mieux encore :
à Saint-Denis, petite ville de 3 500 habitants, entre 1567 et 1670, les
femmes qui sont épouses et mères en « famille complète » ont en
moyenne 4,84 enfants par couple; mariées à vingt-trois ans, elles
cessent d'avoir des enfants, pour des raisons où leur volonté joue
sans doute un rôle, à partir de trente-quatre ans; leur fécondité
légitime à tous les âges est nettement inférieure à celle qu'on enregistre
à la même époque en d'autres localités (Meulan, Genève) qui pourtant
deviendront contraceptives, elles aussi, à la fin du XVIIᵉ ou au
XVIIIᵉ siècle. A Saint-Denis, on est donc en présence, sous Louis XIII,
d'une contraception plausible... qui s'accompagne d'austérité et non
pas de gauloiserie hédoniste : elle va de pair avec des taux dérisoires,
quant à l'illégitimité et quant aux conceptions prénuptiales [1].

Dans le Sud-Ouest de la France également, la fécondité, dès les
premiers registres paroissiaux connus (début du XVIIIᵉ siècle), paraît
avoir été quelquefois anormalement basse : il est vrai qu'on est là
dans cette Aquitaine (du reste si mal aimée des démographes, et
bien à tort), qui deviendra au XIXᵉ siècle l'une des régions les plus
malthusiennes du monde; prêchant ainsi un exemple dont il aurait
peut-être mieux valu qu'il fût davantage suivi par le reste de la
planète. Dans le Sud-Ouest, les traditions de lutte contre l'Église et
parfois contre sa morale officielle, depuis les troubadours, les cathares
et les huguenots, sont de toute façon très répandues : autorisent-elles

1. « Étude sur Saint-Denis et Corbeil », parue dans le bulletin *Démographie historique* (20, rue de la Baume), janvier 1971.

vraiment jusque dans le lit conjugal des audaces contraceptives à l'occitane, qui eussent fait dresser les cheveux sur la tête à la catholique Bretagne ou au rigoureux Beauvaisis? On l'a cru un moment[1].

Les modes de limitation des naissances que j'ai évoqués jusqu'à présent (mariage tardif, *birth control*) sont somme toute d'ordre culturel. Cependant, la démographie du XVIIe siècle, dans ce domaine aussi, met en jeu certains mécanismes purement instinctuels ou biologiques de répression de la fécondité : parmi ceux-ci figurent les périodes de stérilité, qui sont statistiquement si fréquentes (comme l'ont montré les recherches effectuées voilà une trentaine d'années sur des milliers de femmes appalachiennes) pendant le temps de lactation maternelle. Figure aussi, en temps de crise de subsistance aiguë (1652 ou 1661), l'aménorrhée de famine, phase d'infécondité provisoire à causes psychosomatiques : celle-ci coexiste avec l'arrêt des mariages, avec le jeûne sexuel pur et simple, et avec quelques essais maladroits de *birth control* proprement dit, pour faire puissamment tomber les courbes de conceptions pendant les disettes intenses, ou même tout simplement pendant les mortalités massives d'origine épidémique, génératrices d'anxiétés et de traumas psychosomatiques.

Dans sa recherche de l'équilibre démographique, obtenu par un double contrôle des flux d'entrée et des flux de sortie, des naissances et des décès, le monde des campagnes n'est pas seul en cause; il ne fonctionne pas en vase clos. Au XVIIe siècle comme en toute époque depuis le Moyen Age, un certain exode rural se produit en direction des villes : le fait est spécialement net aux environs de Paris; la population de cette ville double en effet dans la première moitié du XVIIe siècle; puis elle continue encore à augmenter[2] après 1650. Mais l'exode rural est net également dès lors qu'on s'intéresse à de grosses villes, moins importantes pourtant que Paris : pour celles-ci, en effet, le simple maintien du niveau démographique antérieurement acquis exige en chaque décennie un certain flot d'immigrants venus d'ailleurs. Car le peuplement citadin, au-delà d'une certaine masse critique, est mangeur d'hommes. Et pas seulement pour des raisons qui paraissent obvies; on sait bien que, dans la grande ville de type ancien, les

---

1. P. Valmary, *Familles paysannes en Bas-Quercy*, Paris, ouvrage édité par les Travaux et documents de l'INED.
2. A Lyon aussi, l'augmentation de la population est très nette de 1650-1660 à 1680-1689, puis (après l'interruption due à la crise de 1693-1694), jusqu'aux années 1705-1708 : la ville passe de 75 000 habitants en 1655 à 100 000, voire 110 000 vers 1705 (Maurice Garden, *Lyon... au* XVIIIe *siècle*). De même à Lille; Angers a 24 000 habitants en 1600-1611; 31 800 en 1652-1653, mais 82 500 en 1690-1701 (F. Lebrun, *op. cit.*, p. 162).

conditions de santé, de logement, d'alimentation sont mauvaises
pour la majorité des habitants ; les épidémies pullulent sur l'ordure
et sur l'entassement ; elles se propagent de ville à ville, de ville à
campagne.

Mais il est d'autres causes qui font de nos grandes cités les villes-
tombeaux de la France classique. A l'époque contemporaine, le
monde urbain nous apparaît volontiers comme l'exutoire social
d'une mobilité ascendante qui polarise l'ambition des Rastignac. Au
XVIIᵉ siècle et encore au XVIIIᵉ, la grande ville — Paris, Lyon... — est
davantage et tout autant le dégorgeoir licite d'une mobilité descen-
dante. Beaucoup de petites jeunes filles, nées de manouvriers ou de
laboureurs, viennent se placer en ville, dans l'espoir plus ou moins
chimérique d'y trouver un emploi valable et un bon époux. Ces filles
sont très nombreuses : elles déséquilibrent lourdement, en faveur
de l'élément féminin, la *sex ratio* d'une ville comme Lyon sous
Louis XIV. Mais leur chasse au bonheur, ou simplement à la vie,
est loin d'être couronnée de succès. Beaucoup parmi elles, employées
dans des ateliers malsains, meurent jeunes, avant tout mariage.
Beaucoup d'autres, qui survivent tout de même, végètent longuement
dans le célibat, montent en graine, et ne convolent qu'à trente ans
bien sonnés [1] : leur fécondité totale en sera donc réduite d'autant.
Un dernier lot, enfin, fournira le groupe fort nombreux, en cette
occurrence urbaine, des vieilles filles définitives. La grande ville
soustrait donc au monde rural — ou aux bourgades — des milliers
de ventres fertiles : demeurés dans leurs localités d'origine, ceux-ci
auraient engendré des enfants multiples, qui eussent survécu pour
une bonne part.

Il est vrai que les filles immigrées qui parviennent tout de même,
assez nombreuses, la trentaine venue, à se marier en milieu urbain, se
rattrapent ensuite de leur longue stérilité d'avant les noces et font
preuve d'une fécondité débordante après celles-ci : les femmes des
bouchers de Lyon, sous l'Ancien Régime, ont un enfant tous les ans,
pendant plus d'une décennie de fécondité conjugale! Les causes de
cette fertilité digne de la fée Mélusine n'ont rien de mystérieux : elles
tiennent à la mise en nourrice des bébés, celle-ci étant obligatoire pour
ces pauvres mères, qui autrement seraient obligées de déserter la
boutique ou l'atelier de leur mari ou de leur patron. Le travail des
femmes, dans les villes de la France classique, est une réalité très
contraignante.

Alors, dira-t-on peut-être, ceci devrait compenser cela : la surnata-

---

1. Sur la sociologie démographique de la grande ville, voir Garden.

lité des citadines mariées devrait annuler, et au-delà, les déficits de
naissances, qui sont causés par la démographie si particulière (à base
de surmortalité, de célibat, et de mariage tardif) qu'on rencontre
chez les filles de la ville originaires d'un milieu rural... Hélas, il n'en
est rien. Car ces très nombreux bébés que la ville doit exporter « mo-
mentanément » vers les nourrices du plat pays y meurent à plus de
50 %... La mise en nourrice est un implacable gaspillage de nouveau-
nés... A l'heure du bilan, la démographie des grosses villes est donc
bel et bien déficitaire par elle-même. Autant dire qu'en absorbant
— pour se maintenir ou pour s'accroître — de très nombreuses immi-
grantes, la ville du xviiᵉ siècle éponge le croît éventuel de la démographie des campagnes, et aide ainsi à maintenir l'équilibre général
de l'ensemble du peuplement. Autant qu'un facteur de croissance, la
ville est une soupape de sûreté, qui évacue et dilapide les trop-pleins
d'énergie du système démographique rural, et qui contribue à assurer
la « reproduction non élargie » de celui-ci.

Ainsi le monde démographique du xviiᵉ siècle, rural et français,
joue sur diverses recettes pour obtenir l'équilibre : mariage tardif
assorti de chasteté préconjugale, religiosité austère, exode rural
se combinent avec la mortalité excessive (celle-ci constituant le
facteur exogène), pour stabiliser les populations et pour assurer
la *reproduction simple* du peuplement. Est-on en droit de comparer
cet ensemble de *trucs* culturels (qui incontestablement forment
système) avec les mécanismes purement *physiologiques* (tels que
l'aménorrhée de famine chez la femme, ou tel ou tel processus socio-
biologique de retard social de la reproduction chez l'animal), que
rencontrent, au cours de l'expérience clinique et de la recherche, le
médecin et le zoologiste respectivement? Je me garderai bien de
répondre positivement à une telle interrogation. L'historien, comme
l'a fortement souligné Pierre Chaunu, est avant tout un mineur de
fond, un fouilleur qui ramène de ses randonnées dans les archives les
matériaux irremplaçables que d'autres, plus savants que lui — économistes, sociologues, psychologues, et, pourquoi pas, aujourd'hui,
biologistes, et physiologistes du cerveau —, interpréteront beaucoup
mieux qu'il n'est capable de le faire. Y a-t-il une théorie générale des
systèmes démographiques programmés pour l'équilibre, ceux de
l'animal et ceux de l'homme; ceux de la Nature et ceux de la Culture?
La question est sans doute trop sérieuse pour qu'on puisse la poser
à un démographe. C'est aux sciences de la vie qu'il appartient maintenant, après Wynne-Edwards, de dire le dernier ou le premier mot.

Discussion : quelques problèmes bioanthropologiques : démographie, culture, génotype

Emmanuel Le Roy Ladurie Mon intervention est celle d'un historien, c'est-à-dire de quelqu'un qui à première vue peut paraître un peu déplacé ici. Mais les historiens ont beaucoup changé; l'histoire s'est maintenant rapprochée de la biologie, et, là, puisque je représente un peu la corporation, je voudrais vous faire très rapidement un petit tableau dans divers domaines. Nous avons récemment publié un livre sur la maladie à la fin du XVIIIe siècle, et un autre ouvrage sur les conscrits au XIXe siècle, en relation avec les données sur la taille, sur la stature physique; nous y avons inclus une étude avec soixante-dix variables, où la taille et la stature dans la France au début du XIXe siècle sont mises en corrélation avec les divers indices du niveau de vie et du développement économique. Une des plus fortes corrélations qu'on trouve est entre la taille et l'alphabétisation. Ce qui ne veut pas du tout dire évidemment qu'on est alphabétisé parce qu'on est grand — ce serait du racisme absolument absurde et déplorable —, mais tout au contraire qu'on est grand parce qu'on a un meilleur niveau de vie, lequel, par ailleurs, s'accompagne d'alphabétisation. Les études sur la puberté, sur la maturité sexuelle, qui intéressent beaucoup de gens ici, sont également assez avancées du point de vue historique. Peter Laslett, dans son livre *The World we have lost*, a donné des informations à ce sujet, et on dispose aussi des textes du XVIIIe siècle sur la maturité sexuelle : ils montrent une très forte différence entre les paysannes, qui ont une maturité sexuelle très tardive, et les citadines qui ont une maturité sexuelle précoce, et déjà moderne.

Dans le livre de M. Chance sur le comportement des êtres humains et des singes, j'ai relevé des exemples sur le comportement agonistique chez les animaux. Je n'aurai garde de comparer cela à la guerre chez les humains, car la guerre est un phénomène trop complexe pour qu'on écoute toujours les théories des polémologues à ce sujet. En revanche, ce que dit Chance sur les épidémies comme facteurs homéostatiques de régulation démographique chez les singes, et chez d'autres animaux, présente beaucoup plus d'analogie; il est bien évident qu'on est là sur un terrain tout à fait commun avec la démographie humaine. Il est dommage que la démographie n'ait pas multiplié les études comparées sur la mortalité par épidémie chez l'animal et chez l'homme, parce que là ce n'est absolument pas de l'analogie superficielle; il y a vraiment une communauté profonde.

C'est ainsi que Michael Chance s'est intéressé au problème de la dysenterie conçue comme un régulateur démographique chez les singes. Or la dysenterie est chez les paysans d'Anjou au XVIIIe siècle le grand régulateur démographique, comme l'a démontré François Lebrun dans sa belle et grande thèse sur *la Mort en Anjou au* XVIIIe *siècle*. M. Chance montre aussi comment, dans une population de singes en état d'expansion démographique, les divers territoires finissent par se recouvrir et comment, à ce moment-là, l'infection se généralise et aboutit à une régulation de la population par les épidémies. Et ici nous avons le fantastique exemple historique de la peste noire, et de ce qu'on peut appeler plus généralement l'unification microbienne du monde, du XIVe au XVIe siècle. C'est-à-dire que nous avons du XIe au XIVe siècle la croissance de trois grandes masses démographiques mondiales, la masse chinoise, la masse occidentale, la masse amérindienne. Quelques groupes ont finalement mis ces masses en communication — je pense aux armées de Gengis Khan qui ont unifié l'Eurasie à partir du XIIIe siècle et aux commerçants génois qui sont allés chercher la soie en Chine; ces contacts ont contribué à apporter la peste noire, qui a stabilisé ou diminué la population européenne pour plusieurs siècles. D'autres groupes sont allés en Amérique où ils ont propagé d'autres épidémies, c'est-à-dire qu'on a de formidables cas d' « overlapping » catastrophiques de territoires entre le XIVe et le XVIe siècle.

Jacques Monod La question que Le Roy Ladurie nous pose est de savoir ce que l'on peut tirer d'une analogie formelle entre deux phénomènes apparemment différents ou se situant dans des échelles extrêmement différentes. La croissance des populations fournit justement de nombreux exemples d'analogies. La croissance de n'importe quelle population, qu'il s'agisse d'une population humaine ou d'une population d'animaux, d'une population de bactéries, a toujours la même forme, ou à peu près la même forme sigmoïdale : le temps étant en abscisse et la taille de la population étant en ordonnée, on a une courbe en S, ce qui signifie simplement que la population s'accroît d'autant plus vite qu'elle va au-delà d'une certaine limite. Or il se trouve que cette loi-là est également une loi connue en chimie pour ce qu'on appelle les phénomènes autocatalytiques, c'est-à-dire où la vitesse d'une réaction est proportionnelle à la concentration du produit de cette réaction.

Il y a une littérature considérable, que j'ai lue il y a trente-cinq ans, où l'on discute gravement la question de savoir si la croissance des populations animales ou humaines est un phénomène autocatalytique ou pas — avec une certaine tendance, naturellement, de la part de certains, à dire : « Mais oui, bien sûr, c'est la même chose, c'est comme en chimie, c'est un phénomène autocatalytique. » Eh bien, cette analogie est à la fois utile et extrêmement dangereuse. Si la simple analogie formelle de la courbe et de son expression analytique vous conduit à dire : « C'est la même chose », vous êtes dans un piège. En réalité, ce n'est pas la même chose que d'une seule manière, à savoir qu'il existe quelque part une limite, c'est-à-dire que la population croît d'autant plus vite qu'elle est loin d'une certaine limite. Le seul intérêt de l'analyse — et c'est précisément ce qu'a fait Le Roy Ladurie —, c'est de tâcher de définir quelles sont les conditions qui établissent la limite. Il est clair que, quand il s'agit d'une population de bactéries, ces conditions n'ont à peu près rien à voir, ou très peu de chose à voir, avec les conditions qui établissent la limite dans le cas d'une population humaine. Et je crois qu'il n'est pas inutile d'attirer l'attention ici sur l'intérêt, au départ, et le danger, éventuellement, d'analogies extrêmement abstraites. Elles peuvent paraître informatives alors qu'en réalité elles ne le sont pas, ou du moins elles ne commencent à le devenir qu'à partir du moment où l'on étudie les facteurs spécifiques qui peuvent expliquer l'analogie.

Marco Schutzenberger Deux questions simplement. Nous nous sommes intéressés à la contraception dans les siècles anciens. Contrairement à ce que Le Roy Ladurie nous dit, il semble que l'Église ait tonitrué contre les pratiques contraceptives dès le xive ou le xve siècle, en Italie en tout cas. C'est peut-être un phénomène urbain, de la plaine padane ou florentine, mais il y a des textes très précis, et il semble qu'ils étaient très préoccupés par ça. C'est une première question. Une deuxième question que je voudrais

poser, c'est qu'on a des exemples d'explosions démographiques.
Je pense à Java qui est passée de 10 millions à 60 millions en
l'espace d'un siècle et demi. Y a-t-il parmi les historiens des
fournisseurs de données précises sur la manière dont cette
explosion s'est réalisée?

E. Le Roy Il est exact que l'Église a tonitrué contre la contraception, mais
Ladurie précisément des études statistiques de Louis Henry et d'autres
montrent que ce phénomène de contraception était surtout
fréquent dans les classes supérieures; et la masse de la population ne s'y adonnait pas ou s'y adonnait du moins assez peu.
Donc, sur un plan massif, on peut presque négliger le phénomène; mais, bien entendu, pour une histoire précise, Schutzenberger a tout à fait raison, il faut en tenir compte. Quant au
problème qu'il pose à propos de Java, je suis incapable de faire
une analyse de ce problème spécifique, mais il y a des exemples
analogues. En France, les freins démographiques sautent à partir de 1720, en fonction de facteurs relativement précis, c'est-à-
dire la diminution de la guerre, qui est un des grands freins du
système; la disparition d'un certain nombre d'épidémies; la
fin des famines et, aussi, les changements psychologiques vis-à-
vis de l'enfant dont la vie paraît désormais beaucoup plus importante qu'autrefois; les changements d'attitude vis-à-vis de la
femme, de la femme enceinte; bref, il y a tout un changement
de mentalité qui contribue aussi à la réduction de la mortalité.

François Une des questions importantes, c'est de savoir quels sont les
Jacob effets des pratiques socioculturelles sur le « pool » génétique.
On peut dire que ça a de l'importance, on peut penser que ça
n'en a pas; mais, ce qui manque, ce sont les données précises.
L'évolution d'une certaine population peut s'exprimer en disant
que nous ne sommes pas les descendants de tous ceux qui
vivaient sous Henri IV et que ceux qui vivront dans cinq cents
ans ne seront pas les descendants de nous tous. Et le problème
dont parlait Schutzenberger, je crois, c'est de savoir si on peut
mettre en relation et formaliser plus ou moins les résultats de
certaines pratiques, ou de la plupart des pratiques socioculturelles, sur les variations du pool génétique. D'une façon générale,
il semble qu'il y ait très peu de données sur ces problèmes.

M. Schutzen- Ma question est plus précise que ça. On est passé d'une popula-
berger tion évaluée à peu près à 10 millions à une population qui est
six fois plus importante. Alors, comment s'est fait cet accrois-

sement? Est-ce que c'est une sous-partie de la population qui a migré, a colonisé des territoires nouveaux et s'est reproduite, ce qui signifierait que c'est une très petite partie du pool génétique originel qui s'est développée? Est-ce que c'est au contraire, dans ce cas-là, une diffusion globale, l'ensemble du pool génétique foisonnant de partout?

J. Monod Il existe, si je ne me trompe, des calculs faits par les démographes d'une part et par les théoriciens de l'évolution en second lieu, sur la probabilité d'extinction d'une lignée; c'est-à-dire qu'on peut d'abord établir un modèle formel en se posant la question de savoir quelle est la probabilité pour qu'un individu X ait une descendance à la première, deuxième, troisième, n-ième génération; et, lorsque l'on regarde les résultats de ces calculs fondés sur un certain nombre d'observations, en tout cas sur les populations modernes, on est extrêmement frappé par la très haute probabilité d'extinction d'une lignée. Il y a eu des calculs, que Le Roy Ladurie doit connaître sûrement : en excluant, pour simplifier le problème, l'immigration, on a calculé de combien de Français sous Charlemagne descend l'ensemble des Français actuels. Et on arrive à un résultat très surprenant, à savoir que les 50 millions de Français actuels descendent d'environ mille Français sous Charlemagne. Ce n'est sûrement pas vrai, n'est-ce pas? Il n'empêche que la probabilité d'extinction est très élevée; tout ce que je voulais dire, c'est que, du seul fait que la probabilité d'extinction est très élevée, il doit y avoir un effet sur le pool génétique. C'est à peu près inévitable.

Michael Chance Il semble que, dans une population disséminée entre nombreux groupes, il y ait de nombreux entrecroisements. Ainsi, des mâles individuels sont exclus des groupes, et en rejoignent d'autres, de sorte que la circulation des gènes est assez régulière. Un mécanisme du contrôle de population est sans aucun doute lié à la structure hiérarchique à l'intérieur du groupe et avec son extension — si le groupe entre en contact avec d'autres groupes. Il n'a pas été démontré que ce mécanisme régulateur à l'intérieur du groupe exerce une pression sélective sur le pool génétique. Je pense qu'il n'a pas d'effet du tout, car chaque groupe tend à différencier en son propre sein les mêmes types de variabilité, et c'est ce qu'il y a de plus intéressant. Le développement de cultures qui englobent d'énormes populations, et non pas juste un groupe de populations, accroît potentiellement la variabilité génétique du phénotype de cette population. Ainsi, nous sommes beaucoup plus variés, car nous sommes plus nombreux, et le nombre accroît les chances de révéler le potentiel d'un génotype.

Solomon H. Katz J'aimerais vous faire part de certaines données empiriques que nous avons rassemblées en Alaska sur certains de ces problèmes. Une transformation énorme a eu lieu en Alaska entre 1950 et 1967, en ce qui concerne essentiellement les Esquimaux et les Indiens d'Alaska, qui étaient une population vivant de chasse et de cueillette, technologiquement très primitive. L'Alaska, intégré aux États-Unis, a subi un développement économique considérable et un changement démographique énorme. Nous avons étudié la population de tous les villages d'Alaska en 1950. On manque, d'habitude, de recensements pour des groupes primitifs de cet ordre, mais cela existe en Alaska, depuis que cette région fait partie des États-Unis.

En 1950, nous avons classifié la dimension des villages de 25 à 100 habitants, de 100 à 200, de 200 à 300, et ainsi de suite jusqu'à 1 000 ou 3 000 habitants par village. Nous avons obtenu une courbe en cloche presque parfaite. Cette courbe nous dit essentiellement que la plus grande partie de la population vivait dans des villages de 100 à 150 habitants. Dix-sept ans plus tard, les villages de cette dimension étaient presque entièrement éliminés. En 1967, on voit deux transformations — une croissance soudaine de la population dans tous les villages, et la croissance exponentielle de 350 % du nombre des habitants des grands villages. Cela est dû au fait que ces communautés n'arrivaient plus à survivre dans le cadre de leur système économique de chasse-cueillette. Simultanément, l'aide extérieure arriva des États-Unis.

Quel est l'effet évolutionnaire d'un phénomène de cet ordre? Il y a introduction d'aliments nouveaux, augmentation des carbohydrates. La taille des enfants augmente de plusieurs centimètres en vingt ans. Il y a un léger abaissement de l'âge de la maturité sexuelle. D'autre part, la population imite les mœurs américaines, où il n'y a pas d'allaitement naturel. Le laps de temps entre les grossesses diminue et il y a croissance rapide de population. Je veux dire par là qu'il y a des interférences très nombreuses de cet ordre et qu'on arrive à ce système complexe dont parlait Edgar Morin. Nous avons également des généalogies, dans cette population, qui remontent à une centaine d'années. Nous pouvons ainsi observer les effets de ces changements du point de vue génétique. Nous sommes en train de le faire, la recherche a été terminée cet été, et nous en attendons les résultats. Au niveau socioculturel, une conclusion s'impose. L'individu le plus réussi dans la société traditionnelle est le bon chasseur, celui qui est le plus efficace dans l'environnement donné. Mais cet individu est perdu dans cette nouvelle société qui change rapidement. Il y a une forte probabilité pour qu'il devienne un alcoolique invétéré. De sorte que l'évolution de cette population subit un changement soudain et généralisé.

Léon Eisenberg Le problème de l'influence des pressions démographiques et de facteurs culturels sur le pool génétique est fascinant. Je pense que c'est seulement maintenant que cette influence peut devenir dangereuse. Il y a, dans un numéro de *Science*, un article qui démontre que, même dans une population d'insectes aussi limitée que celle de la mouche drosophilia, la femelle fait preuve d'un polymorphisme génétique impressionnant. Dans des conditions naturelles, les pressions sélectives garantissent à la population une variabilité suffisante pour survivre. Mais l'homme manipule les conditions naturelles et, s'il le fait avec imprudence, il s'expose pour la première fois à un danger. Ainsi, il y a, dans le même numéro de *Science*, une discussion des problèmes que pose à travers le monde la culture de céréales spécialement sélectionnées en vue de leur relative pureté génétique. Nous devons à leur variabilité limitée un rendement beaucoup plus élevé, mais au risque d'une vulnérabilité accrue aux nouvelles pestes. Le blé aux États-Unis a été très fortement atteint l'année dernière par un parasite nouveau. Il y avait heureusement une réserve de graines pour l'année suivante, et l'on pense maintenant sérieusement à maintenir des stocks permanents d'une composition génétique variable.

La question que je veux poser est que la sélection de population, qui devient maintenant possible à travers l'avortement et le contrôle des naissances sur des bases sélectives, comporte toute sorte de risques potentiels. S'il devient possible, par exemple, à travers l'amniocentèse, de déterminer le sexe d'un enfant à temps pour pouvoir l'avorter si l'on désire, la proportion mâles-femelles de la population pourrait changer, ce qui entraînerait des conséquences sociologiques très importantes. Si l'avortement est pratiqué de manière non plus aléatoire, mais sélective, dans le dessein d'obtenir des êtres humains plus désirables que d'autres (il peut même être question d'une nouvelle forme de génocide), les risques sont très considérables. Je tends à croire que les conséquences passées de la multiplication sélective de la population n'ont pas porté atteinte à la diversité du pool génétique, car cette sélection était trop diversifiée, le processus de sélection lui-même trop aléatoire et incomplet. Mais, avec la technologie moderne, cela devient un risque dont nous devons tenir compte sérieusement.

Maintenant, en ce qui concerne l'exemple donné par Katz du chasseur qui n'est plus fonctionnel dans les conditions économiques nouvelles de l'Alaska, la question qui se pose est de savoir si l'homme qui est un bon chasseur ne peut vraiment réussir que dans cette forme unique d'activité ou si les qualités qui en font un bon chasseur ne peuvent se manifester sous d'autres formes dans cet environnement nouveau.

Je pense, enfin, que l'extrapolation à la population humaine d'exemples puisés chez les animaux est extrêmement risquée, car aucune de ces caractéristiques particulières ne semble à ce point déterminante pour l'homme.

J. Monod La question est de savoir s'il existe des systèmes que nous puissions utiliser à l'heure actuelle, des objets, des populations, des techniques, des méthodes statistiques génétiques et autres, qui nous permettraient d'évaluer la pression de sélection d'une certaine culture sur un certain génotype.

F. Jacob Il faut dire que le génotype produit une structure et que c'est l'interaction de cette structure et de l'environnement qui va produire le phénotype; tout le problème, je crois, c'est de savoir combien est détaillée cette structure.

Salvador E. Luria Il est clair que l'espèce humaine n'est pas une espèce naturelle et ce n'est pourtant pas une espèce domestiquée. Les espèces domestiquées sont celles dont l'homme a développé certains traits pour ses propres buts. Dans le cas de l'espèce humaine, les pressions sélectives n'ont pas été exercées sciemment par l'homme. Mais il serait surprenant que son inconscient n'y ait été pour rien. Il est très probable que la culture a eu — à travers la sélection naturelle — une influence profonde sur la structure de l'espèce humaine. Mais il nous faut avouer que nous n'en savons rien, et c'est là, je pense, que l'anthropologue pourra dans l'avenir aider le biologiste.

Présentation : puberté et adolescence comme phénomènes d'interférence entre nature et culture

Massimo Piattelli-Palmarini

Pendant le dernier siècle et demi (les statistiques ne permettent pas de remonter plus loin), l'âge de la puberté a subi un abaissement constant, pratiquement linéaire, dans tous les pays industriellement développés. Vers 1833, l'âge des premières règles chez les filles (et de la première éjaculation chez les garçons) pouvait être estimé à dix-sept ans environ. Se manifestant avec une parfaite progressivité un « avancement » de la montre biologique a porté, de nos jours, l'âge de la puberté à treize ans. Tous les pays du monde témoignent maintenant de ce phénomène; il constitue un véritable « universel ». Deux chercheurs de renommée internationale, John Money et Anke Ehrhardt, écrivent dans un ouvrage récent : « Il n'y a aucune explication scientifique sur la façon dont s'opère le réglage de la montre biologique qui déclenche la puberté, ni cependant aucune explication sur le fait que la puberté peut être trop précoce, trop tardive ou ponctuelle (on time)[1]. »

Des effets nutritionnels peuvent en partie rendre compte de cette précocité puisqu'une corrélation a été démontrée entre le poids corporel et la manifestation des premiers symptômes de la puberté. Mais des effets psychosociaux semblent agir aussi sur la chronologie (timing) de la maturation sexuelle. Money et Ehrhardt ont par exemple observé que l'hospitalisation ou le changement d'ambiance peuvent accélérer la puberté chez des adolescents qui vivent dans un milieu familial opprimant et chargé de conflits. « L'hormone de croissance atteint un taux normal, à partir d'un taux nul ou presque nul, dans les quelques jours qui suivent l'hospitalisation[2]. » Mais ils soulignent aussi que, dans de nombreux cas, une étude de la famille d'origine ne permet de révéler aucune faute éducationnelle ou environnementale notable.

Le problème de la précocité sexuelle demeure dans son ensemble non

1. J. Money et A. Ehrhardt, *Man and Woman, Boy and Girl*, Baltimore, John Hopkins Univ. Press, 1972, p. 196.
2. *Ibid.*, p. 204.

résolu et peut-être même insuffisamment défini. Il s'agit pourtant d'une donnée d'extraordinaire importance sociale et politique. Ces auteurs remarquent justement que, « au niveau politique, social et psychologique, la signification de cette tendance séculaire à l'anticipation de l'âge de la puberté a été à peine comprise si l'on considère les changements qui seraient souhaitables pour ce qui concerne les préceptes et les normes s'appliquant aux teenagers *et à leur comportement familial, scolaire, vocationnel et sexuel*[1]. »

Le débat qui suit analyse certains aspects de ce problème sous l'angle de l'anthropologie physique (S. Katz), de la psychiatrie (L. Eisenberg) et de l'anthropologie culturelle (M. Godelier).

Un bref résumé des principaux mécanismes physiologiques permettra au lecteur de mieux saisir les contours du problème. Il s'agit en effet d'un réseau complexe d'interactions qui ne se laisse réduire à aucun schéma linéaire de cause et d'effet. Une grille de rétroactions (ou feed-back) se présente comme le seul modèle conceptuel apte à saisir la dynamique des différents processus.

Aux nœuds de ce réseau, on peut placer :

l'hypothalamus; il est caractérisé par des récepteurs au niveau cérébral des hormones sexuelles. Elles y provoquent un changement d'organisation et de fonctionnement, particulièrement décisif au cours des premiers jours suivant la naissance. La présence de la testostérone chez le mâle « androgénise » l'hypothalamus, c'est-à-dire instaure un contrôle hypothalamo-hypophysaire stable et non cyclique. La présence de l'hormone féminisante (œstradiol) chez la femelle n'empêche pas un contrôle périodique qui atteint son rythme définitif avec la maturation sexuelle. Une nette augmentation du taux de sécrétion des hormones sexuelles par les gonades et leur captation par l'hypothalamus semblent constituer le premier déclencheur de l'ensemble de transformations endocrinologiques et somatiques qu'on appelle puberté ou maturation sexuelle. Entre l'hypothalamus et les gonades s'instaure une première boucle de rétroactions. Ce centre cérébral contrôle les fonctions sexuelles et est à son tour contrôlé par lui. L'hypothalamus régit aussi les seuils d'émotivité, le métabolisme hydrique et l'équilibre nutritionnel de l'organisme (ses dérèglements causent, par exemple, la polyphagie et l'anorexie, syndrome particulièrement fréquents chez les adolescents);

l'hypophyse (ou glande pituitaire); centrale opératoire de tout l'appareil de sécrétion interne elle contrôle la croissance des tissus, la captation d'iode par la thyroïde et la libération des hormones thyroïdiennes, la sécrétion des stéroïdes par les surrénales, la maturation du

---

1. J. Money et A. Ehrhardt, *op. cit.*, p. 198.

follicule et la formation du corpus luteus *chez la femme, la spermato-genèse et la production d'androgènes chez l'homme. A travers des messages hormonaux, les gonadotropines, l'hypophyse stimule la sécrétion des hormones sexuelles, lesquelles à leur tour exercent une rétro-action sur les sécrétions hypophysaires. D'autres fonctions sont également soumises à un contrôle hypophysaire, par exemple certaines pigmentations de la peau, la pression artérielle, la sécrétion lactée en cas de grossesse. Les hormones voyagent dans les deux sens, de l'hypophyse vers la « périphérie » et inversement; on a donc ici une deuxième boucle de rétroaction constituée par l'interaction entre hormone hypophysaire et hormone périphérique;*

les gonades; *la testostérone (l'hormone mâle, bien que sa présence ait été démontrée en très faibles doses chez la femelle) est sécrétée par les cellules interstitielles des testicules. Elle intervient dans la formation des spermatozoïdes et induit le développement des caractères sexuels secondaires (différenciation des organes génitaux, formation des pilo-sités, structure du larynx et, donc, tonalité de la voix, développement musculaire, et l'on pense même certains phénomènes psychiques à travers la captation par l'hypothalamus). L'hormone féminisante ou œstradiol (remarquons qu'elle est aussi présente chez l'homme, les différences étant quantitatives) est d'origine ovarienne; assujettie à des régulations cycliques par l'hypophyse, elle a un effet déterminant et parfaitement dosable sur la croissance de l'utérus, induit cet état de spéciale réceptivité nommé œstrus, aide le transit des spermatozoïdes et de l'œuf en stimulant les cellules ciliées et musculaires des trompes utérines et la sécrétion muqueuse des cellules du col utérin. Les gonades sont insérées dans le circuit de rétroaction de l'hypophyse et dans celui de l'hypothalamus. Testostérone et œstradiol règlent leur propre sécrétion grâce à ces circuits de contrôle* [1].

un centre de régulation psychosociale; *il est aujourd'hui légitime d'insérer dans le réseau un nœud de caractère non physiologique mais exerçant des contrôles physiologiques. De nombreuses expériences sur la transdétermination sexuelle exercée par le sexe « social » sur la morphologie du sexe génétique* [2] *légitiment cette opération conceptuelle. L'addition d'un nœud psychosocial se révèle inévitable si l'on veut rendre compte de l'abaissement de l'âge de la puberté. Les facteurs diététiques et hygiéniques, qui peuvent en partie expliquer la précocité sexuelle, seront englobés dans ce nœud. Il s'agit en effet de déterminantes socio-*

---

1. Sur ce point, voir l'excellent article d'E. Baulieu, « Les hormones sexuelles », *la Recherche*, nº 24, juin 1972.
2. J. Money et A. Ehrhardt, *op. cit.*

culturelles exerçant un contrôle physiologique. L'idenité psycho-sicioculturelle, dont les sources et le rôle restent à déterminer, semble agir sur le développement physiologique soit comme blocage, soit comme catalyseur.

Uniquement à titre d'aide-mémoire, nous pouvons tracer le graphique ci-dessous :

La complexité de toutes ces interactions exigerait une longue série d'études véritablement bioanthropologiques. Les pages qui suivent pourraient servir de première introduction vers l'énoncé des problèmes. On voit ici une fois de plus l'impossibilité de séparer le biologique du culturel lorsque les phénomènes humains sont abordés à leur niveau fondamental.

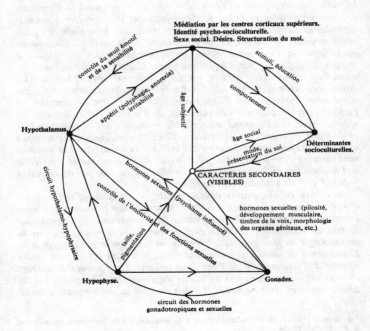

Discussion

Solomon H. Katz Des études effectuées sur des jumeaux monozygotes montrent que, malgré l'influence d'environnements fort variés, la chronologie de la maturation sexuelle est un phénomène soumis à un contrôle génétique rigoureux. L'interaction étroite entre génétique et culture au cœur des mécanismes de la puberté et de la maturation sexuelle nous offre un cas exemplaire relevant de la bioanthropologie. Nous avons un exemple typique d'une période critique liée à une horloge, biologique, ayant de fortes répercussions socioculturelles. Les prédispositions *(expectancies)* du système culturel à l'égard de l'adolescent et l'initiation de cet adolescent à la vie adulte sont dictées par des traits socioculturels spécifiques à chaque société. Dans de nombreuses sociétés, on trouve des rites de la puberté, d'initiation, des acceptations solennelles d'un nouveau *status* social fondé sur des transformations anatomophysiologiques. Deux chronologies déterminantes, l'une socioculturelle, l'autre biologique, se rencontrent, se complètent ou interfèrent. Souvent la puberté sexuelle est précédée par le rite d'initiation; parfois, la cérémonie officielle succède à l'achèvement complet de la période critique. Parfois encore, comme chez nous, les parents sont libres de traiter leurs adolescents comme des enfants ou comme des adultes selon leur jugement individuel. Au sein d'une population homogène, on peut trouver toutes sortes de décalages — précocité ou retard — pour des individus particuliers. Piaget a bien vu comment les performances cognitives sont déterminées par l'âge biologique, et il a placé en gros l'atteinte du stade final dans la construction des opérations cognitives complexes aux alentours de 12 ou 13 ans. Il se peut très bien que des zones cérébrales qui n'ont pas encore été cartographiées *(mapped)* se révèlent sensibles à l'influence des hormones sexuelles et que des rétroactions multiples entre cognition et maturation sexuelle restent à découvrir. Il est question, donc, d'une rencontre de phénomènes génétiques, de phénomènes d'environnement, d'événements externes et de modèles culturels d'une société donnée.

Le développement des habilités linguistiques peut être un autre exemple d'un phénomène où des multiples approches (linguistique, cognitive, psychologique, biologique, sociologique) doivent s'intégrer mutuellement. Bien que certains d'entre nous soyons particulièrement méfiants à l'égard du terme « période critique », je crois néanmoins qu'il faut souligner que la maturation sexuelle comporte des changements en chaîne et une extrême sensibilité, aussi bien aux déterminants biologiques qu'aux stimuli externes.

Léon Eisenberg M. Katz nous a fourni un exemple du genre de question transdisciplinaire que cette conférence est appelée à traiter. Pour ce qui est de la maturation sexuelle, il me semble qu'il y a au moins deux périodes « critiques ». La première paraît se situer juste avant ou juste après l'enfantement ; la libération pour la gonade masculine d'une petite quantité de testostérone suffit pour produire une modification permanente de l'organisation neuronale de l'hypothalamus. L'injection de testostérone ou l'implantation de microcristaux dans l'hypothalamus d'un cobaye femelle juste après la naissance bloquera l'action cyclique du système nerveux central qui, d'habitude, aboutit au cycle de l'œstrus. Il existe, en fait, des données récentes sur le dimorphisme sexuel chez la souris au niveau des épines dendritiques de l'hypothalamus.

La testostérone agit sur l'hypothalamus et non sur l'hypophyse, puisque l'hypophyse d'un animal androgénisé à la naissance fonctionne de manière cyclique s'il est transplanté sur un animal normal. Nous disposons de relativement peu d'informations quant à l'importance de ce phénomène dans l'espèce humaine, sauf dans le cas des troubles iatrogènes. Pendant la période au cours de laquelle des composés androgènes ont été utilisés pour maintenir la grossesse chez des femmes sujettes aux avortements spontanés, certains enfants du sexe féminin se sont trouvés masculinisés. Des études psychologiques ont montré que ces filles tendaient davantage à devenir des garçons manqués (bien qu'il y ait lieu de noter que leur développement psychosexuel ultérieur s'est déroulé dans les limites de la normalité). Plus récemment, la comparaison d'un groupe important de ces femmes avec un témoin apparié a révélé un avantage, réduit mais significatif, en matière de QI, parmi les sujets de l'expérience. Il se peut qu'une activité accrue, associée aux hormones mâles, ait pu produire un comportement plus exploratif, une plus grande indépendance et, par conséquent, une meilleure performance lors des tests. Mais il ne s'agit là que d'une simple hypothèse.

La seconde période « sensible » ou « critique » se situe au moment de l'adolescence. Chez la femme, tout au moins, la maturation semble être fonction du poids de l'individu; la tendance séculaire vers un abaissement de l'âge des premières règles est associée à des influences, nutritionnelles et autres, qui ont produit une augmentation de poids et de taille chez l'enfant à des âges donnés. On ignore encore ce qui stimule l'axe hypothalamo-hypophysaire. On découvre des marques d'une augmentation de la sécrétion de l'hormone lutéinisante pendant le sommeil aux alentours de la puberté, alors que ces augmentations nocturnes n'apparaissent ni chez l'enfant prépubertaire ni chez l'adulte. On ignore si les facteurs psychosociaux peuvent exercer une influence sur la puberté, bien que certaines expériences faites sur des animaux indiquent que des excitations extérieures appropriées peuvent déclencher la maturation biosexuelle. Toutefois les modifications séculaires sont nettes; la maturation sexuelle commence à peu près quatre ans plus tôt qu'il y a un siècle. Ce qui est encore plus significatif, dans les sociétés industrialisées, c'est une tendance marquée à prolonger la période qui précède le droit au rôle social d'adulte à part entière. C'est-à-dire que, dans les sociétés industrialisées, il faut aux adolescents de plus en plus d'années d'études et de formation pour accéder aux fonctions sociales qu'exige une société de plus en plus mécanisée. Ainsi, il existe un recul marqué de l'âge auquel l'individu parvient à jouer son rôle d'adulte sur le plan social. Nous ne pouvons que nous livrer à des conjectures quant à la mesure dans laquelle le phénomène de la prolongation de l'adolescence à ses deux extrémités rend compte du malaise de l'adolescence et de la révolte des étudiants qui se manifestent si clairement dans la société occidentale. La recherche bioanthropologique peut-elle apporter une contribution utile à la politique sociale *(social design)* dans ce domaine? Devons-nous rechercher des méthodes biologiques susceptibles de retarder la puberté afin de raccourcir l'adolescence, étant donné qu'une formation prolongée semble inévitable? Est-ce que, dans ces conditions, le fait de rester à l'école poserait moins de problèmes aux jeunes si leur puberté n'intervenait pas si tôt? Ce n'est pas là le chemin que je choisirais moi-même, car je crois qu'il existe, en matière d'éducation, des moyens de profiter des avantages que présente une maturation précoce. En tout cas, la question doit être soulevée. N'aurait-on pas intérêt, par contre, à admettre la transformation biologique et à chercher à réordonner le processus éducatif de manière que les jeunes gens puissent jouer un rôle qui convienne à leur maturation physique et mentale? Si Piaget a raison de dire que la phase opérationnelle de l'intelligence est associée à la puberté, pouvons-nous démontrer que ce stade de développement est atteint plus tôt par ceux qui mûrissent plus vite? A ma connaissance, cette question n'a fait l'objet d'aucune recherche systématique. J'insiste sur le fait que l'une des interactions biologicosociales qui doivent être considérées sérieusement concerne les *conséquences biologiques des changements sociaux*, afin de tenir compte du *feed-back* de ce changement biologique dans la matrice sociale. Il se peut en effet que la société contemporaine n'aille pas au même pas que la biologie humaine. S'il s'avère d'ailleurs que la maturation sexuelle et la maturation cognitive vont de pair, il se peut que nous ayons là une indication fort instructive quant à l'interaction du corps et de l'esprit.

Maurice Godelier   A la suite de ces interventions sur les problèmes de la puberté, je voudrais insister sur le fait de la diversité des institutions sociales qui « adaptent » l'individu à cette période critique sur le plan biologique. Je donnerai un exemple tiré de mon expérience de terrain parmi une société que I. Eibl-Eibesfeldt connaît indirectement pour avoir visité des groupes assez voisins et fort semblables.

J'ai vécu de 1967 à 1970 chez les Baruya, un groupe de l'intérieur de la Nouvelle-Guinée, « découvert » en 1951 et passé sous le contrôle de l'administration australienne en 1960 seulement. Pour les Baruya, le monde féminin est un monde de faiblesse, de pollution et de désordre. Pour que la société existe comme telle et se reproduise, il faut que ce désordre soit contenu et que cette pollution soit endiguée, limitée, réduite à son minimum. Dans ce contexte, on devine tout de suite l'importance que revêtent pour les Baruya les interdits qui entourent les rapports entre les sexes, non seulement les rapports sexuels mais de multiples autres aspects des rapports sociaux.

La société Baruya est organisée en classes d'âge. Jusqu'à l'âge de 10-11 ans, les garçons vivent avec leur mère et continuent à appartenir au monde féminin, même s'ils jouent séparément de leurs sœurs. Ils portent des vêtements identiques à ceux des filles. A l'âge de 10-11 ans, on les ôte à leur mère pour les enfermer dans la maison des hommes. Ils portent alors des vêtements mi-masculins mi-féminins. Ce n'est qu'à 13 ans qu'ils portent des vêtements masculins, après être passés par le deuxième stade d'initiation. Vers 15-16 ans, ils franchissent le troisième stade de l'initiation, le plus important de tous, car c'est seulement à partir de ce moment qu'ils participent à la guerre et qu'on se préoccupe de les marier. Au prochain stade, ils sont définitivement considérés comme des guerriers accomplis et ils se marient. Ils quittent alors la maison des hommes pour vivre dans une hutte conjugale. Cependant, ils ne seront considérés comme des hommes « mûrs » qu'après être devenus pères de 3 enfants au moins. A ce moment, si leur mère est encore en vie, ils accomplissent les rituels qui leur permettent d'abord de manger en sa présence, puis de lui adresser la parole directement. La mère est donc la première femme que l'on quitte et la dernière que l'on retrouve.

Pendant tout le temps de leur séjour dans la maison des hommes, donc avant, pendant et après la puberté, les garçons n'ont aucun rapport sexuel avec les jeunes filles. Ils n'ont même pas le droit de parler de ce sujet ou, s'ils y font allusion, c'est dans un langage métaphorique, déguisé. Cependant, ils font un premier apprentissage de la sexualité en pratiquant entre eux, dans la maison des hommes, diverses formes de caresses homosexuelles, à l'exception de la sodomie, qui est inconnue. Dans des tribus voisines, appartenant à des groupes culturellement fort différents, bien qu'ils vivent également dans une maison d'hommes, les jeunes gens peuvent, à partir de la puberté, pratiquer diverses formes de caresses hétérosexuelles avec les filles, à l'exception de la copulation.

Ce qu'il importe donc ici de reconnaître, c'est que la période biologiquement critique de la puberté est abordée de façon profondément différente dans certaines sociétés, qu'elle passe par la répression des rapports hétérosexuels et la pratique de l'homosexualité chez les Baruya, et qu'elle est « préparée » dès la petite enfance dans un contexte de symboles et d'interdits dont il nous faut expliquer les raisons d'être sous peine de faire de l'anthropologie une simple « description » plus ou moins précise des faits sociaux. Encore une fois, dans cette diversité, nous butons contre le fait des rapports complexes entre nécessités biologiques et nécessités sociales.

**Léon
Eisenberg**
Quelques remarques sur cette société Baruya qui isole les garçons de neuf à vingt et un ans. Ce qui me frappe le plus, dans les études transculturelles, c'est la variété remarquable des ensembles de conditions sociales et de comportements sociaux qui se révèlent compatibles avec la viabilité de la société humaine. C'est-à-dire que la fonction sexuelle humaine peut s'adapter à n'importe quoi, allant d'une période de « formation à l'homosexualité », suivie d'une reprise de l'hétérosexualité exclusive après vingt et un ans, jusqu'à une promiscuité juvénile encouragée par la société, à laquelle fait suite une monogamie apparemment absolue après une cérémonie de mariage officielle. La question à laquelle il importe de répondre est la suivante : quel prix faut-il payer pour un système d'éducation comparé à un autre? Quel est le rapport entre le « prix » et le « résultat », du point de vue de la satisfaction humaine, dans une société donnée? Je ne suis pas prêt à supposer que la société occidentale représente le *nec plus ultra* en matière de bonheur et que, par conséquent, les systèmes d'éducation occidentaux, sont les meilleurs. Mais il est peut-être vrai que, lorsqu'une société néglige certains aspects fondamentaux de la psychobiologie humaine, elle le paie excessivement cher en matière de paralysie du développement humain. Il peut y avoir, par contre, d'autres facteurs biologiques qui ne soient pas limitatifs et dont, par conséquent, il ne soit pas nécessaire de tenir compte. Si les éléments nutritifs essentiels sont présents dans la nourriture, il importe peu que la cuisine soit italienne, française ou allemande. Par contre, si les exigences culturelles de la préparation culinaire ont pour effet d'omettre certains éléments nutritifs indispensables, cela peut se payer très cher en matière de réduction de la taille, diminution de l'intelligence, etc. Cette définition des « rapports coût-bénéfice » dans le domaine de l'éducation sociale n'a jamais été tentée sérieusement, que je sache. La formulation de questions auxquelles nous puissions répondre ne sera pas facile, car il est clair qu'il ne suffira pas de prendre pour critère fondamental la complexité ou le développement technologique d'une société donnée, complexité qui peut être atteinte au prix du bonheur de nombreux membres de cette société. Les sociétés de l'âge de pierre ont pu survivre jusqu'à nos jours; elles sont en voie de disparition accélérée, non pas en raison de leurs contradictions intrinsèques, mais parce que la société occidentale est en train de les détruire. Toutes ces sociétés se caractérisent par une histoire très statique, telle que ce que sait

le père suffit au fils pour la survie du fils et de sa société. La seule chose qui caractérise l'ère contemporaine occidentale, c'est que le changement se produit si vite que les règles du père ne peuvent plus suffire au fils si celui-ci doit survivre. Pouvons-nous nous permettre de changer à la vitesse à laquelle nous changeons? Approchons-nous d'un seuil biologique, ou même sommes-nous en train de le dépasser : en matière de densité urbaine, de bruit dans l'environnement, de rapidité de transition, etc.? Ces questions sont trop vastes pour qu'on puisse y répondre avec la précision nécessaire pour leur donner un sens, mais peut-être pouvons-nous leur apporter un éclairage utile.

. Godelier A la question : « Pouvons-nous nous permettre de changer au rythme qui est le nôtre, à Boston ou à Paris? », je répondrai tout d'abord que l'humanité a dû connaître dans son histoire des moments où les rythmes du changement semblaient presque insupportables : la transformation des sociétés des Indiens d'Amérique du Nord sous l'effet de l'introduction du cheval, la généralisation de la chasse montée, les déplacements de population, la guerre endémique, etc. Pour ne pas parler des transformations liées à la domestication des plantes et des animaux dans le Proche-Orient ancien ou en Mésoamérique. L'homme dispose probablement d'un stock fini de potentialités biologiques et psychologiques, mais on ignore tout de cette limite, de « l'enveloppe des possibles », qui reste pour nous une place vide, silencieuse. De plus, il existe des capacités sociales d'annuler des contradictions, de restructurer des rapports sociaux.

CHAPITRE III

L'ouverture systémique et cybernétique

Le paradigme de l'information

Solomon H. Katz
Walter Buckley

Solomon H. Katz Nous ressentons le besoin d'un langage commun qui traiterait simultanément du domaine socioculturel et du domaine biologique. Actuellement, selon moi, un modèle d'explication issu de la théorie de l'information peut être utilisé dans un sens heuristique et analogique, et non dans un sens formel. En effet, il me semble que nous ne sommes pas encore au point où nous puissions formaliser les modèles de la théorie de l'information et les rendre entièrement utilisables dans le sens d'une prédictabilité. En un sens, on peut considérer les traits génétiques de l'homme — ou de n'importe quel organisme — à travers sa structure génétique, comme une suite d'informations rassemblées à partir d'un environnement particulier et sélectionnées, au bout d'un certain temps, pour s'adapter à un environnement en transformation. Le pool d'information génétique est donc concerné par l'adaptation à l'environnement. D'un autre côté, le modèle heuristique nous donne à penser que le système socioculturel rassemble de l'information en vue de l'adaptation de l'homme à son environnement, et qu'il le fait à travers le système nerveux central. C'est à ce niveau qu'on peut utiliser la théorie de l'information. Il s'agit ici d'un système à trois dimensions, d'un côté le système biologique et son information, de l'autre le système socioculturel et son information, les deux systèmes étant continuellement en *interaction* l'un avec l'autre et, ensuite, avec le *milieu*. Nous pourrions donc rechercher comment les deux systèmes entrent en contact l'un avec l'autre. Certaines contraintes biologiques, comme la façon dont est organisé le système nerveux central, limitent la série des adaptations possibles de la matrice socioculturelle.

Nous devrions construire un modèle dans lequel nous pourrions ranger ces universaux et commencer à montrer leur influence sur les diverses façons dont l'information socioculturelle peut être organisée en vue de l'adaptation à l'environnement.

Walter Buckley   Les universaux ne peuvent être recherchés à l'intérieur d'un seul domaine comme la sociologie, car alors, me semble-t-il, ils ne seraient pas appropriés aux autres disciplines. Afin de franchir l'intervalle entre ces diverses branches, j'ai essayé de mettre au point une structure d'approche qui fournirait un vocabulaire, une série de concepts (non des substantifs) reliés à n'importe quelle discipline et néanmoins applicables à chacune. Finalement, j'ai trouvé une sorte de modèle abstrait basé primitivement sur le modèle de la théorie de l'information et qui met l'accent sur la notion de transformation entre des ensembles et des sous-ensembles d'éléments parmi lesquels existent des contraintes et des interrelations dans une sorte d'invariance globale. L'information n'est pas une chose, il n'y a pas d'information circulant dans un fil, sortant de la bouche et traversant la pièce; pour des Chinois sans interprètes et ne comprenant pas notre langue, tout ce que nous disons n'est que du bruit. L'information est donc essentiellement une relation (entre au moins deux ensembles en état de contrainte et d'interrelations réciproques) susceptible d'être canalisée à travers diverses transformations tout en maintenant une invariance.

Le temps est venu pour la sociologie d'abandonner son anthropo-ethnocentrisme et d'accepter l'idée que nous traitons désormais une entité beaucoup plus vaste que celle dont nous avons l'habitude. Cette entité transcende l'élément individue, dans la mesure où les propriétés des composants ne peuvent être envisagées indépendamment de leur rôle dans le système, ce qui n'est pas forcément le cas des systèmes dont le niveau d'organisation est plus bas (comme les systèmes mécaniques). Chez les êtres humains, en effet, les propriétés essentielles des composants découlent de leur appartenance à un système plus vaste. Pensons désormais les divers types de structure (économique, familiale, etc.) en termes de mécanismes par où des transformations surviennent; qu'est-ce qui reste invariant, qu'est-ce qui bouge, quelles en sont les conséquences?

Finalement, le problème essentiel lorsqu'on traite de ces systèmes auto-organisés est celui de la *complexité;* la complexité est un principe transactionnel qui fait qu'on ne peut s'arrêter à un seul niveau du système sans tenir compte des articulations qui relient les divers niveaux.

Théorie des systèmes et anthroposociologie *

Walter Buckley

Je me concentrerai sur trois aspects de notre sujet. Le premier a trait à certaines questions de la philosophie des sciences d'un intérêt direct pour une anthropologie fondamentale. Le deuxième concerne une approche théorique, l'approche transactionnelle et systémique, et un domaine d'investigation pratique, l'évolution du comportement social. Enfin, j'indiquerai un certain nombre de principes théoriques, dérivant principalement de la théorie moderne des systèmes, que l'on devrait explorer comme des conceptualisations unificatrices éventuelles.

I. Que faut-il entendre par étude « fondamentale » de l'homme et de la société? Entre autres choses, il pourrait s'agir d'une intégration des disciplines connexes, ou d'une tentative de réduction du domaine socioculturel à quelque autre science de niveau inférieur, ou d'une recherche de lois « universelles » ou d' « invariants » (ou peut-être de quelque combinaison de ces lois et invariants).

Si nous voulons principalement parler d'une véritable intégration interdisciplinaire des études de l'être humain, de sa vie et de son comportement en groupe, nous nous trouvons alors en face d'une tâche difficile qui implique le développement d'un vocabulaire et d'un appareil conceptuel communs, et la compréhension d'un réajustement nécessaire des uns et des autres à leurs techniques mutuelles préférées de recherche et à leurs manières d'approcher les méthodes scientifiques. Mon travail dans le domaine de la recherche générale sur les systèmes m'a rendu quelque peu optimiste en voyant les premiers succès d'une tentative « transdisciplinaire », pour reprendre un terme d'Edgar Morin. Les sections ultérieures de cette présentation suggéreront des contributions à une telle approche.

Si nous entendons par « anthropologie fondamentale » une tentative de réduction des phénomènes socioculturels à la psychologie, à la biologie ou à la chimie, alors je suis très sceptique, et de toute manière la question m'apparaît stérile : en ce qui concerne le genre de système

* Traduit par J. Bacri.

adaptatif complexe qui nous intéresse, nombre des « propriétés »
importantes des composantes individuelles sont des fonctions de la
matrice socioculturelle particulière à l'intérieur de laquelle elles sont
enchâssées (de la même façon que cette matrice est également déterminée par des propriétés composantes). Plus généralement, les composantes de niveau inférieur, en dehors du fait qu'elles ont certaines
caractéristiques stables ou invariantes, peuvent aussi posséder un
nombre inconnu de propriétés potentielles qui dépendent ou varient
avec n'importe quelle autre sorte d'éléments avec lesquels elles sont
en interaction, et également avec la structure systématique à l'intérieur de laquelle elles sont en interaction. Déterminer cela fait partie
de la tâche que doit se fixer une étude systématique ou holiste.

En conséquence, une vue holistique semble tout indiquée. On ne
doit pas exclure pour autant les tentatives de définition des mécanismes de niveau inférieur par lesquels sont rendus possibles des processus de niveau supérieur, ainsi que les tentatives de recherche des
propriétés habituelles aussi bien que variables de l'animal humain,
qui peuvent être pertinentes quand il s'agit de comprendre le système
socioculturel.

Un troisième aspect du thème de notre colloque implique le
problème de la recherche des « universaux », des « invariants », ou des
« lois générales », comme base d'une anthropologie fondamentale.
A ce point-ci, je ressens le besoin de l'aide substantielle que peut me
fournir le philosophe de la science. La disparition du positivisme
logique et de ses séquelles suggère qu'avec la destitution de la physique
comme modèle et fondement auquel pouvaient se ramener toutes les
autres sciences, les notions d'universaux et de lois générales qui
en découlent devront être soumises à des modifications, dès lors que
nous nous occupons des types de systèmes complexes, ouverts et
adaptatifs, que nous rencontrons en biologie, en psychologie et en
science sociale.

La notion de la scientifique générale implique l'invariance de relation entre un petit nombre de variables, de telle manière qu'une
situation concrète puisse se décomposer en ces variables, et un certain
nombre d'autres, que l'on considérera comme des variables « pertur-
bantes », « exogènes » ou « composantes » inessentielles, ou étran-
gères à la loi, par exemple la masse, la distance, la friction, etc., dans
le cas de la gravitation. Mais il est difficile de penser que l'on puisse
traiter en ces termes les systèmes biologiques et de comportement.
On ne peut pas décomposer de tels systèmes en un petit nombre
d'éléments s'organisant selon des relations invariantes, de telle sorte
que certains, qui sont clairement distincts, prédominent dans la

trajectoire du système, à moins que l'on ne tienne pour constants et inopérants certains autres d'importance égale. En ce qui concerne la classe des systèmes adaptatifs complexes, il y a sans aucun doute des principes généraux qui doivent être formulés, mais ils se rapportent aux traits organiques ou structuraux, et non à des variables ou à des composantes particulières. Ainsi, les premiers psychologues, sociologues, et anthropologues, et même encore certains aujourd'hui, ont longtemps commis l'erreur de faire appel à un facteur ou à une variable particulière, unique ou dominante, pour expliquer tout le reste : une instance culturelle, une pulsion libidinale, le facteur économique, le climat, un impératif territorial. Sans aucun doute, certains parmi ceux-ci, sous certaines conditions, peuvent en effet être plus importants que d'autres pour expliquer le comportement d'un système, mais toutes les tentatives pour ériger à partir de là une loi scientifique ont échoué.

Nous devrions à coup sûr continuer à rechercher les ressemblances et les traits les plus universels de l'homme et de la société, mais l'on peut soupçonner que, plus les traits sont universels, plus ils ont tendance à définir les possibilités mêmes d'un tel système, et plus leur valeur explicative est limitée. Comme on a pu le dire, il n'est pas possible d'expliquer une variable par une constante. Au-delà d'un certain niveau de complexité, les sociétés sont des systèmes uniques, à bien des égards d'importance décisive. On peut avec une relative facilité formuler des propositions telles que celle-ci : chaque fois qu'un large pourcentage des membres d'un groupe sera frustré dans ses attentes, il manifestera de l'agressivité, toutes choses étant égales par ailleurs. Cependant, nous découvrons généralement que l'on ne peut pas se permettre d'englober ces « autres choses » dans une clause *caeteris paribus*, pour des raisons à la fois conceptuelles et pratiques. Les autres choses sont rarement identiques dans des sociétés différentes, ou dans la même société à des moments différents. Je suis convaincu qu'il existe, en passant d'une société à une autre, des régularités importantes, et que nous devons faire davantage d'efforts pour les découvrir. Mais il ne faut pas que nous soyons trop déçus si nos régularités ne sont pas pertinentes dans certains cas qui paraissent essentiellement similaires, puisque les traits qui semblent mineurs, ou difficiles à discerner, peuvent, dans le cas des systèmes complexes, être très importants pour la trajectoire du système. Dans les cas extrêmes, c'est ce que nous conceptualisons en disant non seulement que le système est un système stochastique, mais aussi qu'il est toujours soumis à des « accidents » inattendus.

II. En décrivant l'évolution du système socioculturel humain en partant de ses débuts rudimentaires, tels qu'on les rencontre dans l'organisation des singes supérieurs, on a eu fortement tendance à penser en termes de chaînes plus ou moins linéairement causales ou une suite de stades. Ainsi, il devient nécessaire de réfuter toute conception selon laquelle il existe une influence causale dominante de la biologie sur la psychologie, la structure sociale et la culture. L'évidence, par exemple, que nous fournit la paléontologie de l'homme suggère que la culture, les centres supérieurs du cerveau, l'organisation sociale complexe et le langage symbolique ont commencé à se développer *avant* le développement biologique de l'*Homo sapiens*, et ont été dans une large mesure responsables des caractéristiques particulières de ce développement. Notre modèle devient alors un modèle transactionnel, qui comporte l'apparition d'un grand nombre de traits décisifs, qui se forment et se renforcent les uns les autres en un processus systémique continuel.

L'interaction continue et prolongée des mêmes individus dans la troupe, l'attachement particulièrement étroit à un des parents au moins que manifeste le jeune pendant une longue période, l'organisation coopérative des individus dans une répartition du travail en fonction du sexe, de l'âge, de l'occupation et d'une hiérarchie de domination, le développement de vocalisations et de gestes relativement élaborés qui agissent comme des signes ou des signaux, la position verticale et l'usage de l'outil sont parmi les traits souvent discutés du processus de cette évolution. Le développement ultérieur de ce processus a conduit à l'élaboration plus avancée d'une proto-culture : modèles d'action et d'interaction acquis socialement, anticipations et contrôles du comportement individuel; activités coopératives organisées de manière plus complexe, innovation ultérieure relative aux outils, élaboration des centres supérieurs du cerveau, remodelage d'autres traits anatomiques et, en dernier lieu, développement de la communication médiate proprement symbolique, émergence de la pleine conscience de soi et de l'autre qui en découle, et par là même interpénétration plus profonde de perspectives qui donnent à la vie sociale humaine sa qualité caractéristique.

Pour qui veut étudier le comportement social, il existe une manière possible d'envisager le problème qui consiste à dire que, au contraire des animaux de rang inférieur qui se sont adaptés de manière primaire à l'environnement physique ou aux autres animaux en tant que stimuli physiques, les hominiens, une fois rassemblés en groupes permanents, ont également entamé un processus évolutif relativement nouveau d'adaptation réciproque, avec pour conséquence le résultat déjà souligné plus haut. En termes systématiques plus généraux, cela revient à dire que, tandis que les animaux de rang inférieur ont encodé, dans leurs structures nerveuses inférieures, dans leurs structures génétiques et anatomiques, les contraintes de la variété et de la causalité, principalement par des transformations phylogénétiques et ontogénétiques simples, les hominiens ont inscrit la variété et les contraintes de leur environnement social dans leurs structures neurophysiologiques, émotives et cognitives, principalement par des transformations ontogénétiques et socioculturelles médiatisées par l'activité symbolique.

Une conclusion qui découle d'une telle perspective est que l'on a donné trop d'importance à l'utilisation de l'outil, et aux facteurs non sociaux qui s'y rattachent, comme le stimulus responsable du développement rapide des centres supérieurs du cerveau. Les tentatives nécessaires entreprises par les membres d'un groupe en continuelle interaction pour enregistrer les gestes et les vocalisations de chacun — de plus en plus significatifs en termes de craintes anticipées, de réconfort et de gratifications — peuvent être considérées comme un facteur fournissant un contexte de puissance équivalente, sinon supérieure. Il est facile d'imaginer la possibilité, ainsi que la valeur évolutive, de l'émergence de la communication proprement symbolique dans le flot continu des gestes et des vocalisations parmi les mêmes individus qui agissent en commun à l'intérieur de situations relativement standardisées par leur organisation sociale et renforcées par les pressions que l'environnement occasionne afin de satisfaire les activités coopératives. Les théories de G. H. Mead et de J. Piaget, ainsi que celles de leurs adeptes, mettent l'accent, dans ce processus, sur un détail fondamental mais que l'on a négligé, et qui est une condition préalablement nécessaire au développement des processus sociaux et mentaux d'ordre supérieur; c'est l'aptitude qu'a l'individu, par l'intermédiaire des symboles, à se prendre lui-même comme objet, ainsi qu'à prendre les autres choses et les autres événements comme objets de réflexion, en dehors des situations strictement présentes, en utilisant des symboles qui jouent le rôle de représentations internes. On peut conceptualiser la conscience, comme l'indique Karl Deutsch, comme un « feed-back » pour les centres nerveux supérieurs informant sur les états internes de l'individu. On peut comparer et adapter cela aux actions et interactions des autres individus, rendant ainsi possible l' « empathie », l'interpénétration par sympathie des perspectives des membres d'un groupe, et la conception, dans un groupe, de normes et de valeurs plus ou moins communes auxquelles l'individu se soumet personnellement. Lorsque le sujet appréhende des choses externes qui sont indépendantes de lui et qu'il peut manipuler, ceci fournit alors la base d'une épistémologie du sens commun, et rend ainsi possible la construction mentale d'événements futurs, ou non empiriques, et la reconstruction d'événements passés.

L'interaction transactionnelle de ces facteurs ne s'est pas terminée par l'émergence de l'*Homo sapiens* en tant que nouvelle espèce, mais continue à opérer comme la base du développement des systèmes socioculturels modernes. Dans le cas où nous étudions simplement une petite portion temporelle de comportement social, nous pouvons peut-être nous en sortir en parlant de l'une de ces facettes, c'est-à-dire le social, le biologique, le cognitif, etc., comme de « la variable indépendante », et des autres comme de « la variable dépendante », conditions limites, ou constantes. Mais cette approche, bien trop répandue aujourd'hui, souvent sans nécessité, trahit une philosophie de l'analyse passée de mode qui prend en charge des composantes aux propriétés stables qui sont séparées, bien qu'interagissantes, sans se soucier du contexte.

Si l'on étudie une portion de temps relativement plus longue, ce qui, à l'époque moderne où les changements sont si rapides, peut n'être qu'une question de quelques années, on est obligé de faire face à la nature complètement transactionnelle et « morphogénétique » des processus socioculturels, dans lesquels toutes les facettes, ou presque, subissent des changements associés simultanés, tandis que le système réagit de manière holiste [1].

III. M'attachant enfin au problème de l'unification conceptuelle,

---

1. Comme exemple actuel et saisissant, on peut prendre le cas de la Chine moderne. En même temps que des changements massifs dans l'organisation sociale, nous voyons apparaître des changements d'importance égale dans les modèles culturels, la structure cognitive, les modèles des émotions, les systèmes symboliques, ainsi que l'actualisation de différents potentiels biologiques. En outre — et ceci est plus important —, nous comprenons comment ces changements se renforcent mutuellement.

Ceci nous conduit à nous en sortir par une autre voie habituelle, qui est suggérée par le titre même de notre conférence, à savoir celle qu'implique la notion d' « homme ». Bien que ce ne soit pas nécessairement le cas, ce terme est bien trop souvent interprété de manière à faire référence aux hommes pris un par un, comme des collections de créatures autonomes, reflétant ainsi l'optique individualiste occidentale, qui considère la Société comme une entité uniquement nominale, et la culture comme un épiphénomène.

Nous n'étudions pas, et nous ne pouvons pas étudier la bioanthropologie de l'homme — créature singulière —, mais plutôt le système socioculturel des éléments biopsychiques. J'espère qu'il n'est pas nécessaire de souligner que ceci ne dénigre pas ou ne déshumanise pas le moins du monde les êtres humains. Au contraire, j'insiste ici sur le fait que ce caractère humain, et non humain également, est à lui seul une contribution créatrice de la matrice socioculturelle à l'intérieur de laquelle l'organisme biopsychologique prend une forme humaine.

je discuterai brièvement trois conceptions générales dérivées du mouvement de la théorie moderne des systèmes. Le continuel processus évolutif à partir du domaine biologique en passant par les domaines psychologique et socioculturel est le thème général en fonction duquel ces trois conceptions prennent sens. La première est une généralisation très abstraite du processus évolutif lui-même. L'espoir ici est que, étant donné l'importante somme de connaissances que nous avons sur le processus biologique de l'évolution, nous puissions dériver des processus parallèles (en même temps que des différences notables), amenant une compréhension plus profonde des mécanismes impliqués dans l'évolution psychologique et socioculturelle. La deuxième conception est celle de la théorie moderne de l'information et de la communication, qui suggère l'existence d'un lien conceptuel entre les processus d'information génétique, psychologique et socioculturelle comme le point central dans le mécanisme de l'évolution. La troisième conception est celle du principe de contrôle cybernétique, qui est fondamental, bien sûr, pour comprendre n'importe quel système adaptatif transactionnel complexe, à savoir le système auto-organisateur [1].

I. ÉVOLUTION

a) *Sensibilité*

En commençant par un système adaptatif dans un environnement changeant, système de l'espèce, système psychologique, système social, nous remarquons qu'un tel système est « *sensible* » à son environnement externe et à son milieu interne. Cela signifie qu'il est organisé de telle manière que même des stimuli légers ou des *bits* d'information *(bits of information)* potentiels peuvent déclencher d'importantes réactions. Une question essentielle est la manière dont l'information au sujet de l'environnement parvient à s'inscrire dans le comportement et l'organisation du système, par exemple par tropisme, instincts, apprentissage individuel ou planification de groupe. Ce problème peut se poser significativement à propos de n'importe lequel de nos systèmes adaptatifs, ce qui n'exclut pas la possibilité de trouver d'importants parallèles, ou des isomorphismes structuraux, ainsi que les différences allant de pair avec eux. Il est ainsi possible d'effectuer des généralisations transdisciplinaires.

1. De ce point de vue, il ressort que ni la biologie, ni la psychologie, ni aucun des autres niveaux d'analyse ne peuvent être considérés comme plus fondamentaux quand on étudie l'homme moderne, bien que l'on puisse mettre l'accent sur tel ou tel point.

b) *Variété*

Quand la variété de l'environnement et ses contraintes causales ou ses interrelations naturelles subissent des changements, le système adaptatif doit également posséder un réservoir de variété dans lequel il puisse puiser afin d'encoder la variété de l'environnement et ses interrelations. Dans ce cas, il convient de s'interroger sur les sources de la variété, sur la manière dont elle est introduite dans ces différentes formes de systèmes, et sur les forces inhibantes qui demeurent.

c) *Sélection*

Étant donné la variété changeante de l'environnement et de ses contraintes, ainsi que l'introduction de la variété dans le système (qui peut passer de façon continue d'un état stochastique à un état dépendant du milieu), le système doit posséder un certain mécanisme, ou une certaine procédure, pour *sélectionner* dans son réservoir de variété les éléments qui appliquent *(map)* de la manière la plus adéquate la variété et les contraintes de l'environnement, en fonction de certains critères de survie, de continuité ou d'adaptativité. Dans ce cas encore, nous nous occupons de processus dont le degré d'arrangement varie, en passant du hasard de la sélection naturelle à la nécessité logique de la validation des idées compétitives. Le conditionnement, l'apprentissage par essai et erreur, la sélection sociale, la planification par le groupe, plus un certain nombre de mécanismes politiques, sont au nombre des autres processus de sélection que l'on peut comparer et opposer.

d) *Incorporation*

En fin de compte, une fois que le processus de sélection a opéré, la variété sélectionnée doit être *incorporée dans la structure et le comportement du système*. A des niveaux inférieurs, ceci peut apparaître comme faisant partie du processus de sélection, comme c'est le cas dans la sélection naturelle ou le conditionnement psychologique. A des niveaux supérieurs, cela peut impliquer des processus séparés, comme lorsque de nouvelles idées sont appliquées à des choses matérielles, ou comme lorsque des innovations sociales sont appliquées à une structure et à des processus socioculturels.

Ces processus ainsi que le concept d'application *(mapping)* peuvent être étudiés à travers différents types de systèmes adaptatifs en tant qu'ils constituent la base d'un cadre de travail général commun. Ce que l'on peut espérer en accomplissant une telle étude comparative des systèmes, c'est de promouvoir un vocabulaire commun, et d'emprunter à d'autres domaines plus développés les connaissances nécessaires éventuellement applicables à des domaines moins développés, mais apparemment parallèles ou isomorphes. L'abstraction d'une analyse de ce genre pourrait éviter les explications par analogie naïve, souvent non valables, que l'on a données dans le passé pour analyser l'évolution des êtres supérieurs avec des instruments tels que le darwinisme social ou les théories unilinéaires de l'évolution socioculturelle. De même, cela pourrait ouvrir la voie à de nouvelles approches concernant l'étude des processus d'évolution d'ordre supérieur, telle que l'évolution de la capacité d'adaptation elle-même, en partant des lents processus génétiques liés à la phylogenèse, pour passer par les processus psychologiques plus rapides de l'ontogenèse, jusqu'aux mécanismes symboliques extrasomatiques dans la société. Il ne fait pas de doute que nos habitudes, si fortement marquées par le cloisonnement disciplinaire, font apparaître comme étrange un tel cadre de travail unificateur, et qu'elles nous imposent de transformer brutalement nos modèles de pensée, pour les façonner dans de nouveaux moules. Cependant, c'est dans cette direction générale que sont clairement dirigées nos tentatives.

II. INFORMATION ET COMMUNICATION

J'ai utilisé plus haut le concept d'application *(mapping)* entre ensembles de variétés. L'intention est ici de faire entrer en jeu, à titre de concept unificateur, le cadre de travail abstrait extrêmement fructueux de la théorie moderne de la communication et de l'information. On a pu montrer que ce cadre de travail constituait un pont entre les processus entropiques physiques et chimiques et les processus négentropiques informationnels; on peut grâce à lui traiter des données non métriques, et généraliser un certain nombre de procédures statistiques telles que la corrélation et l'analyse de variance.

Le cadre général de travail qui est en jeu ici implique deux ensembles, ou plus, d'éléments variables, la structure des interrelations dans chaque ensemble, de même que certains processus d'application où les sous-ensembles de cette variété structurée subissent des transformations opérées par des transducteurs, mais préservent la structure des relations entre ensembles. L'invariance de la structure, en dépit des transformations, constitue l'application, et le processus consiste en un flux d'information, d'un ensemble à l'autre. Bien sûr, le bruit, c'est-à-dire l'introduction dans le canal d'éléments non corrélés ou inappropriés, peut dégrader la structure, l'application et, par là même, l'information.

Un tel cadre nous permet d'étudier dans les mêmes termes les nombreux processus substantivement différents qui apparaissent à l'intérieur des systèmes adaptatifs et dans les changements qui surviennent entre ces systèmes ouverts et leur environnement. Nous pouvons étudier de manière comparative l'application entre l'environnement et la structure anatomique de l'organisme, entre les structures anatomique et génétique, entre les événements dans le milieu, les processus neurophysiologiques et le comportement, entre les processus corticaux, mentaux et linguistiques, enfin entre les structures cognitive, socioculturelle et linguistique. C'est parce qu'elle s'intéresse uniquement aux structures pour elles-mêmes, et aux processus qui les relient, que la théorie de l'information est capable de dépasser ces mêmes domaines substantifs différents. Tandis que la perspective réductionniste part de l'acceptation du fait que toutes les choses matérielles sont en fin de compte constituées des quelques mêmes composés fondamentaux, la perspective holiste, au contraire, se fonde sur le fait que l'importante différence entre les choses réside dans la manière dont celles-ci sont organisées ; par là même, les systèmes complexes tirent leurs principales caractéristiques, non pas des substances qui les composent, mais de la manière selon laquelle ils sont structurés. Ainsi, les systèmes téléologiques, adaptatifs ou auto-organisateurs peuvent être des systèmes biologiques, électroniques, psychologiques ou socioculturels. Aucune technique analytique qui détruit la structure ne peut, par elle-même, renseigner sur le système et sur son fonctionnement [1].

III. CONTRÔLE CYBERNÉTIQUE

Enfin, quelques mots sur un troisième concept unificateur qui nous est à tous beaucoup plus familier. Il s'agit du principe de contrôle cybernétique, qui se rattache, bien sûr, au concept d'information, et qui s'étend aux différents types et niveaux de systèmes complexes. On l'a appliqué avec succès dans des domaines aussi divers que l'écologie, les processus homéostatiques, l'interaction physiologique complexe entre les hormones et les différents déclencheurs et inhibiteurs chimiques, l'éthologie, la psychodynamique, l'interaction sociale, ainsi que l'organisation sociale et culturelle.

1. Une telle position a d'importantes implications dans le domaine de l'ontologie et de l'épistémologie, mais je n'en discuterai pas ici. On trouvera à ce sujet une discussion dans mon article « A system Model of epistemology », *in* G. Klir, *Trends in General Systems Theory*, New York, Wiley, 1972.

Parce qu'il s'agit d'un concept familier, point n'est besoin d'en détailler le principe fondamental. Il suffira de dire que le contrôle cybernétique s'applique aux systèmes ouverts qui contiennent des paramètres assujettis à des contraintes ou à des états cibles *(goalstable)* qui gouvernent l'activité de ces systèmes. Les perturbations externes, ou les conséquences externes des activités finalisées, sont contrôlées à travers des boucles rétroactives ayant comme source et comme destinataire l'information qui concerne ces mêmes perturbations, ou conséquences. Cette information est ensuite comparée à une certaine représentation interne de l'état cible, et toute non-coïncidence corrige l'activité en conséquence.

Un intérêt, à mon avis, de ce concept tient à son application fructueuse aux systèmes socioculturels. En particulier, si l'on considère les sociétés dans une perspective historique, pouvons-nous caractériser en ces termes leurs processus de contrôle globaux, et les comparer à un modèle cybernétique? En d'autres termes, peut-on comparer les systèmes politiques, l'oligarchie, l'aristocratie et la démocratie, en fonction du degré dont ils s'approchent d'un modèle cybernétique fonctionnant de manière satisfaisante, et ainsi, promouvoir un système socioculturel « morphogénétique » et adaptatif?

Peut-on formuler l'hypothèse que les formes au moins partiellement démocratiques de système de contrôle social dans les sociétés modernes illustrent notre position actuelle pour ce qui concerne l'évolution des systèmes socioculturels?

J'ai la conviction que l'on peut se poser de telles questions, et qu'elles peuvent de manière significative guider la recherche et la théorie, en se fondant sur le modèle général des systèmes. Si nous devons établir des généralisations sur les systèmes socioculturels, nous devons en construire des modèles à leur propre niveau, et conceptualiser non pas en termes d'événements politiques, économiques ou historiques localisés, mais en termes de processus et de structures systématiques. Pour ce faire, il nous faudra identifier de manière opérationnellement significative les structures principales de régulation et de contrôle (sans nous préoccuper de savoir où elles résident dans la société), les structures et les processus d'information et de communication, les structures et les processus morphostatiques et morphogénétiques, et ainsi de suite.

En prenant chaque phase du paradigme du contrôle cybernétique, nous pouvons comparer et évaluer dans cette optique les structures et les processus réels des sociétés.

1. Il nous est possible d'évaluer les paramètres homéostatiques internes et les états cibles externes que le système est censé atteindre ou

maintenir. Dans ce cas, nous pouvons nous concentrer sur la distribution et le degré de compatibilité des intérêts des sous-groupes et des espaces-valeurs, qui déterminent au sein du système ses activités finalisées.

2. Étant donné un ensemble de cibles, les centres de décision et de contrôle doivent déclencher au sein du système les activités finalisées. Le problème de l'étendue et de la profondeur de la participation à travers les sous-groupes sociaux et les domaines sociaux est ici central pour ce qui concerne les activités politiques, économiques, éducatives, culturelles et autres.

3. Une fois la décision prise sur les activités finalisées, l'attention se porte sur le centre d'intérêt déplacé, sur l'organisation et l'engagement des membres sociaux en vue des activités de travail appropriées. Ceci fait particulièrement problème dans le cas où les buts cherchés sont des buts à long terme, et non d'intérêt immédiatement évident, comme la conservation des ressources, le contrôle de la pollution, la limitation des naissances.

4. A mesure que les activités finalisées se développent, nous avons besoin de retracer le *feed-back* de l'information sur les conséquences des activités relatives aux états cibles intentionnels, en prêtant également attention aux effets non voulus entraînés sur le système et son environnement.

5. En fin de compte, il est nécessaire d'entreprendre une très importante recherche sur la manière dont les centres de décision reçoivent l'information rétroactive en tant qu'elle constitue une base possible d'action corrective. Ceci implique un certain niveau de développement et d'utilisation des techniques de recherche propres aux sciences sociales : indicateurs sociaux appropriés, centres de collecte et de traitement d'éléments d'information obtenus sur une grande échelle, canaux adéquats de communication minimisant le « bruit », filtrage des excès et distorsions, etc.

En comparaison avec les systèmes biologiques, les systèmes socioculturels font face bien plus à un problème particulièrement difficile d'adaptation *interne* (c'est-à-dire d'adaptation des sous-structures et des sous-cultures les unes aux autres) qu'à un problème d'adaptation externe. D'autre part, le génie adaptatif des systèmes socioculturels réside particulièrement dans leur aptitude à changer, quand cela est nécessaire, rapidement et efficacement, comparativement aux systèmes phylogénétiques, et cela même s'ils ne le font pas toujours, ou l'accomplissent avec des phénomènes de rupture. Cela représente une aptitude qui commence à peine à être exploitée, et nous devons admettre que les systèmes sociaux continuent à évoluer, mais de manière non linéaire.

Ainsi, on pourra en fin de compte suggérer la conclusion générale suivante : toute tentative pour diriger la société vers un quelconque état utopique fixe est mal orientée, erronée. La prédiction la plus sûre pour le sociologue, s'il essaie de regarder à plus long terme que quelques années, est d'envisager des changements non anticipés de structure, de culture, de buts et de hiérarchies de valeur, car un tel potentiel de changement incorporé dans le système constitue un avantage évolutif. Par conséquent, pour la plupart des buts, une société ne peut pas raisonnablement planifier, sur aucun point de détail quel qu'il soit, plus de quelques années à l'avance. Elle devrait plutôt utiliser ses énergies pour construire, dans le système, des flexibilités de structure plus grandes, et permettre, à partir de ses activités, un *feed-back* parfaitement adéquat qui aide à redéfinir ses directions, son organisation et ses valeurs, selon la manière dont une population informée le ressent comme nécessaire [1].

---

1. Ainsi, la « démocratie », que l'on peut concevoir en termes de participation étendue des individus et des sous-groupes aux décisions majeures qui les touchent, doit être plus complètement spécifiée comme un ensemble de structures et de processus qui caractérisent le système tout entier. On peut la considérer comme une forme d'organisation sociale progressive qui représente un système plus adaptatif quant à son milieu interne, et à son environnement physique et social externe : une diffusion plus complète et plus précise de l'information, un *feed-back* plus important pour les centres de décisions provenant de sections plus vastes du système, une prise de décision plus riche et plus prospective dans toutes les sphères importantes, une plus grande conscience par le système de ses états internes et de ses relations externes propres, et ainsi de suite.

La nature cyclique du système socioculturel est particulièrement évidente ici, puisque l'on a clairement établi que le facteur majeur à la base de la disparité significative des espaces de valeur et des buts qui sont ceux des sous-groupes est la disparité de la distribution des richesses préalablement acquises. Nous pouvons formuler l'hypothèse suivante : plus le système sera démocratique, moins il y aura de ces disparités.

Nous pouvons, à titre d'exemple, formuler l'hypothèse que la participation plus complète dans le système le plus démocratique provoque un engagement plus important de ses membres dans le domaine des buts sociaux.

De nouveau, on peut formuler l'hypothèse que le système organisé de la manière la plus démocratique encouragera une contribution et un engagement plus importants à de telles activités.

Le développement des systèmes démocratiques a signifié une augmentation de l'étendue et de la profondeur de la communication de l'information concernant toutes les facettes et tous les sous-groupes de la société. Ce développement a aussi provoqué une information valide, meilleure et plus complète sur les états cibles externes, y compris ceux qui ont trait à l'environnement social et ceux qui concernent les relations avec les autres sociétés. Il n'est guère besoin de dire que le modèle idéal de *feed-back* total n'est que partiellement approché par les systèmes sociaux actuels.

Discussion : deux objections

Jacques Monod

Homéopathie et allopathie.

Il y a certains niveaux de généralités où tout le monde est nécessairement d'accord et où, par conséquent, aucune information n'est transmise. Et, lorsque l'on nous prouve que, par exemple, les structures sociales ou le fonctionnement du système nerveux central obéissent à la théorie de l'information ou à la thermodynamique, soit des systèmes fermés, soit des systèmes ouverts, on ne nous apprend pas grand-chose et nous ne sommes pas dans la bonne interdisciplinarité.

Certains ici opposent « réductionnisme » à « holisme », ou « approche systémique » et autres choses semblables. Je dois dire que j'ai toujours été estampillé « réductionniste », bien que je ne sache pas exactement ce qu'est le réductionnisme, et la seule façon par laquelle je puisse concevoir la comparaison entre réductionnisme et holisme est de me référer à une autre comparaison : entre homéopathe et allopathe. Les médecins qui se disent homéopathes ont un système de traitement auquel ils croient, et ils ont inventé un terme pour les autres médecins, qu'ils nomment « allopathes ». La différence est qu'évidemment l'homéopathie est un type de médecine inefficace si ce n'est comme placebo, mais non moins évidemment elle a aussi l'avantage d'être inoffensive, tandis qu'être allopathe est une profession dangereuse parce que vous pouvez vous tromper. Mon point de vue, ici, est que « holisme » et « approche systémique » ne peuvent se tromper.

Dan Sperber

Ce qui est spécifique à l'homme.

A mon avis, la question centrale est celle-ci : quelles sont les propriétés génétiques de l'homme?

De toute évidence, ce qui est vrai des objets physiques est vrai de l'homme, ce qui est vrai des animaux est vrai de l'homme, ce qui est vrai des primates est vrai de l'homme; mais seul ce qui est spécifique à l'homme distingue l'anthropologie de ces différents champs d'études.

Ce n'est pas que ces autres disciplines ne trouvent aucune application en anthropologie. Mais cette application se fait, selon moi, dans la mesure où les résultats en biologie et en primatologie permettent de réduire l'ensemble des théories possibles en anthropologie ; par exemple, certaines généralisations issues de la biologie pourraient nous limiter dans le type de généralisation que nous sommes à même de formuler en anthropologie.

Il me semble qu'aucun des papiers présentés ici n'a limité l'ensemble des théories possibles en anthropologie. Néanmoins, les études qui relèvent de ces domaines peuvent être intéressantes d'une seconde manière, dans la mesure où elles suggèrent des hypothèses, comme par exemple de vérifier si tel type de phénomène découvert chez les primates se retrouve parmi les humains. A ce niveau, une découverte en biologie ou en primatologie n'est pas un argument pour ou contre la théorie en anthropologie, mais elle peut être suggestive. Prenons un exemple : il existe une correspondance qui vaut d'être notée entre la communication de Changeux et celle de Mehler [1], c'est-à-dire entre un angle biologique et un angle psychologique. Eh bien, si demain les vues de Changeux se révélaient être fausses, Mehler n'aurait aucune raison de modifier sa théorie pour autant. La correspondance est suggestive, mais l'absence de correspondance ne prouverait rien. Le problème est qu'aucun orateur n'a cherché à dire de quelle façon ses vues pouvaient suggérer une hypothèse concernant l'unité de l'homme.

---

1. Voir *l'Unité de l'homme*, t. 2, *le Cerveau humain*, chap. 1, p. 17-95.

Écologie des actes

Abraham A. Moles

Il semble que, dès l'instant où l'anthropologue veut généraliser, il cherche à s'abstraire de l'espace et du temps, auxquels il ne se réfère que sous leur forme géographique et historique : à telle époque, en tel lieu, il s'est passé telle chose. Mais ce qui l'intéressait, c'est une chaîne continue d'êtres qui évoluent.

Autant le paléontologiste est ravi de situer sur un plan ses crânes variés dans un cercle autour d'une table de granit, autant il nous suggère des dates millionnaires, par contre autant l'idée de considérer l'espace et le temps comme des *denrées exploitées et exploitables* de façon consciente nous a paru absente des préoccupations exprimées jusqu'ici.

De son côté, l'ethnologie nous apporte l'idée de répartition dans l'espace des huttes du village et de projection de la société sur un terrain.

La sociologie conventionnelle, celle qui fut inspirée en France par Durkheim, en Italie par Pareto, étudie des phénomènes dont la situation dans une place définie, à une distance définie, est rarement considérée. Seul Weber, dans son étude sur le village, a essayé de construire un système social étalé dans un espace quantitatif et s'est préoccupé d'une des idées les plus élémentaires attachées à l'être humain, celle d'un *rayon d'action*, notion à laquelle correspond celle de perspective temporelle.

Mais, en général, dans les allusions qui ont été faites sur le développement de la pensée, sur la transmission des expériences, comme des essais et des erreurs des apprentissages, on s'est toujours centré implicitement sur l'*être* conditionné plutôt que sur son *champ d'action*, le domaine conditionnant.

Rappelons que l'être se meut dans l'espace : espace géographique, le territoire (dont une étymologie intéressante est « le domaine où l'on peut exercer la *terreur* »), la ville; qu'il balaye une certaine quantité de cet espace, qu'il l'explore, de même qu'il se meut dans le temps en suivant un agenda, un emploi du temps, et que c'est dans cette *trajectoire* qu'il reçoit une somme de stimuli auxquels il réagit, qu'il enregistre ou qu'il oublie.

On voudrait se demander dans quelle mesure cette expérience de la trajectoire spatio-temporelle s'accumule et sédimente dans sa mémoire pour construire sa culture. En d'autres termes, culture, éducation, apprentissage sont toujours éducation permanente à l'intérieur d'un *champ autodidactique* étalé dans l'espace.

Il nous faut une anthropologie de l'espace : il y a des zones de distractions, des zones d'aventures, des zones de stimuli plaisants et déplaisants, des zones de sécurité, des zones de sommeil. Le repli dans la chambre aux volets clos, dans la caverne fermée de toutes parts sauf dans une direction, seraient-ils des éléments fondamentaux de l'évolution par rapport au sommeil épisodique sur la branche incertaine?

A cet égard, se propose l'idée d'une *proxémique*, science des rapports entre le proche et le lointain, centrée fondamentalement sur l'être dans son insertion dans l'espace et dans le temps, que nous définirions — d'une façon différente de Hall — comme la *science de l'ensemble des phénomènes qui*, toutes choses égales d'ailleurs, *perdent leur importance relative en fonction de leur distance à l'individu;* cette proxémique ne pourrait-elle pas renouveler la sociologie en proposant une anthropologie spatiale?

Dans quelle mesure cet axiome fondamental : toutes choses égales d'ailleurs, événements et phénomènes influencent d'autant moins l'être qu'ils sont plus loin dans l'espace-temps, est-il une loi de fer des sociétés humaines ou une des règles qui seront un jour mises en question?

Nous en marquions tout à l'heure un aspect en évoquant la densité des événements, des êtres et des stimuli dans les trajectoires de l'individu comme *facteur conditionnant fondamental* qu'il serait possible d'étudier par voie statistique.

L'émergence de *coquilles d'espace* comme domaines perceptifs ou domaines d'actions, chacun caractérisé par une série de *distinctive features* psychologiques tels que la coquille du corps ou du vêtement, la coquille du *geste* rappelée par von Foerster et Chance, la coquille *visuelle* et la considération de lieux critiques séparant la *communication face à face* de la télécommunication, la coquille du *rayon d'action* relativisant le lointain rapport au proche, tous ces environnements définissent des sphères d'étude de l'être aussi bien dans la savane que dans

la ville. L'étude de la *densité* ou mieux de l'entropie des ressources et des stimuli situés dans ces différentes sphères d'action,
telle qu'elle a été amorcée par Carol, Rohmer et d'autres, nous
propose un nouvel aspect d'une sociologie dans l'espace et
d'une *écologie des actes.*

Si l'on définit l'écologie comme la *science des interactions
d'espèces différentes dans un domaine limité,* au lieu de faire une
écologie des êtres humains, des animaux et des plantes, on peut
faire une écologie des *actes, des communications* et des *transactions,* écologie dont nous avons amorcé certains aspects avec
Meier et Rohmer.

L'être humain s'y retrouve sous un aspect statistique dans
un comportement global, un budget-temps normalisé, comportant des zones de contraintes et des zones de liberté dans lesquelles s'insèrent sa créativité et son unicité.

L'écologie des actes et des transactions comporte deux aspects.
Le premier concerne l'interaction des *actes ou communications*
à l'*intérieur* de la sphère personnelle centrée sur l'être : ce
territoire propre dont l'appartement nous fournit une version
moderne, ou ce *temps propre* dont les budgets-temps de Sorokin
nous ont donné une première idée. Nous l'appellerions : *écologie individuelle des actes.*

Le deuxième aspect serait l'organisation d'un espace global
collectif en fonction de l'inscription, dans cet espace représen-
table par une carte objective, du trajet des flux de communication qui marquent leur trace sur le monde, comme les fourmis
marquent leur chemin sur la prairie. Qu'il s'agisse du transfert
des êtres, des choses ou des idées, ces flux représentent une des
modifications fondamentales du territoire propre au *système
social.* Les lois d'interactions d'un point à un autre, qui incorporent la loi *proxémique* d'atténuation avec la distance de l'intensité des échanges dans l'organisation du territoire, constituent
la trace fondamentale de l'homme sur le monde.

Par ailleurs, nous savons que la *créativité* de l'être est liée à
une optimisation des échanges qu'il peut avoir avec le milieu
matériel et humain. Trop d'échanges, ou des échanges mal
répartis, dans un champ de conscience et dans un budget-
temps donnés, réduiront cette créativité soit par la distraction,
soit par la pauvreté des éléments que ce champ de conscience
devrait réorganiser ou intégrer.

La *densité d'êtres humains* dans l'espace est donc certainement un des facteurs fondamentaux de l'évolution.

Nous savons par exemple que l'*être humain n'accepte la société que dans la mesure où il est susceptible de la refuser* et que c'est la tâche fondamentale fixée au sociologue urbain de réaliser cette double fonction d'*acceptation* et de *refus;* s'il ne peut la refuser, alors il ne l'accepte pas non plus, il la subit et développe la haine et l'agressivité.

La densité à l'intérieur d'une matrice des échanges à plusieurs dimensions : contacts humains, stimuli matériels, stimuli documentaires, répartis dans l'espace et dont les éléments sont situés dans l'espace, serait le déterminant fondamental d'une écologie des actes et du développement.

L'idée de trajectoire, marquant la succession dans la conscience personnelle, dans l'espace propre et le temps propre, de séries d'excitations, de stimuli ou de rencontres situées sur le territoire collectif, est la notion qui relie écologie individuelle et écologie sociale des actions ou des transactions, et ce concept, cette sorte d'équation de la particule, n'a pas été jusqu'à présent très utilisé pour définir l'objet qui nous préoccupe ici, l'idée de l'unité de l'homme à travers l'espace et le temps.

La société de la télécommunication par les moyens techniques et de l'alternance ou du conflit, dans le budget-temps disponible, de la communication de *masse* et de la communication *interpersonnelle*, conduit à considérer que le concept même de *société*, révéré à l'égal d'une divinité par les prêtres des sciences sociales, paraît de fait un dieu mort, un mythe qui a perdu son dynamisme ; l'observation nous suggère de le remplacer par un système social où les facteurs unificateurs ne sont plus des forces de rapprochement des êtres, mais des réseaux fonctionnels de services et de contraintes étalés dans l'espace, distribués à travers une masse sociale qui se présente comme un agrégat de particules plus ou moins différenciées. La société n'y apparaît plus comme un but, mais comme un cadre, non plus comme une volonté, mais comme une donnée.

Ceci serait à situer dans la ligne suggérée par Morin, où il apparaît que l'ultime stade de l'évolution humaine est l'émergence du concept d'*individu;* il ne précède pas le concept de groupe social mais lui succède ; et on peut se demander s'il y a là une orientation pour les évolutions futures. Si l'individu est l'ultime découverte de l'évolution, la fonction de la société est-elle de lui servir de toile de fond, d'environnement ou d'outil ? De toute façon, il serait intéressant d'étudier les mécanismes par lesquels ce groupe sert à *construire* cet être. On peut se demander si, jusqu'à présent, la sociologie a bien eu conscience de cette fonction et lui a donné une place suffisante.

Par ailleurs, mais toujours dans ce cadre, il faudrait considérer l'écologie de l'évolution humaine. Ainsi, on pourrait étudier le rôle de la *surprise* comme élément déterminant de l'évolution. Si l'on définit l'événement comme un phénomène externe possédant une charge de surprise, le flux d'événements qui s'incorporent dans le flux vital doit donc suivre les lois de la théorie de l'information, que nous ramenons ici provisoirement à une optimisation : trop d'événements, trop de surprises créent un être perdu, submergé et inadapté; une homéostasie trop parfaite du système crée l'endormissement. On voudrait demander à l'évolutionniste s'il existe un taux optimal de densité de stimuli en tant que cause d'une évolution.

Sous un autre angle, pour suivre une indication de Gastaut [1], on peut considérer que des *zones de sécurité dans des domaines spatio-temporels limités* constituent des facteurs d'évolution et d'adaptation; on n'a pas, à mon avis, suffisamment insisté sur ce point. Ceci est peut-être dû à une polarisation de nos collègues anthropologues et biologistes, qui ont une tendance à centrer leur observation sur les êtres plutôt que sur leurs environnements.

Nous pensons, en bref, qu'on peut faire une étude de l'évolution non seulement en étudiant les *êtres* qui évoluent, mais aussi en étudiant les *régions* de l'univers physico-chimique propices à certains types d'évolution, et en dressant par là les *cahiers des charges de l'environnement* toujours applicables à notre société et à notre futur.

1. Voir *l'Unité de l'homme*, t. 1, *le Primate et l'Homme*, p. 174 *sq.*

Bibliographie

1. R. Bendix, *An Intellectual Portrait of Max Weber*, New York, Holt, Rinehart & Co.
2. H. Carol, *Hierarchy of Central Functions*, Annals of the Association of American Geography, 1960.
3. E. Durkheim, *Les Formes élémentaires de la vie religieuse*, Paris, PUF, 1962.
4. E. T. Hall, *La Dimension cachée*, Paris, Éd. du Seuil, 1972.
5. B. de Jouvenel, *L'Art de la conjoncture*, Monaco, Éd. du Rocher, 1972, nouvelle édition.
6. R. L. Meier, *A Communication Theory of Urban Growth*, MIT Press, Center for urban studies, 1965.
7. V. Pareto, *Traité de sociologie générale*, Paris, Payot, 1917, nouvelle édition.
8. Rohmer et Moles, *Psychologie de l'espace*, Paris, Casterman, 1972.

CHAPITRE IV

L'unicité anthroposociologique

Une anthropologie économique est-elle possible?

Maurice Godelier

I. REMARQUES ÉPISTÉMOLOGIQUES SUR LES PROBLÈMES DE LA COMPARAISON DES MODES DE PRODUCTION ET DES SOCIÉTÉS

Existe-t-il, au-delà ou au cœur de la multitude des sociétés et de la diversité extrême de leurs histoires, une « unité de l'Homme », et ceci en dépit ou en accord avec la variété profuse des systèmes économiques, des rapports sociaux et des idéologies qui sont apparus ou apparaissent dans l'histoire et s'offrent à l'étude spécialisée des anthropologues, historiens, économistes, etc.?

Pour répondre à cette question, faut-il s'engager dans un travail empirique et besogneux de comparaison de toutes les sociétés entre elles après les avoir, bien entendu, réduites au préalable à un certain nombre de paramètres et de traits culturels? Faut-il décider d'avance que l'unité de l'Homme coïncidera avec l'ensemble des traits qui pourraient se révéler, au terme de cet immense criblage, être communs à toutes? Que faire alors des différences puisqu'elles appartiennent tout autant à l'Homme? Faut-il espérer démontrer qu'elles ne sont que faux-semblants, ressemblances qui s'ignorent ou qu'on ignore? Mais la difficulté du problème est là, dans le fait que les apparences doivent être mises en question, questionnées sur leur « bien-fondé ». Car, si l'apparence peut être fausse, on pourrait tout aussi bien découvrir avec surprise que toutes les ressemblances ne sont que des différences qu'on ignore.

La question posée est celle de la détermination, à la fois, du *lieu* et de la *nature* du problème et, donc, de la *méthode* pour en traiter. Or ce lieu, nous l'entrevoyons déjà puisque nous savons qu'il se situe au-delà des apparences des systèmes économiques et sociaux, du côté de leurs structures inapparentes et des lois invisibles de leur fonctionnement. Plus encore, il se situe du côté des raisons qui *font* que ces structures ont pu apparaître et s'articuler les unes aux autres en un tout, en une société susceptible, dans certaines limites seulement, de se reproduire ou de disparaître dans son histoire, dans l'Histoire.

La voie qui mène à la solution de tels problèmes, la méthode à suivre, doit donc se distinguer des procédures habituelles de l'empirisme fonctionnaliste pour lequel les *structures* sociales ne sont rien d'autre que « l'agencement » des *relations* sociales *visibles*, leur rôle au sein d'un tout dont elles constituent les parties fonctionnellement complémentaires. Il faut donc pratiquer une méthode qui échappe aux apories de l'empirisme classificateur et permette d'expliquer par un même groupe de raisons les ressemblances *et* les différences qui existent entre divers systèmes économiques et sociaux ou divers niveaux structurels. Cette méthode doit donc être, au départ au moins, une analyse structurale du type de celle que pratique Lévi-Strauss dans l'étude des systèmes de parenté et des systèmes de représentations idéologiques relevant de la pensée mythique. Par cette analyse, Lévi-Strauss a pu démontrer que des systèmes de parenté *différents* appartenaient à une même famille de structures et obéissaient à des lois de transformation identiques. C'est là un acquis irréversible dans les sciences humaines.

Cependant — et ceci nous permettra d'éclairer la nature des problèmes sur lesquels l'analyse structurale vient buter —, il faut rappeler que ses résultats les plus marquants sont jusqu'alors la constitution d'une morphologie des structures des rapports sociaux de parenté et d'une morphologie des mythes des Indiens d'Amérique. L'analyse des fonctions spécifiques que jouent ces rapports de parenté ou ces idéologies dans les sociétés réelles où on les a rencontrés n'a pas été faite. Du fait de cette absence de « physiologie structurale », le problème des conditions de la reproduction ou de la non-reproduction de ces sociétés réelles, et par là celui de leurs histoires, sont restés hors du champ de l'analyse théorique.

Bien entendu, Claude Lévi-Strauss n'ignore pas ces problèmes, et pour lui il est « aussi fastidieux qu'inutile d'entasser les arguments pour prouver que toute société est dans l'histoire et qu'elle change, c'est l'évidence même [1] ». Il pose même l'hypothèse que, pour aborder ce problème et expliquer les transformations des sociétés, il faut accepter comme une « loi d'ordre » « l'incontestable primat des infrastructures » [2] parmi toutes les structures qui composent une société. Ce serait là le fondement dernier des mécanismes de fonctionnement et d'évolution des sociétés. C'est dans cette perspective qu'il écrit, à propos des mythes des aborigènes australiens :

« Nous n'entendons nullement insinuer que des transformations

1. Cl. Lévi-Strauss, *La Pensée sauvage*, Paris, Plon, 1962, p. 310.
2. *Ibid.*, p. 173.

idéologiques engendrent des transformations sociales. *L'ordre inverse est seul vrai.* La conception que les hommes se font des rapports entre nature et culture est fonction de la manière dont se modifient leurs propres rapports sociaux... Nous n'étudions que des ombres qui se profilent au fond de la caverne [1]. »

Lévi-Strauss rejoindrait donc ici Marx, dont la thèse fondamentale est que « le mode de production de la vie matérielle conditionne le processus de vie social, politique et intellectuel en général. Ce n'est pas la conscience des hommes qui détermine leur être ; c'est inversement leur être social qui détermine leur conscience [2] » *(Contribution à la critique de l'économie politique*, 1859). Et Lévi-Strauss affirme lui-même qu'il a voulu, par ses travaux sur les mythes et la pensée sauvage, « contribuer à cette théorie des superstructures à peine esquissée par Marx [3] ». Cependant, nous savons également que, dans les conclusions de *Du miel aux cendres*, à propos du bouleversement historique fondamental qu'on a baptisé « le miracle grec » et au terme duquel, dans la société grecque antique, « la mythologie se désiste en faveur d'une philosophie qui émerge comme la condition préalable de la réflexion scientifique », Lévi-Strauss y voit « une occurrence historique qui ne signifie rien sinon qu'elle s'est produite en ce lieu et à ce moment ». L'Histoire se trouve ici réduite au domaine de la « contingence irréductible [4] » et, rejoignant les empiristes fonctionnalistes, Lévi-Strauss peut écrire : « A l'historien les changements ; à l'ethnologue les structures [5]. »

Le problème n'est pas de nier le fait de la contingence, mais il est de découvrir les raisons pour lesquelles des structures, quelles que soient les causes internes ou externes de leurs changements, ne peuvent évoluer qu'en un nombre fini de directions qui dépendent de leurs propriétés immanentes, inintentionnelles.

L'essentiel, à nos yeux, est que le problème de la connaissance des lois d'invariance et de variation des rapports sociaux soit désigné par Lévi-Strauss et par Marx comme le problème des rapports entre économie et société-histoire. Et en ceci Lévi-Strauss et Marx rejoignent les conclusions du plus grand spécialiste d'anthropologie économique, Raymond Firth, qui (après avoir suivi et analysé pendant trente ans le fonctionnement et l'évolution de la société polynésienne

1. Cl. Lévi-Strauss, *op. cit.*, p. 155.
2. Karl Marx, *Contribution à la critique de l'économie politique* (1859), Paris, Éditions sociales, 1957, p. 4.
3. Cl. Lévi-Strauss, *op. cit.*, p. 198.
4. Cl. Lévi-Strauss, *Du miel aux cendres*, Paris, Plon, 1967, p. 407-408.
5. Cl. Lévi-Strauss, « Les limites de la notion de structure en ethnologie », *Sens et usages du terme structure*, Paris, Mouton, 1962, p. 45.

de l'île Tikopia) écrivait dans l'introduction de *Primitive Polynesian Economy:*

« Après avoir publié une analyse de la structure sociale, en particulier de la structure de parenté *(in We, the Tikopia,* London, 1936), j'ai analysé la structure économique de la société parce qu'il y avait tant de relations sociales qui devenaient *plus manifestes* quand on analysait leur contenu économique. En effet, la *structure sociale*, et en particulier la structure politique, *dépendait clairement des relations économiques spécifiques qui naissaient du système de contrôle des ressources.* Et à ces relations étaient liées à leur tour les activités et institutions religieuses de la société [1]. »

Pour analyser des sociétés, expliquer leur fonctionnement et leur histoire, il faut donc pour nous — et Marx, Lévi-Strauss, Firth affirment la même chose — traiter *en priorité* des rapports entre économie et société. Bien entendu, ceci signifie que l'on reconstruise d'abord par la pensée théorique l'infrastructure économique réelle qui caractérise telle ou telle société. Il ne suffit pas de dire, comme les classiques, que l'économie d'une société consiste dans l'ensemble des rapports sociaux qui assurent la production et la circulation des moyens matériels de son existence et de sa reproduction, pour passer ensuite à l'inventaire des aspects apparents de ces rapports sociaux [2]. Il faut découvrir, au-delà des rapports économiques apparents, le « mode de production » réel mais inapparent qui caractérise cette société. Il faut donc commencer par questionner ces apparences, à la manière de Marx qui a montré que le salaire dans le mode de production capitaliste « rend *invisible* le rapport *réel* entre capital et travail et en montre précisément le *contraire* [3] » puisqu'il dissimule entièrement le fait que le profit de l'un est du travail non payé à l'autre, le fait fondamental de l'exploitation de la classe ouvrière par la classe qui a le monopole des moyens de production et de l'argent.

« La *forme achevée* que revêtent les rapports économiques telle qu'elle se manifeste *en surface*, dans son existence concrète, donc aussi telle que *se la représentent* les agents de ces rapports et ceux qui les incarnent quand ils essayent de les comprendre, est très différente de leur *structure interne* essentielle mais cachée et du *concept qui lui correspond.* En fait, elle en est même l'inverse, l'opposé [4]. »

1. R. Firth, préface à la seconde édition (1964) de *Primitive Polynesian Economy*, Routledge-Kegan, p. 11.
2. Cf. notre critique des définitions formalistes (Robbins, Leclair, etc.) et substantiviste (Polanyi, Dalton) de l'économie dans notre ouvrage *Rationalité et Irrationalité en économie*, Paris, Maspero, 1966, p. 234-239.
3. Karl Marx, *Le Capital* I, t. 2, p. 211. — 4. *Ibid.*

Est-ce à dire que l'étude structurale des rapports entre économie-société-histoire coïncide avec ce que l'on nomme aujourd'hui « anthropologie économique »? Nous ne le pensons pas et ceci pour deux raisons. D'une part, parce qu'il faut rompre avec l'interprétation erronée que l'on prête habituellement à Marx des rapports entre infrastructure et superstructure, et que cette rupture interdit de constituer en un domaine autonome, fétichisé, l'analyse des rapports économiques. D'autre part, parce qu'il n'est plus possible dans cette perspective d'opposer anthropologie et histoire, et que se trouve mise en chantier — au-delà des cloisonnements des sciences humaines — une *seule* science de l'homme qui sera à la fois théorie *comparée* des rapports sociaux et explication des sociétés *concrètes* apparues dans l'histoire. Reprenons ces divers points.

En pratique, l'anthropologie est née de la découverte de la domination coloniale de l'Occident sur le monde, depuis ses premières formes contemporaines de la naissance du capitalisme jusqu'à l'impérialisme du XXᵉ siècle. Peu à peu, un champ d'études s'est constitué, peuplé de toutes les sociétés non occidentales que découvrit l'Occident dans son expansion mondiale et que les historiens abandonnaient aux anthropologues dès que leur étude ne pouvait s'appuyer sur des archives écrites permettant également de dater les monuments et les traces matérielles d'une histoire passée, et dès qu'il fallait recourir à l'observation directe et à l'enquête orale.

En même temps, et pour les mêmes raisons, des secteurs entiers de l'histoire occidentale, ancienne et contemporaine, étaient abandonnés à l'ethnologie ou à la sociologie rurale, souvent confondues l'une avec l'autre. On cédait ainsi à l'anthropologie l'étude de tous les aspects de la vie régionale ou villageoise, qui apparaissaient comme des survivances de modes de production et d'organisation sociale précapitalistes et préindustriels ou renvoyaient à des particularités ethniques et culturelles très anciennes, telles la zadruga serbe, organisation familiale des Slaves du Sud, les coutumes basques, albanaises etc., réalités qui apparaissaient peu dans la documentation écrite que dépouillaient les historiens et qui exigeaient là encore l'enquête directe sur le terrain et le recueil de pratiques qui se manifestaient le plus souvent de façon exemplaire dans des traditions orales, des folklores, des règles coutumières. De plus, l'idée évolutionniste courante au XIXᵉ siècle que les coutumes européennes étaient des survivances, des débris de stades anciens d'évolution qui se retrouvaient encore vivants et mieux préservés parmi les peuples non occidentaux, scellait en quelque sorte les deux morceaux d'histoire abandonnés aux anthropologues. Eux seuls allaient pouvoir compléter les parties manquantes des coutumes européennes à l'aide des parties encore présentes chez les peuples exotiques (ou faire l'inverse selon les occasions et les nécessités) et réaliser ainsi leur tâche théorique, leur devoir, qui était de reconstruire le tableau le plus complet et le plus fidèle des premières étapes de l'humanité, du moins de ceux de ses représentants qui n'avaient pas laissé d'histoire écrite [1].

Mais, si l'anthropologie s'est constituée par la convergence de deux ensembles de matériaux laissés de côté ou mis au rebut par les historiens, cela ne signifie pas que l'histoire en tant que discipline scientifique soit fondée, elle, sur des principes théoriquement plus rigoureux. En réalité, on retrouve la même absence de fondements rigoureux dans la constitution du champ d'études de l'histoire. D'une part, elle fut longtemps exclusivement tournée vers les réalités occidentales, d'où l'étroitesse de ses comparaisons. D'autre part, les historiens, dans la mesure où de nombreux aspects de la vie populaire ou locale n'apparaissaient pas ou apparaissaient à peine dans les documents écrits qu'ils étudiaient, n'avaient guère d'autre choix que de voir ces réalités occidentales à travers les témoignages de ceux qui, en Occident comme ailleurs, ont toujours utilisé et contrôlé l'usage de l'écriture, à savoir les classes dominantes cultivées et les diverses administrations étatiques [2]. Il n'y a donc aucune infériorité de principe de l'anthropologie par rapport à l'histoire (ou l'inverse), rien qui ressemblerait à une hiérarchie entre des degrés de plus ou moins grande objectivité scientifique ; et toute tentative de les opposer, tout oubli de leur mode de constitution et de leur contenu réel respectif ne peut que les transformer en des domaines fétichisés, en fétiches théoriques dans lesquels s'aliène la pratique scientifique.

Ce rappel des conditions de la naissance et de la constitution des domaines respectifs de l'histoire et de l'anthropologie était indispensable pour comprendre deux points essentiels ; le premier est la gigantesque diversité des modes de production et des sociétés étudiés par l'anthropologie, diversité qui va des dernières bandes de Boschimans chasseurs-collecteurs du désert du Kalahari jusqu'aux tribus d'horticulteurs des hauts plateaux de Nouvelle-Guinée, des tribus agricoles productrices d'opium et engagées aujourd'hui comme mercenaires dans la guerre du Sud-Est asiatique jusqu'aux castes et sous-castes de l'Inde, des royaumes et États africains ou indonésiens traditionnels

1. C'est ce que firent, chacun de leur côté, les deux fondateurs de l'anthropologie, E. B. Tylor en 1865 dans ses *Researches into the Early History of Mankind and the Development of Civilization*, et L. Morgan en 1877 avec *Ancient Society*.
2. Cf. G. Lefebvre, *la Naissance de l'historiographie moderne*, Paris, Flammarion, 1971, chap. 1.

aujourd'hui intégrés dans de jeunes nations en formation, aux empires précolombiens disparus et que tentent d'interpréter l'ethno-histoire et l'archéologie contemporaines, des communautés paysannes du Mexique à celles de Turquie, de Macédoine et du Pays de Galles. Telle est l'ampleur du spectre des réalités analysées par l'anthropologie qui ont, semble-t-il, peu de chose en commun et apparaissent comme les résultats du développement historique de systèmes économiques et sociaux différents, aux rythmes d'évolution inégaux à travers des processus de transformation qui peu à peu ont éliminé presque complètement des modes de production archaïques au profit d'autres plus dynamiques et plus envahissants dont le mode de production capitaliste est un des derniers exemples mais le plus dévastateur. N'oublions pas par exemple que, depuis les débuts du néolithique (9 000 ans av. J.-C.), les économies et sociétés de chasseurs-collecteurs ont été graduellement éliminées ou refoulées vers des zones écologiques peu propices à l'agriculture et à l'élevage et sont aujourd'hui près de disparaître à jamais [1], que les formes d'agriculture extensive sont en compétition avec des formes plus intensives rendues nécessaires par l'accroissement de la population et les besoins d'une production marchande, etc.

Le second point est que, par la logique même de leurs conditions de développement, l'histoire est apparue comme la connaissance et la science de la Civilisation (identifiée à quelques exceptions près [la Chine] avec l'Occident) et l'anthropologie comme la connaissance des barbares, des sauvages ou des populations rurales européennes attardées à des stades inférieurs de la civilisation. Spontanément, le rapport anthropologie-histoire s'offrait comme un lieu et un moyen privilégiés d'expression et de justification des préjugés idéologiques que la société occidentale et ses classes dominantes entretenaient sur elles-mêmes et sur les sociétés qui tombaient peu à peu sous leur domination et leur exploitation, y compris les populations rurales occidentales transformées aujourd'hui en prolétariat industriel et urbain ou obligées d'abandonner leurs anciens modes de vie pour adopter des formes d'organisation économique et sociale qui leur permettent de produire dans de meilleures conditions pour un marché et d'y affronter la concurrence organisée selon les critères de la « rationalité » économique capitaliste.

On comprend dès lors pourquoi l'anthropologie a toujours été, parmi les sciences humaines, un des hauts lieux, sur le plan théorique, de production et d'accumulation de fétiches idéologiques et d'ambiguïté, d'inconfort sur le plan pratique.

1. Cf. De Vore et Lee, *Man the Hunter*, Aldine, Prentice Hall, 1967.

A partir de ces données apparaît clairement la nécessité de développer une pratique théorique telle qu'elle permette, d'une part, de reconstruire, à partir des matériaux qu'offrent l'histoire et l'anthropologie, les
divers modes de production qui se sont développés ou se développent
encore dans l'histoire, et telle, d'autre part, qu'elle nous offre les
moyens de repérer et d'éliminer les aspects idéologiques de ces
matériaux. Or, pour qu'une telle pratique se constitue et permette
d'avancer dans l'analyse de la causalité structurale, de l'économie, il
faut qu'au préalable ait été éliminée la conception erronée que l'on
se fait habituellement des rapports entre économie et société.

A la différence du marxisme habituellement pratiqué et qui tourne
très vite au matérialisme vulgaire, nous affirmons que Marx, lorsqu'il
a distingué infrastructure et superstructure, et supposé que la logique
profonde des sociétés et de leur histoire dépendait en dernière analyse
des transformations de leur infrastructure, n'a rien fait d'autre que de
mettre pour la première fois en évidence une hiérarchie de distinctions
fonctionnelles et de causalités structurales, sans préjuger aucunement
de la *nature* des structures qui, dans chaque cas, prennent en charge
ces fonctions (parenté, politique, religion...) ni du *nombre des fonctions*
que peut supporter une structure. Pour découvrir cette logique profonde, il faut aller plus avant que l'analyse structurale des formes des
rapports sociaux et de la pensée, et tenter de déceler les « effets » des
structures les unes sur les autres, à travers les divers procès de la pratique sociale, et de marquer leur place réelle dans la hiérarchie des
causes qui déterminent le fonctionnement et la reproduction d'une
formation économique et sociale.

Il n'y a donc pas à refuser au nom de Marx, comme le font certains
marxistes, de voir parfois dans les rapports de parenté des rapports de
production ni, à l'opposé, à trouver dans ce fait une objection, voire
une réfutation de Marx, comme le font certains fonctionnalistes ou
structuralistes. Il faut donc se porter au-delà de l'analyse morphologique des structures sociales pour analyser leurs fonctions et les
transformations de ces fonctions et de ces structures.

Mais qu'une structure puisse servir de support à plusieurs fonctions
n'autorise pas à confondre les niveaux structurels et à ne pas prendre
au sérieux le fait de l'autonomie relative des structures. Celle-ci n'est
rien d'autre que l'autonomie de leurs propriétés internes. La pensée de
Marx n'est pas un matérialisme réductionniste qui replie toute réalité
sur l'économie, ou un fonctionnalisme simpliste qui rabat toutes les
structures d'une société sur celle qui apparaît au premier abord la
dominer, que ce soit la parenté ou la politique ou la religion. C'est en
partant de cette distinction des fonctions et de l'autonomie relative

des structures que l'on peut aborder correctement le problème de la causalité d'une structure sur une autre, d'un niveau sur les autres. Or, dans la mesure où une structure a des effets *simultanés* sur toutes les structures qui composent avec elle une société originale susceptible de se reproduire, il faut chercher à découvrir en des *lieux* et à des *niveaux* différents, donc avec un *contenu* et une *forme différents*, la présence d'une *même* cause, c'est-à-dire les effets nécessaires et simultanés d'un ensemble spécifique de propriétés inintentionnelles de tels ou tels rapports sociaux. Ce n'est pas là « réduire » les unes aux autres des structures, mais mettre en évidence les formes différentes de la présence active de l'une d'entre elles dans le fonctionnement même des autres. Toute métaphore de contenant-contenu, intérieur-extérieur, est évidemment incapable d'exprimer correctement ces mécanismes de l'articulation intime et de l'action réciproque de structures.

Mais un matérialisme qui prend en Marx son point de départ ne peut consister seulement en la recherche des réseaux de causalités structurales sans chercher en fin de compte à évaluer l'importance spécifique et inégale que ces diverses structures peuvent avoir sur le fonctionnement, c'est-à-dire, avant tout, sur les conditions de *reproduction* d'une formation économique et sociale. C'est ici, quand il analyse la hiérarchie des causes qui déterminent la reproduction d'une formation économique et sociale, que ce matérialisme prend au sérieux l'hypothèse fondamentale de Marx de la causalité déterminante « en dernière instance », pour la reproduction de cette formation, du ou des modes de production qui en constituent l'infrastructure matérielle et sociale. Bien entendu, prendre au sérieux cette hypothèse ne signifie pas la transformer en un dogme et une recette facile, assortis d'un discours incantatoire et volontiers terroriste qui masque avec peine les ignorances de ses auteurs sous la dénonciation sans nuances de la faillite des sciences « bourgeoises ». Il suffirait d'inventorier le nombre et la difficulté des problèmes qui se posent dès que l'on veut comparer les sociétés dont la subsistance repose sur la chasse et la cueillette, comme celles des Boschimans, des Shoshones, des aborigènes australiens pour montrer la futilité dérisoire de telles attitudes théoriques [1].

1. Cf. les propos toujours actuels de F. Engels qui écrivait à Joseph Bloch, le 22 septembre 1890 : « D'après la conception matérialiste de l'histoire, le facteur déterminant dans l'histoire est, *en dernière instance*, la production et la reproduction de la vie réelle. Ni Marx ni moi n'avons jamais affirmé davantage. Si, ensuite, quelqu'un torture cette proposition pour lui faire dire que le facteur économique est le *seul* déterminant, il la transforme en une phrase vide, abstraite, absurde... Malheureusement, il n'arrive que trop fréquemment que l'on croie avoir parfaitement compris une nouvelle théorie et pouvoir la manier sans difficulté, dès qu'on

En définitive, quelle que soit la nature des causes et des circonstances internes ou externes (l'introduction du cheval en Amérique du
Nord par les Européens) qui induisent des contradictions et des
transformations structurelles au sein d'un mode de production et
d'une société déterminés, ces contradictions et ces transformations
ont toujours leur fondement dans les propriétés internes, *immanentes*
aux structures sociales, et traduisent des nécessités inintentionnelles
dont il faut découvrir les raisons et les lois. C'est dans ces propriétés
et nécessités inintentionnelles que l'intention et l'action humaines
prennent leurs racines et la plénitude de leurs effets sociaux. S'il y a
des lois de ces transformations structurales, ce ne sont pas des lois
« historiques ». En elles-mêmes ces lois ne changent pas, n'ont pas
d'histoire. Ce sont des lois de transformations qui renvoient à des
constantes parce qu'elles renvoient aux propriétés structurales des
rapports sociaux.

L'histoire n'est donc pas une catégorie qui explique, mais qu'on
explique. L'hypothèse générale de Marx de l'existence d'une relation
d'ordre entre infrastructure et superstructure qui détermine en dernière instance le fonctionnement et l'évolution des sociétés, ne peut
permettre de déterminer *à l'avance* les lois spécifiques de fonctionnement et d'évolution des diverses formations économiques et sociales
apparues ou à paraître dans l'histoire. Ceci parce que, d'une part,
il n'existe pas d'histoire générale et que, d'autre part, on ne sait jamais
à l'avance quelles structures fonctionnent comme infrastructure et
superstructure au sein de ces diverses formations économiques et sociales. L'horizon épistémologique que nous venons de dessiner se présente
donc comme un réseau ouvert de principes méthodologiques dont la
mise en pratique au demeurant est fort complexe. Par ce caractère
ouvert, cet horizon interdit d'avance à tout trajet théorique accompli
en son sein de produire des synthèses totalisantes factices. Ce qu'il
permet, au contraire, c'est de marquer pas à pas les places vides qui
fissurent de toute part les champs de la pratique théorique dans ces
sciences sociales et de cribler et d'expulser les énoncés qui « ferment »
de façon illusoire et idéologique ces diverses places et ces divers champs.

Parler — pour désigner une telle pratique théorique qui aurait
renoncé à toute totalisation illusoire mais mettrait en œuvre, rigoureusement, pour ses objectifs plus modestes, une méthodologie fort com-

---

s'en est approprié les principes essentiels et cela n'est pas toujours exact. Je ne puis
tenir quitte de ce reproche plus d'un de nos récents ' marxistes ', et il faut dire
aussi qu'on a fait des choses singulières » (*Sur la religion*, Paris, Éditions sociales,
1960, p. 268-271).

plexe —, parler d'anthropologie ou d'histoire ne serait qu'abus de langage. Au-delà des cloisonnements fétiches et des divisions arbitraires des sciences humaines, ce dont il est question ici est d'*une* science de l'homme qui s'attache véritablement à en expliquer l'histoire, c'est-à-dire à la remettre en chantier, à remettre au futur le passé, c'est-à-dire à replacer l'histoire dans le possible. « Le possible, disait Kierkegaard, est la plus lourde des catégories [1] », et nous savons bien que la tâche la plus difficile de la raison théorique, comme de l'action pratique, est de faire l'inventaire et l'analyse des possibles qui coexistent à chaque instant.

Tant que nous ne saurons pas reconstruire par la pensée scientifique le nombre *limité* des transformations possibles que peut accomplir telle structure déterminée ou telle combinaison déterminée de structures, l'histoire, celle d'hier comme de demain, se dressera sur nous comme une immense masse de faits qui pèsent de tout le poids de leurs énigmes et de leurs conséquences.

Tel est, à nos yeux, le contexte épistémologique dans lequel doit s'exercer la tâche de découvrir, de reconstruire et de comparer les modes de production qui se sont développés ou se développent encore dans l'histoire, et nous voyons pourquoi cette tâche est *plus* et autre chose que de constituer une anthropologie économique, une histoire économique ou toute autre discipline qui recevra un nom de baptême semblable. Devant nous se dessine un chemin qui a pris naissance quelque part au-delà ou en deçà du fonctionnalisme et du structuralisme et qui mène ailleurs — c'est-à-dire vers la possibilité de faire apparaître et d'étudier « l'action des structures » les unes sur les autres et, plus précisément, celle des divers modes de production qui sont apparus dans l'histoire. Nous ne nous bornerons pas cependant à ne faire que désigner cette voie, mais nous essayerons, dans une seconde partie, de donner une idée plus nette du type de résultats auxquels elle mène. Nous résumerons pour cela quelques points d'une longue étude que nous avons consacrée au mode de production et à l'organisation sociale des Pygmées Mbuti du Congo, à partir des travaux d'une exceptionnelle qualité et densité de Colin Turnbull [2]. Ce résumé fait injure à cette richesse et à la complexité des faits, mais il suffit pour notre propos qui est d'indiquer une méthode d'analyse de la causalité des structures économiques dont les résultats permettraient peu à peu d'entreprendre rigoureusement la comparaison des sociétés et de leurs institutions.

1. Sören Kierkegaard, *Le Concept de l'angoisse*, Paris, Gallimard, 1935, p. 224.
2. Nous renvoyons ici à l'ensemble des travaux, livres et articles de Colin Turnbull, et particulièrement à *Wayward Servants*, Eyre, Spottiswoode, Londres, 1966.

II. ÉTUDE D'UN CAS : L'ÉCONOMIE
ET LA SOCIÉTÉ DES PYGMÉES MBUTI DU CONGO

Les Pygmées Mbuti vivent au sein d'un écosystème généralisé de type simple[1], la forêt équatoriale du Congo, et pratiquement la chasse et la cueillette. Ils utilisent l'arc et le filet pour la chasse et leur gibier est constitué principalement de diverses variétés d'antilopes, parfois d'éléphants. Les femmes collectent des champignons, des tubercules et d'autres plantes sauvages ainsi que des mollusques, et contribuent à plus de la moitié des ressources alimentaires. Le miel est récolté une fois par an, et sa récolte est l'occasion d'une fission de chaque bande en plus petits groupes qui fusionnent à nouveau à la fin de la saison du miel. La chasse est collective. Les hommes mariés tendent bout à bout en demi-cercle des filets individuels de 30 mètres de long environ, et les femmes et les enfants non mariés rabattent le gibier vers les filets. Ces activités se répètent chaque jour ou presque et, le soir, les produits de la chasse et de la cueillette sont partagés et consommés entre tous les membres du camp. Chaque mois, quand le gibier se fait plus rare autour du camp, la bande se déplace vers un autre site mais toujours à l'intérieur d'un même territoire qui est connu et respecté des bandes voisines. Les rapports de parenté et la famille, en tant que tels, jouent un rôle second dans la production car le travail est divisé entre les sexes et entre les générations. Les individus quittent fréquemment les bandes au sein desquelles ils sont nés et vont vivre dans des bandes voisines, parfois définitivement. L'échange des femmes est pratiqué et on cherche épouse, de préférence dans des bandes lointaines mais jamais dans la bande d'où vient sa mère ou la mère de son père. Les bandes n'ont pas de chef et, selon les circonstances, l'autorité est partagée entre les générations et les sexes, les vieux et les grands chasseurs jouissant cependant d'une autorité plus grande que les autres membres de la bande. La guerre n'est pas pratiquée entre les bandes et les meurtres ou les répressions violentes sont extrêmement rares à l'intérieur de chaque bande. La puberté des filles et la mort des adultes, hommes ou femmes, sont accompagnées de rituels et des festivités Elima, dans le premier cas et Molimo dans le second. Dans ces fêtes, la Forêt est l'objet d'un culte intense et « fait entendre sa voix » par l'intermédiaire de flûtes sacrées. Les effectifs des bandes sont compris entre 7 et 30 chasseurs et leurs familles,

1. C'est-à-dire comportant un grand nombre d'espèces végétales et animales qui comportent elles-mêmes un nombre limité d'individus. Cf. la communication de David S. R. Harris, *in Domestication and Exploitation of Plants and Animals*, Ucko and Dimbleby, Duckworths, 1969.

car, en-dessous de 7 filets, la chasse est inefficace et, au-delà de 30 chasseurs, le gibier n'est pas suffisamment en abondance pour l'approvisionnement régulier d'un tel groupe : l'organisation de la chasse au filet, qui est pratiquée sans leader véritable, devrait être modifiée pour rester opérante.

Quand on analyse de près ces rapports économiques et sociaux, on s'aperçoit que les conditions mêmes de la production déterminent trois contraintes intérieures au mode même de production, et que ces contraintes traduisent les conditions de la reproduction de ce mode de production, expriment les limites des possibilités de cette reproduction.

La contrainte n° 1 est une contrainte de « dispersion » des groupes de chasseurs et de limite minimale et maximale de leurs effectifs.

La contrainte n° 2 est une contrainte de « coopération » des individus selon leur âge et leur sexe dans le procès de production et la pratique de la chasse au filet.

La contrainte n° 3 est une contrainte de « fluidité », de « nonfermeture » ou, selon l'expression de Turnbull, de maintien d'un état de « flux » permanent des bandes, flux qui se traduit par la variation rapide et fréquente de leurs effectifs et de leur composition sociale.

Ces trois contraintes expriment les conditions *sociales* de la reproduction du procès de production, étant donné la nature des forces productives mises en œuvre (techniques spécifiques de chasse et de cueillette) et la nature des conditions biologiques de reproduction des espèces végétales et animales qui composent l'écosystème généralisé de la forêt équatoriale congolaise. Ces contraintes forment système, c'est-à-dire que chacune intervient sur les autres. La contrainte 2, par exemple, contrainte de coopération des individus selon leur sexe et leur âge pour assurer leur propre existence et reproduction et celle de leur bande, prend une forme déterminée également par l'action de la contrainte 1 puisque la taille d'une bande doit se maintenir entre certaines limites, et par celle de la contrainte 3 puisque la nécessité de maintenir les bandes en état de flux modifie sans cesse la taille des groupes et leur composition sociale, *i. e.* les liens de parenté, d'alliance ou d'amitié de ceux qui sont appelés à coopérer chaque jour dans le procès de production et dans le procès de répartition des produits de la chasse et de la cueillette. On pourrait également — et il le faudrait — montrer les effets des contraintes 1 et 2 sur 3 et des contraintes 2 et 3 sur 1. Notons également que ces contraintes sont telles (particulièrement les contraintes de dispersion et de flux) que les conditions sociales de reproduction des individus et d'une bande sont également et immédiatement les conditions de la reproduction de la *société* Mbuti comme tout, et comme tout présent dans toutes ses parties. Ce sont donc des conditions *intérieures* à chaque bande et, en même temps, des conditions *communes* à *toutes* les bandes et qui permettent la reproduction de l'ensemble du système économico-social comme un *tout*.

Ces trois contraintes forment donc système. Ce système est né du procès même de production dont il exprime les conditions matérielles et sociales de reproduction. Et ce système est lui-même à l'origine d'un certain nombre d'effets structuraux *simultanés* sur *toutes* les autres instances de l'organisation sociale Mbuti, effets que nous allons nous borner à énumérer, car les démontrer serait trop long. Ces effets consistent tous en la détermination d'*éléments du contenu et de la forme* de ces instances qui soient *compatibles* avec ces contraintes, qui donc assurent la reproduction même du mode de production des Mbuti. Ainsi ces contraintes, *intérieures* au mode de production, sont en même temps les canaux par lesquels le mode de production détermine en dernière analyse la nature des diverses instances de la société Mbuti et, puisque les effets de ces contraintes s'exercent *simultanément* sur toutes ces instances, par l'action de ce système de contraintes, le mode de production détermine le *rapport* et l'*articulation* de toutes ces instances entre elles et par rapport à lui-même, c'est-à-dire détermine la *structure* générale de la société en tant que telle, la forme et la fonction spécifiques de chacune de ces instances qui la composent. Chercher et découvrir le système de contraintes qui sont déterminées par un procès social de production et constituent les conditions sociales de sa reproduction, c'est procéder épistémologiquement de telle sorte qu'on puisse faire apparaître la causalité structurale de l'économie sur la société, et en même temps la structure générale spécifique de cette société, sa logique d'ensemble, alors que cette causalité de l'économie, cette structure générale de la société et cette logique d'ensemble spécifique ne sont jamais des phénomènes directement observables comme tels mais des faits qui doivent être reconstruits par la pensée et la pratique scientifique. La preuve de la « vérité » de cette reconstruction ne peut être que dans la capacité qu'elle offre d'expliquer *tous* les faits observés et de poser de nouvelles questions au chercheur sur le terrain, questions qui exigeront de nouvelles enquêtes et de nouvelles procédures pour trouver des réponses, et c'est cela le mouvement même du procès et du progrès de la connaissance scientifique.

Or nous pensons être en mesure, à partir de la mise en évidence et de l'analyse de ce système de contraintes, de rendre compte, c'est-à-dire montrer la *nécessité*, de nombreux faits *majeurs* observés et consignés dans les œuvres de Schebesta et de Turnbull.

A partir de la contrainte de dispersion s'explique la constitution de territoires *distincts* [1] et, à partir de la contrainte de flux, de « non-fermeture » des bandes, s'explique l'inexistence de droits *exclusifs* des bandes sur leur territoire [2]. Ce qui est invariant, ce n'est pas la composition interne des bandes mais l'existence d'un rapport *stable* *entre* les bandes, donc d'un rapport qui se reproduise et permette la reproduction de chacune de ces bandes. Ce que nous pouvons donc expliquer ici, c'est la raison de la *forme* et du *contenu* des rapports sociaux de propriété et l'usage de cette ressource fondamentale qu'est le territoire de chasse et de cueillette, cette portion de la nature érigée en « magasin de vivres primitif » et en « laboratoire de moyens de production » (Marx). Ce que nous mettons en évidence ici, c'est le fondement dans le procès même de production des règles et des lois coutumières d'appropriation et d'usage de la nature. Or, mettre en évidence le fondement hors de la conscience du système des normes conscientes de la pratique sociale des agents de production qui opèrent au sein d'un mode de production déterminé, est une démarche fondamentale dans la méthode de Marx, mais elle est habituellement complètement négligée ou caricaturée par les marxistes et, sur ce point, nous serions d'accord avec certaines analyses critiques de Ch. Bettelheim sur la confusion qui a régné dans la théorie et la pratique des économistes et des dirigeants des pays socialistes entre aspect juridique et contenu réel des rapports de production [3].

La sphère du « juridique » déborde de beaucoup le domaine des normes d'action des individus et des groupes envers leur territoire de chasse et de cueillette et leurs moyens de production, mais nous ne pouvons nous attarder sur ce point et nous analyserons rapidement les effets structuraux du mode de production sur les rapports de parenté des Mbuti. Là encore, les faits et les normes sont en accord avec la structure du mode de production et avec les contraintes qu'il impose, particulièrement la contrainte n° 3 de « non-fermeture » des bandes, de maintien d'une structure de flux entre elles. La terminologie de la parenté insiste avant tout sur la différence des générations et sur la différence des sexes, ce qui reproduit la forme de la coopération dans le procès de production (contrainte n° 2). Mais, surtout, si l'on analyse les aspects de l'alliance, on constate que la préférence pour le mariage dans des bandes lointaines et l'interdiction de se marier dans la bande d'où viennent la mère et la mère du père sont des normes positives et

1. Colin Turnbull, *op. cit.*, p. 149.
2. *Ibid.*, p. 174.
3. Cf. Ch. Bettelheim, *Calcul économique et Formes de propriété*, Paris, Maspero, 1969.

négatives en accord avec la contrainte n° 3, car elles interdisent la
« fermeture » des groupes et leur constitution en unités *fermées*
échangeant des femmes de *manière régulière* et *orientée*, puisque, en
prenant femme dans la bande d'où vient ma mère (ou ma grand-mère),
je *reproduirais* le mariage de mon père et/ou de mon grand-père,
reproduirais ainsi des rapports antérieurs et anciens, donc rendrais
permanents les rapports entre les bandes, noués à chaque génération,
à propos de l'échange des femmes nécessaire à la reproduction de la
société et de chaque bande comme telle.

De plus, en interdisant *en même temps* le mariage dans les bandes
voisines des territoires adjacents, on rend encore plus impossible la
constitution de bandes fermées sur elles-mêmes (contrainte n° 3).

Donc, les contraintes n°s 1 et 3 agissent sur les modalités de l'alliance
et, en même temps, expliquent le fait que le mariage soit surtout une
affaire d'échange entre familles nucléaires et individus [1], ce qui pré-
serve la structure fluide des bandes; et, en même temps, ceci explique
que la bande en tant que telle n'intervient que pour régler la résidence
du nouveau couple, ce qui a une grande importance puisque c'est
seulement lors de son mariage que le jeune homme reçoit un filet
fabriqué par sa mère et son oncle maternel et participe comme chasseur
à part entière, donc comme agent de production complet, à la reproduction de la bande (contrainte n° 2) [2]. En même temps, la faiblesse
relative du contrôle collectif sur l'individu (contrainte n° 3) et sur le
couple explique la *précarité* relative du mariage chez les Mbuti [3].

Les effets structuraux du mode de production sur la consanguinité
sont parfaitement complémentaires des effets sur l'alliance. Les Mbuti,
comme l'a admirablement montré Turnbull, n'ont pas véritablement
d'organisation lignagère, et c'est par abus ou maladresse que l'on
parle de « segments » de lignage quand on veut désigner des groupes
de frères qui vivent dans la même bande. Le fait qu'il n'y ait pas
d'échanges matrimoniaux réguliers et orientés entre les bandes, de
telle sorte que chaque génération suit la direction empruntée par ses
ancêtres et la reproduit, interdit toute continuité et empêche la
constitution de groupes consanguins à grande profondeur généalo-
gique et préoccupés de maîtriser leur continuité à travers leurs segmen-
tations nécessaires. En même temps, constatons que, pour que la
société se reproduise à travers les échanges matrimoniaux, il faut que
quatre bandes au moins existent pour que ces rapports matrimoniaux
existent : la bande A d'Ego, la bande B d'où vient sa mère, la bande

1. Colin Turnbull, *op. cit.*, p. 110.
2. *Ibid.*, p. 141. — 3. *Ibid.*, p. 132.

C d'où vient la mère de son père, et la bande *x* où il va trouver son épouse et dont nous savons qu'elle ne doit pas être une bande adjacente.

Sur le plan méthodologique, on constate facilement combien il serait erroné de croire pouvoir étudier la logique de fonctionnement d'une société à partir d'une enquête faite dans une seule bande ou une seule unité locale.

D'autres effets des contraintes posées par le mode de production apparaissent dès qu'on analyse les rapports politiques qui existent entre les bandes ou en leur sein. Ces effets sont *autres* dans leur contenu parce qu'ils s'exercent sur une instance différente, irréductible aux éléments du procès de production; mais ils sont *isomorphes* aux effets produits sur les autres instances de la société mbuti. Cette isomorphie naît de ce que tous ces effets différents sont d'une *même* cause qui agit simultanément sur tous les niveaux de la société. Notre manière de pratiquer l'analyse structurale dans le cadre du marxisme, à la différence du matérialisme culturel vulgaire ou du prétendu marxisme de certains, ne *réduit* donc pas les diverses instances d'une société à l'économie ou ne représente pas l'économie comme la seule réalité bien réelle dont toutes les autres instances ne sont que des effets divers et fantasmatiques. Notre manière de pratiquer le marxisme tient compte pleinement, c'est-à-dire réellement, de la spécificité de toutes les instances, donc de leur relative autonomie.

Deux traits caractérisent les règles et la pratique politiques des Pygmées Mbuti : *a*) la faible inégalité de statut et d'autorité politiques entre les individus, hommes et femmes, entre les générations, vieillards, adultes, jeunes. L'inégalité existe et favorise les hommes adultes par rapport aux femmes et les individus âgés par rapport aux générations plus jeunes; *b*) le refus systématique de la violence, de la répression collective, pour régler les conflits entre les individus et entre les bandes.

Dans le premier cas, dès que l'inégalité menace de se développer — par exemple lorsqu'un grand chasseur d'éléphants veut transformer son prestige de chasseur en autorité sur le groupe, la réponse institutionnelle est la pratique de la dérision, du quolibet publics, bref une pratique d'érosion systématique des tentatives de développer l'inégalité au-delà de certaines limites compatibles avec la coopération (contrainte

n° 2) volontaire et toujours provisoire (contrainte n° 3) des individus
au sein d'une bande. Dans le second cas, la réponse à tout conflit
qui menace *sérieusement* l'unité de la bande ou les rapports entre les
bandes est le recours systématique au compromis, ou à la diversion.
Dans chaque bande, un individu joue le rôle de bouffon (Colin Turnbull a joué ce rôle sans le savoir dans les premiers mois de son séjour
chez les Mbuti) et se charge de désamorcer les conflits sérieux qui
peuvent mener au drame, au meurtre, donc à la fission de la bande,
ou menacent la bonne entente intérieure nécessaire à la coopération
et à la reproduction (contrainte n° 2). Pour désamorcer les conflits,
le bouffon pratique systématiquement la diversion et pousse à l'escalade de ces diversions. Si deux individus *a* et *b* s'affrontent sérieusement
parce que l'un a commis un adultère avec l'épouse de l'autre et que
leur affrontement menace de dégénérer en violences physiques et en
meurtre, le bouffon ou la bouffonne gonfle artificiellement l'importance d'un conflit mineur qui oppose d'autres individus, *c* et *d* par
exemple; et, au bout de plusieurs heures de cris et de disputes, *a* et *b*
se retrouvent dans le même camp contre *d*, ce qui diminue
l'intensité de leur propre conflit. Dans deux circonstances seulement
la bande pratique la violence répressive : d'une part quand un chasseur
a placé secrètement son filet individuel devant les filets mis bout à bout
des chasseurs et s'approprie indûment une plus grande part du gibier,
donc transforme en avantage individuel l'effort commun de la bande,
chasseurs et rabatteurs (femmes et enfants); et, d'autre part, quand,
dans un festival Molimo en l'honneur de la Forêt, un homme s'endort
et oublie de chanter à l'unisson les chants sacrés au moment où la
Forêt répond à l'appel des hommes et fait entendre sa voix par l'intermédiaire des flûtes sacrées qui pénètrent dans le camp, portées par
des jeunes gens.

Dans les deux cas, le voleur ou l'homme endormi ont rompu la
solidarité interne du groupe et menacé ses conditions de reproduction
réelles et imaginaires (contrainte n° 2). Dans les deux cas, le coupable
est abandonné seul et sans armes dans la forêt, où il ne tarde pas à
mourir, à moins que la bande qui l'a exilé ne vienne le chercher. C'est
donc à la Forêt qu'est confiée la tâche de sanctionner de façon ultime
les violations majeures des règles de la reproduction sociale de la
bande en tant que telle. Alors que, en réalité, c'est la bande qui a
pratiquement mis à mort le coupable, tout se passe comme si c'était
la Forêt qui le punissait. Nous sommes là en présence du procès de
fétichisation des rapports sociaux, c'est-à-dire d'inversion du sens des
causes et des effets, procès sur lequel nous allons revenir quand nous
analyserons la pratique religieuse des Mbuti, le culte de la Forêt.

Dans les conflits entre les bandes, la violence est également évitée et tous les observateurs ont signalé comme un fait remarquable l'absence de guerre chez les Pygmées. Quand une bande capture du gibier sur le territoire d'une autre bande, elle envoie une partie du gibier abattu aux membres de la bande qui occupe ce territoire, et le conflit est réglé par ce compromis et ce partage. Pourquoi la guerre est-elle éliminée de la pratique politique des Mbuti? Parce qu'elle entraîne des oppositions qui tendent à cristalliser les groupes sur des frontières rigides, à exclure les autres groupes de l'usage d'un territoire et des ressources qu'il offre, à gonfler ou à dépeupler les groupes vainqueurs ou vaincus et à rompre des équilibres fragiles nécessaires à la reproduction de chaque bande et de la société tout entière. La guerre est donc incompatible avec les contraintes n°s 1, 2 et 3 du mode de production, prises à la fois séparément et dans leurs relations réciproques. Pour les mêmes raisons s'explique l'absence de toute pratique de sorcellerie parmi les Mbuti, car la sorcellerie suppose des relations de suspicion, de peur, de haine entre les individus et les groupes, et interdit la bonne entente, la coopération collective et continue des membres de la bande. Ceci nous entraînerait trop loin, car il faudrait comparer les chasseurs Mbuti avec les agriculteurs bantous, leurs voisins, qui pratiquent avec intensité la sorcellerie.

On pourrait pousser beaucoup plus loin ces diverses analyses pour rendre compte, par exemple, de *toutes* les raisons qui font que l'existence de *big men* (jouissant d'une grande autorité individuelle sur leur bande) ou l'existence d'une hiérarchie politique permanente et centralisée sont incompatibles avec les conditions de reproduction du mode de production. La possibilité qu'ont à tout moment les individus de quitter une bande pour en joindre une autre, l'inexistence de rapports de parenté lignagers, d'une continuité dans les alliances, etc., tous ces facteurs convergent pour rendre impossible l'accumulation de l'autorité dans les mains d'un seul individu qui la transmettrait éventuellement à ses descendants, ce qui aboutirait à la formation d'une hiérarchie des pouvoirs politiques au profit d'un groupe fermé de parenté, lignage ou autre. A cette étape de la démarche théorique, ce qui est visé est la mise en évidence de l'action spécifique de chaque instance, qui se combine avec l'action des contraintes intérieures au mode de production, l'effet par exemple du contenu et de la forme des rapports de parenté mbuti, non lignagers, sur les formes sociales de l'autorité qui se combine avec les effets directs que le mode de production peut avoir sur tous les rapports politiques (absence de guerre, fluidité de l'appartenance des individus aux bandes, etc.). Nous sommes là en présence du problème épistémologique complexe de l'analyse des effets *réciproques*, convergents ou divergents, qui s'additionnent ou se limitent réciproquement, de toutes les instances les unes sur les autres sur la base de leur rapport spécifique, de leur *articulation générale* tels que les détermine en dernière analyse le mode de production. Et cette analyse est absolument nécessaire dès que l'on veut expliquer le contenu, la forme et la fonction de la religion des Mbuti, qui domine leur idéologie et leur pratique symbolique.

Cette fois, c'est à des allusions presque à la limite du déchiffrable que nous devons nous borner. Chez les Mbuti, la pratique religieuse prend la forme d'un culte de la Forêt. Cette pratique est quotidienne et présente dans toutes leurs activités, le matin au départ de la chasse, le soir à son retour et avant le moment du partage de gibier, etc. Des circonstances plus exceptionnelles dans la vie des individus ou des bandes, naissance, puberté des filles, mort, donnent lieu à des rituels dont les plus importants sont le Festival Elima pour la puberté des filles et le grand Festival Molimo pour la mort d'un adulte respecté. En cas d'épidémie, de mauvaises chasses répétées, d'accidents graves, la bande accomplit des « petits Molimo ». Dans toutes ces circonstances, quotidiennes ou exceptionnelles, de la vie individuelle et collective, le Mbuti se tourne vers la Forêt et lui rend un culte, c'est-à-dire danse et surtout chante en son honneur.

La Forêt pour les Mbuti est « Tout [1] », elle est l'ensemble de tous les êtres animés et inanimés qui s'y trouvent; et cette réalité supérieure aux bandes locales et aux individus existe comme une Personne, une divinité, à laquelle on s'adresse dans les termes qui désignent à la fois le père, la mère, l'ami et même l'amant. La Forêt isole et protège des villageois bantous, prodigue ses dons de gibier et de miel, chasse la maladie, punit les coupables. Elle est la Vie. La mort survient aux hommes et aux êtres vivants parce que la Forêt s'est endormie et qu'il faut la réveiller [2] pour qu'elle continue à prodiguer la nourriture, la bonne santé, la bonne entente, bref le bonheur et l'harmonie sociale, aux Mbuti, quelle que soit la bande à laquelle ils appartiennent. L'affirmation de la dépendance et de la confiance des Mbuti en la Forêt culmine dans le grand rituel Molimo qui se tient à la mort d'un adulte estimé. Pendant un mois parfois, chaque jour, la bande chasse avec plus d'intensité que d'habitude; le gibier capturé est plus nombreux, il est partagé et consommé dans un festin suivi de danses et de chants qui durent presque jusqu'à l'aube; et, le matin, la voix de la Forêt appelle les Mbuti à de nouvelles chasses et à de nouvelles danses. Gare à celui que la fatigue de la nuit empêche de se réveiller quand cette voix se fait

1. Colin Turnbull, *op, cit.*, p. 251-253. — 2. *Ibid.*, p. 262.

entendre et que les trompettes sacrées pénètrent dans le camp sur les épaules des jeunes gens pleins de fougue et de force. Le coupable qui a rompu la communication, l'unisson avec la Forêt, peut être immédiatement mis à mort ; sinon, il est banni, seul, dans la Forêt qui le punira et le laissera mourir. On découvre ici l'isomorphisme des deux cas de répression. Ne pas chasser avec tous et ne pas chanter avec tous, c'est rompre la coopération et l'unité nécessaires à la bande pour la reproduction de ses conditions réelles et imaginaires d'existence (contrainte n° 2).

Ce que représente donc la Forêt, c'est, d'une part, la réalité supra-locale, l'écosystème naturel au sein duquel les Pygmées se reproduisent comme société ; et, d'autre part, c'est l'ensemble des conditions de la reproduction matérielle et sociale de leur société (la Forêt comme divinité prodiguant le gibier, la bonne santé, l'harmonie sociale, etc.). La religion des Mbuti est donc l'instance idéologique où se représentent les conditions de reproduction de leur mode de production et de leur société, mais ces conditions y sont représentées *à l'envers*, de façon « fétichisée », « mythique ». Ce ne sont pas les chasseurs qui attrapent le gibier, c'est la Forêt qui leur fait don d'une certaine quantité de gibier pour qu'ils l'attrapent et puissent subsister, se reproduire. Tout se passe comme s'il existait un rapport réciproque entre des personnes de pouvoir et de statut différents, puisqu'à la différence des hommes, la Forêt est omniprésente, omnisciente et omnipotente. Et envers elle les hommes ont des attitudes de reconnaissance, d'amour, d'amitié respectueuse, et c'est elle qu'ils respectent lorsqu'ils s'interdisent de tuer pour rien des animaux, de détruire des espèces végétales et animales (représentation dans la conscience de la contrainte n° 1 et des conditions de renouvellement du processus de chasse et de cueillette d'espèces naturelles déterminées).

Mais la religion des Mbuti n'est pas seulement un système de représentations, c'est en même temps une pratique sociale qui joue un rôle fondamental dans la reproduction même de la société.

Notre méthode offre-t-elle la possibilité de construire la théorie des procès de fétichisation des rapports sociaux et, par-delà les diverses variétés du fétichisme idéologique, religieux ou politiques, d'aborder scientifiquement le domaine des pratiques symboliques ? Jusqu'alors ces diverses réalités ont été fort maltraitées par les matérialistes, qu'ils se réclament de l'écologie culturelle[1] ou du marxisme[2]. Parfois même,

1. A l'exception notable de travaux comme ceux de Roy Rappaport dans son livre *Pigs for the Ancestors*, Yale Univ. Press, 1968.
2. Par Claude Meillassoux, par exemple, dans son article sur « Le mode de production cynégétique » où il traite des travaux de Colin Turnbull, *in l'Homme et la Société*, Paris, Anthropos, 1968.

ces réalités sont passées sous silence [1]. Leur étude est habituellement
faite dans une perspective idéaliste, qu'elle se réclame du fonctionnalisme comme les travaux de Turner ou du structuralisme. Les rapports
entre la pratique symbolique d'une société et son mode de production
ne sont presque jamais explorés, car l'idéalisme est impuissant à les
faire apparaître et à les reconstruire, à moins qu'il ne les nie dogmati-
quement. Or c'est là un des problèmes théoriques majeurs dont la
solution permettra d'expliquer en partie les conditions et les raisons
de la naissance d'une société de classes et de l'État et, donc, le mouvement de l'histoire qui a mené à la disparition de la plupart des sociétés
sans classes. Nous essaierons de montrer par un exemple comment
aborder l'analyse du rapport entre pratique symbolique et mode de
production pour mettre en évidence la fonction de cette pratique
symbolique dans la reproduction des rapports sociaux dans leur
ensemble.

L'exemple est celui du grand rituel Molimo des Mbuti qui, répétons-le, dure parfois un mois à la mort d'un adulte respecté. Pendant
le Molimo, la chasse est pratiquée de manière beaucoup plus intense
et le gibier capturé est en général beaucoup plus abondant qu'à
l'ordinaire. La pratique religieuse implique donc une intensification
du procès de production, un travail supplémentaire qui permet
d'augmenter la quantité de gibier à partager, ce qui donne lieu à une
intensification des partages et s'achève par une consommation exceptionnelle qui transforme le repas du soir en festin et la vie ordinaire
en fête : fête qui s'achève avec des danses et des chants à l'unisson
par lesquels les Mbuti communient avec la Forêt, la « réjouissent »
et appellent sur eux ses bienfaits, sa présence vigilante (celle-ci apporte
l'abondance du gibier et la bonne santé, écarte l'épidémie, la disette, la
discorde, la mort). Le rituel Molimo constitue donc un travail symbolique qui vise, selon l'expression de Turnbull, à « recréer la vie et
la société, à combattre les forces de la faim, de la désunion, de l'immo-
ralité, de l'inégalité, de la mort », et qui exprime « la préoccupation
dominante des Mbuti qui est, non pas de perpétuer des individus
ou des lignages, mais la bande et les Mbuti en tant que tels ». Par la
chasse plus intense et l'abondance du gibier à partager, la coopération et la réciprocité sont intensifiées et exaltées, les tensions à l'intérieur du groupe diminuent et tombent à leur degré le plus bas ou sont
mises en sommeil, sans, bien entendu, disparaître, tandis que les

---

1. A l'exception des travaux de Marc Augé, P. Althabe, P. Bonnafé. Voir de
ce dernier : « Un aspect religieux de l'idéologie lignagère : le nkira des Kukuya
du Congo-Brazzaville », *Cahiers des religions africaines*, 1969, p. 204-296.

danses et les chants impliquent également la participation et l'union de tous les individus. Bref, par tous ses aspects matériel, politique, idéologique, émotionnel et esthétique, la pratique religieuse élargit et exalte tous les aspects positifs des rapports sociaux et permet d'atténuer au maximum, de mettre en sommeil provisoirement (sans les annuler) toutes les contradictions contenues au sein de ces rapports sociaux. La pratique religieuse constitue donc un véritable *travail* social sur *les contradictions* déterminées par la structure du mode de production et des autres rapports sociaux, travail qui est une des conditions essentielles de la reproduction de ces rapports, des rapports de production comme des autres instances sociales. Bien loin de n'avoir rien à voir avec la base matérielle et le mode de production, comme le voudraient certains idéalistes, la pratique religieuse est à la fois une pratique matérielle et une pratique politique, elle se situe au cœur du procès de reproduction de ce mode de production. Mais, là encore, la pratique sociale est représentée à « l'envers » et vécue de façon « fétichisée », car l'harmonie restaurée, la bonne entente exceptionnelle, l'abondance, le bonheur — qui sont le produit de la coopération plus intense, de la réciprocité plus vaste, de la communion émotionnelle plus profonde qui naissent des rapports mêmes des hommes entre eux dans ces circonstances exceptionnelles — sont représentés et vécus comme l'effet et la preuve de la présence plus proche, de la générosité plus intense de la Forêt, de l'être imaginaire qui personnifie l'unité du groupe et les conditions mêmes de sa reproduction.

La religion des Mbuti n'est donc pas un domaine d'ombres fantastiques projetées sur le fond de leur conscience par une réalité qui existerait seule comme telle, solide, matérielle, mais la réalité de leurs rapports sociaux dans la production des moyens matériels de leur existence. Bien loin d'être le reflet fantasmatique, passif et dérisoire d'une réalité qui se mouvrait ailleurs, ces représentations et cette pratique religieuse tirent leur substance, leur poids d'existence et d'efficace, de leur présence à la jointure, à l'articulation cachée de leur mode de production et des instances qui lui correspondent. Apparemment tournées vers des êtres et des rapports imaginaires qui débordent la société humaine et sont des idéalités sans objets qui leur correspondent, elles pointent en fait vers le fond le plus lointain, l'intérieur le plus secret de leur société, vers la jointure invisible qui soude en un tout susceptible de se reproduire, en une société, leurs divers rapports sociaux. Ce qui se présente à leur conscience et apparaît sous les traits et les attributs de la Forêt, c'est en fait cette jointure invisible dans l'« intérieur proche et lointain à la fois » de leur société. Et c'est sur cette jointure, c'est-à-dire sur eux-mêmes, sur les conditions politiques et idéologiques de la reproduction de leur société, qu'ils agissent lorsqu'ils repoussent au plus loin, atténuent au maximum les contradictions et les tensions qui sont engendrées nécessairement par la structure même de leurs rapports sociaux, en s'unissant pour accomplir les gestes rituels, la chasse, les festins, les danses et les chants qui célèbrent la Forêt, mère dispensatrice de tous les biens et père protecteur de tous les maux, gardien vigilant de la bonne conduite des Pygmées, ses enfants, et de leur avenir.

A la fois théorie et pratique tournée vers le lieu où se suturent leurs rapports sociaux en un tout qui doit se reproduire comme tel, la religion est en même temps une forme de présentation et de présence de cette suture doublée d'une forme d'action sur elle, représentation et action qui sont *telles* que, au moment même où elle se présente dans la conscience et s'offre à l'action, cette suture devient objet de méconnaissance théorique et objectif illusoire de l'action pratique. A la fois présente et dissimulée dans son mode de présentation, l'articulation invisible des rapports sociaux constitue leur fond et leur forme intérieurs et devient le lieu où s'aliène l'homme, où les rapports réels entre les hommes et entre les choses se présentent à l'envers, fétichisés.

Nous achèverons ici, au seuil de la religion et de la pratique symbolique, la démonstration des possibilités théoriques qu'offrirait la mise en œuvre systématique de la méthode que nous proposons pour explorer les rapports entre économie, société, histoire, pour mettre en évidence et reconstruire les fondements, les formes et les canaux de la causalité, de la détermination, en dernière analyse, qu'exercèrent ou qu'exercent, à travers les systèmes de contraintes qu'ils engendrent et qui conditionnent leur reproduction, les divers modes de production qui se sont développés ou se développent dans l'histoire.

Ce n'est qu'en explorant le domaine de la « causalité » des structures qu'on pourra, à la fois, rendre compte des « sociétés réelles » — ce que ne peut faire l'analyse morphologique structurale — et les comparer — ce que ne peut faire l'analyse fonctionnaliste empiriste. Ce n'est que peu à peu, à partir des résultats théoriques obtenus dans chaque cas, que se construiront les conditions rigoureuses de la comparaison des sociétés, d'une comparaison « guidée » par une nouvelle problématique. C'est ainsi que, à partir de notre analyse des rapports de parenté et des rapports politiques au sein des bandes Mbuti, la question se pose de découvrir dans quelles conditions se constituent des groupes de parenté aux contours *fermés* et procédant

à des échanges de femmes, *réguliers et orientés* comme c'est le cas
dans les systèmes à moitiés, à sections ou à sous-sections des aborigènes australiens, qui sont également des chasseurs-collecteurs comme
les Mbuti; dans quelles conditions apparaissent des sociétés véritablement segmentaires et au sein desquelles, au lieu de la discontinuité des générations et de la fluidité des rapports sociaux caractéristiques des Mbuti ou des Boschimans, apparaissent des groupes
fermés sur eux-mêmes et fondés sur la continuité des générations et la
permanence des rapports sociaux.

On peut remarquer que si, au lieu d'un échange irrégulier de femmes
entre quatre bandes au moins aux contours non fermés, on avait un
échange régulier entre quatre groupes échangistes aux contours
fermés, on engendrerait alors un système de parenté de type australien à quatre sections. La méthode pour une reprise générale des problèmes de l'anthropologie ne peut être qu'une méthode qui procède
par construction de matrices de transformation.

Discussion

Jacques Monod J'ai suivi avec beaucoup d'intérêt ce que Godelier disait sur les Pygmées, et j'ai très bien vu les convergences ou, plutôt, l'homothétie entre les idées religieuses et l'organisation économique; en revanche, je n'ai pas vu quels rapports il pouvait y avoir, ou il devait y avoir, entre leurs règles d'exogamie et cette organisation économique. Il me semble que la même organisation économique pourrait s'accommoder de règles d'exogamie très différentes ou en fait se passer complètement de règles d'exogamie, justement du fait que l'on a des bandes souples, fluides, qu'il y a échange d'individus entre ces bandes, et que par conséquent la première exigence purement biologique — qu'il y ait suffisamment de polymorphisme génétique — serait assurée en tout état de cause. Supposons par hypothèse que les Pygmées ne pratiquent aucune règle d'exogamie : en quoi cela modifierait-il nécessairement leur structure économique? Ou en quoi est-ce que cela ne correspondrait plus à leur structure économique? Ceci est associé à une autre question, à laquelle il n'y a peut-être pas de réponse : les Pygmées ont-ils une interprétation mythique ou autre de leurs règles exogamiques et, si c'est le cas, comment les expliquent-ils?

Maurice Godelier Dans la littérature dont j'ai connaissance, c'est-à-dire les travaux de Turnbull et d'autres, et dans la correspondance que j'ai eue avec Turnbull, il n'y a pas, à ma connaissance, de réponse des Pygmées à cette question. Ils sont muets sur les raisons d'être de leur propre organisation sociale. Cela ne veut pas dire qu'ils n'aient pas de mythes à son propos et à propos de l'origine du monde. Mais, sur ces points précis : *pourquoi ces cinq termes de parenté?* et *pourquoi la préférence pour le choix d'un conjoint dans des bandes non adjacentes?* il n'y a pas de réponse dans le système. Je suis obligé d'en construire une.

Ces règles sont des faits que l'anthropologue ramène dans ses carnets de notes. « Je constate que les gens cherchent leur conjoint dans des bandes lointaines et on me dit que la règle que les gens acceptent entre eux, c'est d'éviter d'épouser dans une bande adjacente. » Si l'on revient avec une telle note dans son carnet, c'est muet; c'est un fait, bien sûr, mais un peu mort, un peu silencieux. Or il m'a semblé que ce fait commençait à parler lorsque je me suis aperçu que les mariages réguliers dans des bandes adjacentes, ou des mariages qui reproduiraient ceux du père, du grand-père paternel, etc., auraient pour effet de clore les groupes en groupes exogamiques à contours fermés. Or l'existence de tels groupes me semble incompatible avec les contraintes du système.

Monod   Est-ce que les groupes sont génétiquement ouverts? Et quelle est l'importance biologique?

Godelier   S'il y a exogamie « ouverte » vers de nouveaux groupes à chaque génération, n'y a-t-il pas « ouverture génétique »? Je pense que l'existence de bandes exogamiques « à contours fermés » rendrait plus rigide la structure sociale du groupe. Je ne me rends pas compte de ce que cela veut dire du point de vue biologique, mais je sais que cela aurait des effets sociaux peu compatibles avec la contrainte de « flux ». Mais il existe des groupes de chasseurs-collecteurs, les aborigènes australiens par exemple, au sein desquels existent des systèmes d'alliances parfaitement organisés et orientés. Les hommes d'un groupe A épousent des femmes d'un groupe B dont les enfants appartiennent à un groupe C, et ainsi de suite. Chez les Mbuti, il me semble que l'on ne pouvait interpréter ces règles négatives d'alliance matrimoniale que comme l'expression d'une nécessité de reproduction du système, je ne dis pas seulement économique, mais du système économique et social, c'est-à-dire de la nécessité de maintenir sa structure en « flux ». C'est cela que j'ai voulu dire. L'aspect biologique n'a pas ici tellement d'importance pour moi. Je n'interprète pas l'exogamie comme un phénomène biologique, je l'interprète comme un mode de rapport social entre les groupes, l'échange des femmes, avec toutes ses conséquences sociales. Cela m'a semblé congruent avec toute une série de traits structuraux du système à d'autres niveaux, tels que le *clowning*. Comme si c'était là la gerbe des effets d'un seul système causal. Je n'essaie pas d'engendrer l'un des effets à partir d'un autre. J'estime que nous avons là l'ensemble des traces structurales d'une même cause structurale, l'ensemble simultané des effets des conditions de reproduction du système sur les autres niveaux sociaux. Maintenant, on pourrait opérer d'autres démarches, partir par exemple des rapports de parenté, mais je ne pense pas qu'on expliquerait autant d'aspects simultanés du système.

J. Monod Je fais l'hypothèse d'une expérience imaginaire. Les expériences imaginaires sont utiles simplement pour préciser un problème. Supposons que les Pygmées oublient toutes leurs règles d'exogamie et qu'ils se marient n'importe comment, dans leur groupe, dans le groupe adjacent ou dans d'autres, suivant leurs préférences. Est-ce que nous devons penser que cela entraînerait nécessairement une destruction de leur système économique ? Je ne vois pas du tout pourquoi. Et je pense que la question n'est pas tout à fait oiseuse puisque, après tout, nous sommes à la poursuite d'universaux. Or, s'il y a un universel, c'est bien les tabous sexuels, les règles d'exogamie. On a toutes sortes d'interprétations. Vous tendez à chercher une interprétation économique ; est-elle réellement fondée ? C'est le problème.

M. Godelier Je cherche à voir si l'on est capable d'aller au-delà des analyses de « morphologie structurale » telles que les pratique Lévi-Strauss. Lévi-Strauss est un anthropologue qui, d'une certaine manière, ne s'attache pas à expliquer telle ou telle société particulière dans ses conditions de reproduction réelles. Mais comment expliquer qu'une société puisse se reproduire ou ne pas se reproduire, et peut-on trouver autre chose que des isomorphismes, ou des correspondances structurales ? Essayer d'aller jusqu'à analyser la causalité d'une structure sur une autre est très difficile, mais c'est ce que j'essaie de faire.

J. Monod On ne peut qu'admirer votre effort parce que, si on arrivait à avoir une interprétation démontrable et solide de l'universalité de l'exogamie et des tabous sexuels, on aurait fait un pas immense.

M. Godelier On a l'exogamie dans toute société, sous la forme de la prohibition de l'inceste.

J. Monod Justement, mais pourquoi ? C'est exactement la question.

M. Godelier Je suis comme Luc de Heusch ; je considère comme un acquis — un acquis certes partiel, à compléter — les résultats de Lévi-

Strauss sur la prohibition de l'inceste comme preuve que le mariage est avant tout une affaire qui concerne des groupes sociaux, leurs rapports au sein d'une société, et non une affaire qui concerne d'abord les individus. C'est une relation entre individus, mais qui est fondamentalement une relation entre les groupes. Qu'un groupe abandonne ses femmes pour avoir des créances sur les femmes d'autres groupes, cela traverse toute la vie sociale, constitue un fait d'échange social.

Monod Peut-être n'avez-vous pas eu le temps de l'exposer, mais, dans le cas des Pygmées tel que vous nous l'avez décrit tout au moins, il n'y a pas d'échange. Qu'est-ce qu'ils gagnent à donner une de leurs sœurs dans un groupe non adjacent?

Godelier Ils gagnent au moins d'élargir au maximum les échanges sociaux, d'étendre la solidarité entre le plus grand nombre d'individus et de bandes.

Monod Eux ne gagnent rien. Ils ne savent pas qu'ils gagnent. C'est l'anthropologue qui le sait. Mais eux ne le savent pas.

Godelier Je ne m'intéresse pas nécessairement, à ce niveau, à leurs évidences, à ce qu'ils pensent de leur propre système. S'il fallait que j'attende les interprétations que les gens ont de leurs propres rapports sociaux pour pouvoir progresser dans la science, je serais très ennuyé. C'est-à-dire que je suis obligé de trouver des logiques, des mécanismes sous-jacents qui sont profondément inconscients aux gens qui pratiquent ces mécanismes. Prenons le phénomène du bouffon. Turnbull décrit tout ce qui arrive à un bouffon et par un bouffon, mais personne chez les Mbuti ne lui a expliqué qu'un clown est quelqu'un qui permet justement l'escalade de la diversion, qui en quelque sorte régularise les choses en évitant les mauvaises fissions, etc. En définitive, l'anthropologue reconstruit la logique de ce comportement. Mais ce n'est pas là nécessairement l'explication cohérente qui serait proposée par les gens qui vivent, par les sujets.

Monod Je vous ai proposé une expérience imaginaire. Supposons la société telle que vous la connaissez, avec ses règles d'exogamie. Maintenant, faisons l'hypothèse que, du jour au lendemain, les Pygmées oublient leurs règles d'exogamie; en quoi est-ce que cela amènerait une destruction de la société? Moi, je ne le vois pas du tout. Supposez qu'ils n'aient aucune règle d'exogamie, qu'ils se marient n'importe comment, que les mariages soient isotropes. En quoi est-ce que cela modifierait leur existence économique?

M. Godelier   C'est un défi, n'est-ce pas? Je devrais avoir une réponse immédiate à votre question, mais je n'en ai pas. Votre question m'embarrasse, elle est trop lourde ou peut-être trop étroite.

J. Monod   Laissez-moi vous dire que l'expérience imaginaire n'est pas du tout quelque chose à dédaigner; c'est très largement pratiqué par les physiciens.

M. Godelier   J'adore l'imaginaire, je fais varier les rapports sociaux dans ma tête avec beaucoup d'ivresse; je pratique ce que vous dites, mais vous demandez beaucoup plus, vous me demandez de faire sauter la condition minimale de la vie sociale chez les primitifs qui échangent les femmes, la prohibition de l'inceste et l'exogamie : c'est une variation imaginaire qui est trop forte.

Luc de Heusch   Je crois que la remarque de M. Monod est très pertinente, et je crois pour ma part que je n'ai pas non plus très bien saisi l'articulation immédiate et évidente de l'exogamie et de la vie économique; je suis de ceux qui croient qu'il y a deux niveaux d'articulation de l'homme sur la nature; d'abord sur sa propre nature — car la régulation de la vie sexuelle par l'exogamie me paraît un niveau fondamental d'articulation de la société — et sur les forces productives.
Je crois que, pour répondre à votre question, il faudrait d'abord savoir quelles sont les relations entre les alliés chez les Pygmées; nous ne connaissons que l'aspect négatif; mais un des grands apports de Lévi-Strauss, c'est que toute interdiction implique aussi un aspect positif. Que se passe-t-il, alors, avec ceux chez qui on a le droit d'aller se marier? Il se crée un réseau d'échanges autonome, probablement non seulement des femmes, mais aussi de services au niveau de la chasse. En somme, une nouvelle réciprocité se noue.

Irenaüs Eibl-Eibesfeldt   Jusqu'à quel point ces bandes sont-elles ouvertes? Et d'abord, comment définir ces bandes? Combien Turnbull en a-t-il observé, et s'agissait-il toujours du même libre échange? L'exposé de Godelier m'a semblé schématique. Je pose cette question pour une raison particulière. En ce qui concerne les Boschimans, on a souvent affirmé, et encore récemment, que leurs bandes étaient ouvertes, elles aussi. Mais c'est tout simplement faux, c'est la conclusion d'une recherche négligente, d'une observation défectueuse. Le fait est que les Boschimans ont un système de groupes de bandes, un système de nexus, c'est-à-dire que vous avez une alliance à trois, quatre ou cinq bandes qui occupent le même territoire. A l'intérieur de ce territoire commun, les territoires des bandes sont bien délimités, mais il y a une liberté de mouvement. Ainsi, ils se marient librement à l'intérieur de ce territoire. Si la récolte est mauvaise ou si l'eau manque, une bande peut franchir le territoire de l'autre, à condition d'observer certaines règles. Ils doivent demander la permission au chef de l'autre bande, cette permission étant toujours accordée. Ensuite, la bande retourne toujours à son propre territoire après la mauvaise saison. Toutefois, ces territoires communs sont entièrement fermés aux autres territoires communs voisins, et je me demande si nous n'avons pas affaire à un système semblable dans le cas des Mbuti, ou s'il s'agit vraiment d'un système particulier qu'il faudrait étudier. Ma deuxième question est : quelles sont les bases biologiques ou culturelles du tabou de l'inceste ?

Godelier Je ne vois pas comment, en peu de temps, un exposé peut être autre chose que schématique, surtout s'il tente, comme je l'ai fait, à la fois de décrire une société dans ses traits principaux et de faire apparaître ensuite les effets des contraintes des rapports économiques sur les rapports de parenté, les rapports politiques, la pratique et l'idéologie religieuses. Je renvoie donc Eibl-Eibesfeldt aux développements de ma communication écrite. Quant au schématisme de Turnbull, tous les anthropologues s'accordent pour affirmer le contraire. Il a passé près de deux ans sur le terrain, dont une année entière dans la forêt d'Ituri, à partager la vie de la bande Epulu; et il a pu observer de près l'organisation et la composition internes de cette bande et ses rapports avec les bandes voisines ou distantes. Les trois livres et les divers articles qu'il a publiés sur les Mbuti ne témoignent pas d'une recherche négligente.

Les objections de Eibl-Eibesfeldt viennent — c'est facile à voir — de son expérience des Boschimans; et il fait allusion, n'est-ce pas, aux critiques que H. J. Heinz vient de porter, dans la revue *Anthropos*, contre les thèses de Richard Lee, Lorna Marshall, etc. Or il se trouve que je suis tout à fait d'accord avec Heinz, car les données de tous les spécialistes des Boschimans, de Lee et de Marshall y compris, montrent clairement que la fluidité de mouvement entre bandes et territoires chez les Boschimans existe à l'intérieur d'un nexus de bandes qui est lui-même fermé et exclusif par rapport à d'autres nexus. L'exogamie existe entre les bandes qui composent un nexus, mais chaque nexus tend à fonctionner comme un groupe endogame. Or, par rapport aux Boschimans, l'organisation sociale des Pygmées semble beaucoup plus fluide puisqu'il n'existe pas chez eux de nexus, de groupes de bandes qui tendent à se constituer en isolat. Turnbull, dans une correspondance récente, me signale que jusqu'à 60 % des effectifs d'une bande la quittent pour aller résider, souvent pour longtemps et même définitivement, dans des bandes lointaines ou distantes. La fluidité des bandes pygmées semble donc beaucoup plus forte que celle des Boschimans, bien que chaque bande prise à part ait un territoire peut-être plus précisément marqué que ce n'est le cas d'une bande de Boschimans au sein d'un nexus.

Mais il faut nécessairement tenir compte de la différence profonde entre les deux écosystèmes au sein desquels se reproduisent ces deux types de société. Les Pygmées vivent au sein de la forêt équatoriale africaine, c'est-à-dire, selon la distinction apportée récemment par Davis Harris, au sein d'un écosystème généralisé. Par ailleurs, les ressources animales et végétales ont la particularité, au sein de cet écosystème, d'être assez également réparties sur tous les territoires des bandes pygmées. Chez les Boschimans, au contraire, nous avons affaire à un environnement semi-aride, un écosystème spécialisé, caractérisé en outre par l'existence d'un petit nombre de points d'eau permanents qui sont les points fixes autour desquels s'organisent les divers « nexus » de bandes. Ce sont là des contraintes spécifiques, absentes chez les Mbuti, et qui éclairent probablement le fait que, chez les Boschimans, existe une sorte de transmission héréditaire et patrilinéaire du droit d'usage des points d'eau permanents. Chez les Pygmées, ceci n'aurait aucun sens.

J'en reviens maintenant à la question de l'exogamie, ou plutôt à la question de la prohibition de l'inceste, fondement de l'exogamie. Peut-être suis-je responsable d'une certaine obscurité. Tout ce que j'ai voulu faire est de démontrer qu'existe en quelque sorte une modulation de la forme de l'exogamie sous l'effet des contraintes de reproduction des rapports économiques. Je n'ai jamais prétendu déduire l'exogamie en tant que fait universel d'une nécessité exclusivement économique. De plus, une théorie de l'exogamie en tant que fait universel n'est pas du tout présente dans ce que j'ai dit. J'ai simplement essayé de présenter une modulation de ce fait. Quand Luc de Heusch parle de double déterminisme, je suis très largement d'accord avec lui. Je n'ai jamais tenté de faire sortir le non-économique de l'économique comme un lapin surgit du haut-de-forme du prestidigitateur. C'est antiscientifique. C'est ce qu'ont fait les marxistes pendant des années et ils sont restés dans un cul-de-sac scientifique. Je suis contre ce réductionnisme.

Ce que j'essaye de montrer, en analysant de façon méthodique les homéostasies du système, ce sont les lois de modulation des divers niveaux structurels par quelque chose qui vient d'une autre structure. Je n'ai pas, et je n'ai surtout pas voulu présenter une théorie complète de l'exogamie. Je me suis contenté de présenter une analyse de la forme que prend la modulation de l'exogamie dans cette société.

L'objection massive de Jacques Monod jouait dans l'imaginaire : c'est un fait, « retirez toutes les lois de l'exogamie et faites passer le même système dans l'endogamie et sans prohibition de l'inceste », c'est là une variation imaginaire qui élimine un des fondements mêmes de la société. Par ailleurs, je ne sais si j'ai complètement répondu à Eibl-Eibesfeldt sur la différence fonctionnelle entre les deux économies de chasse-cueillette, Mbuti et Boschimans. Jusqu'ici, on a trop souvent parlé de façon sommaire des économies de chasse et de cueillette, comme si elles relevaient d'un mode de production unique, dit cynégétique. C'est le cas en France de Claude Meillassoux et de quelques autres. Or il existe probablement, parmi les économies à base de chasse et de cueillette, plusieurs modes de production. Boschimans et Pygmées appartiennent peut-être à un même mode de production, mais je ne suis pas sûr que ce soit encore le cas de nombreux groupes d'aborigènes australiens. Avec les Kwakiutl, pêcheurs, chasseurs et collecteurs, ou les Calusa de Floride, c'est tout différent. Il faut faire la théorie de ces variantes, c'est un début.

Georges Balandier C'est moins une question qu'un essai de réponse au redoutable problème posé par Jacques Monod. Et je voudrais le lier à quelques observations malheureusement très incomplètes que j'ai faites moi-même naguère dans des groupes apparentés aux

Pygmées, car ils sont fort métissés, à l'intérieur du Congo-Brazzaville. Je voudrais justifier ce qu'a dit Godelier. Tout d'abord, j'avais été frappé de la pauvreté du lexique sociologique de ces groupes, de la pauvreté des traditions orales par lesquelles ces groupes peuvent s'expliquer, se justifier et dire quelque chose à propos d'eux-mêmes. Mais, pour en revenir à la question de l'exogamie qui m'avait beaucoup préoccupé moi-même : j'ai une réponse qui est celle des Pygmées, qui n'est donc pas la bonne réponse pour un scientifique, des Pygmées que je connais, qui ne sont pas des équivalents de ceux que Turnbull a étudiés. J'avais tenté de définir, disons, l'effectif minimal qui permet au système de chasse-cueillette de fonctionner, en tentant de voir s'il y avait des obligations de caractère exogamique liées à ce minimum régissant le fonctionnement normal du système de production, de constitution des biens de cette société. Je me suis trouvé là devant un problème extrêmement embarrassant : il était très difficile d'établir le calcul; dans certains cas, on pouvait descendre apparemment jusqu'à une cinquantaine d'individus, et les gens considéraient qu'une bande aussi réduite a la capacité d'utiliser son territoire d'une manière qui la satisfait. Et, dans le cas d'un effectif aussi restreint, l'exogamie n'apparaissait guère comme justifiée. Alors, la justification était repoussée à un autre niveau qui était celui, disons, d'un effectif rituel minimal, si je puis dire, par rapport à l'effectif écologique ou utilitaire minimal. L'effectif rituel minimal était plus large que l'autre. Et ceci explique — enfin, c'est le genre d'argument que l'on m'avait donné — que, pour satisfaire à certains rituels, et du même coup pour lier à ces rituels les significations par lesquelles ces bandes pygmées expriment leur personnalité, se définissent, donnent un sens à leur existence collective, il y a un certain effectif qui est beaucoup plus large que celui que j'évoquais précédemment. Or cet effectif rituel minimal, si l'on peut dire, ne peut pas être constitué avec des partenaires de hasard, que donnerait l'expérience imaginaire que vous nous avez proposée; cet effectif ne peut être constitué qu'avec des partenaires parfaitement identifiés et, si possible, regroupés, en tout cas, non pas distribués au hasard dans un large territoire, mais accessibles pour que la coopération rituelle puisse se faire aux périodes prévues, dans les conditions prévues, et qu'elle soit physiquement possible. Voilà un essai de réponse qui ne vient pas de la théorie scientifique, mais de la suggestion, au fond, des Pygmées eux-mêmes.

inz von Foerster	Nous avons là un conflit entre un structuraliste et un réductionniste. Le problème était : peut-on séparer un aspect particulier d'une structure complexe par le biais d'un *Gedanken-Experiment* (puissant outil réductionniste). Peut-on, en somme, arriver, à travers cette expérience imaginaire, à la même société pygmée, tout en introduisant une variation? Or Godelier, au lieu de dire « Je refuse cette question, car il s'agirait d'une société différente, et moi je m'intéresse aux Pygmées et aux Mbuti », a tâché d'y répondre en acceptant le défi. Je suis tenté de demander à M. Godelier si la réponse d'un bon structuraliste n'aurait pas été : « Ce n'est pas là une question qui me concerne »?
Godelier	Vous avez si bien compris mon exposé, Monsieur von Foerster, que vous avez joué le personnage de celui qui liquide l'opposition par l'escalade de la diversion. Mais, comme vous faites les questions et les réponses à la fois, je ne peux rien dire.
Massimo Piattelli-Palmarini	L'expérience imaginaire proposée par Jacques Monod à Godelier indique que les structures de parenté sont une présupposition essentielle pour l'anthropologie et qu'on ne peut en faire abstraction en posant la question du destin d'une société. Je crois que c'est un peu comme si l'on demandait au généticien ce que serait la génétique si la matière n'existait pas. Il semblerait en tout cas qu'il y a, en anthropologie (comme en d'autres disciplines), certaines suppositions préliminaires implicites qu'on ne peut éliminer sans détruire toute une façon de penser.
Walter Buckley	Roger Owens, qui a étudié il y a un certain temps déjà des bandes indiennes du Sud-Ouest du Mexique, a décrit une situation où des bandes essaiment sur un territoire assez vaste, de façon que des bandes voisines ont des langages très ressemblants; mais, plus elles sont éloignées, plus leurs langages diffèrent et plus les cultures présentent des traits différents. L'exogamie, disait-il, sert à incorporer dans une société des individus — les femmes — qui font l'appât d'une culture un peu différente. Il faut, bien sûr, que cette culture autre soit assez proche pour que l'individu puisse survivre dans ce milieu nouveau. Il me semble que l'on pourrait voir là à une sorte de processus d'adaptation — une façon d'assurer un « pool » culturel semblable au « pool » génétique. Ainsi, si l'environnement change, on peut disposer de moyens inhabituels pour répondre à ce

changement. Les femmes peuvent apporter des notions nouvelles concernant la culture des plantes, la chasse, la façon de préparer la nourriture, inconnue dans la tribu ou la bande dont elle fait maintenant partie, et qui pourraient être utiles dans des conditions particulières. Ainsi, si une forme de nourriture disparaît après une mauvaise récolte, on peut se rabattre sur une autre, apprendre à la préparer. Il y a là sûrement des implications concernant le mode de sélection naturelle de ces groupes. Je ne suis pas un anthropologue, mais on pourrait imaginer que des sociétés qui n'auraient pas connu l'exogamie n'ont pu survivre, non seulement pour des raisons génétiques, mais aussi parce que ce pool culturel d'idées et de solutions nouvelles leur aurait manqué.

Introduction à une ritologie générale

Luc de Heusch

I. L'ANIMAL CÉRÉMONIEL ET L'HOMME RITUEL

Pour l'anthropologie religieuse, le mot *rituel* a un sens relativement précis, en dépit des querelles d'école : il désigne tout système de communication avec le monde imaginaire, le monde fantomatique ou mythique, système sémiologique autonome utilisant essentiellement des gestes, mais aussi le langage. Le terme *ritualisation* a malheureusement été transplanté sans précaution de l'ethnologie à l'éthologie, de telle sorte que les zoologistes semblent fascinés aujourd'hui par une analogie superficielle, qui sera l'objet de mon propos.

Rite et cérémonie

On sait que les zoologistes n'ont pas hésité à rendre compte des cérémonies que l'on trouve chez certaines espèces animales en invoquant l'existence d'un processus phylogénétique de *ritualisation;* celle-ci est définie comme l'adaptation à la fonction de communication des mouvements-signaux chez les animaux dits sociaux. La différence entre ethnologie et éthologie, entre culture et nature, est-elle en train de s'abolir? Ou du moins doit-elle être reconsidérée dans cette perspective nouvelle? Cette question était déjà l'enjeu d'un colloque organisé il y a quelques années par la Royal Society sous la présidence de Sir Julian Huxley [1], lequel n'hésitait pas plus que Konrad Lorenz à situer sur le même plan le comportement rituel de l'homme et de l'animal. Mais les anthropologues présents au colloque se sont montrés beaucoup plus réservés. Toutefois, ils n'ont guère contribué à clarifier le débat en se refusant à élaborer une théorie culturelle du rite alors que les éthologues se ralliaient explicitement ou implicitement à la définition totalisante — et quelque peu impérialiste — proposée par Huxley. Lorenz notamment insiste sur le fait que la ritualisation est un concept fonctionnel qui s'applique aussi bien aux processus phylétiques que culturels : dans les deux cas, les rituels

---

1. Julian Huxley, *Le Comportement rituel chez l'homme et l'animal*, Paris, trad. franç. Paulette Vielhomme, 1971.

serviraient « les mêmes fonctions de communication, de canalisation de l'agression, et de maintien de la cohésion au sein des couples et des groupes [1] ». Du côté de l'anthropologie, Turner se couvre prudemment en analysant (admirablement, d'ailleurs) la syntaxe d'un rite africain; dans un épilogue quelque peu académique, il se borne à constater aimablement que le dialogue entre ethnologues et étho-logues a été « fructueux » et qu'il convient de « ne pas se hâter de clore le problème de la définition [2] ». Avec plus de rudesse et sans ambages, Leach affirme quant à lui que le sens que les zoologistes accordent au terme *ritualisation* « ne saurait convenir aux besoins de l'anthropologie sociale [3] ». Je m'attacherai à montrer la justesse de ce point de vue, tout en m'efforçant d'éclairer l'origine et la nature du malentendu.

Commençons par mettre de l'ordre dans nos propres affaires. *Cérémonial* et *rituel* désignent dans la tradition anthropologique de langue française des zones sémantiques voisines aux frontières floues. On assiste même à des envahissements réciproques, de sorte que les deux termes font parfois figure de synonymes. Dès le XIIIe siècle, le mot cérémonie s'applique à la « solennité avec laquelle on célèbre le culte religieux » (Robert); l'extension de ce sens premier s'accompagne d'une laïcisation : « Toute forme extérieure de solennité accordée à un événement, un acte important de la vie sociale. » Cette dérivation vient fort heureusement combler un vide sémantique, correspondant à cette région où l'ethnologie situe les « organisations complexes de l'activité humaine qui ne sont pas spécifiquement techniques ou récréatives, et qui impliquent des comportements qui sont l'expression symbolique de relations sociales », selon l'heureuse formule de Max Gluckman [4]. Cependant, je ne reprendrai pas à mon compte la théorie du maître anglais, dominée par des soucis fonctionnalistes. Pour Gluckman, *ceremony* est la catégorie générale dont relèvent hiérarchiquement deux sous-ensembles distincts : les activités rituelles, d'une part *(ritual)*, les activités cérémonieuses *(ceremonious)*, d'autre part; les premières se réfèrent à des notions mystiques, les secondes non. Cette complication (proprement intraduisible en français) me semble inutile; elle n'a de sens que si l'on admet, avec l'école anthropologique anglaise, qu'une cérémonie, religieuse ou laïque, exprime toujours nécessairement quelque chose de l'ordre social. Si l'on

---

1. Julian Huxley, *op. cit.*, p. 74. — 2. *Ibid.*, p. 412. — 3. *Ibid.*, p. 241.
4. Max Gluckman, *Essays on the Ritual of Social Relations*, Manchester, 1962, p. 22 : « Any complex organisation of human activity which is no specifically technical or recreational and which involves the use of modes of behaviour which are expressive of social relationship. »

refuse cette prise de position théorique, il ne semble subsister qu'une seule issue : opposer cérémonie et rite en fonction de l'absence ou de la présence de la communication magico-religieuse. Mais encore cette décision n'est pas entièrement satisfaisante. Nous risquons en effet de tomber dans le piège ethnocentrique tendu par notre propre langue en accordant à celle-ci le privilège abusif d'exprimer une réalité sémiologique universelle. Or le sérieux intempestif, la solennité extrême qui caractérise les rites chrétiens, de vie ou de mort, ne doit pas nous leurrer : la communication magico-religieuse n'oblige nullement l'émetteur à adopter ces mines cérémonieuses, ni même cérémonielles que la tradition judéo-chrétienne impose dans les relations avec un Père ambigu et un Fils tragique. Placer attitudes rituelles et cérémonielles dans le même champ anthropologique, voire dans la même séquence évolutive, c'est s'exposer à ne pas voir que le commerce avec les dieux implique, comme l'échange matrimonial, la double polarité de la réserve (dont la cérémonie n'est qu'une forme extrême) et de la familiarité. A propos du culte de possession chez les Songhay, Jean Rouch note : « Quand la possession est achevée, le génie nouveau venu salue les prêtres et les spectateurs. Ce salut se fait selon un jeu de mains et de pouces croisés. Le génie accompagne ce salut cadencé de phrases comme ' je te salue, je te salue bien ' [...]. Cette première conversation est ponctuée de hurlements terribles, que les femmes tranquilles tentent de calmer par des paroles douces. Les spectateurs répondent à ces saluts par des phrases appropriées et tentent déjà de poser certaines questions aux génies [...]. A partir de ces conversations individuelles, les cérémonies qui étaient déjà en forme de bousculade deviennent une véritable ' foire ' bruyante, poussiéreuse et brutale, où les confidences les plus intimes sont répétées d'une voix forte par les génies, où les *Haouka* (génies récents) tentent d'attirer l'attention par des tours de prestidigitation, se brûlent avec des torches, mâchent de la braise, se flagellent à coups sonores, poussent des cris stridents ou des jurons épouvantables en mauvais français [1]... » Il faut noter la contradiction interne qu'implique ici l'utilisation du terme *cérémonies;* à moins qu'il ne désigne plus que le schème, le scénario ou plutôt le canevas plus ou moins lâche auquel les dieux comme les hommes sont censés se conformer au cours de cette « foire ».

Cette observation, loin d'être une anodine querelle nominaliste, nous conduit, au-delà des mots — ou plutôt par la critique des mots —, dans le champ structural de la communication magico-religieuse :

---

1. Jean Rouch, *La Religion et la Magie songhay*, Paris, 1960, p. 218-219.

ses modalités oscillent de la plus grande intimité à la réserve hostile.
Si les dieux de la possession sont généralement d'une étrange familiarité, l'histoire des religions fourmille de dieux violents et malveillants, acharnés à la perte de l'homme. Mais le plus souvent la réserve
s'exprime avec modération sous la forme d'un véritable évitement
réciproque : ou bien le fidèle rompt le contact (réputé dangereux) dès
qu'il a accompli l'offrande prescrite, ou bien il mène le dialogue avec
circonspection, en se maintenant à une certaine distance respectueuse, véritablement *cérémonielle*. Nous retrouvons enfin ici (mais
comme second pôle de l'activité rituelle, et non comme synonyme
ou antonyme de rite) le dernier sens figuré du sémantème que nous
nous efforçons de débusquer. A ce niveau, *cérémonie* n'est plus qu'une
démonstration excessive d'étiquette. On se souviendra de Dorante
dans *le Bourgeois gentilhomme* (III, 4) : « Mon Dieu! mettez-vous :
point de cérémonie entre nous, je vous prie. »
    Mais s'agit-il bien d'un appauvrissement de sens ou, au contraire,
en feignant d'inviter son interlocuteur à la simplicité qui est de mise
entre égaux, Dorante qui sort prétendument de la chambre du roi
(lieu cérémoniel par excellence) ne retrouve-t-il pas à l'usage de
M. Jourdain, tout empêtré dans le code des (trop) bonnes manières
(cérémonieuses), une structure sémiologique universelle, véritablement archaïque : celle-là même à partir de quoi s'édifient tous les
systèmes d'attitudes propres aux sociétés humaines. En effet, ces
attitudes sont réductibles à l'opposition réserve/familiarité qui définit
le réseau de communications de la parenté où elle semble instituer une
sous-structure obéissant à sa propre loi. C'est du moins l'hypothèse
hardie que propose Lévi-Strauss lorsqu'il esquisse la théorie de l'atome
de parenté comme système d'équilibre entre des relations *négatives*
(marquées par la réserve ou la tension) et des relations *positives* (familières, détendues [1]). Ce n'est pas le lieu d'en discuter plus avant, mais
l'on remarquera que cette hypothèse a le mérite de renvoyer la
parenté au jeu de la physique, au-delà de toute référence à la linguistique. L'opposition réserve/familiarité fonde l'étiquette des sociétés
démocratiques comme des sociétés aristocratiques. Lorsque le gendre
se tient à distance respectueuse de son beau-père dans un village
africain, ou que M. Jourdain se fait le serviteur de son débiteur en
se découvrant devant lui, ils réinventent l'un et l'autre la cérémonie.
Dirons-nous que ce cérémonialisme est l'embryon de toute conduite
ritualisée? Ce serait négliger gravement la double polarité du rituel
que nous évoquions à l'instant (cérémoniel/non-cérémoniel). Ce serait

---

1. Claude Lévi-Strauss, *Anthropologie stucturale*, Paris, 1958, chap. 2.

ignorer aussi que ces deux conduites, toujours données ensemble, forment système, n'ont de sens que l'une par rapport à l'autre : le système affirme la différence, c'est-à-dire l'existence même de l'ordre social.

C'est à partir de cette modalité cérémonielle de la fonction de communication qu'il faut méditer la relation cérémonie-rituel. La prétendue opposition ou complémentarité qui existerait entre ces notions (renvoyant à l'opposition profane/sacré) n'est plus qu'un faux-semblant, une illusion de notre esprit de sérieux. Pour rétablir la relation pertinente, il faut renverser l'ordre hiérarchique des termes dans notre propre héritage linguistique, il faut investir de la puissance du sens premier le sens dérivé ultime du mot *cérémonie*. Dorante est linguiste sans le savoir.

Pour me résumer, je dirai, à l'inverse de la tradition liturgique chrétienne, prise en charge par une langue moins que jamais dépourvue d'innocence, que le rituel (magico-religieux) n'est pas nécessairement une cérémonie : la prière solitaire est l'exemple le plus évident d'un rite non cérémoniel. Aussi bien le comportement cérémoniel (voire cérémonieux) est une donnée *a priori* de tout système de communication et l'on comprend que le rituel religieux, en tant que système de communication hiérarchisé, soit si fréquemment une *cérémonie*.

La cérémonie implique une distance physique et/ou morale entre les partenaires, une réserve foncière. Soit qu'ils expriment simplement avec une certaine rigidité, soigneusement codifiée, leur relation ambiguë (comme dans la parodie de cérémonie que jouent M. Jourdain et Dorante), soit qu'ils participent à un spectacle plus complexe, à une véritable mise en scène de l'ordre social (comme dans le grand rituel annuel de la royauté swazi brillamment commenté par Max Gluckman). C'est parce que l'acte magico-religieux est très souvent une cérémonie théâtrale — ou un théâtre cérémoniel — que l'anthropologie religieuse de tradition durkheimienne a cru (à tort) que la société elle-même ne cherchait ni plus ni moins qu'à s'exprimer dans le rituel. Mais c'est là éluder le problème essentiel de la communication avec l'univers fantomatique, s'obstiner à dévisager les destinateurs comme si de rien n'était, en refusant de regarder le monde invisible vers quoi les regards se tournent, sous prétexte que celui-ci est purement imaginaire. Bref, en niant les destinataires du message religieux et les relations que les hommes entretiennent avec eux, l'anthropologie fonctionnaliste se débarrasse à bon marché du souci d'analyser les caractéristiques et les lois du rituel pour se contenter finalement d'énumérer les participants, comme une chronique mondaine.

La cérémonie originelle

Existe-t-il un contexte (un texte comme disent aujourd'hui les philosophes) cérémoniel privilégié? Peut-on, pour retrouver enfin les animaux, déchiffrer quelque part dans la culture la trace d'un rapprochement *premier*, qui serait aussi celle d'une première distanciation cérémonielle? En d'autres termes, où s'articulent en fin de compte l'ethnologie et l'éthologie? D'évidence, là où s'opère la synthèse de la consanguinité, de la communication et du travail : dans la parenté. Tournons plus particulièrement le regard vers l'acte d'alliance qui la fonde. Souvenons-nous (à la suite de Mauss et de Derrida) que le don (de femme) est véritablement empoisonné, comme l'attestent, au plan linguistique, tant de formules éloquentes et, au plan du vécu, la réserve teintée d'hostilité qui marque si souvent la relation entre beaux-frères. Bien que l'alliance matrimoniale, source ultime de la parenté, transforme l'ennemi potentiel ou réel en partenaire, quelque chose subsiste encore de la qualité ancienne, préculturelle. « On n'épouse pas ses amis mais ses ennemis », disent laconiquement et superbement les Bantous de la région de Kavirondo [1]. Il n'est guère douteux que l'échange matrimonial, qui canalise l'agressivité sexuelle vers la compétition socio-économique, ne soit une forme hautement adaptative de l'espèce humaine, plus efficace que ne le sont bien des luttes prétendument rituelles chez les animaux. Il n'en demeure pas moins qu'un lien (phylogénétique et fonctionnel) évident unit les deux phénomènes. On peut rapprocher sans hardiesse excessive l'acte ambigu d'échange des femmes de ces démonstrations cérémonielles de force que les zoologistes ont observées dans certaines espèces animales; celles-ci établissent à bon marché une relation hiérarchique entre les individus : je veux dire, en faisant l'économie du crime, en évitant des pertes, inutiles du point de vue biologique. Il est intéressant de noter que ces luttes dites « rituelles » (mais qui ne sont à tout prendre que du théâtre cérémoniel rudimentaire) se déroulent soit à propos du contrôle des ressources alimentaires d'un territoire, soit à propos de l'appropriation des femelles ou du pouvoir. On sait que, chez les primates, les manifestations stéréotypées de puissance du mâle dominant provoquent fréquemment chez le mâle dominé une posture de sollicitation de caractère homosexuel, qu'il y ait ou non

---

1. Günter Wagner, *The Bantu of North Kavirondo*, Oxford Univ. Press, 1949, p. 387.

intromission [1]. Or Devereux a avancé à propos de l'échange des femmes une hypothèse qui mérite l'attention. Il y aurait dans l'acte même d'échange des sœurs une forte composante homosexuelle [2]. L'alliance matrimoniale est « avant tout transaction entre hommes, à propos des femmes ». Dès lors, l'alliance entre les mâles ne serait-elle pas tout bonnement la transformation adaptative (utile à l'espèce) de la relation homosexuelle déjà « ritualisée » (au sens éthologique) que nous venons d'évoquer? Il n'est pas nécessaire, dans cette perspective, de faire dériver l'homosexualité masculine, promue au rang de fondatrice de la culture, du complexe d'Œdipe, comme le suggère Devereux; notre auteur ne semble pas s'apercevoir qu'il enferme sa thèse dans un cercle : en effet, le complexe d'Œdipe ne peut naître que de la famille humaine constituée et, par conséquent, celle-ci ne peut dériver d'une homosexualité masculine prétendument issue du complexe d'Œdipe. Quoi qu'il en soit, l'intuition demeure forte en ce qu'elle enracine l'acte fondateur de l'ordre culturel dans un ordre naturel déjà fortement cérémoniel. A cet égard, la socialisation authentiquement humaine ne serait plus qu'une question d'accentuation : un nouveau cérémonial, le don de la sœur, se substituant au don de soi. Mais cette fois, et pour des raisons obscures étroitement liées à cette autre obscurité qu'est l'émergence du langage, la communication devient *réciproque*, alors que les gestes-signaux des primates semblent bien être *à sens unique*. Bien que cette différence soit capitale, il n'y a pas loin de l'affrontement cérémoniel des mâles chez les primates à l'alliance matrimoniale des hommes, si l'on veut bien considérer que celle-ci transforme un ennemi ou un rival en partenaire maintenu à distance comme s'il s'agissait d'un dangereux empoisonneur [3]. Dans les deux cas, le passage de l'agression à la soumission (dans un cas) ou à la collaboration (dans l'autre) — on n'ose plus dire de la nature à la culture — s'opère effectivement grâce à ce processus phylogénétique que les éthologues appellent *ritualisation*, et qu'il vaudrait mieux appeler *cérémonialisation :* ce sont les zoologistes, à tout prendre, qui sont coupables, pour une fois, d'anthropomorphisme, et non les anthropologues; alors, pourquoi ne pas aller jusqu'au bout de l'anthropologie?

Moyennant cette mise au point, que les zoologistes n'accepteront probablement pas volontiers (tant l'usage du mot ritualisation semble généralement accepté dans le sens malencontreux que nous venons

1. L. Hinde, *in* Huxley, *op. cit.*, p. 69.
2. Georges Devereux, « Considérations ethnopsychanalytiques sur la notion de parenté », *L'Homme*, V, 1965, p. 3-4.
3. Je me réfère ici au double sens du mot *Gift* en allemand.

de dire), je suivrai volontiers la conclusion philosophique que suggère l'éthologie : la coupure entre nature et culture ne saurait pas plus être maintenue du point de vue scientifique que du point de vue métaphysique. Quelle cérémonie faudra-t-il accomplir pour que cette proposition transforme nos mœurs, affecte notre propre éthologie?

Mais, tout de même, l'originalité biologique de l'homme (relativement impressionnante pour une conscience animale capable de rétrospection) réside dans le retournement spectaculaire de cette faculté qu'ont les individus de certaines espèces « d'en remettre » — *de faire des cérémonies* — de telle sorte que la fonction symbolique s'exerce désormais sur une véritable scène théâtrale où l'on voit pour la première fois dans l'histoire du monde animal s'échanger des *répliques* (gestes et paroles [1]). Comment combler la distance qui sépare une parade cérémonielle, injonction matamoresque appelant la soumission, de la réciprocité du discours? Dans cet espace historique où le langage opère la transformation des femelles en femmes, l'on devine le surgissement du travail, association raisonnée pour la mise à mort des autres espèces. Mais exogamie et travail à leur tour ont le même fondement biologique : la mémoire. En ce lieu profond, ultime substrat de toute société, se déroule le compte des signes et des dettes. Cette mémoire culturelle, dépositrice du langage, semble avoir pour vocation première, comme la mémoire génétique, la conservation indéfinie d'un code général imperméable au monde extérieur; elle établit l'être dans sa conformité à un modèle traditionnel. On aura reconnu la mémoire platonicienne, source de toute Vérité. On se souviendra aussi, à ce propos, que la mémoire génétique ne se conçoit pas sans son Logos.

Comment le programme imperturbable de la mémoire-tradition est-il soumis à de brusques mutations jusqu'au fantastique déboussolage de l'univers capitaliste, c'est une tout autre histoire, c'est l'histoire elle-même, l'histoire des animaux comme fabricants d'outils. Et des complications qui en résultèrent.

---

1. Il est évident qu'il est impossible de savoir si cette transformation d'un système accompagne ou précède l'acquisition du langage. Là nous sommes réduits à des hypothèses, car l'éthologie ne montre pas comment le langage articulé, avec son double niveau d'articulation, a pu naître à partir de ces comportements, de ces signaux qui sont en quelque sorte à sens unique : ils appellent une réponse et pas une autre, ils ne suscitent pas le discours; ce sont des systèmes de communication qui ne permettent pas, au sens strict, la parole.

Conclusion

Le mariage (qui implique le langage) est la première cérémonie véritablement humaine. Comme le dit excellemment Devereux, il a pour fonction (biologique) de « masquer l'hostilité sous l'alliance, d'affirmer l'entente pour éviter une rixe [1] ». Peut-être parce qu'il est question de travailler ensemble. C'est par un nouvel abus de langage que cette cérémonie fondatrice, qui rejoue sans cesse la comédie des commencements, est qualifiée de rite. En effet, les dieux sont rarement présents en cette affaire si typiquement humaine, que les chrétiens s'obstinent à célébrer au pied de l'autel. Significativement, le mariage est, de tous les rites dits de passage, celui qui mérite le moins ce nom puisque les dieux évitent de s'en mêler ; ce qui ne saurait être le cas de la naissance et de la mort. Il n'en demeure pas moins que le mariage est la cérémonie par excellence, au sens biologique : elle transforme profondément la démonstration cérémonielle de puissance du mâle dominateur en domination du système symbolique égalitaire. L'on comprend que Freud ait été tenté d'interpréter le passage d'un ordre cérémoniel à l'autre par le meurtre du grand cabot qu'il imaginait (à tort) maître de toutes les femelles.

La cérémonie est d'avant le langage, mais non le rite. Comme la danse et le jeu. Je n'affirmerai donc pas, avec certains éthologues imprudents, que tous les codes culturels, l'éthique, l'étiquette, l'esthétique, relèvent de ce qu'ils appellent, sans que nous y puissions rien, la ritualisation. Je dirai seulement avec résignation que les éthologues commettent aux yeux de l'anthropologie une faute métonymique (péché linguistique somme toute véniel) : ils confondent code et cérémonie, ils prennent la partie cérémonielle de certains codes (et d'abord du code rituel) pour la totalité. Ils laissent dès lors s'échapper la singularité même de la réalité sémiologique, la propriété qu'ont les gens d'exprimer des attitudes contradictoires dans le grand jeu de la communication avec les hommes, avec les dieux, avec les animaux.

1. Devereux, *loc. cit.*, p. 237.

Discussion

François Jacob Vous faites là une hypothèse très intéressante. Comment peut-on la mettre à l'épreuve, en ethnologie?

Luc de Heusch L'hypothèse de la nature homosexuelle des relations sociales? Elle ne peut pas être prouvée, bien sûr. Mais l'éthologie semblerait lui apporter une assise plus solide que la psychiatrie. J'aimerais que les éthologues nous disent ce qu'ils en pensent.

Allen R. Gardner M. de Heusch s'intéresse au dialogue entre les hommes, dans l'espèce humaine, ainsi qu'au dialogue entre les mâles dans les autres espèces. Il se peut qu'en envisageant également les relations entre les femelles, on puisse aussi trouver un pont d'intelligibilité entre les espèces. Dans une autre direction, on a beaucoup spéculé sur les origines gestuelles du langage, et Gordon Hughes aux États-Unis a compilé une bibliographie d'environ dix mille articles se rapportant à l'origine gestuelle du langage parlé. Un certain nombre de gestes de Washoe étaient accompagnés de sons caractéristiques tels que *tchik* pour bon, et l'on pouvait se rendre compte que Washoe disait *tchik* bon, même si on lui tournait le dos. De même, à la vue de quelque chose de sale, elle claquait des dents. Par ailleurs, les Hughes, qui ont travaillé sur un langage parlé avec le chimpanzé Vicky, ont également remarqué que les mots parlés de Vicky étaient accompagnés de gestes. On a considérablement réfléchi sur ce sujet, mais ce n'était peut-être là qu'une caractéristique de femelle. Après tout, Washoe et Vicky sont des femelles.

L. de Heusch En disant que l'échange matrimonial est une opération qui concerne les mâles, je reprends purement et simplement les fondements de la théorie structuraliste du mariage telle que Lévi-Strauss l'a développée d'abord, et puis telle que d'autres l'ont reprise. A mes yeux, cette théorie reste valable. Jusqu'à présent, elle n'est pas contredite par une théorie qui serait plus économique. Cela, c'est le premier point. Le second point : la communication par gestes. Oui, je crois que l'éthologie nous apporte là des indications extrêmement intéressantes. Mais je n'appellerai pas langage cette forme de communication non verbale, dans la mesure où elle ne permet pas le discours et l'échange. Je crois par ailleurs que les expériences si intéressantes faites par B. et A. Gardner ne s'appliquent pas aux anthropoïdes, aux primates en liberté, car il est évident qu'ils établissent la communication de manière artificielle (culturelle) à partir d'un langage humain. On a prouvé seulement que les primates sont doués de la faculté de recevoir ce langage et de communiquer avec les Gardner, mais qu'en est-il avec les congénères de Washoe?

. Gardner De nouveau, deux questions apparaissent, et je ne peux résister à la tentation de dire qu'apparemment j'ai raison. Les rapports matrimoniaux sont vus comme des rapports où les hommes prédominent par rapport aux femmes. La chose pourrait être matière à long débat. Mais, à propos de la non-possession du langage par les autres animaux, il est très courant que les gens se posent la question suivante : pourquoi les animaux n'ont-ils pas développé leur propre langage? Mais alors, on pourrait également se demander : comment sait-on qu'un groupe particulier d'êtres humains possède un langage? Que font les anthropologues quand ils étudient une peuplade exotique? Procèdent-ils de la même manière que les zoologistes? Est-ce qu'ils grimpent sur un arbre et observent ces gens à la jumelle, enregistrent des spectrographes sonores de toutes leurs vocalisations, établissent des tableaux de notes et après, disons quelques mois, retournent à l'université où, peut-être avec l'aide d'ordinateurs, ils calculent les résultats du spectrographe sonore en relation avec leur activité motrice de base et décodent ainsi leurs langages? Si vous faisiez cela, vous en viendriez à la conclusion que ce qui est communiqué n'était que des états émotionnels de base, frustes. Non, la démarche de l'anthropologue qui désire étudier un langage humain exotique est la suivante : il devient ami avec les gens de la tribu et il leur pose des questions. En fait, au début, il établit le plus souvent par gestes une forme de communication avec un type universel de questions gestuelles qui est, comme nous l'avons découvert, un des universaux des primates. C'est ainsi que l'on établit la communication, qu'on établit des mots originaux, qu'on pose des questions. Comment dans votre langue dit-on ceci? Comment dans votre langue dit-on cela ? Maintenant, tant que cette méthode n'aura pas été essayée avec les primates, il est ridicule de dire que chaque peuple que nous rencontrons possède le langage et qu'aucun groupe de primates n'est dans le même cas. Ce même type d'enquête n'a jamais été essayé.

Edgar Morin Je partirai de cette idée freudienne selon laquelle un état de crise pouvait trouver une solution « névrotique » dans un rituel ; un rituel, c'est-à-dire un comportement symbolique, qui, de façon magique, apporte une sorte de réponse à l'incertitude, au désordre, à la crise. Alors, je me demande si, à l'origine, on ne peut pas concevoir que des comportements rituels, soit innés (comme le rituel des oies de Lorenz), soit appris, soient comme des sortes de solution à quelque chose qui a été antérieurement crisique, ou qui est potentiellement crisique ; ainsi par exemple les rituels du comportement de menace ou de soumission entre mâles qui ont pour effet d'éviter une crise (conflit). Ainsi, le rituel essaie de résoudre soit une crise ancienne qui a été vécue antérieurement par l'espèce, soit une crise éventuelle ou menaçante. Je crois que concevoir le rite comme prévention ou réponse à une crise (incertitude, désordre, conflit) permettrait peut-être d'établir une sorte de pont entre des formes de rituels différents, tout en maintenant la spécificité du rituel humain.

Michael Chance Parlons de la nature d'un signal et de la ritualisation comme les éthologues la voient, afin de pouvoir vérifier ce qui a été repris aux ethnologues. Dans son travail éthologique préalable à celui du *Singe nu*, Desmond Morris définit avec plus de précision le concept de signe ritualisé. Prenez les plumes d'un oiseau : elles peuvent passer d'un état parfaitement lisse à un état dans lequel elles sont ébouriffées (ce qui est un moyen de régulation de la chaleur) pour devenir des signaux de cour. Ce signal a été emprunté à ce qui était essentiellement un système de régulation de la chaleur, qui est très flexible, pour devenir un geste de cour et, dans ce cas, il devient rigide. Ainsi, la ritualisation, c'est deux choses : c'est rendre le signal rigide, et c'est le transférer dans un autre système où il joue le rôle d'un signal pour communiquer à distance. En ce sens, cela rentre dans le champ de la définition de L. de Heusch. Mais c'est aussi ce que les éthologues ont dit à l'origine. Personnellement, je ne suis pas du tout convaincu que ce soit le meilleur moyen possible de s'occuper de ce problème, mais c'est une autre affaire.

Irenaüs   Je voudrais simplement dire ce que les éthologues entendent par
Eibl-   le mot *ritualisation* et où se situent les parallèles avec les ritua-
Eibesfeldt   lisations culturelles et phylogénétiques. C'est en rapport avec le
                 développement des signaux. Si l'on met des modèles au service
                 de la communication en évolution, il arrive plusieurs choses
                 à ces modèles : ils sont simplifiés, leur amplitude peut changer,
                 ils peuvent être répétés : ainsi, un mouvement qui traduit l'action
                 de boire peut être ritualisé en un simple signe de tête de haut en
                 bas, mais que l'on répète, et parfois avec une amplitude exa-
                 gérée. La formation du signal est dictée par celui qui le perçoit,
                 que ce soit une ritualisation culturelle ou phylogénétique; et,
                 par conséquent dans les deux cas, il faut que les signaux soient
                 manifestes *(conspicuous)* et non ambigus. Dans la communica-
                 tion humaine, ceci est vrai dans le cas des rituels qui sont cultu-
                 rels, aussi bien que dans le cas de ceux qui sont phylogénétiques.
                 Un modèle se trouve transformé en signal après une série d'opé-
                 rations, les deux concepts ne sont pas équivalents.

Introduction à une ritologie générale

Luc de Heusch

II. LE POUVOIR DES SIGNES

La culture scientifique occidentale se trouve dans une position singulière par rapport au système magico-religieux dont elle s'est affranchie après de vives résistances : elle n'a pas encore réussi à faire la théorie du phénomène qu'elle dut parfois combattre violemment pour se constituer elle-même comme pratique autonome. En dépit de la prolifération d'études ethnographiques et historiques de très haute qualité, nous ne sommes guère plus avancés qu'en 1902, lorsque Marcel Mauss constatait : « Jusqu'à présent l'histoire des religions a vécu sur un bagage d'idées indécises [...]. La science des religions n'a pas encore de nomenclature scientifique [1]. » *L'Esquisse d'une théorie générale de la magie*, qui demeure l'une des plus vigoureuses tentatives de clarification, au carrefour de la sociologie et de la psychologie, n'a pas emporté l'adhésion de l'ensemble des anthropologues en dépit de ses suggestions fécondes. Un demi-siècle plus tard, Lévi-Strauss, le lecteur le plus attentif de Mauss, notera la désaffection progressive de l'anthropologie pour l'étude systématique des faits religieux, à laquelle il allait pour sa part apporter une contribution majeure en abordant résolument la structure des mythes. Et, cependant, les aspects multiformes de la pratique rituelle et des croyances associées, que les observateurs appellent tantôt magie, tantôt religion, en justifiant rarement leur décision, sont infiniment mieux connus aujourd'hui qu'au début du siècle. A cette époque, les premières découvertes de l'ethnographie avaient nourri l'illusion, partagée à des titres divers par Tylor, Durkheim, Frazer et Schmidt, qu'il serait possible de définir les grandes lignes d'une évolution générale de la pensée magico-religieuse à partir d'une forme réputée primitive. Tour à tour ou en même temps, l'on crut découvrir cette matrice spirituelle initiale, dépositrice de tous les gènes ultérieurs, dans les visions fantasmagoriques du rêve, source de l'animisme ou du culte des ancêtres, dans l'une ou l'autre forme du totémisme (particulièrement malmené), dans la croyance au mana (fort mal compris), voire dans un monothéisme archaïque, défini comme le

1. Marcel Mauss, « Esquisse d'une théorie générale de la magie » *Sociologie et Anthropologie*, Paris, 1950, p. 138.

témoin fossilisé d'une Vérité métaphysique que la malignité humaine se serait ingéniée à travestir jusqu'à la Rédemption. Ces fresques composées à grands frais se sont décomposées à peine esquissées, et nul grand peintre d'histoire n'a pris la relève des fondateurs de l'ethnologie, car le genre, d'évidence, était faux.

Il n'est plus nécessaire de démontrer que l'ethnocentrisme inspirait ces chimères, ces reconstitutions conjecturales qui admettent toutes explicitement la supériorité de l'ordre moral, intellectuel et religieux de la civilisation chrétienne.

Une nouvelle génération d'anthropologues se détourna bientôt de ces spéculations, dont le caractère arbitraire devient de plus en plus évident, pour s'engager dans de longues et patientes recherches sur le terrain. La nouvelle démarche empirique des chercheurs imposa la nécessité de reprendre à zéro l'organisation théorique des données : l'axe synchronique supplanta l'axe diachronique qui avait imposé sa tyrannie à des observations imprécises et trop rares, toujours détachées du système social. Dans les milieux anglo-saxons, la réflexion de Malinowski et surtout celle de Radcliffe-Brown accompagnent et nourrissent cette première phase d'expérimentation ethnographique intensive. L'on sait que ces deux hommes, et singulièrement le second, adoptent la perspective sociologique neuve, proposée, non sans quelque ambiguïté, par Durkheim.

La pensée de Durkheim ne cesse de se rattacher à l'évolutionnisme classique; il se déclare persuadé dans les *Formes élémentaires de la vie religieuse* (1912) que la religion des Australiens est « la plus primitive et la plus simple qui soit actuellement connue »; mais il ne lui revient pas moins le mérite de découvrir qu'elle relève de l'ordre symbolique et que celui-ci tire son origine de la société même. Cette proposition s'inspire directement de la thèse radicale d'un éminent sémitologue anglais, Robertson-Smith, qui fut le premier sans doute à présenter la religion comme l'expression de la communauté. Mais, de cette double incitation, l'école fonctionnaliste anglo-saxonne ne retiendra qu'une consigne mutilante. Avec des fortunes diverses, elle s'efforcera de réduire les activités rituelles à des situations sociales, harmonieuses ou conflictuelles. Or la grille sociologique retient fort peu de chose, en fin de compte, de la substance symbolique, dont on se contente de déchiffrer le code le plus apparent, jetant à la poubelle tout le reste, c'est-à-dire l'essentiel. L'inattention au mythe, ou tout au moins à l'organisation de la pensée sous prétexte que l'activité rituelle est à sa manière (je reviendrai sur ce point) une praxis, demeure un sujet d'étonnement. De la lecture de tant d'analyses ingénieuses, toutes bâties sur le même modèle, se dégage l'impression que ces

chercheurs, rompus à l'observation du système social, ferment délibérément les yeux à une réalité phénoménale qui relève d'un autre niveau
que celui qu'une tradition universitaire solidement implantée leur
enjoint de considérer (les récents travaux de Turner, cependant, font
exception à cette règle ; je serai amené à en faire état par la suite).

La procédure fonctionnaliste est, comme bien d'autres, parcellaire ;
elle réduit l'anthropologie religieuse à la sociologie de la religion sous
prétexte que celle-ci est un phénomène social, ce qui est une vérité
triviale. Je n'entends nullement minimiser ici l'importance des travaux
proprement sociologiques qui se proposent de déchiffrer, derrière les
schismes, les réformes, les mouvements millénaristes et prophétiques
de toute espèce, l'expression symbolique des crises sociales, économiques, politiques, et l'espoir des communautés opprimées. C'est la
perspective même que dessine rapidement Engels dans les dernières
pages de *Ludwig Feuerbach et la fin de la philosophie classique allemande* à propos de l'histoire du christianisme. Les travaux entrepris
dans cette voie par Balandier en France, Muhlmann en Allemagne,
par exemple, ont profondément marqué l'anthropologie religieuse,
qui a trop longtemps méconnu la dimension historique des phénomènes qu'elle a l'ambition de comprendre. Mais, en abordant ces
faits particuliers, situés dans le contexte global de l'aliénation coloniale, ces auteurs n'ont jamais prétendu épuiser la totalité du phénomène religieux. Dans le même ordre d'idées, peut-on douter encore
qu'une étude historique sérieuse sur les origines du christianisme
puisse être quitte de sa tâche si elle se borne à étudier les filiations
doctrinales, la transformation du judaïsme, l'héritage de la philosophie grecque, en passant sous silence les crises du monde romain
impérial ? L'inquiétude religieuse généralisée qu'atteste le pullement
des sociétés à mystères qui concurrencèrent longtemps le christianisme
explique au moins partiellement la fuite massive dans une contre-
idéologie individualiste, en nette opposition aux cultes de la cité et de
l'État. Mais il n'en reste pas moins que cette contre-idéologie allait
devenir pour deux mille ans, et peut-être encore quelques siècles
(mais guère plus), le noyau sensible d'une civilisation durable, en dépit
des bouleversements ultérieurs considérables de la technique et des
rapports de production, du Bas-Empire à la société bourgeoise capitaliste. Ce système religieux fut, jusqu'à une époque toute récente,
partagé par les maîtres et les esclaves. La problématique des religions
à vocation universelle dans les sociétés à classes ouvre un champ
d'investigations immense, qu'on ne défrichera pas à coups d'arguments
dogmatiques sur la fonction mystifiante de l'idéologie, quand bien
même l'Église n'aurait cessé de peser de tout son poids sur le

destin de millions d'hommes, sur leur travail, sur leur conscience :
Le problème est plus que jamais à l'ordre du jour : le récent remue-
ménage dont retentissent les caves et les salons du Vatican n'annonce-
t-il pas une crise décisive, minant davantage l'édifice que ne le fit
la terrible secousse de la Réforme ? Mais, après tout, le christianisme
n'est qu'une religion parmi des milliers d'autres, présentes ou passées,
et le travail théorique exige d'abord (mais nous sommes bien loin du
compte) que les historiens et les ethnologues recherchent ensemble,
en deçà de toute érudition, un langage commun qui autoriserait des
incursions de plus en plus hardies dans un champ sémantique cohérent.
Si la dogmatique chrétienne, à tout prendre, n'est qu'un ensemble de
mythes semblables à d'autres ensembles, mais figé par le travail
théologique, les rites chrétiens ne sont eux-mêmes qu'un fragment de
la ritologie générale.

Mais comment constituer celle-ci ? Probablement en revenant, une
fois de plus, à Marcel Mauss, dont l'ambition déclarée fut « non
seulement de définir des mots, mais de constituer des classes naturelles
de faits et, une fois ces classes constituées, d'en tenter une analyse aussi
explicative que possible. Ces définitions et ces explications nous
donneront des idées scientifiques, c'est-à-dire des idées claires sur les
choses et leurs rapports [1] ». Ces choses, en l'occurrence, sont des
fantômes, des êtres que nous sommes bien obligés de tenir, jusqu'à
plus ample informé, pour des créations fantasmagoriques de l'esprit,
quand bien même les intéressés auraient sur la question d'autres vues,
sans lesquelles précisément notre propos serait sans objet. Allons-nous
commencer par opérer le classement de ces fantômes ? La classe peut
demeurer vide, pur concept, au stade actuel de la démarche. Mais la
création fantasmagorique ne fait-elle pas elle-même problème ? Une
partie de l'école anthropologique américaine s'est souciée de cet
aspect en concentrant son attention sur lui. Malheureusement, les
réponses qu'elle propose, inspirées par la psychanalyse freudienne,
sont décevantes. Tournant le dos à Durkheim, Linton et Kardiner en
particulier se sont demandé si les représentations collectives de
caractère religieux ne seraient pas le produit d'un mécanisme individuel
bien connu, la projection. La thèse ne manquait pas d'ingéniosité :
les représentations religieuses ne sont que des fantasmes personnels,
médiatisés par le groupe dans la mesure où l'éducation façonne dans
l'inconscient un système projectif *(projective system)* uniforme dans
une culture relativement stable. Les techniques et coutumes éducatives
promues au rang d'institutions primaires sont homogènes dans un

1. Marcel Mauss, *op. cit.*, p. 138.

tel milieu, elles suscitent donc en principe des conflits affectifs inconscients identiques chez tous les enfants. Dès lors, la « personnalité de
base » — médiatrice entre le groupe et l'individu — aurait le pouvoir
d'expliquer la configuration religieuse propre à chaque société
(institution secondaire), la nature particulière des relations affectives
que les fantômes entretiennent avec ces enfants devenus des hommes.
Mais c'est bien dans ce devenir que réside la difficulté, et Lyotard l'a
bien perçu : les institutions primaires et secondaires renvoient à un
ordre de succession temporel qui ne peut être celui de la culture elle-
même, mais bien de l'individu psychologique. Par ailleurs, l'explication, si c'en est une, tourne court car tous les fantômes du monde sont
bienveillants et/ou malveillants. Il est plus intéressant d'examiner la
façon dont ils sont mis en relation avec les hommes, puisque leur
existence même est liée à celle d'un système de communication
hiérarchisé où l'intervention humaine se dédouble immédiatement :
ou bien l'activité rituelle est contraignante, elle a prise sur l'invisible ;
ou bien elle se fait suppliante, elle adopte le mode d'une relation
filiale ou d'une relation de clientèle. Suivant une tradition ethnologique
largement reçue (bien que l'école sociologique française semble la
refuser depuis Mauss), décidons d'appeler magie la première éventua-
lité, religion la seconde. Bien des auteurs ont montré qu'il existe
entre ces deux pôles psychologiques des situations intermédiaires ;
on n'a pas manqué d'objecter que la supplication religieuse ou
l'offrande avait souvent, en quelque façon plus ou moins sournoise,
une valeur contraignante. Le sacrifice fait violence au dieu violent.
Mais il suffit qu'il existe une seule religion (le christianisme en l'occurrence) où une telle affirmation est disqualifiée (sacrilège, péché
d'orgueil) pour que la valeur de la dichotomie apparaisse. Nous avons
ainsi construit le modèle général le plus simple de la communication
rituelle, un modèle de type politique, puisqu'il implique toujours,
dans un sens ou dans l'autre, une dépendance. L'échange n'est pas
nécessaire, car le maître surnaturel peut se contenter de châtier ou le
maître humain d'exorciser, de chasser l'intrus fantomatique. Le
système n'obéit donc pas universellement au principe de réciprocité
qui fonde les structures de parenté, mais bien au niveau le plus général,
sur la violence. Les fonctions du système magico-religieux dérivent
de sa nature quasi politique : il interfère, comme l'ordre politique réel,
avec le processus de production et de destruction ; les rites concernent,
en proportions toujours variables, la chasse, la pêche, l'agriculture,
la guerre. Le rituel est d'abord praxis, action sur le monde ou sur
d'autres hommes. Il concerne le travail, mais aussi la fécondité et la
santé. C'est dire qu'il intervient aux deux points d'articulation de

l'homme avec la nature. Tous les travaux n'appellent pas l'intervention des fantômes. La masse des informations ethnographiques devrait être soumise à un traitement statistique complexe pour que l'on puisse déterminer avec précision les lieux privilégiés de l'action rituelle, les relations précises qu'elle entretient avec l'organisation des forces productives, le système social. En revanche, on peut affirmer que tout système magico-religieux, y compris le christianisme, se préoccupe de la maladie et du malheur, d'une manière ou de l'autre. Ici encore le modèle général est relativement simple. Il n'existe, en dehors des interprétations scientifiques ou pseudo-scientifiques, que deux systèmes d'explication de la maladie, malheur suprême; les deux cas se réduisent à une forme intempestive de communication : ou bien la maladie est le résultat de la prise de possession (au sens juridique le plus général) du patient par un esprit (la forme extrême est la « possession » de l'âme), ou bien elle est la conséquence d'une dépossession (le rapt de l'âme). En utilisant le concept *âme*, nous introduisons, pour faire image, une notion ambiguë, qui appellerait évidemment de longues digressions; ce terme désigne ici le noyau spirituel de la personnalité. Il s'agit véritablement d'un invariant idéologique, étant entendu que ce principe spirituel se fragmente le plus souvent en une série de composantes. Cette catégorie universelle, que le christianisme a simplement placée au premier rang de ses préoccupations en transformant le modèle général de la communication religieuse en un dialogue permanent de l'âme avec Dieu, joue un rôle déterminant dans le système de la sorcellerie. Le sorcier, qui n'est qu'un magicien d'une espèce particulière, son image négative, est par excellence un « mangeur d'âmes »; il est dans le monde bantou le premier responsable de la maladie et de la mort, le premier accusé métaphysique. La puissance mystérieuse de l'âme, sa mobilité, est le concept opératoire qui permet à l'homme de quitter son enveloppe corporelle et de se glisser dans la société des fantômes, soit qu'il se transforme en puissance maléfique invisible, soit qu'il se déplace comme le chaman sibérien dans l'univers inaccessible des dieux où il rivalise avec eux dans un exploit héroïque mis au service de la communauté. Si le sorcier est destructeur, le chaman est guérisseur.

Les idéologies de la thérapeutique correspondent rigoureusement à ce schéma qui se présente comme un système d'oppositions. Lorsque la maladie est possession, le guérisseur se fera exorciste; lorsqu'elle est dépossession, il œuvrera en sorte que l'âme du patient rejoigne son corps (j'ai proposé d'appeler adorcisme ce type de pratiques inverses des précédentes). On observera que les deux théories nosologiques font de la maladie une épiphanie; elles postulent l'une et l'autre une communication inopportune avec les puissances invisibles ; celle-ci est souvent interprétée sur le mode du droit pénal comme un châtiment. Une nouvelle dimension de la politique s'introduit par ce biais dans le système magico-religieux ; ainsi s'explique que l'ordre rituel puisse parfois faire figure de garant de l'ordre social, ce qui ouvre la voie à des explications fonctionnalistes un peu courtes.

Comment conclure ces premières observations ? L'activité rituelle, système de communication hiérarchisé, se manifeste sur le terrain de la praxis d'une part, de la fécondité et de la médecine de l'autre. Sa fonction centrale est donc de préserver l'intégrité de l'être, de l'entretenir ou de la restaurer par des moyens différents et complémentaires de la technique, tant au plan individuel qu'au plan collectif. Le rituel est un multiplicateur des forces productives et reproductives. Il retarde aussi l'échéance de la mort ou en nie la nécessité. La finalité ultime du rituel chrétien, le salut de l'âme, n'est qu'une application particulière de cette dernière aspiration, quels que soient les développements philosophiques qui entourent la transposition du rêve d'immortalité.

Il y aurait lieu de procéder, naturellement, à de nombreux raffinements pour s'assurer que ces invariants couvrent bien l'ensemble des idéologies et des pratiques magico-religieuses. En priorité, il faut se demander si la coupure métaphysique que nous avons initialement instaurée entre l'homme et les fantômes est indispensable au fonctionnement du système. Je proposerai de remettre en question ce fondement, qui m'a d'abord paru indispensable à son intelligence, de façon à élargir le champ structural.

De la spécificité magique

Il apparaît en effet que nous n'avons réussi à définir jusqu'à présent qu'un sous-ensemble pratico-théorique. Car il existe, en marge de l'activité technique, des procédures intellectuelles empiriques qui agissent sur le monde sans faire appel à des partenaires invisibles. A l'instar des rites précédemment évoqués, elles se manifestent comme système de communication hiérarchisé, et cependant elles ne postulent aucun interlocuteur. La nature linguistique de ces opérations s'impose paradoxalement à l'attention puisque le travail rituel (manipulation d'objets sans efficacité immédiate vérifiable) s'accompagne toujours de formules qui ressemblent étrangement à des messages. J'ai provisoirement négligé cet aspect verbal de la ritologie, car il paraissait aller de soi dans les cas précédemment évoqués, toute communication politique impliquant le discours. La situation extrême que je me propose d'envisager à présent nous amène à approfondir cet aspect négligé, et même à lui accorder la vedette.

Dans une monographie célèbre, qui semble ne pas avoir connu dans les milieux scientifiques français le retentissement qu'elle méritait [1], Evans-Pritchard décrit les techniques magiques des Azandé; elles consistent à fabriquer des « médecines » végétales (plus rarement minérales) pour exercer une action sur les forces naturelles, sur l'horticulture, la chasse, la pêche ou la cueillette, le travail du fer, le brassage de la bière, la guerre, pour favoriser les activités sociales, pour traiter les maladies; ces opérations s'accompagnent d'incantations qui ne s'adressent pas à une puissance invisible mais à l'objet même que le magicien charge de pouvoir. La forme du discours utilisé à cette occasion est libre; sa fonction explicite est de préciser l'efficacité que le fabricant entend imposer à son produit. « Ce que l'on veut, écrit Evans-Pritchard, c'est que le sens soit clair [2]. » Or ce sens se trouve en quelque sorte préindiqué par la nature symbolique même de l'objet. On découvre, en lisant le scrupuleux rapport d'enquête d'Evans-Pritchard, délibérément indifférent à toute théorie préconçue, que cet objet est paradoxalement un instrument de communication. Le choix des éléments qui le composent, variable selon la finalité recherchée, est déterminé par des préoccupations métaphoriques. Contentons-nous d'un exemple. L'auteur commente un rite très simple, que n'importe qui peut accomplir pour retarder le coucher du soleil. « Ils placent une pierre dans la fourche d'un arbre et l'invoquent ainsi : ' Toi, pierre, puisse le soleil ne pas être prompt à descendre aujourd'hui. Toi, pierre, retarde le soleil dans le ciel, afin que je puisse arriver d'abord à cette ferme vers laquelle je me dirige, puis le soleil pourra se coucher. ' Alors l'homme poursuit son voyage et arrive à la ferme qu'il voulait gagner. C'est dans ce dessein qu'ils mettent une pierre dans la fourche d'un arbre [3]. » Le commentaire d'Evans-Pritchard, fidèle à la pensée des Azandé, nous oblige à réviser nos positions de départ et à déplacer la frontière de la magie vers une zone située en deçà de la coupure métaphysique que nous avions d'abord estimée indispensable à l'édification d'un système de communication imaginaire. « Où réside donc, se demande l'auteur, l'efficacité mystique du rite? On peut seulement répondre qu'elle réside dans l'action de placer une pierre dans un arbre et dans la rela-

1. La récente et excellente traduction française de Louis Évrard contribuera à réparer cet oubli : E. E. Evans-Pritchard, *Sorcellerie, Oracles et Magie chez les Azandé*, Paris, 1972.
2. E. E. Evans-Pritchard, *op. cit.*, p. 511. — 3. *Ibid.*, p. 530.

tion établie en quelques mots entre cette action et une fin souhaitée, à savoir, un coucher de soleil retardé. Les mots mettent le rite en rapport avec la fin qu'il est destiné à produire et son action ne fait qu'exprimer un symbolisme imitatif : comme la pierre demeure dans l'arbre, puisse le soleil demeurer ainsi perché dans les cieux. » Mais, objectera-t-on, les Azandé n'affirment-ils pas que toute « médecine » magique *(ngua)* a une « âme » et que celle-ci « sort » pour agir [1] ? Sommes-nous entraînés à conclure qu'à défaut de communication avec un fantôme extérieur, les Azandé n'en sont pas moins obligés d'en passer par la création illusoire d'une personnalité mystique objective pour se donner le droit d'agir sur le monde en faisant l'économie de la technique? Examinons attentivement l'analyse d'Evans-Pritchard avant de répondre à cette question capitale. Les Azandé n'établissent pas de différence qualitative entre les catégories rituelle et empirique : ils « constatent des lacunes aussi bien dans les activités technologiques que dans les techniques magiques; quand ils ne peuvent expliquer ce qui se passe entre l'action et le résultat, quand ils ne peuvent même pas en être témoins, ils parlent d'une « âme » qui agit pour produire certains résultats — par exemple il y a une lacune entre la plantation de la semence et sa germination, son apparition à la surface de la terre : c'est l' « âme » de l'éleusine qui rend compte de cette lacune ». Evans-Pritchard constate alors que les Azandé ne personnifient — ou ne fantomatisent — en aucune façon leurs « médecines » : « Pareil concept ne peut s'exprimer dans la langue Azandé sans que son absurdité saute aux yeux [...]; en effet, on ne considère certainement pas comme des personnes les pierres, les fers de hache, etc., dont on se sert dans ces rites. [...] On ne tient pas [les médecines] pour intelligentes, bien que leur action se conforme à certaines règles bien connues. L'action magique est *sui generis* et ne s'explique pas par la présence d'esprits résidant dans les personnalités, ni par une imputation de personnalité et de volonté [2]. »

En privilégiant la fonction fantasmagorique, aurions-nous donc été victimes de la même illusion que Tylor, qui crut trouver dans l'animisme la source de l'histoire des religions? Nous nous trouvons renvoyés au grand débat qu'inaugure la critique de Frazer : la magie en tant que pouvoir dominateur chimérique de l'homme sur la nature ne serait-elle pas réductible à des lois intellectuelles « sauvages » que la théorie linguistique contemporaine a su réinterpréter en termes de fonctions symboliques universelles?

Cependant, l'énigme demeure totale. Les signes utilisés par les

1. E. E. Evans-Pritchard, *op. cit.*, p. 524. — 2. *Ibid.*, p. 526-527.

Azandé dans l'exemple précédent constituent bien un message; mais un message sans destinataire. Ou plutôt, le destinataire est un fragment muet de l'univers sur lequel le magicien espère agir par le truchement d'un objet-discours qui se déploie sur le mode impératif. Un discours-machine. Le magicien construit sa machination au carrefour de la langue et de la technique; il convertit la technique en langage, comme il fait du langage une technique. « La magie, disait déjà Mauss, est l'art des changements[1]. » Cette situation particulière explique sans doute que la magie pénètre profondément dans le domaine de la production, où le pouvoir des signes vient s'ajouter au pouvoir technologique, mais non, comme le pensait Malinowski, pour remédier à quelque défaillance de celui-ci. Le magicien comme l'artisan travaillent. Mais différemment. Le premier ramène tout à une question de langage : il parle à la nature, il transforme en signes les éléments matériels qu'il prélève sur elle. Son action technique est médiatisée par le discours rituel. Cet ensemble de gestes, d'objets et de paroles éclairantes formerait véritablement un « discours en l'air » — puisque, de l'aveu même des Azandé, il ne s'adresse à aucun interlocuteur personnalisé — s'il n'agissait poétiquement, par la seule vertu d'une métaphore objectivée (l'objet *ngua*), sur cette part de l'univers (ou de l'homme) qu'il évoque, qu'il prend pour cible.

Dès lors, l'interprétation de Jakobson, qui définit la fonction magique ou incantatoire du langage « comme la conversion d'une ' troisième personne ' absente ou inanimée en destinataire d'un message conatif », est peu satisfaisante[2]. En revanche, on peut se demander si une fonction originale de la communication, *l'utilisation du message comme outil*, n'émerge pas ici. Celle-ci serait plus proche, somme toute, de la fonction poétique qui n'est autre, selon les propres termes de Jakobson, que la « mise en relief du message comme tel[3] ». Le rituel magique réduit à sa plus simple expression (dont on trouve maints équivalents en dehors du monde azandé) serait un poème efficace, techniquement absurde mais particulièrement riche de sens, clos sur lui-même mais ouvert sur le monde : un discours-outil, frappant le monde, formulé pour une présence absente, qui n'est à proprement parler personne. Dans cette mise entre parenthèses radicale de la communication linguistique et des données objectives de la technique, dans ce triomphe absolu du désir, on retrouve la marque fulgurante d'une schizophrénie provisoire, qui suspend le cours de la réalité pour mieux la rattraper.

1. Marcel Mauss, *op. cit.*, p. 54.
2. Roman Jakobson, *Essais de linguistique générale*, Paris, Éd. de Minuit, 1963, p. 216, trad. franç. de Nicolas Ruwet. — 3. *Ibid.*, p. 31.

Si l'on nous suit, la coupure métaphysique qu'instaure la magie serait d'une autre qualité que celle qu'inspire la religion. Le magicien est seul face à l'opacité du monde qu'il domine par le truchement d'un langage déraciné, alors que l'homme religieux se soumet aux puissances surnaturelles décalquées de l'ordre social en jouant un jeu singulier que nous définirons par la suite. Qu'il suffise ici de constater que la prière, par exemple, suppose la reconnaissance d'une puissance personnalisée et l'établissement d'un réseau linguistique. C'est à ce niveau, et non dans l'opération magique comme le supposait Jakobson, que la fonction conative se trouve au premier plan de la communication ; à la parole poétique, au discours souverain et sans interlocuteur qu'est en propre, à l'état pur, le rituel magique, se substitue à présent la parole de l'esclave au maître.

Mais une difficulté surgit, qui semble compromettre notre distinction. La parole suppliante, la parole proprement religieuse, n'est-elle pas susceptible de se retourner et de se transformer en injonction magique ? Comment expliquer, en d'autres termes, que les fantômes envahissent si souvent le domaine de la magie où ils font figure d'hôtes incongrus ? Et que penser de cette opinion divergente de Marcel Mauss qui doutait qu'il pût exister une magie qui n'utilisât point une force transcendante ?

Eh bien, les Azandé nous apportent une réponse ferme : il faut bien admettre, aujourd'hui que le mana a fait long feu, que la force émanant du *ngua* n'est autre que la puissance du langage. Mauss lui-même indique parfaitement comment une opération purement linguistique, l'incantation, ouvre la voie à la fiction démonologique dans le système magique. Les princes fictifs et les princesses fictives auxquels s'adresse le magicien malais, observe-t-il, « ne sont autres que les choses ou les phénomènes considérés [1] ». Ceci veut dire que la pensée et l'action magiques demeurent en prise directe sur le monde sensible. La fonction conative qui investit le discours-travail du magicien est dirigée vers des fantômes domestiqués, qui se trouvent à portée de voix, de geste et de regard. L'incantation suscite leur présence docile à travers une opération très faiblement anthropomorphique, quasi allégorique. Mais la magie peut aussi s'emparer purement et simplement des esprits de la nature considérés comme des créatures autonomes et substantielles, distinctes des « choses et phénomènes considérés ». C'est ainsi que le magicien kongo exhume de l'eau l'esprit *nkita* qui animera le *nkisi*, l'objet-discours composé de signes empruntés au monde minéral, végétal et animal. Aussi bien le magicien ne

1. Marcel Mauss, *op. cit.*, p. 92.

saurait-il demeurer insensible, dans sa quête de puissance, aux suggestions du système religieux, aux sollicitations des fantômes. Mais l'esprit même de la magie implique qu'elle opère sur ce terrain en inversant les rôles respectifs du maître et de l'esclave. La gloire d'un *nkisi*, disent les Kongo, est d'avoir un maître en vie [1].

Nous retrouvons au terme de ce détour dialectique notre point de départ. Nous rejoignons aussi une observation judicieuse de Lévi-Strauss. Commentant dans une autre perspective l'opposition centrale sur laquelle nous avons fondé notre propos, l'auteur de *la Pensée sauvage* écrit : « Car si, en un sens, on peut dire que la religion consiste en une *humanisation des lois naturelles* et la magie en une *naturalisation des actions humaines* — traitement de certaines actions humaines *comme si* elles étaient une partie intégrante du déterminisme physique —, il ne s'agit pas là des termes d'une alternative ou des étapes d'une évolution. L'anthropomorphisme de la nature (en quoi consiste la religion) et le physiomorphisme (par quoi nous définissons la magie) forment deux composantes toujours données, et dont le dosage seulement varie [...]. La notion d'un surnaturel n'existe que pour une humanité qui s'attribue à elle-même des pouvoirs surnaturels et qui prête, en retour, à la nature les pouvoirs de sa superhumanité [2]. » Il n'y a donc nulle contradiction dans le fait que le magicien a prise sur les âmes et sur les dieux, comme il a prise, sans autre médiation que celle du langage, sur le monde.

Bien que magie et religion soient généralement données conjointement, dans le même ensemble de faits, la différence entre ces deux types de coupure métaphysique s'accentue si l'on considère que le système religieux introduit entre les puissances surnaturelles et la société humaine un type de procédure qu'ignore généralement la logique symbolique mise en œuvre dans la magie : la médiation. Celle-ci revêt deux formes universelles autour desquelles s'ordonne nécessairement toute religion : le sacrifice et/ou la possession. La fonction phatique — et non plus la fonction poétique —, la recherche du contact à tout prix, fût-ce au prix d'un certain brouillage de la pensée, domine, semble-t-il, la communication métaphysique, fondement de la démarche religieuse. D'une certaine façon, et à la limite, la religion apparaît comme l'expression du désir absurde de supprimer tout intervalle entre l'homme et ses propres fantômes, comme s'il s'agissait, dans ce délire collectif, de se réapproprier pour les réduire à soi les fantasmes projetés dans le monde extérieur. Mais par voie de consé-

1. R. P. Van Wing, *Études Bakongo*, II, *Religion et Magie*, Bruxelles, 1938, p. 122.
2. Cl. Lévi-Strauss, *La Pensée sauvage*, Paris, Plon, 1962, p. 292-293.

quence l'univers même (trop humain) des différences s'effondre : dans
l'instant où le contact avec les dieux est obtenu, toute distance (le
principe même de la distance comme vecteur de la différence et de la
mort) s'abolit au profit d'un illusoire instant d'éternité. L'homme se
trouve alors re-lié aux maîtres invisibles de la vie, c'est-à-dire aboli
dans sa raison, soumis, sauvé.

Toute action religieuse passe par le sacrifice, c'est-à-dire la contiguïté éphémère du profane et du sacré obtenue grâce à une victime
animale (rarement humaine) ou par la possession, c'est-à-dire la
confusion intense, mais tout aussi provisoire, des deux ordres dans le
corps même du fidèle officiant. Ces deux axes sont distincts mais
complémentaires, nous le verrons.

Sacrifice et possession

Au sens traditionnel, le sacrifice est la mise à mort rituelle d'un
animal disponible, domestique, suivie ou non de communion alimentaire. Par la médiation du sang versé, du principe spirituel qu'il véhicule, un puissant interlocuteur invisible se trouve à l'écoute du sacrifiant. En vérité, il faut élargir ce premier champ structural de la médiation religieuse et y inclure la consommation alimentaire de certains
animaux sauvages. Il s'agit alors d'êtres surchargés de sens, tandis
que, dans le sacrifice proprement dit, le bœuf ou la poule sont dépourvus en soi de sens particulier : ils sont seulement les instruments les
plus banals de la fonction phatique. L'usage rituel du pangolin chez
les Lélé du Kasaï illustre fort bien cette seconde catégorie d'animaux-
médiateurs. Le pangolin est doublement troublant; non seulement
c'est un mammifère couvert d'écailles comme les poissons et les
reptiles, mais encore il est monopare comme l'homme. La manducation rituelle du pangolin par une poignée d'hommes réunis en confré-
rie cultuelle chez les Lélé, comme la communion sacrificielle de la
messe dans le monde chrétien, jettent un pont sur le gouffre métaphysique dans l'espoir d'abolir provisoirement, le temps du rite, la distance incommensurable qui sépare l'univers fantomatique de l'univers humain. Dans les deux cas, l'artifice rituel consiste en l'absorption alimentaire d'un être médiateur (pangolin ou hostie assimilée au
Christ) au sein duquel un rapport de contiguïté s'établit entre le ciel
et la terre, Dieu et sa créature, le village et la forêt, les hommes et les
esprits de la nature, selon les cas. Qu'il s'agisse de replonger l'âme
dans sa source divine vivifiante ou d'assurer le succès de la chasse
et la fécondité des femmes, la procédure relève du même type formel.
Le sacrifice comme la communion alimentaire sont des actes propre-

ment insensés, par quoi l'esprit renie le système d'oppositions qui fonde l'idéologie même à l'intérieur de laquelle il se débat. En décrétant que le pain et le vin, signes du monde matériel, sont susceptibles de devenir par « consécration » le corps et le sang du Christ, la pensée chrétienne saute évidemment dans le vide (ou le plein) de la confusion mystique. Lorsque, de leur côté, les Lélé absorbent le pangolin, ils mangent véritablement leur parole, le discours sensé qu'ils ont élaboré sur les différences objectives de la nature et de la culture, des animaux et des hommes [1]. Mais au moins le rite du pangolin parachève-t-il d'une certaine façon cette quête préalable de la lucidité : l'animal qui sert à agir sur les esprits de la fécondité et de la chasse, tapi dans l'ombre de la forêt, se situe objectivement, aux yeux des Lélé, à la charnière de la nature et de la culture. Le pangolin, par quoi l'homme a prise sur les esprits, est donc un signe équivoque, mobilisant à ce titre l'espoir chimérique de combler la coupure métaphysique de l'univers. Le rite communiel religieux parachève dans l'absurde le travail de classification des êtres qui fonde l'idéologie lélé. En mangeant le pangolin, les hommes-pangolins s'approchent à pas prudents, en termes purement symboliques, des esprits. Ils établissent ainsi une contiguïté indirecte avec le monde sacré. Le christianisme va beaucoup plus loin sur cette voie proprement religieuse : le véritable sacrifice communiel qu'est la messe réalise le mystère par excellence, la transsubstantiation. La manducation du signe sacré, lieu de la conjonction du ciel et de la terre, est une véritable théophagie.

Mais la mise en relation de l'homme et des fantômes peut prendre une forme plus radicale encore. Je serais tenté d'y voir la dévoration inverse de l'âme humaine par le dieu, tant il est vrai qu'un sado-masochisme fondamental entre en jeu. Cette image de la dévoration, saint Jean de la Croix l'utilise pour désigner un état d'exaltation mystique qui relève de cette autre catégorie rituelle universelle qu'est la possession. On sait que le christianisme éprouve une grande répugnance à intégrer cette technique dans son propre rituel fondé sur la médiation du prêtre sacrificateur. La voie mystique est une recherche directe du contact avec Dieu, sans intermédiaire. « Dans le silence de la nuit, toutes portes closes, écrit un commentateur du Docteur mystique, Dieu entre dans l'âme [2]. » A la nuit et à la solitude près, la théologie retrouve ainsi la définition anthropologique la plus générale de la possession, qui est confusion de l'homme et du dieu, abo-

---

1. Luc de Heusch, « Structure et praxis sociale chez les Lélé du Kasaï », *Pourquoi l'épouser? et autres essais*, Paris, 1971.
2. *Satan*, Paris, Desclée de Brouwer, « Études carmélitaines », 1948 p. 88.

lition totale, sans médiation, de la coupure métaphysique. Qu'elle prenne ou non l'aspect violent de la transe, la possession est l'irruption du divin dans le corps humain [1].

Sacrifice-communion ou possession établissent par la violence (violence faite à l'animal dans un cas, à l'homme dans l'autre) le contact entre l'ordre naturel et la fiction surnaturelle. Mais le problème se complique, car les mêmes expressions rituelles peuvent encore renvoyer à l'idéologie inverse de la rupture. Loin d'être le résultat recherché, la contiguïté est cette fois la représentation et l'explication du malheur qu'il importe d'abroger. A une philosophie de la conjonction heureuse fait place une philosophie de la conjonction fâcheuse, qui appelle une disjonction salvatrice.

C'est dans cette perspective étrange qu'il faut situer la pensée magico-religieuse des Nuer. Le contact avec Dieu est toujours redoutable car l'être suprême et les esprits de l'air qui dépendent de lui envoient les maladies aux hommes lorsqu'ils ont rompu un interdit. Le sacrifice consiste dès lors à se débarrasser de cette présence mystique dangereuse : « *They get rid of Spirit from man* [2] », selon la vigoureuse formule d'Evans-Pritchard. En revanche, la finalité du sacrifice est positive lorsqu'il concerne un groupe social en tant que tel; il confirme alors un changement de statut, ou lui ajoute de la force. La première face du sacrifice, plus spécialement liée aux préoccupations individuelles, introduit dans le champ de la communication que nous explorons une nouvelle antithèse structurale. Le sacrifice, cette fois, se fait exorcisme : il met fin à la confusion dangereuse du profane et du sacré que le système des interdits avait notamment pour fonction de maintenir séparés. En d'autres termes, il rétablit l'ordre symbolique menacé par la faute rituelle, il rétablit la logique classificatoire, le travail de la pensée que la maladie avait brouillé. Mais auparavant, il s'agit de marquer solennellement ce dangereux état de confusion (mentale) pour mieux s'en débarrasser. En effet, la consécration du bœuf sacrificiel ne met pas seulement l'animal en relation avec Dieu, elle l'identifie au sacrifiant. En outre, pour mieux faire entendre sans doute que le système de classification des espèces est suspendu, il peut fort bien arriver que le bœuf soit remplacé par un concombre. Lévi-Strauss avait eu l'attention attirée par ce second aspect; il en tira parti pour démontrer que le sacrifice religieux est incompatible avec l'exercice de la pensée classificatoire en œuvre

---

1. Pour plus de détails, voir Luc de Heusch, « La folie des dieux et la raison des hommes », *Pourquoi l'épouser, op. cit.*,
2. E. E. Evans-Pritchard, *Nuer Religion*, Oxford, 1956, p. 198.

dans le totémisme[1]. Avant de reprendre cette importante discussion
là où Lévi-Strauss l'a laissée, notons encore que la consécration qui
identifie le sacrifiant à l'animal n'est pas réalisée par une formule
linguistique, par une incantation magique, mais bien par la contiguïté physique du geste : elle consiste à frotter de la cendre sur le dos
de l'animal. Observons aussi que la mise à mort de l'animal, au
contraire de sa consécration, sépare violemment l'esprit et l'homme,
le débarrassant ainsi de la « souillure » de la maladie : en effet le repas
qui suit le sacrifice n'est en aucune façon communiel : « Dieu prend
le *yiegh*, la vie, l'homme prend le *ring*, la viande[2] »; les Nuer ne pensent nullement que l'absorption de celle-ci augmente en quelque
façon leur force spirituelle. Toute théorie du sacrifice doit donc tenir
compte de ces deux pôles. L'exemple des Nuer montre bien que ces
deux perspectives rituelles fondamentales ne suffisent pas à départa-
ger les esprits malveillants (que l'on expulserait précisément parce
qu'ils sont malveillants) et les esprits bienveillants (avec lesquels au
contraire on s'efforcerait d'établir et de maintenir le contact). En
revanche, le sacrifice disjoncteur injecte l'esprit dominateur de la
magie dans l'épaisseur du tissu religieux. Le sacrificateur nuer tient
sa lance en main en adressant à Dieu une invocation *(lam)*, c'est-à-dire
une forme de discours qui, de l'avis même d'Evans-Pritchard, contraste
fort avec la prière *(pal)*, notamment par son caractère incisif : la
parole rassemble l'assertion, l'intention et la guérison car le sacrifice
a en lui-même une vertu thérapeutique : il écarte le mal, efface la faute
qui a provoqué l'intervention intempestive de Dieu. En outre, le
sacrifice expiatoire des Nuer a une fonction disjonctrice quasi automatique : il rétablit sans équivoque le schéma cosmologique dualiste
où le ciel s'oppose à la terre comme les esprits d'en haut aux esprits
d'en bas. Nombre d'interdits relèvent de cette logique classificatoire
ainsi restaurée. Si les Nuer s'abstiennent de manger des œufs, signe
métonymique des oiseaux, c'est précisément pour éviter le dangereux
contact avec Dieu, être céleste par excellence.

Il n'en demeure pas moins que cette logique classificatoire est abolie
dans l'opération même du sacrifice, comme Lévi-Strauss l'avait
clairement aperçu. Lorsque le sacrificateur nuer utilise un concombre
comme s'il s'agissait d'un bœuf, qui lui-même équivaut à un homme,
ou que le prêtre catholique espère retrouver la totalité et l'immortalité
perdues en identifiant la farine et le vin à la chair et au sang du Christ,
ils se situent l'un et l'autre délibérément en dehors des catégories du

1. Cl. Lévi-Strauss, *op. cit.*, p. 294-302.
2. E. E. Evans-Pritchard, *op. cit.*, p. 214.

langage. L'absurdité du rite catholique choquait Rousseau comme il avait choqué la pensée rationaliste des protestants : « Or selon votre doctrine de la transsubstantiation, lorsque Jésus fit la dernière Cène avec ses disciples, et qu'ayant rompu le pain il donna son corps à chacun d'eux, il est clair qu'il tint son corps entier dans sa main » (lettre à Mgr de Beaumont). S'il y a une absurdité dans le rituel magique azandé, elle est d'une tout autre nature ; elle réside dans le fait qu'un discours poétique est censé se transformer en force productive.

Parce qu'il implique le dialogue avec les dieux, parce qu'il est recherche du contact ou de la rupture, fût-ce au mépris de toute raison, le sacrifice (conjoncteur ou disjoncteur) se situe au cœur même du champ religieux. La même observation vaut pour le phénomène de la possession, qui présente, comme le sacrifice, deux aspects fort différents. J'ai montré ailleurs qu'il y avait lieu d'opposer deux types de possession. Dans la possession heureuse, authentiquement religieuse, le fidèle passif et consentant assume volontairement, ou même recherche délibérément, la transe, c'est-à-dire l'intrusion violente du génie dans son corps. En revanche, l'idéologie inverse de la possession-maladie transforme cette présence étrangère à soi en un corps pathogène indésirable car elle perturbe la raison du patient. La contiguïté par confusion de l'un et de l'autre fait alors figure d'aliénation : c'est la « folie des dieux », selon la forte expression des Thonga [1]. Cette possession malheureuse, inauthentique (type B), appelle l'exorcisme alors que la première (type A) réalise au sens le plus fort un adorcisme, une recherche du contact. Le parallélisme est complet avec la théorie du sacrifice.

Médiation animale	Médiation du corps
Sacrifice conjoncteur	Possession A
Sacrifice disjoncteur	Possession B

Le système du sacrifice et le système de la possession, loin de s'exclure, se complètent chez les Thonga où l'exorcisme salvateur, qui rend la raison au patient (c'est-à-dire le rend à lui-même), se réalise par le truchement d'un sacrifice dyonisiaque violent : au cours de la transe, provoquée par le guérisseur, le malade se jette sur la blessure de l'animal sacrifié ; il en suce le sang qu'il recrache aussitôt, afin d'expulser l'esprit. La vocation magique de l'exorcisme se précise : après avoir interrogé l'esprit, le guérisseur thonga le dirige vers un

---

1. Henri A. Junod, *Mœurs et Coutumes des Bantous*, Paris, 1936, t. II, p. 462 *sq.*

autel. Grâce à cette intervention, typiquement magico-religieuse, le prêtre-exorciste transforme la dangereuse et excessive contiguïté de l'homme possédé et du dieu possesseur en une relation normalisée, à bonne distance. Junod, l'excellent observateur des Thonga, fait remarquer à juste titre que les esprits possesseurs ne sont ni plus ni moins maléfiques que les esprits des ancêtres. Mais ce n'est point, comme il le pense, parce que la pensée bantoue n'a pas encore « atteint ce point de développement religieux où les idées antagonistes du bien et du mal sont transposées dans la sphère du divin [1] ». C'est bien plutôt une question de manipulation des forces, une question de savoir-faire : l'exorciste force l'esprit possesseur à révéler son nom pour lui imposer un nouvel habitacle. Cette entreprise passe par une phase de séduction au cours de laquelle l'assistance s'adresse à lui « en termes louangeurs, essayant de le cajoler, de le flatter, de le mettre de son côté et de l'engager à accorder la faveur insigne de se rendre enfin [2] ». Fixé sur un autel spécial, l'esprit cessera de tourmenter le possédé guéri : celui-ci communique désormais avec lui sur le mode religieux de l'offrande.

Le système de la possession, quels qu'en soient les aspects, demeure donc solidement amarré dans le champ de la religion, dont il constitue, avec le sacrifice, l'un des pôles majeurs. Mais, curieusement, les deux idéologies de la possession ont chacune leur équivalent au plan de la magie. Ce retournement dialectique, qui s'effectue à partir de la même technique corporelle, la transe, mérite l'attention. Lorsque l'on compare les formes africaines de la possession aux formes amérindiennes ou asiatiques du chamanisme, on découvre d'abord une transformation massive : à la passivité du possédé, jouet des dieux, se substitue l'activité hyperlucide du chaman qui assume à plein rendement et sans équivoque l'orgueilleux travail du magicien. Certes, il opère dans l'univers des dieux, et il ne saurait être question de se fier ici au seul pouvoir des mots. Il s'agit plutôt — dans cette aventure qui consiste tantôt à expulser un esprit indésirable du corps du malade (exorcisme), tantôt à se lancer héroïquement dans le vide (l'au-delà) pour ramener sur terre l'âme du patient mourant (adorcisme) — d'affronter les dieux en combat singulier, en utilisant toutes les ressources et du langage et du mime (y compris la persuasion et la perfidie). Le corps du chaman en transe (et parfois aussi le corps du malade) est une scène mythique, un haut lieu théâtral, où les mots et les gestes affirment le pouvoir dominateur d'un héros humain sur les fantômes redoutables. Cette quête magique se déroule au royaume de la peur,

---

1. Henri A. Junod, *op. cit.*, p. 455. — 2. *Ibid.*, p. 437.

certes, mais cette peur a été jugulée, sans que s'établisse entre l'homme
et les fantômes la relation du maître et de l'esclave, dont les cultes de
possession ne font jamais l'économie. Car là où l'on a choisi d'être la
monture passive des dieux, l'orgueil magique cesse de se cabrer.

L'opposition entre magie et religion ne relève donc pas seulement
de notre propre tradition culturelle (à ce titre elle serait bien suspecte) :
elle est pertinente dans la mesure où elle permet de définir comme
système d'attitudes l'ensemble des relations avec l'univers fantomatique, d'une part, et de clarifier le champ idéologique, d'autre part.
A cet égard, rien n'illustre mieux la différence objective entre la magie
et la religion que celle que nous avons cru pouvoir établir entre possession et chamanisme. Celle-ci comme celle-là utilisent la même technique corporelle, la transe. Mais si la possession réalise effectivement la
confusion (mystique) du sacré et du profane par contiguïté (ou confusion) absolue de ces deux lieux distincts, la transe chamanistique
est la négation radicale de cette situation. Loin que le chaman soit
le jouet des dieux comme le possédé, il abandonne son propre corps
pour évoluer souverainement dans l'univers mythique.

Voici que la magie se dédouble : pur langage dominateur s'adressant directement au monde chez les Azandé, elle est drame vécu corps
et âme, conflit avec les dieux, dans le contexte du chamanisme qui
marque si profondément la pensée symbolique des populations arcti-
ques et des Amérindiens.

Pensée mythique et rituel

S'il est vrai que la magie azandé est l'exercice même de la pensée
métaphorique, on peut se demander pourquoi Lévi-Strauss estime,
dans un texte récent, que toute activité rituelle tend à dissoudre le
projet classificatoire qui constitue en propre (et institue) la mythologie.
N'y aurait-il pas lieu d'accorder une valeur relative à cette affirmation,
de la situer dans un champ structural où l'on verrait que tantôt le rite
épouse la pensée mythique, tantôt, au contraire, s'en sépare, ou même
lui tourne le dos ? Lévi-Strauss se préoccupe de définir la spécificité
du rite par rapport au mythe, leur différence essentielle. Il commence
par reprocher aux chercheurs anglo-saxons de n'avoir pas su distinguer
clairement le rite proprement dit de la glose ou de l'exégèse qui
l'enrobe à la façon d'un mythe implicite. Ces commentaires, observe-
t-il, relèvent certes de la pensée classificatoire qui découpe le monde
« au moyen de distinctions, de contrastes et d'oppositions [1] ». Mais il

1. Cl. Lévi-Strauss, *L'Homme nu*, Paris, 1971, p. 607.

n'en serait plus de même du rituel, lorsqu'on le considère à l'état pur, expurgé de son excroissance mythologique ou quasi mythologique. Il n'appartient même pas au domaine de la communication linguistique : « Les gestes exécutés, les objets manipulés sont autant de moyens que le rite s'accorde pour éviter de parler [1]. » Certes un flot de paroles accompagne souvent le rite, mais celles-ci ne constitueraient que des formules vides, inlassablement répétées. Or ce procédé répétitif serait de même nature que le second procédé mis en œuvre dans le rituel, le morcellement, qui consiste à distinguer à l'infini et à attribuer des valeurs discriminatives aux moindres nuances « à l'intérieur des classes d'objets et des types de gestes [2] ». En effet, « des différences devenues infinitésimales tendent à se confondre dans une quasi-identité »; le morcellement se ramène à la répétition [3]. Il existerait en quelque sorte une relation dialectique entre le mythe et le rite : celui-ci refait du continu à partir du discontinu pour retrouver le vécu, renversant la démarche mythique qui « scinde le même continu en grosses unités distinctives entre lesquelles elle institue des écarts [4] ».

La question est de savoir si cette ingénieuse interprétation répond à la finalité de tous les rituels ou si elle ne recouvre qu'une partie du champ structural dont ils relèvent. La tendance à la dissolution du système classificatoire, que l'on observe effectivement dans certaines pratiques, ne serait-elle pas plutôt le produit d'une fascination : l'attraction d'un pôle négatif qui aurait le pouvoir de faire éclater l'unité première de la pensée et de l'action? Unité particulièrement visible dans les rites d'inspiration magique où il s'agit essentiellement d'agir sur le monde à partir de ses catégories. Sans doute, la formule magique est-elle elle-même susceptible de s'obscurcir, de se muer en litanie inlassablement répétée, parfois incompréhensible. Mais précisément, comment ne pas opposer à cette obsession répétitive la démarche intellectuelle sommaire mais limpide des Azandé? Ici les paroles sont relativement brèves et toujours claires; elles contribuent à faire d'un choix précis d'objets végétaux ou minéraux un discours sensé, efficace.

Tournons-nous vers une autre population africaine, les Ndembu, où, à défaut de mythologie explicite, les rituels sont inséparables de la pensée classificatoire dans laquelle ils baignent. Lévi-Strauss, qui connaît parfaitement bien les travaux remarquables que Turner a consacrés à cette tribu, admet volontiers que cet auteur n'a pas tort d'écrire que les rites ndembu « créent et actualisent les catégories

---

1. Cl. Lévi-Strauss, *L'Homme nu*, p. 600. — 2. *Ibid.*, p. 601.
3. *Ibid.*, p. 602. — 4. *Ibid.*, p. 603.

au moyen desquelles l'homme perçoit la réalité, les axiomes sous-jacents à la structure sociale et les lois de l'ordre moral ou naturel [1] ».
Il ajoute néanmoins cette réserve à laquelle nous pouvons difficilement souscrire : le rite s'occupe, là comme ailleurs, « sinon à les désavouer, du moins à oblitérer temporairement les oppositions et distinctions » sur lesquelles se fonde la mythologie, qu'elle soit explicite ou implicite [2]. Les objets-signes qui interviennent dans tous les rites ndembu se répartissent en trois grandes classes, respectivement rouge, blanche et noire. J'ai montré que ces trois couleurs forment un triangle classificatoire définissant trois champs sémantiques qui s'opposent deux à deux : la guerre et l'homicide (rouge), la paix, l'harmonie sociale et la fécondité (blanc), enfin la sorcellerie et le désordre (noir)[3]. Or, loin de nier ou de suspendre la discontinuité, les rites magico-religieux ndembu ne cessent de se conformer au découpage des grosses unités qu'impose ce code.

Prenons le rituel de puberté *nkanga*[4]. Si la novice est conduite au pied de l'arbre *mudyi*, qui relève de la catégorie blanche, c'est parce que la sève laiteuse qu'il exsude la met en relation symbolique avec le sein maternel. Les femmes ndembu expliquent elles-mêmes, à ce propos, que les seins de la jeune fille commencent à mûrir. Un ritualiste masculin ajoute ce commentaire qui renvoie au niveau sociologique du symbolisme : « L'arbre à lait est la place de toutes les mères du lignage ; il représente l'ancêtre des femmes et des hommes. L'arbre à lait est le lieu où notre ancêtre dormit lorsqu'elle se fit initier. ' Initier ' signifie ici la danse des femmes tout autour de l'arbre à lait où la novice dort à son tour. L'une après l'autre les ancêtres féminins ont, jusqu'à notre grand-mère, jusqu'à notre mère, dormi là, comme nous-mêmes, les enfants. C'est le lieu de la coutume tribale, où nous avons débuté, même les hommes, car les hommes sont circoncis sous un arbre à lait. » En ce lieu pleinement signifiant, qui évoque avec une richesse foisonnante le lait, la relation mère-fille, le matrilignage et la société tout entière, l'harmonie sociale, s'accomplissent les gestes rituels qui préparent l'entrée de la jeune fille dans le groupe des femmes. C'est le lieu de la blancheur rituelle par opposition à l'impureté des femmes en règles qui relèvent de la catégorie rouge. Les feuilles innombrables de l'arbre deviennent à leur tour signifiantes : elles sont la métaphore de la future fécondité de la novice. Sous l'arbre, la jeune fille « boit la signification comme un enfant boit le

1. Cl. Lévi-Strauss, *L'Homme nu*, p. 608. — 2. *Ibid.*, p. 601.
3. L. de Heusch, *Le Roi ivre ou l'Origine de l'État*, Paris, 1972.
4. Victor Turner, *The Forest of Symbols*, Cornell Univ. Press, 1967, chap. 1.

lait ». Métaphore ou métonymie, une fois de plus, fonctionnent ensemble. En effet si la sève de l'arbre est la métaphore du lait, celui-ci à son tour est utilisé comme signe métonymique du matrilignage. Le rite est donc véritablement une mythologie en acte, une réflexion agissante, c'est-à-dire une magie[1]. L'efficacité symbolique du rite ne fait aucun doute : l'arbre *mudyi* est perçu comme pouvoir de changement; selon la formule même de Turner, il « mobilise le désir ».

Pensée classificatoire et rite forment ici un seul et même ensemble; l'une éclaire l'autre, comme en d'autres régions du monde bantou. En revanche, la thèse de Lévi-Strauss prend un poids singulier lorsqu'on envisage le sacrifice et la possession. Ici, au cœur même du domaine proprement religieux, s'ouvre une brèche où la possibilité est effectivement donnée de supprimer tout intervalle dans l'univers, d'abolir la pensée classificatoire, de telle sorte qu'un homme se confonde totalement avec le dieu dont il est le support, ou avec le bœuf ou le concombre qui lui servent de substitut. A l'autre pôle du champ structural, en revanche, l'activité rituelle magique est inséparable de la pensée classificatoire qu'elle met en œuvre. A cet égard, la magie sous sa forme la plus radicale (effectivement réalisée en certaines sociétés) ne serait autre que la conversion illusoire d'un système classificatoire en praxis, alors que la religion serait *idéalement* la dissolution du même système dans un univers de participation mystique inaccessible à toute raison. Mais encore une fois, il y a lieu de ne pas accorder à cette distinction, qui ne fait qu'indiquer deux tendances opposées et complémentaires, une valeur trop absolue.

Il subsiste bien des questions, et notamment celle-ci : comment la pensée magique, en tant que réflexion agissante, a-t-elle pu, sans disparaître, se laisser submerger par le langage symbolique, effectivement opératoire, de la science? Comment, parallèlement, la pensée mythique s'est-elle muée en philosophie? Et pourquoi celle-ci, à son tour, est-elle condamnée, sous peine de s'abîmer dans la religion dont elle sort, de retrouver le discours scientifique issu de la transformation de la magie? La science serait-elle le carrefour (provisoire? définitif?) de la ritologie et de la mythologie universelles?

---

1. Victor Turner, « Ritual symbolism, morality and social structure among the Ndembu », *in* Diterlen et M. Fortes, *African Systems of Thought*, Oxford Univ. Press, 1965.

La nature des mythes

Pierre Smith

I. LE MYTHE ET LE RÊVE

Parmi les nombreux objets de la réflexion ethnologique, celui qui est proposé ici peut sembler, à première vue, le plus éloigné de la frontière entre le biologique et l'anthropologique, le moins apte à révéler une problématique bio-anthropologique. Le monde des mythes n'est-il pas celui de ces êtres sans corps que sont les dieux? Celui où les lois de la matière et de la vie sont abolies? Celui où la pensée paraît délivrée de toute contrainte et se montre capable d'engendrer des mondes, des monstres et des histoires dépourvus de racines?

Mais on pourrait en dire autant des rêves, et le détour par les rêves pourra peut-être nous faire apercevoir un raccourci imprévu. On sait en effet maintenant que le sommeil dépourvu de rêves n'est pas réparateur; si on réveille le sujet, animal ou humain, dès qu'apparaissent les signes de la phase paradoxale, support de l'onirisme, l'intolérance est très rapide; et on a constaté chez l'animal que cette suppression réitérée peut entraîner la mort. Rêver est donc nécessaire, autant que dormir, pour survivre. Or certains caractères des mythes, caractères qui les apparentent aux rêves, permettent de se demander s'ils ne sont pas une condition aussi indispensable au bon fonctionnement de la pensée éveillée que les rêves le sont à l'égard du sommeil.

Parce qu'ils ne se soumettent pas aux principes stricts qui régissent le monde réel, parce qu'ils s'évadent du système des coordonnées qui permettent d'ajuster la pensée au corps comme celui-ci l'est au monde extérieur, parce que les uns et les autres également apparaissent toujours comme des discours anonymes qui nous traversent et nous déterminent, parce qu'ils se proposent enfin au travail conscient de la pensée comme des messages qu'il faut interpréter plutôt que simplement les comprendre et y répondre, les mythes et les rêves semblent bien participer de ce qu'il y a de plus intime dans le fonctionnement de l'esprit. C'est là que se révèlent ses lois propres, imperméables jusqu'à un certain point à celles du monde objectif, et où chaque élément traité par les figures et les tropes de la poétique apparaît plus comme une unité de pensée que comme le reflet d'un trait du monde perçu.

Dans toutes les parties du monde, les sociétés semblent avoir pressenti que les mythes et les rêves sont gros de ce qu'il y a de plus significatif dans la destinée humaine, et le lien entre l'interprétation des rêves et la référence aux mythes est présent, avant même la naissance de la psychanalyse, dans ce qui peut être considéré comme la première théorie proprement ethnologique du mythe, la théorie animiste proposée au cours de la seconde moitié du XIXᵉ siècle par E. B. Tylor notamment. Pour lui, ce sont les illusions du rêve qui ont engendré la croyance aux âmes et aux esprits dont tout, aux yeux des « primitifs », serait peuplé. Les mythes sont, dès lors, conçus comme le fruit de croyances résultant elles-mêmes d'une analyse confuse de la réalité. Pour expliquer le passage à la forme narrative, Tylor reprend à son compte l'argument de Max Müller et des « naturalistes » qui pensaient que les dieux et les autres héros de la mythologie devaient toujours être interprétés comme des personnifications de forces naturelles, personnifications qui s'expliqueraient à leur tour par cette sorte de « maladie du langage » qui, doublant en quelque sorte l'infirmité de la pensée, permet de faire d'objets inanimés les sujets de verbes propres à décrire des actions humaines (exemples : le soleil se lève, l'été arrive, etc.).

Cette hypothèse, on le voit, s'inscrit dans le cadre des théories évolutionnistes de l'époque, lesquelles, faisant de contemporains exotiques les représentants d'un stade archaïque, installaient entre eux et nous toute la distance nécessaire pour que les questions qu'on se posait à leur propos ne puissent nous être retournées. On touche là du doigt, en fait, un des effets permanents de la fonction des mythes, à savoir qu'on ne reconnaît jamais comme tels que ceux des autres. Les évolutionnistes concevaient donc les mythes à la fois comme un effort intellectuel pour expliquer le monde et comme la manifestation d'une pensée confuse, primitive, irrationnelle, « embryonnaire » pour citer Frazer. A leurs yeux, les prétendus primitifs étaient comme nous doués de curiosité intellectuelle, soucieux de comprendre et d'expliquer — et c'est un acquis positif qui sera parfois oublié par la suite —, mais, absorbés dans les illusions du rêve et des croyances animistes, ils étaient condamnés à se satisfaire de ces mythes qu'un minimum de respect pour l'expérience aurait pu discréditer aussitôt. Il était clair en tout cas que la pensée mythique n'était plus le fait de nos civilisations, et que c'était là justement un des traits essentiels qui nous permettaient de nous distinguer de ceux qui n'en avaient pas encore émergé.

Pour situer tout à fait cette perspective, il faut se souvenir que la mythologie avait d'abord été depuis toujours la mythologie grecque et que l'on pensait donc pouvoir dater précisément l'abandon de la pensée mythique pour une nouvelle forme de pensée puisque les Grecs eux-mêmes avaient conçu le passage de l'âge archaïque à l'âge classique comme celui du *mythos* au *logos*, du discours de l'illusion fabulatrice à celui de la rigueur et de la vérité.

Voyant arriver de toutes les parties du monde des récits fantastiques qui, à la fois, semblaient laisser libre cours à toutes les ressources de l'imagination et, en dépit de la diversité des thèmes et des lieux de collecte, présentaient des similitudes profondes et surprenantes avec ceux des mythologies de l'Antiquité, les fondateurs de l'anthropologie se sont donc crus en droit d'assigner à leur règne sur l'esprit une limite historique.

II. DU TERRAIN AUX THÉORIES

Cette opposition de deux stades de la pensée ne devait pas résister à la rencontre de ces théoriciens et de leur objet, à l'arrivée des ethnologues sur le terrain. Ceux-ci venaient non plus seulement pour recueillir des matériaux comme l'avaient fait leurs prédécesseurs amateurs, missionnaires, voyageurs, administrateurs, etc., mais pour s'interroger sur le statut épistémologique de ces matériaux et, notamment, pour cerner l'impact du symbolisme dont ils sont pleins dans la vie quotidienne d'une communauté. Il ne leur fallut pas longtemps pour se rendre compte que ces gens, une fois qu'on avait accepté d'apprendre leur langue et de vivre avec eux, semblaient être autant que nous de plain-pied avec la réalité, même si celle-ci différait sur certains points de celle qui nous est familière. Aucune insuffisance intellectuelle ne venait entraver l'efficacité des rapports de ces hommes avec leur milieu; ils ne confondaient pas les rêves avec la réalité, ni les choses avec les mots, et ils savaient tirer parti de l'expérience. Rien dès lors ne pouvait plus justifier l'hypothèse du recours inévitable à des récits fantasmagoriques pour soutenir les démarches d'une pensée mal assurée et d'une perception confuse.

Plusieurs choses faisaient cependant que les ethnologues ne pouvaient se désintéresser de ces récits en les ravalant au rang de purs jeux de l'esprit sans réelle pertinence. D'une part, leur existence est attestée dans toutes les sociétés qu'ils ont abordées, et d'autre part ce sont généralement tous les membres du groupe qui y adhèrent et s'y réfèrent. Cette double universalité impliquait une problématique anthropologique. En outre, les mythes entretiennent avec la démarche même de l'ethnologue une relation particulière qui ne pouvait manquer d'attirer son attention. En effet, la plupart du temps, on ne peut pas se faire raconter les mythes en demandant simplement, comme il est possible pour d'autres types de récits, qu'on vous les dise. C'est en posant alors de façon judicieuse les questions qui lui tiennent à cœur que l'ethnologue a le plus de chance de se voir confronté, en guise de réponse, à des récits mythologiques, ou du moins à des bribes de mythes. Ceux-ci se présentent alors comme l'explication, fournie par la société elle-même, des problèmes soulevés par la démarche sociologique : Comment s'est constituée la société? Quel est le sens de telle ou telle institution? Pourquoi telle fête ou tel rite? A quoi répondent les interdits? Qu'est-ce qui soutient le système de valeurs propre à ce groupe? D'où le pouvoir tient-il sa légitimité? Comment se définissent les rapports entre les hommes et le monde des dieux, ou des esprits, ou des ancêtres? A quoi correspondent les prérogatives de tel sexe, telle classe d'âge, tel clan, telle caste, telle catégorie de parents?

Faut-il alors considérer la pensée mythique comme une rivale de la pensée scientifique? Et va-t-on les laisser simplement en concurrence ou s'efforcera-t-on au contraire de ramener l'une à l'autre? Alors que la première solution était celle, brièvement évoquée, des évolutionnistes, la seconde, qui peut aller dans l'un ou l'autre sens, s'incarna ensuite dans deux attitudes parfaitement opposées.

Pour les fonctionnalistes et, notamment, pour B. Malinowski, le premier des ethnologues à avoir tiré toutes les conséquences de l'expérience du terrain (îles Trobiand, Mélanésie), le discours mythologique est à saisir dans son contexte social, comme un élément parmi d'autres de ce qui fait la cohésion du groupe. Les mythes ont dès lors pour fonction, moins d'expliquer, de répondre à une curiosité de type scientifique, philosophique ou littéraire, que de justifier, de renforcer et de codifier les croyances et les pratiques qui constituent les ressorts de l'organisation sociale. Comme les autres institutions, les mythes s'expliquent uniquement par leurs fonctions dans l'organisation sociale; pour Malinowski, ils constituent « l'épine dorsale dogmatique de la civilisation primitive », ils en sont « la charte pragmatique ».

De cette conception, qui devait dominer toute l'anthropologie sociale britannique, découla en fait un profond désintérêt à l'égard du mythe. En effet, elle se refusait d'une part à prendre en considération et à expliquer l'énorme surplus de symboles, d'êtres imaginaires, de récits en apparence gratuits que contiennent encore les mythologies une fois qu'on en a extrait tout ce qui justifie l'ordre social; elle impliquait, d'autre part, qu'il n'y avait rien de plus à trouver dans les mythes que ce qu'on pouvait mieux appréhender dans l'organisation sociale elle-même par rapport à laquelle ils constituaient simplement un reflet utilitaire, une sorte de rétroviseur qui ne montrait rien de plus que le paysage qu'on venait d'avoir devant soi.

Prenant le contre-pied de cette position qui, refusant de voir en elle une rivale, réduisait la pensée mythique, de la façon la plus brutale, à l'explication supposée scientifique, d'autres ethnologues, et notamment, en France, M. Griaule et son école, choisirent d'y dissoudre leur propre pensée. Travaillant depuis le début des années 30 dans des sociétés soudanaises qui, tels les Bambara et les Dogon, semblent avoir développé de façon particulièrement réfléchie et systématique des modes de pensée fondés sur le mythe, l'analogie, les signes symboliques, les jeux des correspondances et l'ésotérisme initiatique, Griaule et ses disciples n'accordent la première place au terrain que pour consacrer toute leur attention et tous leurs efforts à la reconstitution d'une vision du monde cohérente, pétrie de symboles et se suffisant à elle-même. La première place dans cette perspective revient à l'étude des mythes, ou plutôt de la mythologie conçue comme un système cohérent et ordonné de mythes et de croyances diverses. Les mythes, et c'est un grand progrès, sont alors étudiés dans leur intégralité, et chaque détail doit trouver sa place dans l'interprétation d'ensemble, mais celle-ci n'est pas autre chose que les conceptions des Dogon et des Bambara figées par le regard et les questions pressantes de l'ethnologue. Dans cette optique qui renvoie tout aux mythes et qui considère que le symbole, l'analogie ou la métaphore constituent en eux-mêmes une explication, tout le jeu social n'apparaît plus que comme une mise en œuvre des mythes. L'opérateur qui permet de passer de récits fabuleux à la compréhension des pratiques sociales est constitué par des paliers initiatiques, des niveaux de la connaissance ésotérique, qui décodent progressivement et relient les uns aux autres les différents jeux de symboles contenus dans les mythes, les rites, les signes graphiques, l'architecture, les coutumes, les interdits, les objets, etc. Une fois initié, l'ethnologue, bien qu'il ait rapporté une très riche moisson, n'a finalement rien de plus à dire sur la société Dogon que ce qu'en disent les Dogon eux-mêmes, et la spécificité de chaque culture ainsi comprise exclut tout essai de comparaison et de généralisation, et donc toute perspective anthropologique véritable.

Ici, l'étude de la réalité sociale est négligée puisque celle-ci n'apparaît jamais que comme le reflet plus ou moins précis, l'aspect vécu de façon plus ou moins adéquate, des constructions idéologiques et symboliques contenues dans les mythes.

On voit assez combien pensée mythique et pensée scientifique semblent condamnées à se repousser ou à ne se rapprocher que pour s'anéantir mutuellement. Avant d'évoquer le pas décisif accompli grâce aux hypothèses et aux méthodes de l'analyse structurale, indiquons tout de suite comment Lévi-Strauss va résoudre ce dilemme : pour lui, il ne s'agit plus de faire passer la ligne qui sépare ces deux modes de pensée entre les peuples et les cultures, ni même entre les hommes différemment éduqués d'une même culture, mais à l'intérieur de chaque individu. A la pensée « sauvage » qui fonctionne selon ses lois propres dans les mythes, dans l'art, dans les rêves sans doute, etc., il oppose une pensée « domestiquée » qui, surveillée par la conscience, peut, dans les limites précises qu'elle doit s'assigner, pousser plus loin et plus rigoureusement l'analyse, obtenir et accumuler des résultats que la pensée sauvage, orientée vers une efficacité globale, soucieuse de tout saisir et de tout relier à tout, n'envisageait pas. Mais les prétendus sauvages ne sont pas plus dépourvus de l'une que nous ne le sommes de l'autre. Dès lors, si nous considérons qu'ils sont un des produits les plus typiques de la pensée sauvage, les mythes, ou ce qui en tient lieu, ne devraient plus être considérés comme l'apanage d'une partie des hommes seulement. « La pensée sauvage est logique, dans le même sens et de la même façon que la nôtre, mais comme l'est seulement la nôtre quand elle s'applique à la connaissance d'un univers auquel elle reconnaît simultanément des propriétés physiques et des propriétés sémantiques..., cette pensée procède par les voies de l'entendement, non de l'affectivité, à l'aide de distinctions et d'oppositions, non par confusion et participation » (Lévi-Strauss *la Pensée sauvage*, p. 355).

Disons tout de suite, sans qu'il soit possible d'entrer ici dans le détail, que ces propositions ont été vérifiées grâce à l'analyse structurale préconisée par Lévi-Strauss et appliquée par lui aux mythes des Indiens des deux Amériques.

Un des premiers résultats, en tout cas, de l'analyse structurale fut de démontrer que les mythes ne constituent généralement pas un reflet de l'organisation sociale. Déjà, dans ses études de mythologie comparée des peuples indo-européens, G. Dumézil, qui peut être considéré comme un précurseur en ce domaine, avait contre ses hypothèses de départ, été amené, par la rigueur même de ses analyses, à

reconnaître que l'idéologie des trois fonctions à laquelle il avait
démontré que se soumettaient tant de panthéons, de mythes, d'épopées
et de rites indo-européens, ne correspondait la plupart du temps à
rien de réel dans l'organisation sociale. Il fallait donc admettre qu'elle
ne reflétait rien d'autre que l'activité de l'esprit et constituait en fait
une sorte d'outil de l'intelligence, un instrument d'analyse qui
s'était finalement maintenu mieux que n'importe quelle institution à
travers les millénaires et les continents sur lesquels se sont dispersés
ces peuples. Lévi-Strauss, de son côté, devait démontrer que, dans bien
des cas, les mythes contredisent l'organisation sociale, ou se réfèrent
à l'organisation sociale de peuples voisins plutôt qu'à celle qui les
véhicule.

Ce qui est vrai pour l'organisation sociale l'est pour tous les autres
niveaux privilégiés auxquels on a depuis toujours voulu arrêter la
signification des mythes. Cette critique vaut aussi pour les interprétations psychanalytiques même si celles-ci se donnent l'avantage de
renvoyer finalement à un ordre de réalités aussi insaisissables par
définition que celui des dieux ; ceci ne veut pas dire que les relations de
parenté ne constituent pas un des types de références les plus universellement soumises au traitement mythologique, ni que leur probable
antériorité dans l'histoire mentale des individus ne leur confère pas une
importance toute spéciale. Il n'en reste pas moins que, dans la perspective de l'analyse structurale, elles ne constituent qu'un code parmi
d'autres, renvoyant aux autres codes comme ceux-ci renvoient à lui.

Bref, il n'y a pas de clef des mythes. Ceux-ci, pris dans leur ensemble,
cherchent moins à peindre le réel qu'à spéculer sur ses virtualités
latentes, moins à penser quelque chose qu'à faire le tour des frontières du pensable.

En conséquence, si la connaissance du contexte est souvent indispensable à l'analyse, le sens des mythes ne se tire pourtant pas de lui
mais de l'étude des agencements propres aux textes eux-mêmes. C'est
souvent, à l'inverse, les institutions, les pratiques, les interdits qui se
trouvent éclairés par l'analyse des mythes, même quand ceux-ci n'y
font pas allusion, car elle révèle les catégories et les types de rapports
sous-jacents sur lesquels s'est fondée la pensée qui a produit les uns
et les autres. Mais, de la même façon que les différents codes mis en
jeu dans les mythes renvoient indéfiniment les uns aux autres, chaque
récit mythique renvoie, avant toute chose, à d'autres récits mythiques
qui constituent ses variantes et qui eux-mêmes renvoient à d'autres
jusqu'à ce qu'au bout d'un long périple semé de transformations par
oppositions et inversions, on revienne au point de départ. « La terre
des mythes est ronde », a dit un jour justement Lévi-Strauss, voulant

par là exprimer la conviction que ce qu'il avait entrepris à l'échelle des deux Amériques pourrait être étendu à toute la planète et qu'on pourrait montrer ainsi que tous les mythes de toutes les sociétés ne constituent que « des séries illimitées de variantes oscillant autour des mêmes armatures » (*l'Homme nu*, p. 571). Or, pour Lévi-Strauss, ces armatures entretiennent un rapport intime avec celles de l'esprit humain lui-même, c'est pourquoi les mythes « permettent de dégager certains modes d'opération... si répandus... qu'on peut les tenir pour fondamentaux et chercher à les retrouver dans d'autres sociétés et dans d'autres domaines de la vie mentale où on ne soupçonnait pas qu'ils intervinssent » *(ibid.)*.

IV. LE MYTHE COMME RÉCIT

Le mythe, défini strictement, est d'abord un récit. De tous les genres littéraires, c'est celui qui se prête le plus facilement à la traduction car son intérêt réside avant tout dans l'histoire qui y est racontée et non dans la qualité du langage sur lequel il s'appuie.

L'intérêt de l'histoire racontée dans les mythes ne peut cependant être renvoyé à l'intérêt que pourrait avoir d'autre part un contenu qui serait indépendant du mythe et lié à des expériences humaines d'un autre type, puisque la plupart de ces récits ont pour personnages des êtres fabuleux qui n'ont pas de consistance en dehors des mythes eux-mêmes, et qu'on sait que le propre des actions mythiques est de contredire radicalement l'expérience en renvoyant le plus souvent à un temps primordial, un « temps mythique », qui est une pure construction de l'imaginaire.

Presque toutes les sociétés cependant opèrent une dictinction radicale entre les contes merveilleux, considérés comme des inventions et où tout le plaisir est pris aux jeux de l'imagination, et les mythes, récits sérieux par excellence et qui perdraient toute leur force si leur véracité indiscutable et éternelle était mise en question.

C'est donc comme récits explicatifs auxquels on se réfère quand un problème surgit, qu'on enseigne aux enfants pour en faire des hommes avertis, et d'où on tire ses motivations fondamentales, que les mythes font preuve d'efficacité. Or l'analyse montre que ce caractère sérieux des mythes résulte moins de l'aspect diachronique des actions évoquées que d'un ordre synchronique qui leur est sous-jacent et que les récits, dont l'effet est accordé au caractère linéaire du discours, ne font que déployer d'une façon comparable, pour reprendre une référence de Lévi-Strauss, aux développements d'un thème musical. Ainsi, à la lecture horizontale doit se superposer une lecture verticale qui, du

jeu des répétitions, dégage les oppositions pertinentes et les relie les
unes aux autres par des équations du type : le cuit est au cru comme
la parure est à la nudité; ou encore : la trop grande proximité du
soleil est à son trop grand éloignement de la terre comme une lune de
miel interminable est à une séparation trop prolongée, c'est-à-dire
comme le brûlé est au pourri.

Dès lors, si l'analyse structurale des mythes est adéquate, c'est-à-
dire si elle ne fait rien d'autre que révéler à la conscience des processus
mentaux qui sont à la base aussi bien de la création spontanée des
mythes que de leur efficacité sur l'esprit de ceux qui les écoutent, on
voit bien que tout l'intérêt de la chose réside justement dans la constitution de catégories, fondées le plus souvent sur une logique des
qualités sensibles, et engendrées par ce jeu sans fin qui consiste à
établir des correspondances entre un code culinaire, un code météoro-
logique, un code sociologique, etc., de façon que chaque personnage
ou objet évoqué dans le mythe s'inscrive dans l'esprit comme
incarnant un nœud de relations.

Une première conclusion à tirer est que le caractère narratif des
mythes est dissociable de leur nature profonde et n'est sans doute pas
indispensable à la fonction que les mythes assument. On connaît
d'ailleurs des sociétés sans écriture, en Afrique noire particulièrement,
qui n'ont pratiquement pas développé de mythologie, mais où des
bribes de commentaires d'un ensemble très riche de rites et d'objets
symboliques paraissent jouer le même rôle et sont justiciables du
même type d'analyse.

Il me semble que, si l'on voulait donner, sur le plan de l'expérience
individuelle, un exemple du fonctionnement des mythes à l'échelle
collective, on pourrait évoquer le rapport que chacun, pourvu qu'il
souffre d'un grain de mythomanie, entretient avec sa propre histoire.
Ici aussi, quand on mobilise sa mémoire, ce n'est pas un récit qui vous
est fourni aussitôt, mais des traits saillants, des moments privilégiés,
des visages, des noms, des gestes, des lieux que la pensée organise en
un ensemble cohérent, c'est-à-dire significatif. Si un interlocuteur
vous demande de lui livrer cela, il y a de fortes chances cependant
pour que vous le fassiez sous forme de récit avec l'espoir que, sous cet
ordre linéaire, il sera capable de saisir des rapports et un sens qu'il
semblerait incongru et gratuit de vouloir communiquer tels quels.
Pour convaincre l'auditeur, il faut donc lui fournir matière à se représenter votre vie, mais en le faisant de telle façon qu'il saisisse derrière
ces représentations des rapports moins facilement représentables du
genre « constance dans la volonté », « originalité des expériences »,
ou « marqué par la fatalité ».

On peut d'ailleurs penser que l'apparition de l'écriture, dans la mesure où elle fournissait un nouveau support à la représentation de concepts et de notions qui restaient autrement très évanescentes, a contribué à faire reculer l'imagerie mythologique au profit de formes symboliques plus insidieuses. Il suffit cependant de se tourner vers la publicité pour constater combien on doit nous raconter et nous faire voir de choses pour nous faire saisir l'intérêt que nous avons à faire tel ou tel choix.

V. ASPECTS DE LA FONCTION DES MYTHES

Si l'on se demande maintenant à quoi répondent les mythes, il faut d'abord constater qu'à la différence de beaucoup d'autres genres littéraires, ils ne semblent pas faits pour enchanter simplement l'auditeur pendant la durée de leur récitation; c'est d'ailleurs ce qui explique que le langage le plus prosaïque puisse suffire à leur effet et qu'ils soient si aisément traduisibles en d'autres langues. Ils ne servent pas non plus à informer l'auditeur sur un état de fait, comme le feraient des nouvelles propres à intéresser des gens parce qu'elles affectent le milieu où ils vivent et appellent des réactions, jugements ou décisions. Ils ne disent pas non plus grand-chose d'intéressant sur l'état du monde en général puisqu'ils évoquent le plus souvent d'autres mondes ou d'autres temps. Il est pourtant évident que, plus que tout autre genre, ils visent à inscrire quelque chose dans l'esprit et que leur nature de genre collectif par excellence, puisqu'il est à la fois d'origine anonyme et reçu par tous, veut que cette inscription se fasse de façon identique chez tous les individus d'une même culture. On pourrait même dire, d'un certain point de vue, qu'une culture ou, dans les civilisations complexes, une sous-culture, ne peuvent mieux se définir que par la collectivité des gens qui partagent les mêmes mythes; mythes qui conditionnent à leur tour toutes leurs autres productions et attitudes. Ce que les mythes inscrivent dans l'esprit ne peut donc guère être autre chose que des « façons de penser ».

A cet égard, comme le suggère l'exemple de l'autobiographie évoqué plus haut, ils entretiennent un rapport privilégié avec la mémoire. On peut même dire que ce que retient le filtre de la mémoire livrée à elle-même ressemble généralement à des mythes, et ceci est d'autant plus apparent dans nos civilisations écrites où le déchet dans ce qui est lu est énorme. En effet, que retient-on sans effort, après l'avoir lu en entier, d'un gros livre comme *Guerre et Paix?* Le plaisir qu'on en a tiré ne s'évoque qu'incarné dans des noms de personnages qui se définissent chacun par les relations qu'ils entretiennent avec tous les autres, relations qui ne sont que des « façons de penser » et qui s'expriment à leur tour dans des actions et des interactions propres à les faire saisir. Or n'est-ce pas là exactement ce qu'à l'origine l'auteur devait avoir en tête pour pouvoir engendrer ce monstre apte à communiquer une vision du monde?

Ce qui est vrai du roman l'est aussi d'un livre d'histoire, d'une œuvre d'idéologie politique, d'un ensemble de poèmes au-delà du souvenir de la musique des mots, et même d'un ouvrage de vulgarisation scientifique dans la mesure où il contribue à compléter ou à modifier notre vision de la cohérence des choses.

Pour qu'une œuvre, toujours individuelle au départ, commence à prendre les caractères du mythe, il faut et il suffit que la collectivité accepte d'abord de la retenir et d'être d'accord ensuite pour s'y référer. A ce point, comme l'écrit Lévi-Strauss, « on ne discute pas les mythes du groupe; on les transforme en croyant les répéter » (*l'Homme nu*, p. 585).

A cet égard, et en relation avec les exigences de la mémoire, le mythe entretient certains rapports privilégiés avec le nom propre qui, lui non plus, une fois convenu, ne se discute pas et qui est le point à partir duquel peuvent s'évoquer de nouveau toute une série de souvenirs. Aussi ces façons de penser qu'inscrivent les mythes dans l'esprit s'incarnent-elles d'abord dans des noms de personnages qui ne sont la plupart du temps que des concepts, des catégories, des synthèses d'éléments, des allégories de notions morales, des représentants de nœuds de relations. Un dieu est toujours un dieu de quelque chose, ou même de plusieurs choses, et il n'est rien, dans les mythes, qui ne puisse devenir nom propre et divinité.

Sans ces noms, sans ses mythes, une société serait comme l'amnésique total qui ne pourrait même pas se souvenir de son identité et qui devrait, avant de pouvoir agir ou communiquer quelque chose de sensé, s'interroger sans cesse sur l'état des choses, ou renoncer à se sentir exister. Ou encore, pour revenir de façon imagée à la notion de vision du monde, comme quelqu'un qui s'efforcerait de comprendre une carte géographique sans avoir aucune idée des conventions qui ont présidé à sa confection.

La carte géographique, comme les autres productions de la culture, répond au fait que la fonction symbolique propre aux hommes exige d'eux qu'ils se tendent sans cesse vers ce qui est au-delà de ce qu'ils perçoivent. A ce niveau, ils ne peuvent plus compter sur l'ajustement naturel qui s'opère par les sens entre le corps et le milieu où il évolue. Au-delà de la ligne d'horizon, il ne suffit plus de montrer; il faut construire, reconstituer. Pour cela, il faut au préalable s'entendre sur un certain nombre de conventions qui, tout en comportant une part d'arbitraire, doivent cependant constituer un code propre à servir de médiateur à l'adéquation de la représentation et de la réalité représentée. Or le dessin ne peut qu'utiliser des éléments qui sont déjà des propriétés physiques du monde auxquelles il confère des valeurs sémantiques : lignes, couleurs, formes concourant à se ramener elles-mêmes à la dimension humaine.

La pensée mythique, en s'efforçant de construire les modèles non seulement de ce qui n'est pas perçu mais de ce qui n'est pas perceptible et dont l'appel se fait sentir par l'exercice même d'un sens dépassant les frontières du corps, ne procède pas autrement. Jetant à la fois les bases de la signification et de la communication, ces modèles servent à constituer et à inscrire dans l'esprit le système de catégories où s'enracinent simultanément les dimensions du culturel, du social et du psychologique.

Tout comme les systèmes de coordonnées du cartographe, ils visent à intégrer des informations innombrables dans un plan de représentation qui donne au monde une identité et à la terre un nom.

Or une des exigences fondamentales de la pensée pour effectuer ce travail, exigence que toutes les analyses de Lévi-Strauss ne cessent de mettre en relief, est de fonctionner sur du discontinu, non seulement en marquant des écarts qui sont déjà donnés par la nature (exemple : l'homme et la femme, le ciel et la terre), mais aussi en en creusant de nouveaux au sein du continu (exemples : nature et culture, nous et les autres). C'est à ce travail qu'on doit sans doute le caractère extravagant et emphatique des thèmes mythologiques. Comme le dit Dan Sperber, il faut créer des monstres pour éliminer les hybrides. Ainsi, sur la carte, quelques points culminants comme l'Olympe deviennent des monstres ou des divinités qui permettent de se passer de l'impossible représentation de toute une foule d'intermédiaires.

C'est dans l'opération qui consiste à marquer et creuser les écarts que se trouvent les possibilités de variations des systèmes mythologiques : on peut décider que la mer sera bleue et la terre verte, ou au contraire la mer verte et la terre brune, que les différences de relief apparaîtront grâce aux couleurs ou grâce au dessin; on peut choisir de faire voir la Terre plate ou ronde, ou de n'en représenter qu'une partie, à telle ou telle échelle, et d'y marquer plutôt le réseau oro-hydrographique, ou le réseau routier, ou les divisions politiques, etc. On pourra ensuite essayer de comprendre les divisions politiques grâce au réseau oro-hydrographique et le réseau routier grâce aux deux premiers. Toute chose, comme le dit Lévi-Strauss à propos de la cuisine, « étant aussi bonne à penser », elle permet, une fois pensée, et tout en restant fidèle à sa logique propre, d'en penser d'autres. Mais les variations infinies que tous ces jeux permettent n'empêchent pas que, dans la mesure où le travail de la pensée correspond à quelque chose dans l'organisation du monde, toutes les mythologies aient, malgré leurs différences, et autant que toutes les cartes de géographie, un profond air de ressemblance.

Les différences entre les variantes d'un même mythe et entre les variantes de ces variantes et ainsi de suite obéissent cependant, elles aussi, aux exigences du discontinu. Un mythe ne se transforme pas par variations insensibles mais, comme le montrent d'un bout à l'autre les *Mythologiques*, par oppositions et inversions, en prenant le contre-pied ou en faisant le contrepoint d'un autre. C'est sans doute ce qui explique que, même si, sur le plan du langage, les mythes sont le plus traduisible des genres, sur le plan de l'adhésion de la pensée, ils le soient le moins, car ce sont non seulement les peuples lointains, mais même les plus proches voisins qui montrent une fâcheuse tendance à contester vigoureusement vos mythes.

VI. LE MYTHE COMME CROYANCE

Le paradoxe des mythes réside en ceci que, si l'on demandait à un ethnologue de dire la façon la plus empirique dont il peut s'y prendre pour reconnaître les mythes parmi tous les récits que la société qu'il aborde lui propose, et notamment pour les distinguer des récits historiques d'une part, des contes d'autre part, il dirait, je pense, que, à la différence de ces derniers qui sont présentés comme de pures inventions propres à égayer l'esprit, les mythes sont tenus pour vrais alors que, contrairement à ce qui se passe pour les récits historiques, ils ne contiennent pourtant, aux yeux de l'observateur étranger, pratiquement rien de vraisemblable.

On a déjà signalé certaines des raisons possibles de ce caractère fantastique des mythes, mais cela ne suffit pas à justifier l'adhésion qu'on leur accorde et qui, dans certains cas, va jusqu'au fanatisme.

Ce paradoxe est illustré encore par le fait que le mot « mythe » est devenu dans nos langues synonyme d'erreur alors même que, là où il fonctionne, le mythe est considéré comme le lieu par excellence de la vérité. Ce glissement montre à quel point les mythes auxquels on se réfère sont toujours les mythes des autres et combien le fondement mythique de sa propre pensée reste en dehors des atteintes dissolvantes de la conscience. Il y a là quelque chose de comparable à la pratique d'une langue : celui qui apprend à parler, comme d'ailleurs celui qui est en train de parler, ne peut mettre en question l'arbitraire du signe, il est tenu d'assumer que, comme on le lui a appris, il y a quelque part, malgré les apparences, un rapport étroit entre tel ensemble de sons et tel objet qu'on désigne; de même, celui qui apprend à penser, comme celui qui s'y exerce, ne peut mettre en doute ce qui est mise en place même de la pensée. Dans la mesure où le sens est un effet que l'esprit se produit à lui-même, le noyau arbitraire irréductible des positions de départ de l'envol de la pensée doit rester enfoui dans l'inconscient.

Cette nécessité de l'adhésion est encore renforcée par le fait que c'est de ce lieu arbitraire même qu'on tire le moteur non seulement de la réflexion, mais aussi du désir, de la volonté, de l'action. L'analyse des mythes ne révèle certes rien d'autre qu'un ensemble de dispositifs symboliques peu propres, en eux-mêmes, à engager l'action ou le désir dans un sens ou dans un autre. Mais, en pratique, de la même façon que la pensée a besoin du langage et doit se soumettre à ses exigences pour s'actualiser, l'efficacité de la pensée mythique ne se fait sentir qu'à travers l'usage idéologique qu'on tire de son symbolisme, usage où se cristallise l'adhésion et qui peut faire découler d'un même dispositif, neutre en soi, des attitudes inexorables parfaitement opposées.

Si la fonction des mythes est bien celle qu'on vient de désigner, elle est évidemment universelle et rien ne permet de supposer qu'aucune civilisation puisse se dispenser de mythes ou de leur équivalent. Pour les repérer, on peut d'abord, dans une civilisation complexe comme la nôtre, se référer à la relativisation des positions qu'opère chaque sous-culture face aux autres en les accusant de s'abandonner à des mythes : ainsi le marxiste face au chrétien, l'artiste face à l'homme d'affaires, une génération face à une autre, et réciproquement. Il faut ensuite considérer que les mythes s'insèrent toujours dans un système de genres écrits ou oraux qui diffère selon les cultures et qui influe sur la forme particulière qu'y prennent les mythes eux-mêmes. Les sociétés qui se conçoivent comme immuables et ne retiennent rien de leur histoire auront une mythologie dont l'axe se situe autrement que dans une société où l'histoire est mise en premier plan. Tous les genres, aussi bien les genres littéraires que l'histoire, l'idéologie politique, la philosophie, etc., entretiennent un rapport direct avec la pensée mythique qui façonne les significations dont ils sont porteurs [1].

---

1. A cet égard, une galerie de grands hommes a tous les caractères d'un panthéon. Les contenus de la Bible et des *Évangiles*, mais aussi de l'Histoire en général, telle

Il faut bien voir enfin que la frontière entre pensée sauvage et pensée domestiquée passe à l'intérieur de la pensée scientifique elle-même qui, en nous proposant des schèmes du même ordre, nous permet de nous appuyer sur quelque chose pour discerner la part du mythe dans tout le reste. Révélatrice à cet égard est la lecture du célèbre ouvrage de Lucien Fèbvre, *le Problème de l'incroyance au* XVIᵉ *siècle, la Religion de Rabelais*, où il est démontré que des esprits aussi robustes que ceux de Rabelais et de ses contemporains ne pouvaient guère avoir sur le problème de la religion que des opinions peu dissolvantes, car ils venaient avant les conquêtes de l'esprit critique et scientifique, conquêtes qui ont permis finalement de croire à autre chose, comme le *logos* se mettant à la place du *mythos* au moment même où il le reconnaissait pour tel.

Pensée mythique et pensée scientifique ont beaucoup de choses en commun. Toutes deux cherchent, en saisissant des rapports au-delà du perceptible, à trouver l'adéquation de la pensée et du monde. Mais alors que la pensée sauvage, privilégiant le sémantique et forgée à l'écart des sophismes, se contente de consommer, insouciante, le monde selon ses besoins, la pensée domestiquée, se faisant violence en privilégiant tant bien que mal le physique, se donne à consommer au monde. Il n'en reste pas moins que la bête domestiquée ne peut accomplir sa fonction que si elle a d'abord payé son tribut à la nature en appuyant sa vitalité sur une nourriture adéquate. Ainsi, comme il est vrai que, pour l'ethnologue, comprendre une culture c'est d'abord comprendre ses mythes, faudra-t-il peut-être, pour rendre pleinement justice à la science, savoir reconnaître la part de mythe qui est en elle.

VII. CONCLUSION

Reste enfin la dernière violence, celle qui consiste pour la pensée à se donner à consommer à cette partie du monde qui est elle-même et à retrouver là les fondements physiques du sémantique. En m'abandonnant aux métaphores, je sais trop bien que je n'ai fait tout au long

---

qu'elle est utilisée dans l'éducation ou pour expliquer ou justifier les choses actuelles, sont des mythes qui ont bien ce caractère de récits dont l'intérêt réside dans la cohérence sous-jacente qu'on y suppose et le crédit qu'on leur accorde lorsqu'on les considère non pas simplement comme des séquences d'événements passés mais, pour citer encore Lévi-Strauss, comme des « schèmes doués d'une efficacité permanente ».

rien d'autre qu'évoquer des « opérations qu'il appartiendra à d'autres sciences de valider plus tard quand elles auront enfin saisi les véritables objets dont nous scrutons les reflets » (*l'Homme nu*, p. 375). Ces reflets ont leur part d'ombre et de lumière : si l'on peut considérer que le rêve est le scintillement nocturne qui permet à la pensée de rester enfouie dans l'obscurité du sommeil, le soubassement des mythes est, lui, l'ombre que l'esprit se fait à lui-même pour pouvoir, sans s'aveugler, affronter l'éclat du jour.

Ainsi, c'est dans la mesure exacte où le mythe et le rêve s'opposent à la réalité qu'ils permettront de repérer le gué par où la pensée rejoint le corps et de ramener la science elle-même à son lieu d'origine.

Bibliographie

1. G. Dumézil, *Mythe et Épopée*, t. I, Paris, Gallimard, 1968.
2. L. Fèbvre, *Le Problème de l'Incroyance au* xvie *siècle*, Paris, Albin-Michel, 1947.
3. M. Griaule et G. Dieterlen, *Le Renard pâle*, Paris, Travaux et Mémoires de l'Institut d'Ethnologie, 1965, vol. 72.
4. E. Leach, *The Structural Study of Myth and Totemism*, Londres, Tavistock ASA Monographs, 1967, no 5.
5. C. Lévi-Strauss, *Anthropologie structurale*, Paris, Plon, 1958.
6. C. Lévi-Strauss, *La Pensée sauvage*, Paris, Plon, 1962.
7. C. Lévi-Strauss, *Mythologiques*, Paris, Plon.
   I. *Le Cru et le Cuit*, 1964. II. *Du miel aux cendres*, 1966. III. *L'Origine des manières de table*, 1968. IV. *L'Homme nu*, 1971.
8. B. Malinowski, *Magic, Science and Religion*, New York, Anchor Books, 1954.
9. P. Maranda, *Mythology*, Londres, Penguin Books, 1972.
10. J. Middleton, *Myth and Cosmos : Readings in Mythology and Symbolism*, New York, American Museum of Natural History, 1967.
11. E. B. Tylor, *Primitive Culture*, Londres, Murray, 1871, 2 vol.
12. J. P. Vernant, *Mythe et Pensée chez les Grecs*, Paris, Maspero, 1965.

Quelques remarques
sur le culte du crâne

Henri Gastaut

Ce bref exposé concerne la notion d'universalité des comportements symboliques et rituels. Cosnier écrit : « Les comportements symboliques et rituels qu'on pensait spécifiquement humains ont des antécédents chez les oiseaux et les mammifères. Il est bien évident que l'espèce humaine n'a pas inventé les comportements de cour et de soumission, la structuration hiérarchique du groupe, la notion de territoire. » Je suis parfaitement d'accord avec ces exemples, mais je pense qu'il n'en existe pas moins des comportements rituels qui sont spécifiquement humains. Et je pense essentiellement aux rites de passage, aux rites d'initiation et aux rites funéraires. C'est d'ailleurs ce que reconnaît Edgar Morin lorsqu'il affirme que le seul legs que les néanderthaliens nous aient fait, à nous, sapientoïdes, c'est la sépulture, ou plutôt les rites funéraires dans leur ensemble. Le culte du mort ou de la mort était extrêmement développé chez les néanderthaliens (je renvoie pour cet aspect du problème aux travaux de Leroi-Gourhan). Je suis même convaincu qu'avant les néanderthaliens le culte de la mort existait déjà sous la forme du culte du crâne. On a beaucoup discuté pour savoir s'il avait existé un culte du crâne dans la préhistoire. On a supposé que les accumulations de crânes humains sont accidentelles, le crâne étant plus résistant que les os longs, ou encore que les accumulations de crânes d'animaux sont les restes des gibiers mis en réserve ou, lorsqu'ils sont placés en rond, les vestiges des bas-côtés d'une tente. Aujourd'hui, je crois que tout le monde est d'accord pour admettre que le culte du crâne a été pratiqué dans la préhistoire depuis très longtemps. Il semble que le premier exemple se trouve chez le sinanthrope, qui a laissé des crânes à trou occipital élargi, portant des traces de carbonisation et où certains auteurs ont voulu voir les premières manifestations d'un cannibalisme rituel par extraction et consommation du cerveau. Personnellement, je le crois, mais je veux bien admettre

que certains en doutent. Chez les anténéanderthaliens, la chose
devient plus difficilement discutable si l'on considère le crâne
à trou occipital élargi de l'homme de Tautavel, ainsi qu'en
témoignent les travaux de M. de Lumley. Chez les néanderthaliens, c'est l'évidence même, pour qui a vu les crânes de l'homme
de Djebel Irhoud et de l'homme de Ngandong (les travaux de
von Kœnigswald sont formels à ce propos), et, surtout, le crâne
de l'homme du mont Circé : ce dernier, posé sur sa calotte,
avec son trou occipital largement évasé et la blessure de la
région frontale qui a entraîné la mort, est entouré de pierres
disposées en rond; il constitue un véritable ex-voto placé au
fond de la grotte et ne laisse aucun doute, pour des raisons que je
développerai tout à l'heure, sur le fait qu'il y a eu cannibalisme
rituel, et présentation du crâne. Chez *Homo sapiens*, les exemples
deviennent multiples : au paléolithique supérieur, ce sont les
crânes isolés présentés sur une dalle à la grotte du Placard ou à
la grotte des Hommes. Au mésolithique, c'est l'accumulation
de crânes dans des fosses et le recouvrement d'ocre rouge
— il suffit d'avoir vu les photos, puisque malheureusement il ne
reste plus que cela — des Puits d'Ofnet, où l'on voit vingt-sept
crânes dans un puits, six dans l'autre, recouverts d'ocre rouge
et tous tournés vers l'ouest, pour que la notion de culte du crâne
ne soit même plus discutable. Au néolithique, enfin, c'est une
explosion magnifique puisque la conservation du crâne aboutit
aux premières œuvres d'art funéraire, réalisées par les populations de la vallée du Jourdain, à Jéricho. Ces populations ne
connaissaient pas encore la poterie, il y a 8 000 ans, mais elles
savaient déjà calciner le gypse pour obtenir le plâtre nécessaire
au surmodelage du crâne de leurs ancêtres. Il ne me paraît pas
excessif d'écrire que certains de ces crânes surmodelés et décorés
de coquillages sont aussi beaux que les plus belles œuvres de la
période grecque archaïque.

L'ethnologie comparée nous apprend enfin que, de nos jours,
le culte du crâne s'est continué dans des conditions analogues,
sinon identiques à celles de la préhistoire. C'est ainsi qu'au cours
des doubles funérailles, en Mélanésie et en Micronésie, le mort
est exposé jusqu'au moment où la décomposition des chairs
permet le détachement du crâne qui est conservé tel quel ou
bien décoré, ou encore surmodelé avec de la terre glaise. Le
cannibalisme rituel, concernant des défunts (endocannibalisme)
ou des victimes (exocannibalisme), persistait encore il y a quelques années chez ces mêmes peuplades et débutait toujours par

la consommation du cerveau (il était extrait de la boîte crâ-
nienne après l'élargissement du trou occipital).

Dans une exposition que j'ai faite récemment sur le culte
du crâne [1], j'avais fait placer des moulages du crâne de l'homme
du mont Circé et d'un crâne de Ngandong à côté de crânes
récents de Papouasie traités de façon identique par élargissement
du trou occipital; j'avais également placé un crâne surmodelé
de Jéricho à côté d'un crâne surmodelé récent de Nouvelle-
Guinée du Nord. Il était difficile de ne pas demeurer stupéfait
devant l'identité de ces objets, impliquant l'identité ou au moins
l'analogie du comportement d'hommes qui vivaient aux anti-
podes à plusieurs milliers ou dizaines de milliers d'années
d'intervalle.

Il ne faut d'ailleurs pas se limiter à envisager les seules peuplades dites primitives, car les doubles funérailles persistent
encore dans les pays les plus civilisés. C'est ainsi qu'en Autriche,
dans la région de Salzbourg, on procède tous les quinze ou
vingt ans à l'exhumation des corps et au détachement du crâne,
qui est seul conservé après qu'on y a inscrit le nom du défunt
avec ses dates de naissance et de mort. N'a-t-on d'ailleurs
pas le droit d'évoquer le cannibalisme rituel à propos de la communion chrétienne : « Voici ma chair, voici mon sang », et
n'a-t-on pas le droit d'envisager les doubles funérailles en pensant aux messes d'anniversaire après lesquelles la veuve aban-
donne ses vêtements de deuil?

Pour en finir avec ce thème, on me pardonnera d'avoir cherché tant d'arguments pour démontrer une évidence : le caractère spécifiquement humain du rituel funéraire, qui est immé-
morial.

1. *Le Crâne, objet de culte, objet d'art*, musée Cantini, Marseille, 1972.

CHAPITRE V

Remarques indisciplinaires et transdisciplinaires

Le complexe d'Adam
et l'Adam complexe

Edgar Morin

Les remarques qui vont suivre ne constituent pas à proprement parler ma communication. Celle-ci, « Le paradigme perdu : la nature humaine », après cracking et restructuration, s'est développée en un ouvrage paru sous le même titre (Éd. du Seuil, 1973). Il s'agit donc ici de reconsidérer à un second degré, avec un second regard, non seulement les problèmes clefs qui ont jailli dans cette partie du colloque consacrée à l'anthropologie fondamentale, mais aussi ma propre contribution, mon propre ouvrage, qui s'éloigne de son auteur et devient un objet qui va se perdre dans le lointain.

Les problèmes clefs : ils gravitent autour des têtes de chapitre :
ouverture bioanthropologique;
ouverture théorique (systémisme, cybernétique, etc.);
unicité ou spécificité anthroposociologique.

Pour ma part, je voudrais répondre à ces problèmes de la façon suivante :
l'ouverture bioanthropologique exige d'aller au-delà du biologisme et de l'anthropologisme;
l'ouverture théorique exige d'aller au-delà du cybernétisme et du systémisme;
le problème de l'unicité et de la spécificité de l'homme exige une épistémologie, une logique et une théorie de très haute complexité.

I. AU-DELÀ DU BIOLOGISME ET DE L'ANTHROPOLOGISME

Il faut bien comprendre que tout dialogue, tout échange était impossible entre biologie et anthropologie, non seulement tant que la définition de l'homme était fondée sur l'exclusion de tout ce qui était biologique, mais aussi tant que la biologie excluait les activités cérébrales, la communication, la société; tout échange était impossible lorsque le fondement du biologique

n'était autre qu'une essence mystérieuse, le principe vital, et
lorsque le fondement de l'anthropologique n'était autre
qu'une essence unique et incomparable : l'homme. Tout échange
était impossible en somme lorsque le biologique et l'anthropologique demeuraient deux domaines clos, substantialisés
(« réifiés »), c'est-à-dire tant que régnaient le *biologisme* et
l'*anthropologisme*.

Dans ce cadre, l'insuffisance d'une biologie, incapable d'englober l'homme, n'avait d'égale, et de corrélative, que l'impuissance
d'une anthropologie à englober la nature biologique de l'homme.

Une telle situation n'était pas le résultat d'une maladie infantile de la biologie ou de l'anthropologie; dans leur enfance,
au contraire, le biologique et l'anthropologique ne deman-
daient qu'à dialoguer, et la nature humaine était une notion
d'évidence; il s'agit au contraire d'une maladie de croissance,
qui couvre la fin du siècle dernier et se poursuit jusqu'en 1960.
Pour beaucoup, elle se poursuit encore. Tous ceux qui, dans les
sciences humaines, demeurent ignorants des innovations et modifications capitales surgies en biologie depuis les années 50, ne
peuvent s'imaginer qu'il s'agit d'autre chose que de reprendre
l'obsolète organicisme de Spencer, sortir des poubelles de
l'histoire de vieilles métaphores, ressusciter un rousseauisme
naïf. Eux naïfs.

*Car l'élément capital de ces dernières années est que le déblo-
cage de la notion de vie rend possible le déblocage de la notion
d'homme.* Le déblocage biologique s'est fait quasi simultanément
sur tous les fronts (pourtant, bien des biologistes, enfermés
dans leur sous-discipline particulière, en sont à peine cons-
cients); la biologie moléculaire, en ramenant les mécanismes
fondamentaux de la vie à des processus physico-chimiques,
mais originalement organisés, a substitué en fait la notion
d'organisation comme notion de base, à la fois à la notion onto-
logique de vie et à la notion empirique d'organisme. L'écologie,
en faisant de la notion d'écosystème son paradigme, révèle du
coup que les phénomènes apparemment désordonnés et aveugles
de la nature (« loi de la jungle ») ou que ses processus uniquement éliminatoires (« sélection naturelle ») doivent être considérés seulement comme des aspects, voire des cas limites, d'une
auto-organisation spontanée en système qui se constitue entre
toutes espèces vivantes au sein d'une même niche écologique et,
plus largement, dans l'ensemble de la biosphère. De son côté,
l'éthologie a découvert que les comportements animaux n'étaient

pas réglés par un « instinct » à la fois aveugle et extra-lucide, mais obéissaient à des règles de communication, que tout l'univers vivant bruissait et ruisselait de messages, c'est-à-dire que ce qui semblait strictement réservé à l'homme, produit par ses facultés cérébrales supérieures, la communication, était ce qu'il y avait de plus universel. Ainsi, à travers l'éthologie, la biologie commence à englober l'univers du psychisme et des activités cérébrales supérieures. Bien plus, elle a par là même découvert, à travers communication et échanges, l'existence de sociétés organisées là où l'on ne voyait que hordes.

De cela il faut dégager deux conséquences capitales.

La première est que, en même temps, de la biologie moléculaire, de l'écologie, de l'éthologie, de la sociologie animale, se dégage, certes de façon différente, *toujours la même notion centrale: organisation*. Organisation; disons plus : auto-organisation, puisqu'il s'agit toujours d'autoperpétuation, d'auto-production, d'autoreproduction. Et cette notion d'auto-organisation est toujours bipolarisée : d'une part sur quelque chose qui semble programmé, rigide, invariant : le dispositif génétique; d'autre part sur quelque chose de spontané, de changeant, apte à s'adapter, à se modifier par apprentissage, apte à improviser, voire à inventer : le dispositif phénoménal. Cette relation troublante, instable, entre le programmé et le spontané constitue dès lors un des aspects clefs de l'organisation vivante. Mais, du coup, nous voyons qu'à un autre niveau, et de toute autre façon certes, il s'agit aussi d'un aspect et d'un problème clef de l'homme et de la société humaine. Et nous voyons que biologie et anthroposociologie ont désormais un problème analogue : élucider les problèmes d'auto-organisation, ici des substances nucléo-protéinées, là des êtres humains (également nucléo-protéinés) et de leurs sociétés.

En plus de cette analogie des profondeurs — et il s'agit ici de la seconde conséquence annoncée —, il est bien évident que l'immense vide entre l'animalité et l'humanité se réduit quelque peu avec les découvertes éthologiques. Or les observations nouvelles de la primatologie et les découvertes, là encore concomitantes, de la préhistoire, doivent nous entraîner plus loin encore : en effet, les groupements de babouins, macaques, chimpanzés révèlent des organisations sociales complexes, où les relations entre castes comme entre individus sont à la fois complémentaires, concurrentielles, antagonistes. Les chimpanzés, nos plus proches cousins, témoignent non seulement d'une intelligence et d'une affectivité proches des nôtres, mais aussi d'aptitudes, faiblement utilisées dans leur vie forestière, au bipédisme, à la constitution et l'utilisation d'outils, à la chasse, et également d'aptitudes, qu'ont pu actualiser les expériences des Gardner et de Premack, non pas à la parole, mais au langage et aux opérations logiques élémentaires. Parallèlement, la préhistoire nous a révélé qu'il y a *n* millions d'années ont coexisté en Afrique des bipèdes anthropoïdes et hominiens, parmi lesquels les ancêtres de nos ancêtres, et que les derniers des singes comme les premiers des hominiens utilisaient déjà l'outil de pierre, faisaient des abris, pratiquaient la chasse. De toute façon, nous pouvons penser que l'aventure d'un petit bipède au cerveau de 600 à 800 cm³, ancêtre de l'homme, part d'un degré atteint, technologiquement et sociologiquement, par une ou plusieurs autres espèces primatiques.

Il est dès lors acquis que l'hominité n'est pas un îlot perdu dans l'immense océan, loin du continent biologique et animal. La dissipation du grand brouillard *laisse entrevoir la langue de terre qui dépéninsularise Adam*.

L'hominisation, processus à la fois biologique (qui part du petit bipède au crâne de 600-800 cm³ et aboutit à *Homo* dit *sapiens* de 1 500 cm³), psychologique, sociologique et culturel, est véritablement le problème clef qui révèle la relation entre le biologique, le sociologique, l'anthropologique dans sa profondeur et sa complexité. Là, on peut essayer de comprendre comment une évolution anthropo-culturelle s'enchaîne sur une évolution bionaturelle. Là, on voit que la relation nature/culture est non antagoniste, mais dialectique. Là, on peut supposer que non seulement la culture émerge d'un processus naturel, mais aussi que la culture, à son tour, intervient dans ce processus naturel : dans un premier stade d'hominisation, le développement bio-cérébro-sociologique fait émerger la culture ; dans un second stade, postérieur à *Homo erectus*, le développement juvénilisant et cérébralisant de l'hominien n'est possible que parce qu'il y a un berceau culturel, et le gros cerveau de *sapiens* n'a pu advenir, réussir, triompher qu'après la formation d'une culture déjà complexe ; dans un troisième stade, dès lors que la culture se développe et institue la règle d'exogamie et le tabou de l'inceste, les petites sociétés closes hominiennes, favorables à l'enracinement et à la propagation de déviations génétiques, c'est-à-dire à la constitution d'espèces nouvelles, font place à des sociétés ouvertes entretenant un brassage génétique, c'est-à-dire empêchant désormais la naissance d'espèces nouvelles : autrement dit, la culture *stoppe l'évolution biologique* après l'avoir accélérée, parce qu'évidemment elle a elle-même évolué, passant d'un certain stade organisationnel (société close) à un stade plus complexe (société ouverte); de plus, on peut présumer que l'exogamie favorise, accentue la variabilité et la différenciation d'individu à individu.

On pourrait encore multiplier, à partir de l'hominisation, les exemples, les problèmes qui, tous, nous disent qu'il faut lier ce qui avait été séparé, qui, tous, nous suggèrent que la voie de l'élucidation est non dans la disjonction, mais dans l'interaction et l'interférence de ce qui, jusqu'alors, avait été pensé isolément. Ce qui nous indique immédiatement que la liaison entre biologie et anthropologie doit entraîner non pas la simplification par réduction du complexe (humain) à un niveau moins complexe (biologique), mais au contraire *la découverte et la mise en œuvre d'une complexité encore jamais connue et reconnue dans les sciences humaines.*

La péninsularisation de l'homme, son rattachement au continent naturel, ne signifie nullement dissoudre ou diluer l'originalité de l'homme. Effectivement, bien des traits intellectuels, affectifs, sociaux, qu'on avait crus exclusivement humains, sont déjà présents dans d'autres espèces. Effectivement, on ne peut plus mettre au crédit d'*Homo sapiens* l'invention de l'outil, du langage, de la culture; mais, au contraire, il faut concevoir qu'*Homo sapiens* a été coproduit par le langage, l'outil, la culture qui se sont développés en cours d'hominisation. Toutefois, il est évident que l'*Homo sapiens* a apporté de prodigieux développements à la technique, à la pensée, à la culture, à la société, et là apparaît son trait spécifique de complexificateur. Mais son originalité ne peut se borner à un simple accroissement de l'aptitude complexifiante. Ou plutôt, celle-ci doit être reliée à un trait spécifique absolument original : le surgissement de l'imaginaire hors du domaine clos du rêve, le surgissement du mythe et la négation mythologique de la mort, tout cela en relation avec un cerveau non seulement plus riche en neurones que celui de tous ses prédécesseurs, non seulement doté de dispositifs nouveaux aptes à organiser de façon non préprogrammée mais stratégique l'expérience, les idées, l'action, mais aussi fonctionnant avec beaucoup de désordres, doté d'une très faible régulation, d'où une aptitude au délire et à la destruction comme au génie et à la création. Il y a manifestement une très grande originalité dans l'homme par rapport aux autres vivants, et ce caractère, il faut le dire, n'avait même pas été perçu par les vaniteux qui avaient cru distinguer l'homme de tout être vivant en le désignant comme *sapiens*. Son originalité est en effet plus grande : *homo* est à la fois *sapiens-demens*, et cette originalité est liée à sa complexité : la très haute complexité humaine, que j'appelle hypercomplexité, tient précisément dans la consubstantialité, la dialectisation, l'instabilité, à la limite l'incertitude entre ce qui, dans l'homme, est *sapiens* et ce qui est *demens*. On voit donc bien ici qu'en perdant son complexe d'Adam orgueilleux et solitaire, l'homme gagne encore plus d'originalité et une vraie richesse : la complexité adamique.

La tâche de l'anthropologie qu'il s'agit de construire est d'étudier cette complexité même.

La complexité anthropologique se situe donc à de multiples niveaux, et j'en indiquerai, à titre d'exemples, trois.

1. Au niveau le plus général, toute unité de comportement humain, toute parcelle de praxis, offre toujours une composante génétique, une composante cérébrale, une composante socioculturelle.

Ainsi, nous avons parlé du rêve, qui, évidemment, concerne essentiellement le système nerveux central et le fonctionnement cérébral. Mais Jouvet [1] nous dit aussi que le rêve pourrait bien être également un « message » génétique; d'autre part, comme Gastaut [2] l'a suggéré, le développement du domaine du rêve a pu être dû aux conditions de sécurité créées par l'hominisation (abris, feu), ce qui nous renvoie aussi bien aux conditions écologiques et à l'ontogenèse de l'humanité; par ailleurs, si tout cela réduit l'apport freudien, celui-ci ne s'en trouve nullement expulsé, c'est-à-dire que le rêve a sa dynamique dans l'interférence entre une logique du désir et une logique de la répression, ce qui nous renvoie à la culture et à la société; par ailleurs encore, il y a une sociologie du rêve (Bastide, Duvignaud). Prenons maintenant un exemple tout à fait différent, celui de l'adolescence. La façon dont Eisenberg [3] nous en a parlé nous la situe très exactement comme un nœud bio-anthropo-sociologique, puisque d'un côté nous avons un processus de maturation génétique, mais précocifié par les conditions bio-culturelles de notre

1. Cf. *l'Unité de l'homme*, t. 2, *le Cerveau humain*.
2. Cf. *l'Unité de l'homme*, t. 1, *le Primate et l'Homme*.
3. Cf. ci-dessus, p. 142-144.

civilisation, qui s'achève donc aujourd'hui vers l'âge de 12 ans, et, de l'autre côté, nous avons un processus socioculturel qui retarde de plus en plus l'accession à la maturité sociologique (on peut rester étudiant jusqu'à 25 ans), ce qui crée un hiatus de 10 ans entre maturité bio-cérébrale et maturité sociale. Voici un nécessaire point de départ bio-sociologique pour essayer de comprendre un certain nombre de phénomènes et de problèmes contemporains. Mais, jusqu'à présent, nous le savons, la sociologie répugne à considérer les bio-classes sociales, et la biologie est incapable de saisir autre chose que le processus physiologique et anatomique de maturation.

Bien entendu, ce point de vue complexe et multidimensionnel n'est pas requis pour toutes les études particulières. Si j'étudie les élections en France, je n'ai pas à faire intervenir le système génétique des électeurs. Si j'étudie la fonction glycogénique du foie, je n'ai pas nécessairement à faire intervenir les facteurs culturels (encore que ceux-ci interviennent très vite en ce qui concerne cet organe; je me souviens qu'hospitalisé au Mount Sinaï Hospital de New York, le médecin-chef amenait les visiteurs et les internes à mon lit pour admirer *a superb french liver*). Mais l'important est qu'il y ait dans chaque cas le cadre de référence virtuel. Autrement dit, le vrai problème est celui des disciplines, qui donnent toujours comme cadre de référence un découpage arbitraire et mutilant de la réalité. C'est pourquoi, à mon avis, les points de vue interdisciplinaires sont radicalement insuffisants, car ils ne font que juxtaposer non pas des pièces de puzzle en une figure d'ensemble, mais des entités aussi hétérogènes que les États aux Nations Unies; et, de fait, il ne peut y avoir entre disciplines que des accords diplomatiques et d'échange, et à la condition de respecter scrupuleusement le territoire du partenaire, c'est-à-dire justement ce qu'il ne faut pas respecter.

2. Au niveau sociologique, le problème d'une complexité nouvelle apparaît dès les sociétés archaïques. Ce qui caractérise cette complexité, c'est que le système social comporte une organisation économique et une organisation noologique (idéologique, mythologique) et que ces deux types d'organisation sont parties intégrantes du système social et interfèrent chacune avec tous les autres aspects du système. Or, contrairement à une interprétation schématique issue d'une mauvaise définition de la culture, *l'économie est une base de la culture, et non la base « autre » sur laquelle s'appuie et se développe la culture*. La culture,

c'est l'ensemble des savoirs, des normes, des règles (de l' « information », pour employer déjà ce terme dangereux) non génétiquement héréditaires, non produits spontanément dans la dialectique des relations interindividuelles, et qui ont donc besoin d'être transmis par apprentissage et éducation; ces savoirs, normes, règles assurent à la société une complexité de niveau supérieur à celle qui se serait formée spontanément entre individus non éduqués. On voit donc bien que le nucleus du problème de l'organisation de la complexité sociale se trouve dans le problème de la culture. C'est très justement que Lévi-Strauss et l'école straussienne ont mis l'accent sur l'aspect organisationnel de l'exogamie et des règles du mariage (mais négligent, comme je l'indique dans mon livre, p. 174-179, l'ampleur de la réorganisation micro-macro-sociale instituée par l'exogamie). C'est très justement que Godelier cherche à constituer un type systémique complexe intégrant l'économique et l'idéologique. Mais il ne faut pas sous-estimer les difficultés considérables qui l'attendent et nous attendent. La première est qu'il nous manque totalement une théorie des phénomènes noologiques, que l'on considère toujours comme de vagues superstructures, des reflets déformés des « choses réelles », sans essayer de comprendre leur nature et leur logique. Or je suis persuadé, à la suite d'Auger et de Monod, qu'il faut considérer l'univers des idées, idéologies, mythes, dieux issus de nos cerveaux comme des « existants », des êtres objectifs doués d'un pouvoir d'auto-organisation et d'autoreproduction, obéissant à des principes que nous ne connaissons pas, et vivant dans des relations de symbiose, de parasitisme mutuel et d'exploitation mutuelle avec nous [1]. Ceci peut sembler paradoxal, mais réfléchissons un peu : qu'est-ce que la société elle-même, sinon un gigantesque ectoplasme objectif constitué dans et par l'assemblage de cerveaux individuels, c'est-à-dire de sujets? Que ces sujets disparaissent, anéantis par un cataclysme atomique ou autre, et la société s'évanouit totalement. Il ne reste que des artefacts, analogues aux ossements fossiles des nécropoles. Ainsi, en ce qui concerne la société archaïque dont, contrairement à ce qu'on croit, *la théorie reste à faire*, nous avons un fabuleux champ de recherches; et, bien entendu, c'est toute la théorie sociologique qui reste à faire.

---

1. C'est exactement ce que traduit le culte que nous vouons aux dieux.

Du même coup, nous recevons une fois de plus une invitation à la complexité, et non la solution magique —, celle que beaucoup voudront trouver, et que l'on ne trouve *jamais*.

3. Le troisième niveau de complexité, qui doit s'introduire du reste comme dimension proprement originale parmi tous les autres niveaux de complexité, est celui qui est posé par la relation nouvelle entre ordre et désordre, entre destruction et création, entre sapience et démence, que l'homme introduit dans le monde.

A chacun de ces trois niveaux, nous sentons que nous avons besoin d'accorder, d'ajuster les uns aux autres les concepts issus des différentes disciplines; nous devons nous rendre compte que nous avons besoin de plus encore; nous avons besoin de concepts autres ou nouveaux, c'est-à-dire que nous avons un besoin *théorique*, et que le recours théorique est inévitable. François Jacob l'a dit : nous avons besoin d'une « théorie générale des systèmes organisés, qu'ils soient vivants ou non » (*Logique du vivant*, p. 193). C'est ici qu'apparaissent une incertitude et une divergence entre certains d'entre nous.

Nos amis biologistes, pour la plupart, pensent qu'il est beaucoup plus important et utile de déterminer des objets véritablement heuristiques pour des études bioanthropologiques que de chercher des théories, d'autant plus que celles-ci, comme le remarque Monod, risquent d'être triviales et inoffensives dans leur généralité. Il est bien certain qu'une théorie passe-partout risque toujours de s'ériger triomphalement en théorie générale. Mais l'effort théorique auquel je pense doit être beaucoup plus austère que celui de la recherche d'un cadre de référence global; il nécessite un dur labeur, un travail de forgeron sur les concepts fondamentaux et sur leur articulation. A mon avis, on ne peut poser en alternative la détermination d'objets empiriques des recherches et la recherche théorique elle-même; ce sont deux faces et deux phases de la même recherche. Dans l'histoire des sciences, l'objet précède parfois la théorie, mais aussi parfois la théorie précède l'objet. On sait bien que la théorie einsteinienne a précédé de loin ses possibilités de vérification; on peut voir qu'une théorie comme celle de l'information a pu être largement extrapolée hors de son domaine originaire et de façon utile (souvent aussi, nous le verrons, inintéressante). Le danger est la théorie désincarnée, comme du reste le fait sans théorie.

Donc, nous sentons qu'il ne suffit pas d'accoler biologie et anthropologie, nous sentons aussi que leur interaction, leurs interférences nécessitent des concepts communs et une théorie sous-jacente pour élucider *les fondements de la complexité*.

Ici se présentent trois propositions théoriques, la théorie de l'information, la cybernétique, la théorie des systèmes. En fait, ces trois propositions s'emboîtent l'une dans l'autre dans le sens suivant : la théorie de l'information s'emboîte dans la cybernétique, qui l'intègre et l'utilise dans une science plus large, celle du contrôle et du gouvernement des machines artificielles et naturelles; la cybernétique s'emboîte dans la théorie des systèmes qui prétend embrasser les systèmes vivants, leurs propriétés cybernétiques y compris. En fait, la théorie des systèmes n'est pas une théorie, mais un ensemble syncrétiste d'idées théoriques. Nous les verrons.

a) *La notion d'information*

Le concept d'information est employé couramment en biologie, notamment à partir du moment où le stock héréditaire inscrit dans l'ADN a été conçu comme un message ou un programme, non seulement d'autoreproduction, mais aussi de contrôle et gouvernement des activités phénotypiques (métabolisme). Mais, alors que pour les uns ce concept d'information n'est qu'un simple outil, pour d'autres l'information est une notion maîtresse qui commande tout l'ordre du vivant et, bien entendu, du social. Alors que le XIXᵉ siècle avait intellectuellement vécu sur la notion d'énergie, c'est bien l'information qui tend à devenir une notion aussi centrale dans le biologique que l'énergie l'est dans le physique.

Il me semble, comme à d'autres, que l'information est une notion capitale, dont on ne saurait désormais se passer. Mais c'est encore aujourd'hui une notion-problème et non une notion-solution.

Ici, il faut bien se méfier de la tendance à considérer l'information comme une substance de même statut épistémologique que l'énergie. L'information est une notion qui ne prend de sens que relationnellement, par rapport à un récepteur ou un observateur. L'information n'est pas une « chose », encore qu'elle soit inscrite dans des choses; elle a toujours besoin d'un observateur ou d'un sujet vivant pour se manifester. D'autre part, le seul aspect de l'information qui soit quantifiable et opérationnalisable, celui qu'a dégagé Shannon, met entre parenthèses ce qui est l'essentiel, intrinsèquement, de l'information, c'est-à-dire son sens. Je ne veux pas revenir sur les innombrables discussions et polémiques auxquelles a donné lieu ce concept, je veux simplement indiquer que font problème le fondement, le sens, la possibilité d'extrapoler le concept, hors de l'univers des messages proprement dits, dans tout un univers organisationnel biologique et sociologique. Mais ce n'est pas parce que le concept d'information fait problème qu'il faut le rejeter, au contraire : cette problématique révèle une richesse énorme, sous-jacente, qui voudrait prendre corps, forme, dans et par ce concept. S'il faut éviter que l'information soit réifiée, qu'elle devienne à son tour une « grue métaphysique », il faut aussi se livrer à une tâche d'approfondissement théorique sur ce concept radical. Radical parce que nous sentons qu'il concerne quelque chose qui est à la racine de notions aussi différenciées que mémoire, message, programme, norme organisationnelle. A mon avis, l'information n'est qu'une face — dont Shannon n'a dévoilé qu'une facette quantifiable — d'un phénomène aux multiples faces que l'on peut appeler selon l'angle considéré soit néguentropie soit auto-organisation, soit tout simplement « vie ». Je dirai que tout ce qui est néguentropie (auto-organisation, vie) peut apparaître en termes d'information sur un plan d'unités discrètes, isolables, quantifiables. L'information serait donc l'aspect « corpusculaire » d'une réalité également « ondulatoire », continue.

C'est dire par là que l'information, concept nécessaire, ne peut être conçue comme maître concept, car celui-ci ne nous révèle qu'un aspect limité et superficiel du phénomène plus général et complexe dont nous devons précisément chercher la théorie. Autrement dit, l'information n'est pas le concept terminus, c'est un concept point de départ.

b) *La cybernétique*

On a trop tendance aujourd'hui à ne plus voir que les aspects technicisés d'engineering dans la cybernétique, et, pour les sociologues, ce terme leur revient ou leur arrive par les lèvres minces des technocrates et la voix atone des ordinateurs. Mais c'est oublier l'importance de la cybernétique fondamentale, celle des Wiener, Ashby, reprise et méditée par certains comme

Magoroh Maruyama, Gottard Gunther, Jacques Sauvan. Cette importance, elle est dans la promotion de la notion de machine, qui cesse de s'identifier à nos artefacts pour devenir le terme générique concernant toute totalité organisée nécessitant alimentation en matière, en énergie et en information. La machine devient une unité complexe; c'est à partir d'elle seule que peuvent se comprendre ses propriétés et ses activités. A la différence de la physique classique, l'unité élémentaire la plus simple cesse d'être l'unité fondamentale à laquelle doit se raccorder tout le système d'explication; ici c'est l'unité complexe organisée. Voilà, certes, qui était déjà préfiguré par les concepts de « totalité » hégéliano-marxistes, mais ceux-ci étaient non opérationnels, ils étaient des pré-sciences. Voilà qui doit désormais révolutionner le champ épistémologique de l'anthropologie qui, en dépit des révolutions survenues dans toutes les autres sciences (thermodynamique, microphysique, physique générale, biologie), était resté celui de la physique préboltzmannienne du XIXe siècle!

Par ailleurs, la cybernétique propose des concepts opérationnels pour comprendre le fonctionnement de toutes machines (y compris biologiques et sociales) : les deux *feed-back* (le *feed-back* négatif qui annule toute déviation par rapport à la norme, le *feed-back* positif, qui au contraire accroît la déviation) nous introduisent aux notions centrales de régulation et de déviation; ils ont pu « coller » assez exactement sur le phénomène biologique d'homéostasie dégagé par Cannon dans les années 30, et « collent » également pour bien des phénomènes relevant de la machine vivante et sociale. Enfin, la cybernétique a mis au jour les notions de contrôle et de programme, dont on peut faire état aussi bien dans le domaine biologique que sociologique.

Donc, il nous semble clair que la cybernétique apporte des notions jusqu'alors introuvables dans les sciences physiques, et dont les sciences humaines, dans la mesure où elles sont restées dans un extrême paupérisme épistémologique, pourraient bien tirer profit, car elle leur apporte *des concepts de base plus complexes que ceux dont elles disposaient*.

Mais il est non moins évident que la cybernétique n'est à la hauteur, ni de la complexité biologique, ni *a fortiori* de la complexité anthroposociologique. Et, là encore, nous rejetons toute suffisance cybernétique, toute réduction à la cybernétique, considérant que la cybernétique, certes nécessaire, est radicalement insuffisante.

c) *La théorie des systèmes*

Comme je l'ai dit, il n'y a pas vraiment de théorie des systèmes, mais une vulgate où entrent bien des éléments cybernétiques-informationnels, plus des éléments originaux, dégagés par Bertalanffy notamment, sur la notion de système ouvert. Il n'en reste pas moins que, par son caractère de carrefour, par son ouverture même, le courant systémique charrie de nombreuses richesses, et la lecture des *Yearbooks* du systémisme m'a été souvent très enrichissante.

La notion de système ouvert est certes capitale : elle établit un pont entre le thermodynamique et le biologique; elle oriente la recherche dans un sens dynamique, à partir du moment où l'on a compris qu'un système ouvert ne peut être en « équilibre » (seuls des systèmes énergétiquement clos peuvent être en équilibre), mais dans des états incessants de déséquilibre compensé ou dynamique; elle oriente la recherche dans un sens relationnel, ouvert sur l'écosystème, dans le sens où le système ouvert dépend toujours vitalement d'une alimentation en matière/énergie de l'environnement et, en ce qui concerne les systèmes vivants, d'une alimentation organisationnelle ou néguentropique (la vie se nourrit d'entropie négative, avait découvert Schrödinger). Du point de vue des sciences humaines, on ne peut contester que Gregory Bateson ait pu, s'appuyant sur la cybernétique, développer ses premières vues anthropologiques sur la schismogenèse et la morphogenèse *(Naven)*; et, pour ma part, l'ouvrage sociologique de Buckley et celui de Berrien montrent clairement toutes les stimulations que le sociologue peut tirer du systémisme.

Mais, cela dit, non seulement le systémisme est encore une vulgate plus qu'une théorie, il lui manque aussi d'avoir mis au cœur de sa problématique l'auto-organisation et la complexité. Il y a un gigantesque vide conceptuel entre la notion de système ouvert et la réalité même du plus élémentaire système vivant [1]. Il manque une théorie véritable du phénomène auto-organisateur, c'est-à-dire de l'autoproduction permanente du système vivant ou social qui sans cesse vidange et transforme l'entropie, de l'autoreproduction et des structures organisationnelles de

1. Que ne comblent pas les élaborations encore très pauvres de Bertalanffy sur la hiérarchie, problème sur lequel je reviendrai.

la machinalité et de l'animalité (décision/ choix, comportements variables à l'égard de l'environnement). Une telle théorie, j'en suis persuadé, ne peut que s'accompagner d'une logique de la complexité (nous le verrons ailleurs), c'est-à-dire d'une conception capable de saisir le rôle du désordre, du « bruit », de l'antagonisme, de la concurrence dans les phénomènes organisationnels, d'une logique en même temps ouverte sur l'indétermination relative et sur une théorie des possibles. Je suis persuadé qu'il y a une logique de la vie, plus riche que celle de nos idées. Ce qui se comprend : la logique de nos idées est un produit secondaire, pour ne pas dire un sous-produit, de la logique de la vie; nos cerveaux ne fonctionnent sur des idées que depuis quelques milliers d'années, alors que voilà des millions d'années que les cerveaux et les systèmes vivants fonctionnent sur des organismes, sur des milieux, sur des comportements.

Ainsi, on le voit clairement, c'est d'un organisationnisme qu'a besoin l'anthroposociologie, non d'un organicisme (lequel n'est qu'un rameau issu de la source organisationnelle). C'est sur cette base que nous pourrons développer des niveaux de complexité croissante, jusqu'à la très haute complexité, je dirais même l'hypercomplexité d'Adam.

Bibliographie

1. G. Bateson, *Naven*, Paris, Éd. de Minuit, 1971.
2. L. von Bertalanffy, *Théorie générale des systèmes*, Paris, Dunod, 1972.
3. F. K. Berrien, *General and Social Systems*, New Brunswick, Rutger Univ. Press, 1968.
4. W. Buckley, *Sociology and Modern Systems Theory*, Englewood Cliffs Prentice Hall, 1967.
5. L. Brillouin, *La Science et la Théorie de l'information*, Paris, Masson, 1959.
6. R. Bastide, *Le Rêve, la Transe et la Folie*, Paris, PUF, 1972.
7. G. Gunther, "Cybernetical ontology and transjunctional operations", *in* Yovits, Jacobi et Goldsterne, *Self-Organizing Systems*, Washington, Spartan Books, 1962.
8. F. Jacob, *La Logique du vivant*, Paris, Gallimard, 1970.
9. A. Lwoff, *L'Ordre biologique*, Paris, Laffont, 1969.
10. M. Maruyama, "The second cybernetics", *in* Buckley, *Modern Systems. Research for the Behavioral Scientist*, Chicago, Aldine, 1968.
11. J. Monod, *Le Hasard et la Nécessité*, Paris, Éd. du Seuil, 1970.
12. S. Moscovici, *La Société contre-nature*, Paris, UGE, « 10/18 », 1972.
13. E. Morin, *Le Paradigme perdu : la nature humaine*, Paris, Éd. du Seuil, 1973.
14. J. von Neumann, *Theory of Self-Reproducing Automata*, Urbana Illinois Univ. Press, 1966.

Quelle unité : avec la nature ou contre?

Serge Moscovici

L'honneur qui m'échoit de commenter un ensemble de communications [1] aussi divers est un honneur périlleux. Le thème de ce colloque a agi comme un détonateur, libérant des énergies spéculatives longtemps domestiquées par le rituel propre à chaque spécialité. Ressaisir une telle quantité d'énergie est tâche impossible, voire vaine. Mieux vaut y renoncer d'emblée. Ces communications avertissent sur tous les tons : ça change, ça doit changer. Pourquoi? C'est l'évidence même. Les choses ne sont plus à leur place dans le tableau des catégories intellectuelles : ni la culture ni la nature, ni l'homme ni le primate, ni la parenté ni le mythe, ni l'histoire ni l'anthropologie, ni le structuralisme ni le marxisme, ni l'inné ni l'acquis. Les termes réputés séparés sont associés, et réciproquement : là où il y avait désordre règne l'ordre, là où il y avait ordre règne le désordre. La science n'avait que des problèmes : désormais, les paradoxes la submergent. Au temps des phénomènes purs voici que succède le temps des phénomènes hybrides; au temps de la sélection, celui des croisements. L'impression de flux, de mouvement, d'incertitude prévaut. Les découvertes nouvelles dans le domaine éthologique, anthropologique, génétique, préhistorique, y sont pour une part. Les problèmes politiques, pour une autre. La distance de la culture à la nature, jugée nécessaire à la connaissance, se dévoile distance destructive de notre culture aux autres cultures — ethnocide si l'on veut —, de nous à notre univers naturel — question naturelle et écologique si l'on veut —, et, quant au fond, méconnaissance de l'autre, ambiguïté, égarement de soi. A preuve les déclarations des anthropologues français qui, connus pour être proches du maître de la pensée sauvage des primitifs,

---

1. Cette étude porte principalement sur les communications suivantes : Edgar Morin, « Le paradigme perdu : la nature humaine », Dan Sperber, « Contre certains a priori anthropologiques », Michael Chance, « Une dimension absente en biologie : le comportement », Maurice Godelier, « Une anthropologie économique est-elle possible? », Heinz von Foerster, « Notes pour une épistémologie des objets vivants », Salomon H. Katz, « Anthropologie sociale/culturelle et biologie », Walter Buckley, « Théorie des systèmes et anthropologie », Jacques Mehler, « Connaître par désapprentissage », Pierre Smith, « La nature des mythes ».

rejoignent les thèmes de l'anti-maître de la sauvagerie pensée des civilisés. Tant frappe, Robert Jaulin ayant donné l'exemple, leur détermination à flétrir méthodes d'enseignement et théories enseignées. L'insistance avec laquelle leurs collègues américains contestent la logique qui préside à l'analyse de la culture, des écosystèmes — appellation prudente et affadie des états de nature comprenant l'homme —, donne une vigueur accrue à ces tendances inquiétantes pour l'avenir des savoirs coagulés, figés. Oui, ça change, ça doit changer. Pour toutes sortes de raisons, une telle situation entraîne d'habitude des conséquences précises : elle conduit, individuellement, collectivement, soit vers un cul-de-sac, soit vers une révolution. Se contenter d'une position critique qui intègre faits et concepts nouveaux à la matrice disciplinaire existante, travailler à fournir des réponses rafraîchies au problème — des rapports de la société à la nature, de l'hominisation, etc. — tel qu'il a été posé, dans un autre contexte, par les prédécesseurs, revient à choisir le cul-de-sac. Accumuler des solutions *ad hoc*, remettre la rhétorique au goût du jour n'a jamais abouti qu'à sauver les apparences : apparence de science, apparence de changement. La plupart d'entre nous, je le regrette, suivent vette voie.

Cependant, en sous-main, et presque à l'insu de tous, un autre horizon se dessine. En surface, la redéfinition de l'unité de l'homme avec la nature prend le pas sur la définition, maintes fois réitérée, de sa séparation d'avec la nature. En profondeur, l'idée d'humanité unique subit une éclipse : « l'homme », comme « l'animal », apparaissent comme des concepts généraux et vagues. La réalité est mieux saisie, à considérer du point de vue social, naturel, des humanités aux destinées différentes dans l'espace et dans le temps, ce dont l'évolution et l'histoire portent témoignage. Aucun doute n'est possible à ce sujet : si un jour la rencontre des sciences qui étudient les processus bionaturels avec les sciences qui étudient les processus sociaux provoque les bouleversements attendus, l'horizon auquel je fais allusion est le seul possible. Dans son cadre commencent à être reformulés les problèmes essentiels. Je me propose de prendre le risque de donner plus de relief à ce qui a été ébauché ici ou là par les divers auteurs. Je ne vois pas quelle autre contribution je pourrais apporter au travail commencé dans leurs communications. Donc en faire le point et défaire le point, obéissant ainsi à la loi de tout travail, travail scientifique inclus. Encore que je ne prétende pas que nous soyons positivement dans la science, mais sur le seuil de l'un de ses recommencements primitifs, entre la terre des faits surabondants et le ciel des métaphores exubérantes.

1.1. Des concepts transparents, rodés, formant système, sont au cœur de toutes nos discussions. Ni propres à une théorie, ni ne se décorant du nom d'un auteur, ils sont, à l'instar du bon sens, la chose du monde la mieux partagée. Les passer en revue, brièvement, permet de mieux savoir de quoi l'on parle et ce qu'on cherche à réfuter. De savoir, à tout le moins, si, lorsqu'on affirme, dans les différentes sciences, tourner le dos à ces concepts, c'est bien le même dos que l'on tourne aux mêmes concepts. La question à laquelle ils sont censés répondre, l'accord ici semble unanime, est connue : « *Qu'est-ce qui fait l'unicité de l'homme?* » Elle fascine à un si haut degré les savants que, en étudiant les enfants, le langage, les sociétés d'ailleurs et d'autrefois, ils s'intéressent plus à la recherche de ces éléments uniques qu'à la vie concrète, immédiate, des individus, à leurs comportements dans la communication, la production ou l'échange. Ces éléments représentent forcément des écarts discriminants entre les hommes et les distinguent des animaux. Les sciences de l'homme, par conséquent, ont pour objet la discrimination.

1.2. Les théories anthropologiques, sociologiques ou biologiques se rencontrent sur leurs points de faîte et s'écartent partout ailleurs. En ce qui concerne les réponses à cette question, elles ont cependant adopté une série d'hypothèses que je vais énoncer, lesquelles commencent à faire problème.

a) L'hypothèse de la différence spécifique

L'homme ou la société se distinguent de l'animal ou de la nature par un trait unique qui les rend exclusifs les uns des autres. Sa définition, par le genre maximum et la différence spécifique, permet de saisir une sorte d'essence sur laquelle portent les controverses et repose l'immense superstructure théorique que l'on bâtit. Le volume du cerveau, le système nerveux, l'évolution supraorganique, la technique, le langage, l'apprentissage, la pensée, au gré des auteurs et des disciplines, sont successivement ou alternativement choisis ou recherchés pour rendre compte à la fois du point d'arrivée de l'évolution, sa perfection la plus haute, et du point de départ de l'homme, à ses humbles débuts. L'analyse de ce qu'on appelle, à tort, les processus d'hominisation n'est rien d'autre que l'analyse, sur le mode aristotélicien, d'un tel trait, et l'on a pu décrire autant de processus qu'on a imaginé de traits.

b) *L'hypothèse de l'identité*

La description complète des comportements humains ou non humains est soit sociale soit bionaturelle. La coprésence effective de ces deux derniers aspects entraîne des contradictions que l'on est obligé de réduire en excluant l'un d'eux ou en les identifiant. Une version plus imagée de cette hypothèse est la suivante : tout ce qui concerne l'animal est d'ordre biologique, naturel, tout ce qui concerne l'homme est d'ordre intellectuel, culturel. Un grand pan de l'anthropologie est érigé entièrement sur la première tendance — un certain marxisme aussi, du reste — qui expulse de la sphère supraorganique, socioculturelle, toute la machinerie organique, jugée être de peu de poids. A l'inverse, suivant l'expression d'Edgar Morin, par une « simplification symétrique », les éthologues résorbent les relations sociales dans le cycle de la sélection et de la génétique. Le zoomorphisme fait pendant à l'anthropomorphisme : une erreur qui en annule une autre ne constitue pas, pour l'instant, une vérité. Les deux erreurs suivent cependant, à la lettre, une logique à laquelle adhèrent praticiens des sciences sociales et biologiques : ni l'homme ni l'animal ne peuvent être envisagés simultanément sociaux et naturels, ne peuvent entretenir des rapports sociaux et naturels à la fois. Leur essence est non seulement différente, elle est d'un côté ou de l'autre.

c) *L'hypothèse de la réalité dominante*

L'homme et la société constituent une réalité particulière par rapport à laquelle l'animal et la nature représentent une réalité universelle. Il en découle que tout ce qui est universel chez l'homme ou dans les sociétés est d'ordre biologique, et doit être compris ou interprété en termes biologiques. Ainsi le langage, la pensée, la prohibition de l'inceste, les besoins, etc. En fait, on rencontre ici deux sous-classes de théories, les théories de l'enveloppe et les théories du noyau. Les théories de l'enveloppe, le culturalisme par exemple, soutiennent qu'il y a unité de base de l'ensemble des espèces, donc de notre nature, et variété des cultures qui dépasse en ampleur la variété génétique et ne saurait par conséquent en découler. La cause de la variété réside dans l' « enveloppe », c'est-à-dire dans la diversité des environnements auxquels les groupements humains ont eu à s'adapter. L'écart discriminant entre l'homme et l'animal est sa capacité d'apprentissage, et toute la fabrique de la société et de son évolution est une réplique de la nature et de son évolution, dans laquelle on produit uniquement de l'acquis à la place de l'inné. On comprend que ces théories n'aient aucun intérêt envers l'universel et se préoccupent uniquement du particulier et des contraintes à la diversité, car c'est seulement là que l'homme est homme, la culture culture. Les théories du noyau — le structuralisme les illustre — ne voient dans le foisonnement des sociétés et des hommes qu'un chatoiement d'apparences, dans la singularité de leurs cultures que des variantes d'une nature unique. Partant, il s'agit d'en extraire les universaux — ceux du langage, ceux de la parenté, ceux de la pensée — avec autant de précision que possible. Une fois ce stade atteint, le flambeau est passé aux généticiens, aux biologistes, auxquels il revient d'expliquer les propriétés de ces universaux, leur mode de formation, et, pourquoi pas? leur diffusion différentielle parmi les hommes aussi bien dans le temps que dans l'espace. Les environnements, les apprentissages sont des contingences, tout comme, à la limite, l'homme et la société. Si cependant celle-ci et celui-là ont fini par exister, la responsabilité en incombe et la différence infranchissable se situe au niveau des règles qui prolifèrent dans une partie du monde, régissant échanges et pensées. Le non-recouvrement, pour être discret, des deux sous-classes de théories reflète à l'intérieur de l'anthropologie le non-recouvrement de la théorie de l'évolution et de la théorie génétique qui existe à l'extérieur, dans la biologie. Par la même occasion, elles y trouvent une justification et en tirent leur autorité. Avec un succès si complet qu'on ne remarque plus par où elles trahissent leur modèle. La première, se rapportant uniquement à l'unité et à la variation des cultures, en négligeant leur évolution, leur histoire, se situe pour ainsi dire au pôle opposé de la conception darwinienne qui concerne moins l'unité ou la variation des espèces que le mécanisme de leur évolution, de leur histoire. La seconde reconstruit les codes sociaux par analogie avec les codes génétiques, sans s'arrêter aux mécanismes de reproduction, d'échange avec le milieu, quand la biologie suppose ces mécanismes, une sélection portant sur les variantes phénotypiques, conçues elles-mêmes comme des réactions du génome aux tensions de l'environnement. Cependant, au-delà de leurs divergences — Godelier, Katz, Sperber les soulignent —, elles ont en commun de saisir dans la société une réalité dérivée, d'entreposer dans la nature une réalité première, de penser qu'on pourra articuler la statique de l'une avec la dynamique de l'autre.

d) *L'hypothèse ontologique*

Il y a un point singulier où la société se substitue à la nature, où l'évolution sociale prend le pas sur l'évolution bionaturelle. A cet endroit, les deux chaînes de réalité se séparent tout en se continuant, comme la recherche du temps perdu se termine et se prolonge dans le temps retrouvé. Mais ce n'est pas cette séparation qui importe, ce sont ses conséquences. D'abord, on présuppose que se révèle, à cet endroit, l'essence nue, perdurable, de l'homme et de la société. Ensuite, que les phénomènes ayant pris corps expriment un maximum de structure et un minimum de temps : si les collectivités qui en conservent le souvenir ne sont pas sans histoire, cette histoire est toutefois contingente, le devenir biologique ayant été résorbé dans la permanence sociale. Enfin, comme elles sont plus proches de l'état de nature, on y voit à l'œuvre les équilibres fondamentaux de l'espèce, les relations authentiques entre les hommes, entre l'homme et le monde. Du privilège dont jouit ce passage, avec la société qui le représente à nos yeux, découle le privilège de l'anthropologie, qui l'a pris en charge, d'être une science non pas du particulier, d'une société particulière parmi les sociétés humaines, ni de leurs universaux, puisque l'étude de ceux-ci est réservée en dernière instance à la biologie, mais une science du singulier, des sociétés qui, entre les sociétés, ont ce double caractère d'être à la fois quelconques et de manifester l'essence de toutes.

1.3. En combinant de façon experte ces hypothèses, on retrouve toutes les explications déjà proposées de l'unicité de l'homme, de la société. La plupart des savants y souscrivent et l'imagerie publique les suit. Prises en vrac, on leur trouverait de sérieuses limitations. A les énumérer, on perdrait son temps. Étant donné que nous avons affaire à des postulats, les preuves tout autant que les réfutations sont inutiles. A la vérité, ce ne sont pas les trous épistémologiques, ravaudables à souhait, qui ont fini par refouler ces hypothèses dans le passé : c'est le vent du large, le souffle de l'histoire qui change, les faits qui éclatent à profusion là où l'on s'y attendait le moins. Le retour joyeux de l'oublié, en somme. D'un autre oublié également : l'animal, le non-civilisé, le naturel, la femme.

II. LE PRÉSENT COMPLEXE

2.1. Une banalité mérite d'être rappelée : l'espérance de vie des vérités les plus fermes est limitée. Rien n'est essentiel, l'histoire des sciences nous l'enseigne, indéfiniment. Le monde organique d'Aristote comme le monde mécanique de Newton ont été entraînés dans le flux des réalités données pour ultimes. C'est moins la démonstration de leur caractère incohérent ou erroné qui a eu cet effet que la démonstration de leur caractère d'illusion ou d'apparence. Le destin de nos

conceptions actuelles de la société et de la nature sera probablement
identique. On entrevoit déjà de quel côté viennent les forces de sub-
version. Faisons-en l'inventaire.

2.2. Les phénomènes d'évolution obéissent, on le sait, au principe
de sélection naturelle. La lutte pour la vie est l'image qu'il donne
de l'univers animal, de l'état pur de nature. L'organisme est envisagé
en rapport direct avec le milieu; les variations du matériel génétique
inné sont triées en fonction de l'environnement, les variations phénotypiques, acquises, leur demeurant extérieures. L'adaptation est le
maître mot qui décrit l'accord entre l'organisme et le milieu. Le
comportement des êtres organisés n'intervient aucunement dans ces
processus. Voilà cependant qu'il n'est plus question de tenir le comportement en si piètre estime. Les espèces ne tendent pas à exploiter
les ressources de leur milieu jusqu'à l'épuiser. Elles règlent leur volume
démographique et s'organisent afin d'éviter une rivalité trop ruineuse.
Leurs comportements impliquent souvent une coopération, qui
n'entraîne pas nécessairement l'élimination du plus faible, et un
ordre social qui assure la survie de l'ensemble. Dans la causalité essentielle de l'évolution, le comportement fortement collectif occupe une
place importante entre l'organisme et le milieu. Quand on en vient aux
primates, et, *a fortiori*, à l'homme, on remarque une diversité des
constellations sociales sans corrélat biologique direct. Jusqu'à un
certain point, on peut dire que les espèces « choisissent » ou « modifient » l'environnement, tout autant qu'elles en subissent l'influence.
Dans ce sens, la notion d'adaptation à laquelle on a si souvent recours
est une notion limite qui, à partir d'un certain degré de complexité,
ne veut plus dire grand-chose, se change en explication verbale. Les
théories culturalistes et écologiques usent et abusent de ses vertus
tautologiques : raison pour laquelle elles débouchent sur des banalités.
On comprend pourquoi. Le phénomène capital à analyser — et qu'elles
se contentent de décrire — est justement l'anticipation, la préadapta-
tion, l'invention de l'environnement par l'environné.

Le processus à travers lequel est formé et façonné l'environnement
et qui a pour aboutissement le « choix », le modelage — le terme de
mapping dû à Buckley est suggestif mais ne se réfère qu'à un aspect
du phénomène — de l'écologie elle-même est aussi important à considérer que l'action de cette écologie sur le « choix » et l'automodelage
de l'organisme individuel ou collectif. A une vision réactive, il convient
d'opposer une réalité active. Un des aspects essentiels de la vie est
justement sa « créativité » de formes, d'organismes, qui a pour cause
et pour effet l'épanouissement, dans un milieu toujours plus vaste
et plus diversifié, des échanges matériels intensifiés. De cette croissance

de la matière organique, et sociale, ajouterai-je, accompagnée des transformations profondes de la biosphère, la sélection naturelle est loin de rendre compte. Le dossier de l'inné et de l'acquis, avec le comportement qui suppose une action en retour — du milieu « choisi » vers l'organisme « décideur » — est entrouvert. Le noyau génétique exprime une série de virtualités inscrites dans le programme, y compris la virtualité d'un apprentissage et d'une invention. Le milieu trie parmi ces virtualités, les fixe et indique lesquelles sont le mieux aptes à se reproduire. Si la population s'installe dans un milieu, y déploie une série d'activités concertées, elle conditionne simultanément ce qui est à trier et à reproduire. Le bipédisme, comme certaines potentialités syntactiques, existe dans les espèces préhominiennes. En devenant prédateurs, en se donnant une organisation sociale qui conduit à la découverte d'un nouveau moyen de communication, le langage, les hominiens banalisent et rendent obligatoires l'ancrage, la diffusion des éléments porteurs de ces virtualités. Il est fort probable que, avant de se faire par la voie biologique, la transmission des facultés a eu lieu par la voie sociale. Par là, je n'affirme pas qu'il y a une hérédité de l'acquis, mais on peut supposer que, par le truchement du milieu, une population parvient à influer sur l'étendue de ce qui est inné. Et à ouvrir de nouvelles possibilités de variation et de programmation génétiques.

Cette spéculation, ou une autre analogue, justifie l'assertion de Sperber que l'extension du domaine de l'inné va de pair avec celle du domaine de l'acquis, et non pas l'inverse. La reproduction biologique s'insère ainsi dans la reproduction sociale et constitue pour l'espèce une forme d'économie de transmission de ses facultés. A mettre les choses au plus fort : la conception darwinienne se maintient grâce à un nombre non négligeable de suppositions *ad hoc*. Mais il y a peu de cas où, ce genre de suppositions proliférant, un changement radical ne s'ensuive. Le fait de l'évolution est incontestable et ne saurait être remis en question. Pourtant, de néo-darwinisme en néo-lamarckisme, une explication nouvelle se cherche, on en a l'impression, qui serre de plus près les phénomènes de différenciation des espèces, la nature des échanges entre l'organisme et le milieu, tout en faisant sa place au comportement social. En tout cas, vu cette situation mouvante, les psychologues, les sociologues, les anthropologues, qui ont tendance à reprendre de manière non critique et appliquer automatiquement à leurs objets les notions et les modèles de la biologie, sont invités à y puiser de façon plus libre et plus originale.

2.3. Nous étions heureux : il y avait d'un côté l'animal et la nature, de l'autre côté l'homme et la société. Le passage du premier couple au second a été la grande affaire de l'anthropologie sociale et physique. Depuis une dizaine d'années, les informations affluent d'un peu partout, recensées et analysées avec beaucoup de soin par les chercheurs. Elles prouvent que les êtres non humains sont outillés pour accomplir des tâches que l'on s'imaginait être exclusivement humaines, notamment apprendre et inventer. Les primates, les dauphins, les oiseaux fournissent des exemples incontestables. Contrairement au stéréotype d'une maturation biologique individuelle, les animaux isolés, pas plus que les enfants sauvages, n'ont un développement normal : la relation avec la mère et les congénères est capitale. Les sociologues philanthropes du siècle dernier étaient fiers de démontrer, par l'exemple des enfants-loups, que l'être humain coupé de la société n'est qu'un animal, privé de langage et de pensée. Des expériences concluantes montrent qu'il en va de même pour bien des espèces. Faute de vivre avec sa mère, avec son groupe — la métaphore du sein est parlante —, l'individu rechute dans son animalité comme l'homme était censé rechuter dans la sienne. Bien plus, la plupart des espèces se donnent une organisation collective destinée à régler la reproduction sexuelle, la transmission de quelques caractères spécifiques, ou à atténuer les déséquilibres avec le milieu habituel. Cette organisation est un élément intégrant du processus de survie, et non pas un simple appendice exosomatique surimposé à l'organisation génétique : « La sociabilité, écrit W. C. Allen, n'est pas un accident apparaissant sporadiquement chez quelques animaux hautement évolués, mais un phénomène normal et fondamental. » Tout ceci est maintenant bien connu : les communications de Buckley, Katz et Morin en font état. Mais je crois qu'il est opportun d'en tirer les conséquences de la façon la plus ferme.

a) Le passé de notre société n'est pas dans une nature interne ou externe : il est enraciné dans une autre société. Récemment, François Jacob a clairement répondu à ceux qui voulaient définir les critères du commencement de la vie : « ... Il est bien évident maintenant que la vie ne commence jamais. Elle continue » (*le Monde*, 20 novembre 1972). A ceux qui ont cherché des critères analogues pour fixer le début de la société, nous pouvons faire une réponse analogue : la société ne commence jamais, elle continue depuis des millions d'années. Quelle que soit l'espèce envisagée, les sociétés qui ont précédé la nôtre ont eu leurs conventions, leurs hiérarchies, leurs formes de communication, leur développement historique, singuliers certes, mais équivalents. Personne ne le conteste : le rôle des sexes, des générations, des catégories sociologiques a été transformé, réparti différemment sur la carte des comportements, des normes, avec leurs prolongements intellectuels, dans la chaîne des collectivités qui se sont relayées jusqu'à maintenant. Dans cet enchaînement, aucune société n'est « plus » société qu'une autre, ni celles des peuples contemporains comparées à celles des peuples dits sauvages, ni celles des hommes comparées à celles des primates, de même qu'une langue européenne n'est pas plus langue qu'une langue amérindienne. L'inclination à les classer du côté de la nature, en les niant, ou du côté de la société, en les affirmant, procède d'un jugement de valeur qui n'a rien de scientifique. Du point de vue scientifique, l'avènement de nos premières conditions d'existence ne doit pas être examiné comme un passage de la nature à la société, des sociétés de primates aux sociétés humaines. Otons-lui donc son caractère presque sacré. Envisagé sobrement, ce passage n'est probablement pas différent du passage des sociétés à hiérarchie basée sur le statut aux sociétés fondées sur la différence de classe.

b) Nous avons laissé aux anthropologues physiques et aux biologistes le soin d'expliquer l'apparition du genre humain. Ils se sont efforcés de trouver dans les rapports du milieu et de l'organisme les éléments de cette explication. Ont été invoquées avec plus ou moins de bonheur : les mutations génétiques, les catastrophes écologiques, les modifications anatomophysiologiques. La sélection naturelle a évidemment fourni la toile de fond de la plupart des formulations théoriques. La dynamique biologique est censée avoir œuvré seule jusqu'à la livraison d'un être animé doué de langage, d'outil ou d'un cerveau complexe. Par la suite, le développement social s'y surajoute et le prend en charge. Personne ne décrit cet instant sans ces envolées lyriques propres aux célébrations mémorables.

Cependant, nous venons de le voir, les organisations sociales préexistent au langage, à la diffusion de l'outil, à l'*Homo sapiens et* (comme dit Morin) *demens*. Dans une interprétation que j'ai exposée ailleurs (Moscovici, 1972 [1]), j'ai essayé de montrer que l'apparition en question résulte d'une éclosion du potentiel prédateur, fabricateur d'outil, voir langagier, des primates. Éclosion due aux conflits produits dans leur organisation sociale par l'existence de mâles surnuméraires non reproducteurs. Le dynamisme social dans l'interaction d'une société avec le milieu met en lumière ce que l'émergence de l'homme a de particulier. Le fait capital est la séparation à l'intérieur d'une organisation collective fondée sur le fourragement, et non pas la spéciation des primates; c'est la constitution, à l'intérieur d'un groupe de collecteurs, d'un groupe de prédateurs-chasseurs ayant son propre mode d'échange entre les individus et avec les forces matérielles. Le processus

1. S. Moscovici, *La Société contre nature*, Paris, 1972.

d'hominisation n'est qu'une conséquence du processus de cynégétisa-
tion de l'espèce, accompagné d'un remodelage de la société de primates
à l'intérieur de la société humaine. Il me semble ainsi que le vœu de
Buckley : « Il devient nécessaire de s'opposer à toute conception qui
admet que l'influence causale dominante s'exerce à partir de la biologie en direction de la psychologie et de là en direction de la structure
sociale et de la culture » (p. 5), a été exaucé. Même si l'interprétation
que j'en ai proposée est discutable, ce sur quoi je voulais insister ici,
c'est l'opportunité d'inverser la démarche à laquelle on continue
d'adhérer.

   c) La coupure effective de la société vis-à-vis de la nature est une
illusion. Un fait me frappe, à ce propos. Toutes les fois que l'on est
allé regarder de plus près ces « natures », on a découvert une société.
Il en a été ainsi de la « horde » primitive, qui représentait au XIXᵉ siècle
la société, l'économie « naturelles »; il en est ainsi de nos jours des
« hordes » animales. Les tentatives successives de couper, sous cet
angle, la société de la nature, ou de poser la nature vis-à-vis de la
société comme un état antérieur ou comme son double hétérogène,
ont toujours échoué et abouti à la découverte d'une société différente,
d'une organisation sociale, celle du sauvage, celle de l'animal. Alors
pourquoi cette séparation est-elle maintenue, sinon comme réalité,
du moins comme hypothèse, ainsi que le suggérait Hume? Je vois à
cela deux raisons : définir *l'autre* comme objet, conserver le primat de
l'individu. D'une part, pour une collectivité particulière, ceci revient à
justifier la soumission, l'exclusion, voire la destruction d'une collectivité différente (Moscovici, 1968 [1]). Si sa place est bien tracée dans
notre logique, c'est parce qu'il s'agit d'une logique de la domination.
D'autre part, aux yeux des savants, la séparation permet de concevoir
la société comme une réalité seconde, dérivée, propre à pallier la rareté
et les déficiences de la nature, ou à canaliser son énergie débordant
à travers les pulsions et les instincts. On s'en tient toujours à cette
vue. Pourtant, il convient de prendre les découvertes éthologiques au
sérieux et à la lettre, tout comme, en son temps, Darwin a pris l'existence des espèces au sérieux et à la lettre. Dans cette optique, soustraite
aux sortilèges d'une séparation hypothétique, la société apparaît
comme une réalité positive et *primaire*, analogue à la matière, à
l'atome, etc. En somme, nous sommes incités à renouveler et, de ce fait,
à généraliser l'essence du social, tout comme, dans un autre domaine,
Freud a généralisé l'essence du sexuel, en montrant qu'il déborde le
champ des activités sexuelles. Cela est non seulement nécessaire, mais

---

1. S. Moscovici, *Essai sur l'histoire humaine de la nature*, Paris, 1968.

possible, et j'ai indiqué ailleurs dans quel sens (Moscovici, 1972, *op. cit.*).

d) Lorsque émergent une substance, un processus matériel nouveaux, ils entraînent forcément une refonte de tout l'agencement naturel, ils font tourner son histoire dans une direction nouvelle. Ainsi, après les évolutions proprement chimiques, les évolutions biogénétiques au-delà du stade cellulaire — la reproduction sexuelle notamment — ont ajouté une dimension inédite, ont inauguré un développement dont l'origine est datée. De même, supposons-le, avec nos espèces les forces sociales diffuses ont pris un poids, une consistance susceptibles d'infléchir le processus naturel général. Ce que l'on décrit d'habitude comme déformation technique, éloignement de la nature, est en fait une transformation et une expansion, non pas une sortie mais une orientation, du mouvement préexistant. Dans un ouvrage déjà ancien (1968), j'ai présenté systématiquement les arguments qui nous autorisent à envisager la coexistence et le développement de plusieurs rapports tous naturels, dans l'univers. Celui qui nous touche pose l'homme à un pôle et les forces matérielles à l'autre pôle. (A défaut d'une telle inclusion dans une nature dont nous sommes le produit tout autant qu'elle est le nôtre, celle-ci est, Freud l'a signalé, une « abstraction, vide, dépourvue de tout intérêt pratique ». Et c'est bien en tant qu'abstraction, nom occupant une case vide, qu'elle fonctionne dans nos théories.) Du coup, en aucun lieu et à aucun instant, aucune fraction de l'humanité ne saurait être jugée plus proche ou plus éloignée que les autres d'un état purifié de nature. Son essence coule partout, dans le passé préhominien ou sauvage tout comme dans le présent sauvage, ou alors elle n'est nulle part. Le lieu de sa concentration — dans le passé animal — que l'on continue à privilégier se banalise. Autant se dispenser de l'hypothèque d'une telle essence et d'un tel lieu singulier où notre espèce, afin de devenir sociale, aurait faussé compagnie à la nature, le monde humain se coupant du monde animal. Ce qui enlève toute consistance à la muraille de Chine dressée entre l'entreprise anthropologique et l'entreprise historique. Je me réjouis de voir que l'évidence qui s'est imposée à moi il y a quelque temps rejoint la conviction affirmée par Godelier et Morin.

Tout au long de ces conséquences, ou à travers elles, court une autre conséquence sur laquelle je voudrais attirer l'attention. Et qui nous ramène bon gré mal gré aux paradoxes de Mehler. Fixons un moment notre regard sur les sociétés, que j'ai appelées d'affiliation, des primates. Elles sont fort disparates, tant du point de vue du fonctionnement que du point de vue de la structure. S'il y a eu, comme je le pense, passage de la société à la société, celui-ci a dû emprunter des chemins

variés et aboutir à des résultats distincts eu égard à la diversité des
formations d'origine. *Mutatis mutandis*, nous connaissons aussi la
pluralité des espèces humaines qui se sont succédé, ont disparu et ont
débouché, dans le cadre de ces formations, sur notre espèce actuelle,
sur ses groupements sociaux. L'évolution historique a été, ainsi qu'elle
l'est toujours, multilinéaire et multidimensionnelle : sur le plan de la
société et sur le plan de la nature. De plus, elle a connu, à ses humbles
commencements, une diversité certaine. Opposer une unité de nature
à une multiplicité de culture, chercher une origine unique à un éclatement ultérieur, constitue une démarche plausible. Il est cependant
devenu plus plausible de supposer une orientation inverse où les virtualités qui ont pris corps au tournant hominien, virtualités poly-
valentes dont témoigne la gamme des collectivités, des langues, des
traditions « primitives », des systèmes génétiques avant l'*Homo sapiens*
ou autour de lui, se sont réduites successivement, nos sociétés
actuelles étant plus uniformes, comportant moins de types distincts,
tout comme a survécu une espèce unique. Il y a donc eu, en un sens,
perte de capacité, de virtualités qui sont devenues moins pertinentes.
L'universalisation de l'histoire est, tout compte fait, devant nous
et non point derrière nous. En revanche, la confluence de ces unités
différentes, évidemment plus simples, vers une unité englobante, obligatoirement plus complexe, la diversité extérieure se reproduisant à
l'intérieur du système, est en même temps la source de la fragilité, de
l'instabilité qu'il nous est donné de vivre et d'observer. A l'instar de
notre cerveau triunique, nos sociétés sont également pluriuniques.
Et dès lors leur mouvement est plutôt cyclique que linéaire. Les origines
présumées figurent des points qui ferment et ouvrent un cycle, et
l'humanité — elle n'est probablement pas seule dans ce cas — en a
traversé et vécu plusieurs.

2.4. On voit pourquoi notre présent est complexe. L'univers de la
biologie est en expansion : il est aussi devenu plus riche, plus mou-
vant. Le monde social a outrepassé les bornes habituelles : nos théories y ont rencontré leurs bornes. La conviction selon laquelle notre
espèce est passée par un état bionaturel propre aux animaux pour
émigrer dans son état social   — d'où leur opposition — repose sur
un effet d'optique. Si rupture il y a eu, celle-ci s'inscrit dans le cadre
d'un bouleversement de comportements, d'outils, hautement sociaux,
des anthropoïdes. Nous sommes là dans le domaine du constat. On a
trop tardé à l'accepter, sinon dans les descriptions concrètes, du moins
sur le plan de la révision des concepts qu'il appelle. Le tenant pour
définitif, les sciences sociales, et en tout premier lieu l'anthropologie
et l'histoire, cessent d'être les sciences du *devenir social de l'humain*,

à quoi elles s'intéressaient d'habitude, fascinées par le désir de découvrir, dans la nature, le lieu de naissance de la société, forcément nôtre : elles deviennent les sciences du *devenir humain du social*. A l'inverse, rien ne nous oblige de nous en tenir à une image du passé : tout nous invite à en finir avec la vision d'une nature non humaine et d'un homme non naturel. L'émergence d'un trait unique marquant la formation de nos espèces, les distançant des autres espèces, ne témoigne pas d'une supposée rupture avec la nature : cette rupture n'a jamais eu lieu. Dans le passage, si avidement cherché, de l'animalité à l'humanité, elle marque la transition d'une première histoire naturelle de l'homme, où celui-ci serait un produit, à une seconde, l'histoire humaine de la nature, où il est son propre produit.

Libérée du caractère exclusif de ces deux ordres de réalité, de la discontinuité radicale dans le temps postulée à leur propos, la dichotomie se déplace du plan horizontal au plan vertical. Elle n'est plus entre nature et société, elle est à la fois dans celle-ci et dans celle-là, prolongement des métamorphoses que nous y avons opérées. Il est opportun de ne plus la considérer, privilégiée, à la hauteur de l'homme. Mieux vaut y saisir un des points d'intersection d'un réseau de phénomènes sociaux et naturels qui en connaît d'autres, de moindre complexité certes, mais d'importance et de formation équivalentes. Les problèmes ayant été partout les mêmes, seules les solutions ont revêtu des formes distinctes. Les différences se situent au niveau des combinatoires, et non pas à celui de l'ordre de réalité dans lequel vivent les espèces : nature ici, société là. Dès lors, la comparaison peut choisir n'importe quelle échelle, n'importe quelle référence; l'essentiel est qu'elle soit systématique, qu'elle porte sur des totalités. A son terme, ou même dans sa substance, seule cette attitude peut éliminer radicalement l'ethnocentrisme de nos sciences sociales, le balancement entre les « bons » sauvages et les « mauvais » civilisés ou réciproquement — le fait est que les « civilisés » détruisent chaque jour un peu plus les « sauvages », de l'intérieur ou de l'extérieur —, alors que l'attitude purement critique, ayant poursuivi une fin identique, n'y est point parvenue.

De la force de cet ethnocentrisme, personne ne doute : « Il se peut qu'avant tout le ferment intellectuel suscité par le développement de la théorie de l'évolution et l'application à l'homme qu'en ont faite Alfred Russell Wallace et plus tard Charles Darwin et Thomas Huxley aient eu une influence considérable sur les modes selon lesquels a été conçu l'homme. Jusqu'à cette époque, le concept d'échelle de la nature s'appliquait à toutes les créatures vivantes, l'homme inclus. L'échelle mettait en évidence les différentes étapes de la progression humaine,

avec « l'homme occidental » au sommet. Bien sûr, on n'ignore pas que
la théorie darwinienne de l'évolution elle aussi s'est entrelacée à l'ethnocentrisme qui était à la base de l'échelle de la nature, et a eu pour résultat un darwinisme social sur lequel s'est appuyé en grande partie le
colonialisme de l'Occidental » (Katz, p. 2). Le cas n'est pas unique :
la plupart des conceptions qui ont trait à l'homme ont été prises dans
le même tourbillon. « Il n'y a plus d'ethnologues heureux », avoue
Balandier. Il n'y aura plus de sociologues ni de psychologues heureux,
tant que la décentration à laquelle je fais allusion ne pénétrera pas
profondément les racines de nos sciences lorsqu'elles touchent à
l'homme. Ce n'est pas sa dissolution abstraite ou sa fin mythique qui
est en jeu, mais au contraire sa place réelle, différenciée, parmi les
sujets ordinaires, qui se sont produits eux-mêmes, dans le temps.

III. PROJETS ET PROLÉGOMÈNES
EN VUE D'UNE ANTHROPOLOGIE GÉNÉRALE
OU D'UNE ANTHROPOGONIE

3.1. Les époques d'effervescence. — la nôtre en est-elle vraiment
une? — engendrent des projets à profusion, s'adonnent à des combinatoires incontinentes, recherchent le minerai intellectuel ou matériel
brut, désireuses qu'elles sont de rompre la tyrannie des codes dévi-
talisés, de laisser couler les savoirs jusqu'alors fermement endigués.
Peu de ces projets ont des chances de survivre. Du moins, c'est l'avis
des hommes sages, qui se tiennent à l'écart de cette effervescence, et
sourient, pensant au retour du calme après l'orage. Mais ceux qui sont
près du centre du tourbillon et observent le mouvement qui subvertit
toutes choses éprouvent la palpitation, la volonté irrépressible d'une
renaissance. Le projet d'anthropologie fondamentale ou générale, qui
fascine les auteurs auxquels je consacre ces commentaires, rejoindra
peut-être dans les cimetières de l'histoire les innombrables projets de
paix, de science ou de caractéristique universelles. On souhaite néanmoins lui voir jouer un rôle aussi capital dans l'animation de cette
histoire, le voir accueilli avec le même sérieux, poursuivi avec la même
détermination et par des hommes d'une envergure égale à ceux qui
ont ébauché les projets que je viens de dire. Les complexités du présent,
succinctement exposées ici, lui fournissent une motivation et des matériaux. Les directions dans lesquelles il s'étend sont celles où se recou-
vrent l'anthropologie, l'histoire et la biologie (Godelier, Morin).
S'agit-il uniquement de substituer à une abstraction réduite une abstraction élargie, et, en définitive, de marier des doctrines? Non, certes.
On voudrait aussi être plus concret, plus près de réalités neuves, on

souhaiterait reprendre contact avec les réalités familières qu'on a fini par ne plus regarder qu'à travers les filtres toujours déformants et limitatifs de la théorie. Parler, c'est d'abord sortir de soi, rencontrer autrui, et non pas fabriquer de la grammaire; se marier, c'est d'abord aimer, faire l'amour, et non pas appliquer des règles de parenté; penser, c'est d'abord désirer savoir, agir sur le monde, et non pas déclencher la machinerie logique, etc. Les phénomènes sociaux ne sont ni partiaux ou totaux, ni structurels ou dialectiques, ni signifiants ou signifiés, ils sont surtout morts ou vivants, dans les choses ou dans les hommes, hors de nous ou en nous.

Le contenu de cette science nouvelle, renouvelée, ses contours exacts et ses thèmes principaux sont encore méconnus, inconnus. Je préfère m'arrêter sur les cadres imaginaires dans lesquels le projet, le cas échéant, pourrait s'inscrire. Ses prolégomènes, donc. Et, pour commencer, la question qui le sous-tend : *qu'y a-t-il de commun aux êtres vivants, l'homme inclus, à leurs rapports sociaux et naturels?* Nous croyions le savoir, nous ne le savons plus, tant la redécouverte du monde animal, du monde des sociétés dites primitives, a ébranlé les présupposés les plus tenaces. Nous ne savons même pas, les communications de Godelier et de Sperber en témoignent, ce qu'il y a de commun aux sociétés anthropologiques et aux sociétés historiques. La détermination des écarts est une tâche subordonnée propre à mettre en lumière les transformations, les rapports entre ce qui est devenu différent. Donnez-moi un point et je soulèverai l'univers, s'écriait Archimède dans l'antiquité. Non, il ne suffit pas d'un point, il faut aussi avoir un lien, répondirent les mécaniciens modernes, et sur cette réponse ils fondèrent la mécanique. Donnez-nous un point unique (l'homme, la société, l'outil, le langage, etc.), une différence spécifique, et nous expliquerons tout, n'ont cessé de clamer anthropologues, biologistes, historiens. Non, il vous faut aussi un lien pour y parvenir, doit-on leur répondre. C'est le sens de la question qui se pose, avec force.

3.2. On entrevoit quelques postulats capables de remplacer les anciens, de réordonner les matériaux dont nous disposons, et de guider les théories qui s'ébauchent, en vue d'assortir cette question d'une ou de plusieurs solutions.

a) L'hypothèse de la transformation, en premier lieu

Tout trait élémentaire doit être envisagé à l'intérieur d'une totalité, et toute totalité distincte ou nouvelle est une reconstitution de la totalité qui lui a donné naissance. Je vais m'expliquer plus en détail afin

de donner un corps à cette formule abstraite. A examiner le langage
et la démarche empruntés dans les divers travaux concernant la naissance de l'homme ou les relations entre collectivités animales et collectivités humaines et même entre ces dernières, certaines habitudes
de pensée nous frappent. Trois notamment. D'abord, l'ambition de
définir un élément qui, isolé de l'ensemble, rende compte de la spécificité de l'homme vis-à-vis de ses prédécesseurs, explique la dissem-
blance radicale entre culture humaine et protoculture hominienne ou
animale. Bref, un élément qui représente *la* racine : « A la racine de la
culture humaine, écrit-on par exemple, se trouve la communication
linguistique » (Katz). Ensuite, le choix de cet élément se situe cons-
tamment à un endroit de manque; il s'établit au moyen d'un constat
de présence ou d'absence, l'évolution consistant à combler ce manque.
Alors, on compare l'homme au primate sur le mode de l' « en avoir
ou pas » : langage verbal, régulation des unions sexuelles, capacité à
fabriquer des outils, soins paternels, etc. Dans la mise en rapport des
divers types de société, nous observons une propension analogue. Les
sociétés sont dites « sans » ou « avec » écriture, « sans » ou « avec »
histoire, tout comme on contraste la communication « non » humaine
d'avec la communication humaine, et ainsi de suite. Comme si les
êtres animés autres que nous, comme si les sociétés différentes des
nôtres n'avaient aucune existence positive, aucune plénitude interne,
et comme s'il était licite, fécond, de les saisir uniquement par rapport
à un seul point de référence. En sous-main, ce que l'on paraît vouloir
déceler, c'est moins une histoire, une évolution, qu'un ordre de perfection. Enfin, le choix de ce gué où s'opèrent les retournements reste
largement arbitraire. Personne ne se consacre sérieusement à l'analyse du cadre de départ pour constater ou justifier l'importance du
facteur autour duquel ont lieu les grands changements. Lorsque de
tels changements se produisent, nous avons l'impression qu'ils prennent leur départ dans un phénomène central de la totalité qu'ils affectent, et non pas n'importe où. Or les allées et venues ininterrompues
entre les divers indices techniques, intellectuels ou collectifs, leur
mélange éclectique, révèlent le peu d'intérêt que l'on a accordé à ce
choix, en le confiant à l'*a priori de chacun*. Le postulat que je souligne
propose qu'au lieu de chercher à établir ces différences — et les identités corrélatives — on cherche à examiner des transformations, des
invariants qui changent et des changements invariants. En termes
pratiques, ceci signifie que l'on prend en considération des ensembles,
des totalités, en examinant la loi interne qui régit leurs éléments, leurs
actions, leurs contraintes, de manière à pouvoir déceler celui de ses
domaines d'application qui aurait pu servir de point de passage vers

un ensemble différent. Vouloir étudier une évolution de ces totalités en ignorant les lois ou les configurations individuelles est pire qu'une erreur, c'est un non-sens. En voici une illustration. La plupart des travaux poursuivis dans le cadre de l'anthropologie physique, de la paléontologie, sont animés par la volonté de tenir un « trait unique » parmi ceux que j'ai énumérés. Cependant, chaque fois que l'on a cru tenir solidement un tel trait, il a fallu l'abandonner. A peine venait-on de le singulariser, de le proclamer définitif, qu'un examen scrupuleux, des contre-expériences montraient son caractère précaire, conventionnel. De la sorte, on a successivement renoncé aux critères anatomiques : volume du cerveau, station debout; techniques : usage et fabrication des outils; sociaux : promiscuité, symbolisme animaux — et bientôt il faudra renoncer à celui du langage.

La totalité se révèle si l'on emprunte la direction opposée à celle qui a été suivie. Les divers critères sont interdépendants, associés quant à leur développement et complémentaires quant à leurs fonctions. Ce sont les articulations d'une évolution unique : le bipédisme facilite l'individuation de la main, la main humaine porte les signes de l'outil et de la prédation; l'augmentation de volume du cortex, comme sa dissymétrie, la reproduit et prépare l'invention du langage qui est à son tour repris dans la matrice des relations sociales, des techniques de défense et d'attaque. La manifestation simultanée et la cohérence évolutive des capacités organiques et techniques, communicatives, laissent entrevoir à l'arrière-plan un système de conduites, susceptible de les avoir provoquées, concertées, accommodées à un environnement qu'il a découpé à son avantage. Ce système est, on le sait, celui de la chasse. Au cours de plusieurs millions d'années, l'homme s'est forgé un corps, s'est diffusé à la surface de la terre; il a répercuté dans son organisme ses actions sur le monde extérieur, il s'est rapporté aux autres espèces en tant que chasseur. Hors de cela, nous ne comprenons rien, nous nous contentons de contempler des débris épars, nous restons prisonniers d'une sociologie ou d'une psychologie de facultés qui a fait partout son temps, sauf dans ce domaine. Si l'on compare ce système prédateur-chasseur d'échanges entre l'organisme (individuel et social) et le milieu, avec le système du fourragement, qui prévaut chez les primates, point n'est besoin de dresser une liste d'absences ou de présences; au contraire, il est indispensable de chercher l'articulation du premier avec le second pour le trouver à la fois à l'état naissant et associé à un phénomène important. Ce qui, en un sens, ruine une comparaison obsédée par les différences et les identités, enrichit une comparaison soucieuse de transformations. Et, de fait, on trouve dans bien des sociétés de primates des ébauches de prédation qui entraînent la posture debout, la préhension des animaux, la consommation de la viande, l'usage et même la fabrication d'instruments, notamment agonistiques. Il faut mettre en relation ces ébauches et leur banalisation avec les tensions à l'intérieur des groupes de mâles, la division entre individus reproducteurs et non reproducteurs, si générale, et qui oblige ces derniers à rechercher des ressources complémentaires de celles du groupe.

Mais la considération des ensembles au lieu des éléments n'est qu'une démarche préliminaire. Lui faisant suite, la seconde étape consiste à repérer *un* de leurs rapports ou sous-ensembles, à l'analyser en lui-même et à revoir sa signification d'une totalité à l'autre, comme si l'on reconstituait la totalité de départ dans celle d'arrivée et réciproquement. De la sorte, on s'assure de leur cohérence respective, et on se préoccupe de voir dans l'une la généralisation de l'autre, tout autant que la nouveauté qui s'y glisse. Précepte moral pour commencer : chaque réalité, chaque groupe, chaque espèce mérite d'être envisagé dans sa plénitude, dans sa concrétion, avec le respect que l'on doit à son originalité. Les êtres, quels qu'ils soient, ne sont pas le passé, les précurseurs, les ratés des autres : ils sont surtout eux-mêmes, leur éclatant présent. Si nous tenons à les penser, à les saisir dans la différence, ne les pensons, ne les saisissons pas, eux, dans le manque, dans la négation, mais pensons-nous, saisissons-nous alors comme une de leurs métamorphoses, c'est-à-dire restons dans l'affirmation conjointe. Précepte théorique par conséquent : l'identique vient du différent, le différent vient de l'identique. Par exemple, l'ouverture vers les sociétés animales a ranimé l'intérêt pour la famille, sa fonction quasi religieuse de « *building block* », d'élément de base de tout ce qui est société. Des études nombreuses ont été entreprises pour savoir s'il y a un comportement paternel chez les primates, comment on y prend soin de la progéniture, etc. Bref, si les rapports du groupe élémentaire sont les mêmes que les nôtres. Les résultats ayant été ambigus, on en est plus ou moins resté là. Cependant, si, au lieu de saisir ce groupe élémentaire sur le modèle de la famille chez nous, on l'isole à l'intérieur de l'univers des primates et que l'on examine ses fonctions, les échanges qu'il favorise ou bloque, on reconnaît, au-delà des équivalences, une diversité de structure. Dans les sociétés de primates, on peut découvrir l'existence de deux couples, le couple reproducteur formé par le mâle et la femelle, le couple nucléaire formé par la femelle et sa progéniture. Entre le mâle et sa progéniture, il n'y a pas, à proprement parler, de lien visible, cohérent, sinon celui des tensions qui opposent les générations. En dégageant ces deux couples associés et en les replaçant dans les sociétés humaines, on est en mesure de voir que, afin de fonctionner, vu notamment les exigences de la chasse, ils ont dû s'articuler, déboucher sur la famille; celle-ci est en fait l'assemblage de ces deux couples, créant une relation nucléaire entre le mâle et sa progéniture, tout en conservant la hiérarchie présente dans la relation reproductive. A partir de cette constatation, il est possible de revoir comment se reconstruisent avec des caractères nouveaux dans les sociétés de parenté — celles des hommes — les échanges des générations et des sexes connus dans les sociétés d'affiliation — celles des primates. Ainsi, la famille humaine ne vient pas d'une famille non humaine : elle provient de la structure distincte d'un groupe jouant un rôle équivalent. Du reste, elle a toujours eu du mal à maintenir dans une unité transformée les doublets d' « origine », à fermer, sans éclater, l'angle ouvert en un triangle. La paternité, invention de notre espèce, n'a eu d'autre but que d'ajouter cette barre.

Dois-je multiplier les exemples afin de montrer l'utilité d'une recherche des transformations, si fréquente en mathématique, en physique, en linguistique et même en mythologique (Sperber, Smith)? Utilité que l'on oublie uniquement lorsqu'il est question des « origines » de l'évolution, du « chaînon manquant » entre l'homme et l'animal, du « passage » de la nature à la société... Je suggère d'avoir recours à ces transformations, de les prendre pour guide constant, au lieu de s'en tenir à la version aristotélicienne : celle-ci est, en fait, recherche et classement des qualités, dont on retient empiriquement l'une à l'exclusion des autres, en la chargeant de signifier l'essence de l'objet.

b) *L'hypothèse de complémentarité des processus sociaux et bionaturels*

Elle prend acte du fait que toute réduction, dans un sens ou dans un autre, ne saurait être pour l'instant que verbale. Partant, elle signifie que : 1. chaque série de processus a des propriétés qui sont exclusives, voire opposées à celles de l'autre série; 2. les deux séries de processus sont nécessaires de concert à une analyse complète de la réalité de chaque espèce. On peut, certes, dans ce cas, déboucher sur des contradictions, donc sur un manquement aux démarches usuelles : ce n'est pas le signe d'un échec, mais d'une impuissance surmontée. « Nous ne réussissons pas à affirmer et à nier simultanément une même chose : c'est un principe expérimental et subjectif qui n'exprime nullement une nécessité, mais une *simple impuissance* », a dit Nietzsche. Les deux attitudes prédominantes jusqu'ici, soit maintenir le social et le naturel dans l'indifférence réciproque ou à part l'un de l'autre, soit exiger que l'un soit traduit en termes de l'autre, donc « expliquer le social par le social » ou « expliquer le social par le biologique », sont, par conséquent, en tant que termes d'une alternative, intenables.

Ce postulat a été si contesté en physique qu'une justification s'impose. Restant sur le terrain qui nous importe ici, j'emprunterai à la linguistique les matériaux de cette justification. Ainsi que le mentionnent Mehler et Sperber, l'analyse des régularités et du fonctionnement des capacités linguistiques conduit à isoler des universaux de la langue. Ces universaux doivent avoir, par hypothèse, un substrat de dispositions innées qu'il revient à la biologie de découvrir et de comprendre. Le langage est, aucun manuel n'omet de le spécifier, un instrument, voire une institution de communication sociale. Néanmoins, dès qu'on lui a reconnu des invariants, son examen passe de la sphère sociale à la sphère non sociale, en vertu d'une convention selon laquelle tout ce qui est particulier, variable, est dû à un processus social, tandis que tout ce qui est universel, stable, est dû à un processus bionaturel. Deux problèmes se posent à cet endroit. 1. La connaissance des invariants du langage suffit-elle pour mener à bien l'analyse des dispositions innées ? 2. A supposer que ces dispositions soient détectées, peut-on, comme on le fait, se dispenser d'un examen de ces invariants en termes sociaux ? Les études récentes sur les aptitudes à communiquer des chimpanzés nous ont montré qu'ils sont en mesure d'apprendre et d'employer une syntaxe analogue à celle des sourds-muets (cf. Gardner). Si tel est le cas, il s'ensuit qu'ils possèdent des dispositions innées similaires aux nôtres sur ce plan. Pourtant, ces dispositions ne sont pas identiques : en effet, elles ne sont pas exploitées couramment, et, malgré tout, les chimpanzés ne « parlent » pas. Afin de déceler les écarts, il devient indispensable de se livrer à un examen détaillé des systèmes de communication actuels et virtuels des primates.

A vrai dire, il faudra revenir à une exploration ponctuelle de tous les systèmes de communication linguistique et non linguistique diffusés sur l'échelle animale. Non moins importante sera la tâche de comparaison d'un système qui se trouve articulé avec un autre : par exemple, le système de communication verbale avec le système de communication non verbale chez l'homme. Je donne l'impression de vouloir mettre en relief l'ampleur de la tâche à accomplir, et par là son inutilité ou son impossibilité. Nullement : ce travail n'est pas plus vaste que d'autres qui ont été menés à bien. Je voulais simplement souligner un fait : la connaissance des universaux de la communication est un préalable à la recherche de correspondants bionaturels. Ce qui signifie, on l'aura remarqué, arriver à une explication au moins partielle des règles de compétence linguistique dans le contexte social de la communication, sans laquelle on ne saurait déterminer les rapports, les écarts, les lois de transformation des divers systèmes. *Mutatis mutandis*, tous les universaux décelés dans une société, dans une culture, ceux de la pensée, de la parenté, de l'économie, de la technique, doivent être d'abord compris et explicités du point de vue des rapports sociaux ou culturels sous-jacents, au lieu d'être renvoyés, une fois définis, à une biologie ou une génétique futures, à qui on laisse le soin de se débrouiller. De même que la mécanique classique et la physique atomique ont eu à élucider pour leur propre compte aussi complètement que possible leurs phénomènes respectifs, avant de pouvoir se livrer à des opérations de jonction et de traduction, de même les sciences intéressées par le langage, la communication, etc., ont à spécifier presque exhaustivement les dimensions et les processus sous-jacents à leurs objets respectifs. « L'explication du social par le social », loin de constituer une barrière, est au contraire une condition à la formulation des indices et des mécanismes bionaturels corrélatifs; elle procède à « l'explication par le biologique » en déterminant les propriétés qui doivent être ainsi élucidées.

Imaginons pour l'instant, ce qui nous amène au deuxième problème, que des biologistes ont repéré les dispositions innées du langage, suivant la méthode — à mon avis, de facilité — qui a actuellement cours, et que ces dispositions nous éclairent sur les raisons pour lesquelles une proposition-noyau est formée d'un nom et d'un verbe, pourquoi notre compétence langagière est ce qu'elle est. Serait-il alors superfétatoire ou contradictoire de recourir à une analyse en termes de société ou de communication? Certes non. Manifestement, les chimpanzés ni ne connaissent ni n'utilisent la syntaxe des sourds-muets, bien qu'ils aient les capacités cognitives correspondantes. En revanche, ils s'en tiennent fermement à leur mode de communication par gestes et mouvements, au paralangage qu'ils ont mis au point et qui leur suffit. Pourquoi donc? Quiconque est un peu familiarisé avec ce qui a été écrit à leur sujet observe que ce paralangage s'accorde à leurs relations sociales, sexuelles, à leurs échanges avec l'environnement et avec les autres espèces. On ne voit pas ce que la communication linguistique leur aurait ajouté ou permis de plus, pas plus que l'écriture dans un groupe où le jeu des paroles et des silences remplit à souhait l'espace mental et pratique des individus.

Ainsi, pour rendre compte de l'émergence du langage, de ses règles, des dispositions innées, la description et l'analyse complète devront inclure des propositions ayant trait à l'évolution des relations sociales, des échanges avec l'environnement, qui a eu pour conséquence la nécessité d'un recours au langage, sa prééminence sur la communication paralinguistique, laquelle ne s'en est pas moins conservée. L'explication biogénique à elle seule ne saurait donc suffire, du fait que les mécanismes et les indices non sociaux sont saisissables, qu'il s'agisse de pensée, de travail, de langage, uniquement à travers les indices de la communication, et que l'inné, de son côté, se manifeste à travers l'acquis; elle doit être complétée par une explication sociogénique. Le recours à des concepts complémentaires s'impose. Nous les voyons déjà à l'œuvre en linguistique — compétence et performance —, en économie — valeur d'usage et valeur d'échange —, par exemple. Leur emploi pourrait devenir beaucoup plus systématique. Jusqu'à nous amener à constater que le concept de société humaine lui-même devrait compléter la série, être repensé en ce sens, libérant ainsi les deux aspects de la réalité qu'il recouvre. En effet, d'un côté, elle est société *positive*, opérateur de la nature, puissance matérielle qui s'articule avec les diverses puissances matérielles, forme que revêtent les rapports entre hommes associés pour créer et perpétuer leur environnement. En font partie les moyens qu'ils ont de modeler et d'étendre leurs facultés, organiques et psychiques, de contrôler leur démographie, de conserver et transmettre les ressources humaines et non humaines. De l'autre côté, la société est *négative*, organisation autonome, tournée vers elle-même; elle concentre une série d'intérêts, d'entreprises, d'échanges ordonnés autour du pouvoir, de la richesse, des hiérarchies, des interdits qui séparent ou superordonnent les classes, les sexes et les générations. Les conceptions modernes de la société ont mis l'accent sur la prééminence de la règle, de l'économique, et sous-estimé l'importance de la régulation que les hommes exercent envers l'écologie, aussi bien qu'elles ont négligé la création des facultés biologiques, productives et épistémiques. Sous le découpage commode de facteurs *externes* et *internes*, ces conceptions ont masqué des rapports plus profonds. Notamment que la société se dévoile à l'examen composée, forme et fond, partie d'un système cosmique plus vaste et partie d'un système autonome, totalité incluse dans la totalité des ordres naturels et sociaux humains et non humains; qu'elle s'efforce de remplir deux fonctions de base : l'une universelle, commune à toutes les espèces, visant à associer la matrice organique à la matrice physique, l'autre particulière, relative à notre espèce, assurant la permanence des liens collectifs qui se tissent autour des richesses distribuées, des pouvoirs exercés et des idéologies partagées. La complémentarité a mauvaise presse dans certains quartiers épistémologiques. A mon avis, elle nous fait accéder à une compréhension supérieure du réel.

c) *L'hypothèse de la réalité décentrée*

Elle complète la précédente. Elle exprime simplement l'idée que ni l'un ni l'autre des deux ordres de réalité, le social et le naturel, n'est plus profond que l'autre, ou que tous deux sont également profonds. Partant, il faut reprendre *ab initio* l'étude des invariants des formations sociales et des formations naturelles (écologiques). La découverte de ces invariants, par une comparaison des formations indiquées à travers toutes les espèces, formerait le cadre d'une véritable sociologie ou anthropologie et d'une véritable bionomie générales. Pour y parvenir, une telle comparaison devrait porter sur les processus de sociation et de naturation, d'expression de la société dans la nature et de la nature dans la société. Je tenterai d'en faire l'inventaire dans un tableau qui les met en regard.

SOCIÉTÉ	NATURE
I **La reproduction sociale.** Elle concerne la régulation du volume des collectivités (les pressions exercées sur une population mendélienne), leur répartition à cet égard. La distinction entre sous-groupes reproducteurs et non reproducteurs, différemment définie et réalisée dans les diverses sociétés, paraît être générale.	*La reproduction naturelle.* Elle concerne le maintien et le renouvellement des relations entre le groupe et son milieu, le renouvellement des capacités innées et acquises à cet effet. Au niveau protohumain, l'invention constitue un élément de cette reproduction. La distinction entre reproduction individuelle et reproduction collective, entre ce qui rend un individu apte à la survie et ce qui rend un groupe apte à la survie, permet d'analyser les diverses formes de reproduction naturelle. De même, la confusion ou la prééminence de la reproduction individuelle et collective mesure l'importance de la transmission génétique par rapport à la transmission non génétique, se manifeste dans la division des fonctions et des tâches avec les spécialisations qu'elles requièrent.
II **Le système épistémique.** Il concerne tous les processus d'élaboration et de communication d'information, de coordination des com-	*Le système neuro-cérébral.* Son développement est capital, point n'est besoin d'y insister. On s'est beaucoup occupé jusqu'ici de ses

portements (les rituels y sont inclus). Dans ce système, on doit comprendre, au niveau de l'homme, *ensemble* le langage, la pensée et l'activité épistémo-technique. Il est peu raisonnable de croire qu'on puisse les séparer autrement que de manière artificielle. Aussi bien le langage que la pensée ne se réduisent ni à leur grammaire ni à leur logique; au contraire, la grammaire et la logique s'inscrivent dans des matrices plus vastes qui seules leur donnent un sens et une efficacité. Sperber souligne à juste titre l'importance des inventions des locuteurs. Des propriétés autres que syntaxiques ou sémantiques (de commande, de séparation des rôles, de validation, etc.) doivent être considérées dans une théorie complète du langage. De plus, le langage fonctionne souvent dans le contexte d'autres formes de communication (rituels, cinéma, techniques du corps, etc.) qui ont certainement un impact sur son profil lexique et prosodique. Il faut encore référer les grandes créations intellectuelles, les mythes par exemple, à leur mode de transmission, notamment orale. Les conditions de cette transmission exigent une grande faculté de mémorisation, des techniques mnémoniques appropriées (phrases courtes, cadences accordées à la respiration, etc.) qui ont certainement eu une influence sur la structure de ce qui est transmis (Verger, 1972[1]). Les sociétés dites sans écriture sont des sociétés à parole, qui accordent, pour des raisons objectives, une puissance à celle-ci, et qui, pour la partager, la

aspects volumétriques et de la spécification des parties qui correspondent au langage, à la pensée, à la motricité, etc. Les dimensions les plus significatives, à mon avis, ont trait à l'évolution vers la complexité et vers l'asymétrie. L'évolution vers la complexité est associée, comme l'a amplement illustré Morin, à l'apparition d'un cerveau triunique où les tendances persévératrices, émotives et cognitives, relativement autonomes, sont tant bien que mal coordonnées les unes aux autres (McLean). La propension à l'asymétrie du cerveau a été mise en évidence récemment par les expériences sur les « *split brain patients* ». Le cerveau, comme le corps de la plupart des vertébrés, présente une symétrie bilatérale. Les deux moitiés du cerveau, la droite et la gauche, sont des images-reflets l'une de l'autre, chaque moitié commandant les appareils sensori-moteurs de la partie opposée du corps. Chez l'homme, une spécialisation est intervenue et cette symétrie est devenue bien imparfaite : la partie gauche serait prédominante pour tout ce qui a trait à la fonction verbale, et la partie droite pour les processus non verbaux, le matériel spatio-temporel. Or il faut attribuer la genèse de cette dissymétrie autant aux facteurs techniques (maniement et fabrication des outils, perfectionnement de la capacité de préhension) qu'aux facteurs de communication et de traitement des informations provenant d'un monde extérieur lui-même différencié. Le cerveau est donc non seulement triunique mais aussi tri-

---

1. P. Verger, « Automatisme verbal et communication du savoir chez les Yoruba », *L'Homme*, avr.-juin 1972, p. 5-45.

retenir de génération en génération, ont créé des automatismes. On pourrait aussi les appeler des sociétés rythmiques ou musicales, tant le rythme y joue un rôle partout, dans le langage, dans les activités quotidiennes, dans la coordination au cours des processus de travail. On sera certainement en mesure de trouver des équivalents entre cette rythmicité et des coordinations analogues dans les sociétés de primates. La distinction essentielle se situe entre systèmes épistémiques ayant une capacité de créativité finie et systèmes ayant une capacité de créativité infinie au sens de la théorie générative.

polaire (technique, langage, pensée). Le contraste symétrie/asymétrie pourrait bien définir une sorte d'échelle de comparaison des systèmes neuro-cérébraux.

III *Les processus de reconnaissance sociale*, enfin, m'apparaissent comme étant les plus élémentaires et les plus généraux. Ils ont trait aux rapports entre individus et groupes, à la création des types d'individus par le moyen de la coopération, de la rivalité, de la répartition des tâches, et au maintien de la cohésion collective par le moyen du prestige, de la sanction, etc. Un double courant se dessine ainsi : il distribue les potentialités organiques, les besoins, les pulsions, et tient ensemble les catégories instituées en donnant la possibilité d'induire une pluralité de relations avec le milieu, et en filtrant les effets du milieu sur les divers organismes. En même temps la société inhibe ce qu'elle stimule, tempère et excite les propensions agressives, sexuelles, épistémiques, accroît et diminue leur satisfaction, introduit des interdits et imagine leur transgression, suivant les catégories qui la composent. Les processus de reconnaissance sociale ont pour fonction de maintenir un équilibre

Les processus d'exploration et de création des ressources, d'organisation de l'*Umwelt* ou de la *Mitwelt*, écologiques, en somme, s'imposent à notre attention d'eux-mêmes. Après tout ce qu'on a écrit à leur propos ces dernières années, il n'y a rien à ajouter. Sinon que nous ne les connaissons pas, faute d'analyse systématique. Dans le développement des espèces, nous pouvons hypothétiquement distinguer deux types extrêmes de processus, les processus sélectifs et les processus divisifs. Les processus sélectifs sont caractérisés par la tendance à perpétuer les modes d'exploration des ressources, à perfectionner cette exploration, les changements internes ou externes se traduisant par une séparation corrélative des organismes et des milieux. L'adaptation est ici la règle limite. Les processus divisifs sont caractérisés par une tendance à l'extension qui requiert une différenciation du système socio-organique et du milieu, une restructuration en sous-systèmes qui sont amenés à se entre ces actions contradictoires et de les rendre acceptables à tous (on les voit à l'œuvre dans l'épouillage des animaux comme dans nos règles de politesse).

rendre de plus en plus indépendants les uns des autres, avec une perte correspondante du pouvoir de régulation de l'ensemble sur les parties. La croissance est une règle-limite. Les premiers processus sont commandés par la sélection naturelle et semblent répandus dans le monde animal jusqu'au niveau des primates, ceux-ci occupant une situation intermédiaire. Les seconds processus sont commandés par ce que j'ai appelé la division naturelle et reçoivent leur pleine expression chez l'homme.

Ce tableau se veut uniquement illustratif. D'autres tableaux sont concevables. Un examen théorique approfondi éliminerait les redondances et permettrait d'établir des catégories plus globales et, surtout, plus simples; j'insiste sur la nécessité d'en établir un, afin de donner aux efforts actuels, très dispersés, une plus grande cohérence. « En tant que biologiste étudiant le comportement social des mammifères, écrit Michael Chance, je suis profondément mécontent de l'absence de cadre d'idées générales capable d'englober le comportement de l'homme et celui des autres mammifères dans un domaine unique. Nous autres, êtres intelligents vivant à l'ère spatiale devrions essayer de remédier à ce manque. » On ne peut que partager ce souci, en ajoutant que ce cadre devrait avoir trait à toutes les formes de comportement. Les réticences à cet égard demeurent et demeureront nombreuses. Les unes sont d'ordre philosophique : la place exceptionnelle de l'homme est mise en question, place à laquelle on tient de manière consciente ou inconsciente. Les autres sont d'ordre théorique : ainsi, par exemple, les comportements rituels que l'on observe chez l'animal n'éclairent nullement les comportements humains. Ou, comme le remarque Godelier, les processus de travail, donc de reproduction, d'échange entre organisme et milieu, ne sont pas déterminants eu égard aux rapports de production qui s'instaurent dans la société humaine. Ses arguments ne sont pas sans valeur, loin de là. Toutefois, il n'est pas moins vrai que, selon Marx, « la reproduction et la production » des sociétés humaines est au cœur de l'histoire, de l'histoire effective comme de l'histoire comprise. Or notre reproduction ne saurait être analysée sans une référence à la reproduction des autres espèces, sans une théorie générale du processus de reproduction. Là encore Marx a vu très loin : « L'histoire est elle-même une partie de l'*histoire naturelle*, de la transformation de la nature en homme. Mais les sciences naturelles engloberont par la suite la science de l'homme, tout comme la science de l'homme englobera les sciences naturelles : il n'y aura plus qu'une science. » C'est un projet, une perspective d'avenir : mais les projets doivent un jour subir l'épreuve de la réalité. Les réticences manifestées ont toutefois un côté positif qu'il convient de souligner. Le biologisme les alimente. Le combat se déroule effectivement sur deux fronts. Sur le front des sciences sociales, pour leur faire reconnaître la dimension naturelle des phénomènes, des dynamismes sociaux. Sur le front des sciences naturelles, pour les amener à se pénétrer de la spécificité du social, à abandonner le mépris dans lequel elles tiennent l'acquis dans ce domaine et à renoncer aux simplifications, parfois puériles — elles abondent en éthologie —, de leurs spéculations. Mais n'est-ce pas à cela que nous tendons en ce moment? Les discours parallèles trouveront toujours de quoi se justifier. Ils ne convergeront guère dans le flux d'échange de politesses et d'emprunts discutables à sens unique : seule la confrontation autour d'un programme théorique donne quelques chances à un tel miracle d'avoir lieu.

d) *Enfin, l'hypothèse généalogique*

Elle redouble et explicite les précédentes. La réalité décentrée dans l'espace l'est aussi dans le temps. La transformation des sociétés humaines à partir de celles des primates, la division de la chasse et de la cueillette à partir du fourragement sont des processus. Nulle part on ne relève une coupure, une hétérogénéité qui représente un minimum de temps social dans un maximum de temps naturel, une structure qui inaugure une histoire sans être de l'histoire. La chronologie est, là comme ailleurs, chronophagie. L'évolution et l'involution, la création et la destruction, la genèse des organisations et l'organisation de la genèse sont des phénomènes auxquels aucune société ne se soustrait, et aucune science ne saurait se découper une sphère hors de leur atteinte. Pour l'avoir tenté, soutient Godelier, l'anthropologie « a toujours été, parmi les sciences humaines, un des hauts lieux, sur le plan théorique, de production de fétiches idéologiques, et d'ambiguïté, d'inconfort sur le plan pratique » (cf. p. 362). C'est donc à explorer la réintroduction de la dimension historique dans un champ d'où elle a été systématiquement éliminée qu'il nous convie. Les travaux d'ethno-histoire, ceux d'Haudricourt entre autres, en prouvent la possibilité. Ainsi se ferait le mariage de l'anthropologie et de l'histoire, complémentaires à bien des égards : l'une posant l'universel au début de l'histoire, l'autre à sa fin; l'une se donnant pour toile de fond une nature hors de la société, l'autre une société hors de la nature; l'une visant un inconscient qui annule le temps, l'autre un supraconscient qui l'engendre; l'une voyant dans le mythe le paradigme de la pensée, l'autre dans un équivalent, l'idéologie, la perversion de cette même pensée, etc. Si l'on comprend bien Godelier, c'est par le truchement d'une telle complémentarité et le rapprochement du structuralisme et du marxisme que l'alliance pourra être conclue. Alliance qui a, certes, des justifications théoriques, mais qui vient porter ses fruits dans des conditions historiques concrètes sur lesquelles on aurait aimé en savoir plus long.

Certains reprocheront à Godelier une inconsistance : comment vouloir rapprocher, synthétiser ces deux courants, si éloignés par leur inspiration, malgré les citations qu'on peut glaner ici et là? Ils sont éloignés, en effet, non seulement quant à leur terrain d'étude privilégié, leur division de la société, mais encore opposés là où ils se rencontrent. Car, à tout prendre, le fondement de la théorie d'échange qu'anime le structuralisme est, en dernier lieu, l'économie marginaliste, l'économie qui se donne pour objet l'étude du « comportement humain en tant que relation entre des fins et des moyens rares qui ont des usages alternatifs ». Les concepts de la linguistique structurale, heuristiques dans leur champ spécifique, à n'en pas douter, comme ceux de Malthus l'ont été en biologie, sont cependant nettement marqués. Ils proviennent en ligne droite de Walras, Pareto, etc. Ayant réussi à hausser la linguistique au niveau de science pilote des sciences humaines, le structuralisme a aussi tendu implicitement, à l'arrière-plan, la trame théorique de l'économie marginaliste dont on connaît les rapports avec le marxisme. En conséquence de quoi, les marxistes qui l'ont suivi, sans regarder de plus près à cet aspect des choses, se retrouvent probablement en situation d'ambiguïté. Ainsi, lorsque Godelier écrit, dans un esprit de conciliation : « Des problèmes fondamentaux comme celui de la prohibition de l'inceste, de l'exogamie et de l'endogamie, du mariage des cousins croisés, des organisations dualistes, qui étaient traités séparément et sans succès, ont été rattachés les uns aux autres et expliqués à partir du fait fondamental que le mariage est un échange, l'échange des femmes, et que les rapports de parenté sont des rapports entre groupes avant d'être des rapports entre individus », il fait état d'un progrès. De là à y voir un acquis, une explication acceptable dans une perspective marxiste, orthodoxe ou non, le pas est trop grand. Dans cette perspective, les échanges ne constituent pas mais supposent les rapports sociaux, ils apparaissent en tant que produit historique tardif, précédés par le don et le contre-don, le principe de partage (Moscovici, 1972, *op. cit.*). Mais sous la croûte des échanges d'équivalents se cache la dissymétrie de leur sujet et de leur objet, des hommes et des femmes, qui transforme l'échange en non-échange. Se dévoile ainsi une des raisons d'être de l'écart de la société à la nature sur quoi l'anthropologie s'appuie : donner à l'inégalité l'apparence de l'égalité, à la non-réciprocité l'apparence de la réciprocité. Point de doute : si le secret de l'anthropologie est dans notre nature, alors le secret de notre nature est dans l'anthropologie. Les inconsistances méritaient d'être signalées : pour être mené à son terme, il faut que le projet soit plus radical.

Une science qui s'est tenue si unanimement à l'abri de l'histoire doit être fouillée bien à fond avant qu'on puisse appliquer ses catégories et ses résultats à des réalités d'un ordre différent. Spéculons un peu à ce propos. L'anthropologie est édifiée sur une logique de la séparation, autour des hauts lieux des catastrophes où se sont écroulées, où ont été détruites les collectivités « primitives » et « rurales »; l'histoire est bâtie sur une logique des contradictions, autour des hauts lieux des révolutions où se sont affrontées les classes de la société. Sous cet angle, l'hétérogénéité semble absolue. A regarder de plus près les sociétés dites primitives, on se convainc de l'imbrication étroite des processus de reproduction naturelle, sociale, et des processus de production. Les sociétés dites civilisées, par contre, ont nettement séparé les deux séries de processus, se sont focalisées sur le processus de production; la société capitaliste, tout particulièrement, a fait de la production pour la production son idéal et sa pratique favoris. Quel qu'ait été le génie des créateurs du marxisme, la partie la plus achevée de leur œuvre s'inscrit ainsi dans l'optique de la production. Replacée dans le système de reproduction, pour l'analyse duquel leurs notions sont insuffisantes, cette optique aura besoin d'être revue. Faute de notions adaptées, d'une vision d'ensemble de la dynamique des forces productives, on se demande quel sera le fondement commun à partir duquel enchaîner l'histoire des deux types de société. L'échelle du temps a son importance. Disons brutalement que l'histoire écrite, pensée jusqu'aujourd'hui, est uniquement l'histoire de la civilisation du monde urbain, de la lutte des classes qui s'y rapporte comme à son horizon. Les historiens ont adopté vis-à-vis du monde rural la même attitude que les anthropologues vis-à-vis du monde primitif : ils se sont placés à distance, ils ont contemplé un passé et décrit un progrès qui devait aboutir là où il a abouti de nos jours. Or l'anta-

gonisme du monde rural et du monde urbain, qui ne se réduit pas à
celui des classes, n'a pas trouvé d'écho dans les théories historiques, le
marxisme notamment, qui, sous l'aspect de l'antagonisme, de la lutte
des classes passant pour le caractériser, ne l'épuise guère. Il est intéressant de noter — et il conviendrait d'explorer les choses plus à fond
— que la plupart des révolutions qui ont secoué nos sociétés depuis
plusieurs siècles (y compris les révolutions bourgeoise et socialiste)
ont un fort substrat rural qui, en un sens, a été tourné à l'avantage des
classes urbaines, canalisé à l'intérieur de leur cadre. Aux yeux de Karl
Marx, le monde des campagnes était un monde passif, peu apte à se
soulever. N'écrivait-il pas en 1870 à Kugelman : « Seule l'Angleterre
peut agir comme levier d'une révolution économique sérieuse. C'est
le seul pays où il n'y ait pas de paysans. » Pourtant, à regarder du côté
de la Chine, on a vu s'élaborer une théorie suivant laquelle la lutte des
campagnes contre les villes représente la meilleure stratégie de la révolution, la forme moderne de la lutte des classes. Ainsi, à travers toutes
les révolutions, l'antagonisme ville-campagne court-il comme un fil
rouge, un courant souterrain qui fait périodiquement surface. On
serait presque tenté de dire que la lutte des classes s'est greffée dessus,
que l'histoire se révèle non seulement à travers des processus de contradiction, mais aussi à travers des processus de division, celle de la ville
et de la campagne, du travail intellectuel et du travail manuel, entre
autres.

    A une plus grande profondeur, on pourrait déceler, en tant que
phénomène historique important, l'expansion des sociétés étatiques
aux dépens des sociétés non étatiques, l'asphyxie lente des collectivités « non civilisées », « naturelles », par les collectivités « civilisées »,
« culturelles », qui a commencé il y a bien longtemps et a reçu sa
consécration dans l'ethnocide dont nous sommes les témoins passifs
et les pleureuses. Le problème que l'on se pose ainsi n'est pas seulement de savoir si la famille incarne des rapports de production ici
et cesse d'en incarner là : c'est celui d'un déploiement et redéploie-
ment de l'histoire sur un terrain qui lui est interdit. Là, au cœur de
l'anthropologie, elle fait voir que la nature — le monde primitif, le
monde rural, voire animal —, c'est l'autre, tout comme l'anthropologie, au cœur de l'histoire, fait voir que la nature, c'est aussi soi,
le monde nié ou appelé à être nié. Bref, que l'inconscient de la culture
est structuré comme un primitif, comme un rural, comme une femme,
comme un animal, nos semblables. Mais on ne saurait uniquement
reconstituer l'anthropologie et l'histoire avec leurs sphères, leurs
concepts revus et corrigés. Leur mise ensemble et leur éclatement
ne font qu'un. Ainsi s'entend la phrase de Godelier : « On comprend

donc pourquoi une telle démarche théorique, libre de tout préjugé, peut être l'instrument tout autant de révolutions théoriques que de révolutions sociales ». Démarche ayant intégré à son programme le temps concret de la lutte, de la mort des individus et des groupes, forcée de déboucher sur une anthropogonie, une science de la formation des mondes humains, et non pas seulement des lois de leur constitution.

Voilà donc les quatre hypothèses, le projet qui en découle. Au modèle actuel que la littérature savante pourrait appeler le modèle du « tout ou rien » (tout l'universel dans le biologique, rien dans le social; tout le culturel chez l'homme, rien chez l'animal, etc.), elles conduisent à substituer, pour des raisons évidentes, le modèle du « tout et quelque chose ». A remplacer un bon sens par un autre bon sens, en somme. Je ne crois pas que, pour l'instant, il soit décent de prétendre à davantage.

IV. DE LA RÉVOLUTION KÉPLÉRIENNE

Le désir de révolution ne crée pas plus une révolution que le désir d'un monde juste ou d'une vie éternelle ne rend le monde juste ou la vie éternelle. Ni ce désir, ni les faits inédits, ni les théories achevées ou naissantes n'épuisent jamais le sens d'un événement de cette importance, invoqué ou évoqué à plusieurs reprises. Mais à quoi donc est dû le sentiment qu'une révolution est là, qu'elle est possible et souhaitable? La communication de von Foerster, ouvrant presque mystérieusement sur la position de l'observateur en regard de ce qu'il observe, nous met sur la voie d'une réponse. Avec un retard que certains jugent compréhensible, les sciences humaines, voire celles de la biologie, viennent de revivre la révolution copernicienne. En astronomie, Copernic a réordonné les planètes autour du centre abstrait qui illumine tout sans intervenir nulle part, les faisant tourner, indépendantes les unes des autres comme du centre, sur des orbites fixes, en vertu d'une sorte d'harmonie préétablie. A sa suite, on recrée partout une constellation analogue : en épistémologie, un sujet, centre distant, aux catégories de pensée immuables, autour duquel se déroulent des phénomènes réels immuables, dans le cours desquels science et observation n'interviennent guère; en anthropologie, un univers humain permanent, intemporel, enroulé autour de la société pensante et parlante; en biologie, un univers animal obéissant à des lois strictes, dont le point fixe est la nature, partagée entre génétique et environnement. La science se veut pure, aussi rigoureuse et détachée que possible, les yeux fixés sur les vérités éternelles; elle a pour tâche, l'exemple de la linguistique, de l'économie, des mathématiques aidant, de définir son objet, de mesurer les distances qui permettent une connaissance objective, et de se fier aux connaissances recueillies là seulement où ces mesures sont correctes, ces distances respectées.

Or, regardé par transparence, cet objet commence à laisser entrevoir le sujet qui le définit théoriquement et pratiquement, dans ses musées, ses réserves, ses laboratoires, institutions du même ordre, procédant du même système de pensée. A savoir, la société, la seule, qui produit des anthropologues, des biologistes, des sociologues, des psychologues, des physiciens, etc. En ce qui concerne l'anthropologie, Sperber demande qu'on avertisse l'anthropologue de cette courbure de son espace, qu'on le forme d'une autre façon, tout comme il serait bon qu'on détache les biologistes et les éthologues de leur biais envers le monde animal ou humain, des valeurs qu'ils portent et qui les portent. Toutes les discussions sur l'hominisation, par exemple, qui se donne, qu'on le veuille ou non, pour couronnement l'homme — intitulé *sapiens* on ne sait trop pourquoi —, sont de part en part traversées par une aspiration sacrée, religieuse ou laïque. La séparation de la nature et de la société concourt au même but. A tous les niveaux, la « rentrée du sujet » — comme on dit qu'il y a rentrée du vaisseau spatial dans l'atmosphère — est requise dans la science, afin que l'on soit plus en contact avec le réel, afin de le connaître mieux et d'être plus complètement pénétré de ses problèmes et de ses complexités. La proximité au lieu de la distance — l'éthologie a démenti les avantages de cette dernière —, la familiarité et la participation au lieu de la collecte patiente de documents surabondants à propos de phénomènes latéraux — l'anthropologie commence à s'en soucier — reprennent une dignité que leur avait déniée un scientisme sommaire. Et avec cela, nécessairement, un autre mode de regarder le rituel savant, de tracer ses frontières, d'élaborer d'autres notions et d'autres questions, à une autre échelle peut-être, commence à forer les murs encore épais du savoir. La vraie objectivité ne réside pas dans l'absence du sujet, mais dans la nature de la relation qu'il entretient avec son objet. Il est grand temps de désobjectiver la science. Pour la libérer de l'obsession de la subjectivité, bien sûr, non pas pour la rendre subjective.

C'est donc une révolution képlérienne que l'on évoque ici. Son original, on s'en souvient, a mis le soleil, devenu point moteur effectif, en un des foyers de la courbe que les planètes décrivent autour de lui, courbe variable et non plus fixe, qui dépend des forces s'exerçant

entre le corps central et les planètes qui en dépendent. En épistémologie, cela signifie que le sujet, son observation, ses catégories de
pensée, occupant un des foyers du système de connaissance, déterminent le ciel observé, les phénomènes qui s'y déroulent et qui, pas
plus que les corps célestes, ne parcourent une orbite fixe ni ne sont sans
rapport les uns aux autres. Dans l'univers humain aussi bien que dans
l'univers animal, suivant la perspective dans laquelle on les saisit, la
nature est susceptible d'occuper un foyer et la société l'autre, leur
évolution dépendant ici et là des forces qui s'exercent, sans qu'on
voie dans ces échanges et ces rapprochements quoi que ce soit de
contradictoire ou d'indécent. L'écart, la non-interférence de l'observateur et de l'observé, de l'être social et de l'être naturel, la saisie
d'une culture par ses connaissances et d'une autre culture par ses
connus ne sont pas les conditions de l'objectivité de la science, mais
son illusion. La physique quantique avait, à l'occasion des relations
d'incertitude, préparé les armes de cette révolution, qui ne saurait
fonder à nouveau l'anthropologie — et d'autres disciplines — en tant
que science sans rendre la science anthropologique. Et, au-delà, si
une telle dépendance existe entre le sujet et le réel, entre les parties
du réel, alors il n'y a plus de réalité ultime, comme il ne peut plus y
avoir de commencement premier; il devient tout aussi vain de chercher une origine où puiser des structures immuables que d'imaginer
un futur auquel raccrocher une histoire qui ait une fin : partout,
on ne saisit que des transformations. A chaque étape et dans le concret
que chaque science travaille, où elle forge ses outils, décrit son horizon,
engrange ses résultats, elle n'a point besoin d'une éternité assurée,
ni de ce qu'elle étudie, ni de l'esprit de celui qui étudie, pour s'intéresser avec la plus grande vigueur à des vérités auxquelles on souhaite
toujours une espérance de vie un peu plus longue, mais guère plus.

Science de l'homme éthique et société

Présentation [1]

Massimo Piattelli-Palmarini

Dans son article « The human *nature of human nature », paru dans la revue* Science *en avril 1972, Léon Eisenberg, directeur du Département de psychiatrie du Massachusetts General Hospital à Boston, analysait les fondements logiques et idéologiques de certaines écoles d'éthologie (notamment les théories de Konrad Lorenz) qui invitent souvent à extrapoler certains comportements animaux au comportement humain. L'étude du comportement fournit un carrefour idéal pour les interférences entre expérimentation et idéologie. Les contaminations mutuelles entre observation, présupposés épistémologiques, inférences, analogies, conceptions implicites et explicites sur la nature humaine, valeurs politico-idéologiques, fermentent ici plus qu'ailleurs Loin de constituer un appendice à la science, ces présupposés fondent. souvent leur propre méthodologie, dictent à l'avance ce qui est essentiel et ce qui est secondaire, ce qui doit être éclairci et ce qui peut être tenu pour acquis. Le choix même de l'espèce animale sur laquelle conduire les recherches n'est pas indépendant de l'approche théorique générale que l'étude est appelée à consolider. Eisenberg écrivait dans son article : « ... Les planètes continueront à parcourir leurs orbites soit qu'on les regarde comme héliocentriques, soit qu'on les regarde comme géocentriques. Seules les équations qu'on engendre pour rendre compte de ces mouvements vont changer en complexité. Quant aux mouvements planétaires, ils garderont une sublime indifférence à l'égard de nos astronomies terrestres. Mais le comportement de l'homme ne présente pas une pareille indifférence aux théories sur le comportement que l'homme adopte. »*

Dans ce qui suit, Léon Eisenberg nous donne une analyse des impasses et des perspectives éthiques d'une science de l'homme. Le texte, révisé par l'auteur, reproduit fidèlement la communication orale.

---

1. Le thème « Science de l'homme et éthique » ayant été proposé par Mr. et Mrs. Cyrus Eaton lors de l'organisation du colloque, c'est à eux que nous dédions tout particulièrement cette conclusion générale.

Éthique et science de l'homme[*]

Léon Eisenberg

Ma tâche, qui consiste à relier les thèmes initiaux de cette réunion aux vastes questions éthiques de la science et de la société, me donne le sentiment d'être Adam et d'avoir à commenter la Création. Je reste confondu devant l'immensité de l'entreprise.

Les hommes de science en viennent à admettre qu'il existe une crise éthique de la science. Nombreux sont ceux qui ont cru naïvement que les canons de la méthode scientifique créeraient chez les chercheurs un engagement éthique en faveur de la vérité, de la justice et de l'amélioration de l'homme. Nous n'avons qu'à lire l'histoire de notre temps pour découvrir que des hommes de science peuvent se mettre au service des pires intérêts d'un pouvoir et même faire office de bourreaux. En fait, je n'ai pas pu m'empêcher d'éprouver un sentiment de malaise lorsque David Premack a parlé, en passant, d'études sur la possibilité de dresser des pigeons à distinguer des silhouettes humaines sur des images complexes. Cette recherche a été effectuée (non par Premack) aux termes d'un contrat de l'Aviation américaine destiné à mettre au point une méthode pour localiser, sur des photographies aériennes du Viet Nam, la présence des Viet Cong (c'est-à-dire n'importe quelle présence non reconnue comme « amie »), afin de les mitrailler du ciel. Je suppose qu'il est intéressant que les pigeons puissent être dressés à s'acquitter de cette tâche mieux que les hommes; mais le fait que des hommes de science s'occupent de dresser des pigeons pour que ceux-ci deviennent capables de fournir une information destinée à faire tuer des hommes, se rapporte bien davantage à nos préoccupations actuelles.

Cette conférence est une entreprise à vocation morale, que ses conséquences soient ou non aussi palpables que nous le souhaiterions, parce qu'il s'agit de confronter différentes ma-

[*] Traduit par Mme Abelleila.

nières dont on étudie l'homme — manières très spécifiques, très distinctes, très spécialisées — dans le dessein d'envisager ce que peut faire la science contemporaine en vue d'améliorer le statut de l'homme en tant qu'être complet. Dans ce sens, cette conférence est une conférence politique.

Car nous ne pouvons, dans tout ce que nous faisons, échapper à la politique; les idées sur la nature de l'homme sont inévitablement politiques. Je ne tenterai pas de fournir ici des documents exhaustifs à l'appui de cette hypothèse, mais je voudrais simplement vous rappeler un ou deux exemples connus de tous. Dans *la République* de Platon, Socrate, après avoir affirmé la valeur de la vérité, dit : « Si quelqu'un peut avoir le privilège de mentir, il s'agit bien des dirigeants de l'État. » (Je ne puis m'empêcher de songer entre parenthèses que les présidents américains sont, dans une certaine mesure, de fidèles disciples de Socrate.) Glaucon demande à Socrate comment un tel mensonge utile à l'État peut être conçu, et Socrate lui répond : « Citoyens, devrons-nous leur dire dans notre fable, vous êtes tous frères, et cependant Dieu vous a constitués différemment. Certains d'entre vous ont le pouvoir de commander, et dans la composition de ceux-ci il a mêlé de l'or, d'où le fait qu'ils ont aussi droit aux plus grands honneurs. D'autres ont été faits d'argent pour être des auxiliaires. Et d'autres encore, qui sont les laboureurs et les artisans, ont été faits de cuivre et de fer, et les espèces seront généralement conservées dans les enfants. » Il ajoute plus loin : « Tout échange intempestif entre les trois classes serait des plus nuisibles à l'État et pourrait être proprement décrit comme le comble de l'infamie. »

Voilà donc une théorie de la nature humaine, et de ses rapports avec la structure de classe de la société. Sautons deux mille ans pour arriver aux Encyclopédistes français et voyons combien différente est l'idée de l'homme qui surgit de la position d'Helvétius (1772) : « Deux opinions opposent aujourd'hui les hommes de science sur cette question. Un groupe prétend que l'esprit est l'effet d'une certaine forme de tempérament et d'organisation interne; mais personne n'a encore été capable, au moyen d'aucune observation, de déterminer quelle sorte d'organe, de tempérament ou de nourriture produit l'esprit. Cette vague affirmation, dénuée de preuves, se réduit à ce que l'esprit est l'effet d'une cause inconnue sur une qualité occulte... Quintilien, Locke et moi-même disons : ' L'inégalité des esprits est l'effet d'une cause connue, et cette cause c'est l'inégalité de l'instruction '. » Rousseau est allé encore plus loin, qui déclarait que l'homme à l'état de nature était bon. Avançons rapidement dans le temps et rappelons-nous les paroles d'Herbert Spencer qui voyait dans la nature une réplique du capitalisme compétitif, lequel se voyait transfiguré en loi biologique justifiant les mines de charbon, les usines de coton et les colonies. « La pauvreté de l'incapable, les malheurs qui s'abattent sur l'imprudent, la faim de l'oisif et l'écartement du faible par le fort sont les décrets d'une bonté ample et prévoyante. » Cette version vulgarisée de Darwin ignorait l'injonction bien précise de ce dernier : « J'utilise le terme 'lutte pour la vie' dans un sens large et métaphorique, qui comprend la dépendance d'un être par rapport à un autre, et qui comprend, ce qui est plus important, non seulement la vie de l'individu, mais la possibilité de sa reproduction. » Dans l'article de *Science* qui vous a été distribué avant cette conférence, j'ai cité, et ne répéterai pas ici, les déclarations racistes de Lorenz lorsqu'il se servait d'analogies entre les animaux et l'homme, dans le domaine de l'éthologie, pour justifier les lois du mariage chez les nazis.

On retrouve les mêmes extrapolations en psychiatrie. Au milieu même de la Première Guerre mondiale, Sigmund Freud, las et le cœur lourd, écrivait dans ses *Réflexions sur la guerre et la mort :* « L'importance même accordée au commandement : Tu ne tueras point, nous assure que nous descendons d'une lignée interminable de générations d'assassins, qui avaient l'amour du meurtre dans le sang comme nous l'avons peut-être nous-mêmes. » Dix ans plus tard *(Malaise dans la civilisation)*, Freud déclare : « La civilisation est perpétuellement menacée de désintégration du fait de cette hostilité fondamentale qui dresse les hommes les uns contre les autres... La tendance à l'agression est une disposition innée, indépendante, instinctive de l'homme... » Nombreux sont ceux d'entre vous qui se souviennent des lettres poignantes échangées par Albert Einstein et Sigmund Freud dans les années 30, lorsque le socialiste Einstein demandait au psychiatre Freud, dans une célèbre correspondance : « Pourquoi la guerre? », espérant trouver de l'aide auprès du savant renommé. Freud n'a pu que répondre : « Il n'est pas question de nous débarrasser entièrement des pulsions agressives de l'homme; il suffit d'essayer de les détourner dans une mesure telle qu'elles n'aient plus besoin de s'exprimer par la guerre. » Dans l'un de ses derniers livres, il formule l'avertissement suivant : « Nous aurons encore à nous battre pendant un temps indéterminé contre les écueils que la nature intraitable de l'homme place sur le chemin de toute communauté sociale. »

Au fur et à mesure que la mystique freudienne a commencé à reculer, elle a été remplacée par un vulgaire biologisme dans les livres d'Ardrey, Morris et autres qui réduisent le comportement humain à une extension du comportement animal; au moyen d'un choix sélectif du comportement animal qu'ils désirent extrapoler, ils présentent une image de l'homme correspondant à leurs croyances. Ce n'est pas là, à mon avis, de la science, mais un test projectif tel que le Rorschach. Le vulgarisateur voit ce qu'il cherche dans la « nature » et justifie ensuite sa théorie de la société en se référant à la « source » qu'il a trouvée dans la nature. Il ne s'agit pas de discussions académiques entre individus de mérite scientifique limité. Si ces questions étaient purement « scientifiques », on pourrait attendre tranquillement que des preuves écrasantes éliminent le mensonge. Malheureusement, il s'agit d'idées largement répandues et qui ont des conséquences. Ce que l'on attend des autres détermine, tout au moins en partie, le comportement de ces autres. Lorsqu'un psychiatre entend un paranoïaque se plaindre que les autres ne l'aiment pas, il s'aperçoit très vite que le paranoïaque a raison. Du fait que le patient attend du mal des autres, la façon dont il authentifie le rejet paranoïaque lorsque le patient sort en colère contre lui, il sourit amèrement, trouvant la preuve de sa propre conclusion. Nos théories sur l'humanité ont des conséquences réelles, indépendamment de leur valeur de vérité scientifique. Le sociologue américain Robert Merton a souligné il y a longtemps le caractère d'autosatisfaction de la prophétie sociale. C'est pourquoi je prétends qu'une théorie de la nature humaine doit comporter un impératif kantien : il faut supposer que l'homme peut être humain si l'on veut qu'il le devienne. Je suis personnellement convaincu que l'on peut rassembler des preuves scientifiques à l'appui de cette thèse, même si les données en sont reconnues incomplètes, et je prétends qu'elle est le commencement de la morale.

La question peut être posée de manière très précise. Lorsque la recherche est subventionnée par une organisation philanthropique et que son but est de faire avancer la science, reste le problème de savoir si ses découvertes peuvent être utilisées à des fins détestables. Comment, alors, l'homme de science se situe-t-il lui-même par rapport à la question des valeurs humaines ?

Permettez-moi de revenir sur le beau compte rendu qui nous a été offert de la *Weltanschauung* du Pygmée. Nous avons ici un système métaphysique utilisé par le Pygmée pour expliquer la nature du monde dans lequel il vit, système qui est compatible avec la survie de ce monde et qui permet le renouvellement des ressources dont dépend son existence. Lorsque Jacques Monod nous a demandé de nous livrer à une expérience mentale qui consisterait à imaginer d'autres systèmes mythiques compatibles avec une telle société, il a posé à l'anthropologie un problème difficile à résoudre. Ce que l'anthropologue peut nous fournir de mieux, c'est un compte rendu des conditions sociales et matérielles suffisantes pour qu'apparaisse un système de croyances, mais il ne peut pas préciser ce qui est indispensable pour qu'apparaisse *ce* système de croyances. Les Pygmées auraient pu élaborer une, deux ou *n* théologies qui permettraient le maintien de leur économie et de leurs rapports sociaux. En revanche, ils ne peuvent avoir un jeu de croyances qui aboutirait à un comportement destructeur de leur environnement. C'est-à-dire qu'il existe des limites qui définissent les cosmologies possibles, mais qu'elles laissent largement place à la multiplicité dans le cadre de ces limites. J'aimerais particulièrement insister sur le rapport harmonieux qui existe entre la vision du monde du Pygmée et son mode de vie. Ce qui nous manque terriblement, c'est une vision intégrante de la nature du monde, susceptible de ramener une sorte d'harmonie entre l'homme occidental et le monde contemporain. L'urgence de cette nécessité provient du pouvoir de la technologie et de l'explosion démographique conséquente, qui nous ont placés, pour la première fois de notre histoire en tant qu'espèce, dans une situation telle que nos propres actes peuvent détruire l'équilibre d'une écologie dont dépend notre survie. On pense, de toute évidence, à la bombe nucléaire, suspendue au-dessus de nos têtes telle une épée de Damoclès. Mais, même en l'absence d'une telle catastrophe, le rythme auquel nous exploitons les ressources naturelles, sans souci de recyclage, nous permet de détruire la biosphère et d'engendrer la misère humaine sur une vaste échelle, si ce n'est l'extermination de l'homme. Nous commençons à admettre que les ressources terrestres ne sont pas des trésors inépuisables, susceptibles d'être exploités indéfiniment, sans qu'il y ait lieu de reconstituer ce que nous prélevons, chose que tout Pygmée comprend. En fait, le problème de l'expansion démographique concerne plus les Américains et les Européens de l'Ouest que les

Chinois ou les Africains. L'Américain moyen produit une quantité de déchets bien plus considérable que ne le fait un Indien. Ce qui caractérise les Américains et aussi, je pense, les Français, c'est que nous sommes bien mieux disposés à admettre la limitation du nombre des Indiens ou des Africains que la limitation du nombre des Américains ou des Français. Ainsi, nous ne devrions pas nous étonner si nos motivations paraissent suspectes aux pays en voie de développement lorsque nous exportons chez eux des méthodes de contrôle des naissances. La question est particulièrement pertinente aux États-Unis. Je me souviens, il n'y a pas tellement longtemps, que collecter des fonds à ce profit ne pouvait être considéré comme une œuvre digne de soutien, de crainte d'offenser l'Église. En fait, peu d'Écoles de médecine enseignaient le contrôle des naissances; dans la mienne, on nous conseillait de nous adresser au dispensaire du Planning familial, mais nos professeurs ne nous apprenaient rien à ce sujet. Pendant les années 50, il est devenu évident pour les dirigeants politiques que la contraception pourrait constituer une arme efficace pour la limitation du nombre des pauvres — en particulier des pauvres noirs — en vue de réduire ainsi les frais des services d'assistance sociale. Tout à coup, la contraception est devenue admissible sur le plan politique aux États-Unis et l'on a assisté à une explosion en matière d'efforts en vue du contrôle des naissances. Ceci ne revient pas à dire que la contraception est mauvaise; une femme, qu'elle soit noire, africaine ou mexicaine, devrait avoir le même droit que toute autre femme de décider si elle veut avoir d'autres enfants. Mais il faut bien admettre que les motivations qui ont assuré le succès du contrôle des naissances ne sont pas uniquement des préoccupations d'ordre humanitaire.

Les modifications que nous avons introduites dans l'écosystème menacent la survie de l'homme; certaines conditions de la vie moderne risquent de dépasser son adaptabilité biologique. Notre équipement biologique a surgi au cours d'une période d'adaptation à la vie dans la savane et d'instauration de l'agriculture. Maintenant, la ville constitue de plus en plus l'habitat de la population humaine. Dans ces conditions, quelles peuvent être — pour soulever une question théorique — les conséquences de la quantité effroyable de bruit ambiant? Il y a quelques années des savants anglais ont eu la curiosité d'étudier les conséquences du bruit sur les individus vivant près de l'aéroport de Heathrow. On a comparé les admissions dans les hôpitaux psychiatriques, en provenance de différentes zones de recensement, dont l'une était placée sur la trajectoire des avions et soumise, de ce fait, à des bruits intenses. Assez curieusement, les données ont indiqué un taux d'hospitalisation plus élevé dans les communautés situées sur les routes aériennes se dirigeant vers l'aéroport. Les autres facteurs sociaux n'entrant pas en ligne de compte, on ne peut estimer que cette étude était concluante, mais elle ne manquait pas d'intérêt. D'autre part, il est clair que chez les Américains l'acuité auditive faiblit beaucoup avec l'âge, par rapport au degré d'acuité de ce sens que conservent les Africains vivant en forêt. Les jeunes Américains et, en particulier, les habitués des concerts de rock, perdent leurs facultés auditives encore plus tôt. Les effets de la surpopulation sur le comportement humain exigent une étude approfondie. Lorsque des contraintes extérieures obligent les souris, les chats et les primates à vivre dans des conditions de surpopulation extrême, ils se comportent de la manière la plus bizarre, avec des modifications endocriniennes, des anomalies dans les réponses sexuelles et un comportement social nettement déviant. L'homme possède une plus grande capacité de survie que ses cousins dans de telles circonstances, mais en sort-il indemne ? Peut-être pouvons-nous déplorer chez l'homme la perte du phénomène que Parks décrit chez les souris. Comme vous le savez, si une souris est ensemencée par un mâle et offerte, peu après, à un deuxième mâle, la femelle présente une proportion d'avortements plus élevée, probablement en réponse à l'odeur du mâle étranger. Il ne semble pas qu'un tel phénomène se produise chez l'homme, mais celui qui pourrait concevoir un système capable de le recréer serait certainement un bienfaiteur de l'humanité !

Troisièmement, permettez-moi de vous demander de considérer à quel point notre équipement biologique peut être mal adapté au comportement actuellement exigé de nous. Mettons, par exemple, que Changeux et moi discutions âprement du rôle de la localisation de la mémoire ; chacun de nous ressentira vraisemblablement un épanchement d'éphinéphrine, de la tachycardie, de l'hypertension et une augmentation des acides gras dans le sang ; aucune de ces modifications n'améliorera notre capacité d'évaluer la logique de l'argumentation — il est probable que c'est tout le contraire qui se produira —, mais chacun de nous risque de se retrouver passablement amoindri à l'issue de cette rencontre. Certaines des maladies que nous découvrons actuellement chez l'homme sont peut-être des maladies de la tension, tenant au fait que l'équipement biologique humain se trouve dépassé par les conditions de vie; là où des réactions purement cérébrales sont nécessaires, notre corps répond comme si le combat physique s'imposait. Enfin, nous commençons tous à prendre conscience des conséquences de l'intervention génétique sur une vaste échelle. C'est ce que l'homme a fait aux plantes et qui, si souvent, s'est retourné contre lui. En procédant à une sélection fondée sur des traits particuliers associés à une plus grande productivité, il a restreint la variabilité du pool génétique et essuyé des désastres chaque fois qu'une nouvelle maladie (ou un changement de temps) apparaissait. D'où l'anéantissement quasi total de récoltes sur pied : celles-ci se trouvaient dépourvues de la variété qui leur aurait permis de surmonter des circonstances imprévues. Nombre de savants considèrent que, chez l'homme, le changement génétique sur une vaste échelle relève de la science-fiction; ce changement appartient néanmoins au domaine du possible. L'Histoire nous a appris que tout ce qui pouvait être fait par la technologie a été fait. Il faut espérer qu'à l'avenir nous serons plus sages, mais rien ne justifie un optimisme facile. Par amniocentèse, nous pouvons déterminer le sexe de l'enfant pendant les trois premiers mois de la grossesse. Supposons que les pères et les mères aient le droit de décider l'interruption d'une grossesse en fonction d'une présélection du sexe de l'enfant qu'ils désirent avoir. Nul besoin d'un sociologue subtil pour imaginer les conséquences que cela comporterait pour l'équilibre garçons/filles. On peut aussi envisager la possibilité de reproduire les hommes par souches cloniques *(cloning)*. Cela s'est fait sur les grenouilles et pourrait se faire sur les hommes. Que se passerait-il si les femmes avaient la possibilité de choisir le noyau de la cellule qui doit pénétrer dans leur ovule? Malgré toute l'admiration que je nourris pour le théoricien de la relativité, ce serait un désastre si nous devions tous être des Einstein, simplement à cause de la réduction de la variabilité du pool génétique. J'attire votre attention sur les pouvoirs de notre technologie. J'insiste en particulier sur la possibilité de les introduire à une très vaste échelle, affectant des millions de personnes. Cela rend la situation très différente de ce qu'elle était par le passé. Si une petite société était assez déraisonnable pour faire obstacle à l'accouplement et provoquer ainsi sa propre destruction, l'effet sur l'ensemble de l'espèce était négligeable. On a connu de petites sociétés religieuses qui ont pratiqué le célibat absolu. Elles sont devenues une curiosité historique du fait qu'elles se sont d'elles-mêmes éliminées. Cela n'a guère affecté l'homme en tant qu'espèce. Mais, si une telle idéologie s'était répandue dans tous les groupes humains, il n'y aurait pas eu d'humanité. C'est ce qui peut expliquer la position de l'Église catholique sur le contrôle des naissances, qui s'est manifesté pour la première fois, si mes souvenirs historiques sont exacts, aux environs du IVe siècle de notre ère, lorsque certains hérétiques ont commencé à prédire le retour imminent du Messie et, par conséquent, la nécessité de s'abstenir d'avoir des enfants : ceux-ci n'auraient pas le temps de faire leur salut avant ce retour... Il était logique, d'un point de vue biologique, que le concile qui se tint alors décidât que le contrôle des naissances était un péché, car à cette époque la survie de l'homme exigeait la multiplication (et non la limitation) des naissances. Malheureusement, ce qui était vrai au IVe siècle ne l'est pas au XXe et l'Église n'a pas encore admis la différence.

Que faut-il dire du rôle de la psychiatrie? Je tiens à vous prévenir de la modicité de nos contributions. Permettez-moi d'apporter une correction à une erreur courante. L'expression « trouble mental » *(mental disorder)* est utilisée comme si elle s'appliquait uniformément à un groupe de maladies homogènes. Mais le fait est qu'il y a *des* troubles mentaux et non pas un seul trouble mental. Qui plus est, ces troubles présentent des caractéristiques bien différentes. Les psychoses principales, la schizophrénie et la manie dépressive, sont qualitativement différentes l'une de l'autre et des autres troubles qui intéressent les psychiatres. La schizophrénie présente curieusement la même fréquence dans toutes les sociétés qui ont été étudiées à fond. Il est vrai que les symptômes présentés par les schizophrènes diffèrent d'une société à l'autre; c'est-à-dire qu'ils sont influencés par la culture. Il faut avoir entendu parler de Napoléon pour se croire Napoléon. Mais les hallucinations existent chez les schizophrènes, quelle que soit la société. Les traitements offerts aux malades sont différents, la tolérance de la société vis-à-vis des schizophrènes est différente; toutefois, chose remarquable, la fréquence de la maladie est partout la même : entre un et un demi pour cent. Ceci me semble être un argument majeur contre l'adoption, très répandue, de l'hypothèse erronée de Laing selon laquelle la schizophrénie serait un trouble de la vie de famille : les schizophrènes répondraient « de manière appropriée » à un monde fou, ce serait la société qui provoquerait la maladie. Les faits dont nous disposons indiquent le contraire. Les preuves croissantes de l'existence d'une prédisposition génétique à la schizophrénie posent une question intéressante : pourquoi les gènes de cette maladie sont-ils si répandus? Une hypothèse en est que l'hétérozygote, le gène éventuel de la schizophrénie, à l'état sélectif, présentait un avantage en supposant qu'il y ait une relation ambivalente entre créativité et folie. Il existe peu de preuves solides à l'appui de cette thèse, bien que des rapports isolés semblent l'étayer. Mais il y a également lieu de noter que le fait d'être schizophrène, jusqu'à une époque relativement récente, ne présentait aucun inconvénient quant à la procréation. C'est-à-dire que la plupart des sociétés permettaient au schizophrène de vivre au sein de la communauté et de se reproduire. Lorsqu'on a commencé, il y a environ un siècle, à isoler les schizophrènes dans des hôpitaux, limitant ainsi leurs possibilités de se reproduire, on aurait pu s'attendre avec le temps à une modification de la fréquence de la maladie; les récents progrès du traitement psychiatrique non hospitalier, comportant le retour du patient dans la communauté, ont atténué l'effet différentiel sur la fertilité des schizophrènes qui aurait pu découler de l'hospitalisation. Il n'en est probablement pas moins vrai que les schizophrènes ont un peu moins de chances de se marier du fait des difficultés interpersonnelles qu'ils ressentent, mais il s'agit là d'une question épidémiologique qui requiert des données plus spécifiques que celles dont nous disposons.

Jusqu'à présent, nous avons discuté des psychoses comportant un défaut génétique, probablement biochimique, bien que leurs manifestations soient sans doute influencées par l'environnement. D'autre part, la grande majorité des malades qui fréquentent le dispensaire psychiatrique ou le cabinet de consultation du psychiatre ne sont pas psychotiques mais souffrent de névroses et de troubles caractériels. Il est fort possible qu'il existe un *Anlage* biologique pour ces maladies, peut-être sous la forme d'un système nerveux hypersensible; nous savons en tout cas que les conditions d'environnement sont les déterminants essentiels de ces troubles. En outre, les croyances sociales ainsi que les théories prédominant dans la pratique médicale contribuent à les étiqueter. Enfin, la manière dont ils sont traités diffère considérablement d'une culture à l'autre.

C'est ce qui, au cours des dix dernières années, a conduit à se pencher de plus en plus sur le rôle du psychiatre dans la société tout comme l'on s'est penché sur celui de l'homme de science. Au moment où il a été révélé publiquement que le candidat démocrate à la vice-présidence avait souffert d'une maladie dépressive, on a souvent suggéré que tous les candidats à une fonction politique devraient être minutieusement passés au crible par des psychiatres afin de déterminer s'ils sont ou non mentalement aptes à remplir une telle fonction. Indépendamment de toutes les questions de méthodologie, de précision du pronostic et de tests faussement positifs ou négatifs, la question essentielle n'en est pas moins : qui se chargera de la garde des gardiens? Cette question récursive n'a pas de fin.

Le problème en soi est sérieux. La frontière qui sépare le trouble mental individuel de la croyance hallucinatoire partagée est vague et imprécise. Permettez-moi de citer un exemple clinique. James Forrestal était secrétaire d'État à la Défense aux États-Unis. Pendant un temps indéterminé, il a souffert de schizophrénie paranoïaque alors qu'il continuait de remplir ses fonctions de responsable de la machine meurtrière. Sa paranoïa ne fut reconnue que lorsqu'il se précipita hors de sa chambre, dans la rue, une nuit, en criant que les Russes arrivaient. Étant donné que personne d'autre ne voyait arriver de Russes nulle part, ses collègues eux-mêmes conclurent qu'il devait être fou. Tant que sa psychose n'était pas arrivée à ce point, il était impossible de distinguer sa paranoïa anticommuniste de celle qu'il partageait avec les autres hauts fonctionnaires chargés de formuler la politique américaine pendant la période de la guerre froide. Aussi le problème est-il complexe : quand s'agit-il d'une maladie? Quand s'agit-il d'une erreur politique? Quand s'agit-il d'une défaillance morale?

Le fait de laisser aux psychiatres le soin de prendre une décision n'est malheureusement pas une solution satisfaisante; les psychiatres peuvent être engagés, comme ils le sont en Union soviétique, pour faire office d'éboueurs. Et ce problème peut ne pas concerner uniquement l'Union soviétique. Lorsque la société découvre que quelqu'un est difficile à vivre, la possibilité de décider qu'il s'agit d'un fou permet de l'hospitaliser pour un temps indéterminé sans avoir recours à la mise en scène d'un procès pour prouver qu'il est coupable d'un crime quelconque. Aux États-Unis, celui qui est soupçonné d'avoir commis un crime peut subir une longue période d'incarcération s'il est déclaré, pour cause d'aliénation mentale, inapte à passer en jugement. Il se peut en fait que, sans que sa culpabilité ait jamais été prouvée, il passe dans un hôpital psychiatrique plus de temps que ce qu'aurait exigé la sentence judiciaire s'il avait été reconnu coupable. Le psychiatre qui joue le rôle de gardien de l'hôpital où est retenu le fou criminel porte une responsabilité que n'ont ni le juge ni le jury. Si le malade est libéré comme étant « guéri » et commet un nouveau crime, le psychiatre sera responsable de son erreur. Si un prisonnier, condamné par le juge et conformément à la loi à subir une peine déterminée, quitte la prison, sa peine purgée, pour commettre un nouveau crime, le juge n'est plus responsable de l'homme qu'il a condamné.

Le problème va bien plus loin. Le sociologue américain Goffman a émis l'hypothèse que la fonction des psychiatres consiste à retirer de la scène publique les victimes des mauvais traitements de la société et à les faire tenir tranquilles. Il a écrit une brillante polémique intitulée « On cooling the mark out » (sur la manière de calmer le cave). Ce titre s'inspire de l'argot du milieu. Le *mark* (cave) est la personne choisie comme victime par un gang d'escrocs. *Cooling him out* (le calmer) signifie le faire tenir tranquille. Goffman commence son article en décrivant les diverses techniques utilisées par les escrocs pour impliquer la victime dans le délit afin qu'elle ne puisse aller se plaindre à la police, ce qui leur permet de poursuivre sans entraves leurs activités délictueuses. Par exemple, on peut offrir à un homme, dans la rue, une bouteille d'alcool volée, à un prix bien inférieur à sa valeur marchande. Il conclut l'affaire subrepticement puis s'aperçoit, en rentrant chez lui, que la bouteille est vide. Il lui sera alors difficile d'aller se plaindre à la police puisqu'en premier lieu il a acheté une chose qu'on lui avait dit être un article volé. Dans d'autres circonstances, c'est la crainte de passer pour un idiot qui peut empêcher la victime de se plaindre. Goffman décrit d'autres méthodes encore. Il pense que les psychologues et les psychiatres sont des fonctionnaires dont la tâche consiste à faire en sorte que les personnes qui ont été malmenées se tiennent tranquilles et ne parlent qu'au psychothérapeute, s'abstenant de clamer leur détresse en public. Bien que l'argument soit brillant, je pense que vous estimerez, comme moi, qu'il est outré, mais j'espère que vous conviendrez également avec moi que nous ne pouvons pas nous permettre de tolérer la persistance de ce qu'il y a de vrai dans ce qu'il nous montre.

Il y a, en psychiatrie, des questions spécifiques relatives aux valeurs humaines sur lesquelles il y aurait lieu de se pencher avant de conclure. La première a trait aux rôles sexuels. Nous devons commencer par distinguer le sexe anatomique (non ambigu dans la plupart des cas), le sexe en tant que jeu de relations aboutissant à l'orgasme, et les rôles sexuels qui apparaissent dans toutes les activités humaines. Chez les primates, il n'y a aucun doute quant au dimorphisme sexuel du comportement.

David Premack et les Gardner n'ont pas choisi des chimpanzés femelles parce qu'ils pensaient qu'ils seraient verbalement précoces, mais parce qu'ils sont quelque peu moins agressifs et plus dociles. Dans le cas de l'homme, les comparaisons interculturelles font apparaître une grande diversité dans les rôles que peuvent assumer hommes et femmes au sein des différentes sociétés. Pour certains, cela veut dire qu'il n'existe pas de différences biologiques entre les sexes autres que les différences anatomiques évidentes. Je ne tirerais pas une telle conclusion. Je voudrais insister sur le fait que les dispositions de comportement chez les êtres masculins et féminins indiquent de vastes zones communes, ce qui fait que, si l'on devait placer côte à côte les courbes en cloche des garçons et des filles pour un comportement donné, les différences entre les moyennes seraient moins considérables que le chevauchement. Je pense, en outre, que les différences entre les moyennes, bien que n'étant pas réductibles à zéro dans aucune culture, s'écarteraient de plus en plus de zéro au fur et à mesure que la culture stéréotyperait de plus en plus les rôles sexuels. Je voudrais insister sur le point suivant : l'anatomie ne constitue pas le destin en ce qui concerne le comportement sexuel. La question de valeur devient pertinente en psychothérapie lorsque le psychiatre est consulté par une maîtresse de maison en détresse. S'il considère que son rôle consiste à l'aider à s'ajuster à son « destin » de mère de famille, de servante de son mari, d'administrateur du foyer, etc., son rôle sera alors très différent de ce qu'il aurait pu être s'il avait envisagé une autre possibilité : c'est-à-dire que la femme peut avoir un besoin légitime de satisfaire certains aspects de sa personnalité, en tant qu'être humain, autres que ceux de mère et d'épouse. Cet exemple n'est pas hypothétique. Il suffit de jeter un coup d'œil sur les placards publicitaires concernant les tranquillisants dans les journaux médicaux américains. En règle générale l'illustration, luxueuse, représente une femme chez elle, harassée, incapable de terminer son travail avant le retour de son mari et souffrant d'une variété de troubles somatiques. On conseille au médecin de lui ordonner ceci ou cela pour « calmer ses nerfs ». J'estime qu'il y a là une déformation du rôle du psychiatre. Je considère que ma tâche consiste à ouvrir devant le malade (quel que soit son sexe) l'éventail des options qui lui sont accessibles en tant qu'être humain.

Un dernier exemple des questions d'éthique qui se posent à la psychologie et à la psychiatrie en tant que sciences : la génétique de l'intelligence. Il est indéniable qu'il existe une génétique de l'intelligence. Je ne puis concevoir qu'il n'existe pas de variations biologiques dans cet aspect de l'être humain comme il y en a dans les autres. Il y avait autre chose qu'une différence d'expérience entre Mozart, Balzac et Laplace, et entre chacun d'eux et la plupart de leurs contemporains. Les gens diffèrent énormément les uns des autres, et une partie de la différence est déterminée génétiquement. L'étude de cette question est parfaitement légitime. Ce qui n'est pas une question scientifique mais une question politique, c'est le souci vociférant qui entoure la question prétendument génétique des différences raciales dans le domaine de l'intelligence. Il ne s'agit pas d'avoir « peur » d'examiner la question par crainte des résultats; il s'agit plutôt d'admettre que la question ne peut pas être examinée de manière scientifique; ceux qui insistent là-dessus le font avec des motivations bien différentes de celles qu'ils professent. La « moralité » de la position de Shockley est plus aisément décelable au moyen de l'analogie utilisée par Noam Chomsky. Quelles conclusions, demande-t-il, pourrions-nous tirer au sujet d'un psychologue allemand des années 30 qui se serait intéressé sur le plan « scientifique » à déterminer si l'acquisivité est un trait génétiquement transmis chez les juifs? Le chercheur pourrait prétendre qu'il pose une question « scientifique ». Cette question « scientifique » serait-elle éthique ou scientifique selon l'époque? Il en est de même, aujourd'hui, en ce qui concerne la volonté de faire des recherches sur la génétique des différences de QI entre les races. Non seulement une telle recherche ne peut être d'aucune utilité sociale, mais elle peut se révéler franchement nuisible. Prenons les hypothèses sous-jacentes comme s'il s'agissait de faits; traitons les nombreuses différences de QI mesurées et les succès académiques remportés par les Blancs et les Noirs comme s'ils étaient génotypiques et non simplement phénotypiques. Mais les données disponibles ne permettent pas d'isoler les deux héritages génétiques, étant donné l'énorme chevauchement qui s'est opéré entre les populations noire et blanche; on oublie donc que, dans un tel contexte, noir et blanc sont des jugements sociaux plutôt qu'anthropométriques. Le fait qu'un individu ait la peau noire ou blanche ne vous apporte que peu ou pas d'informations utiles quant à son intelligence, à la manière dont il réagira à l'instruction, etc., parce qu'il peut être placé à l'une ou à l'autre extrémité de la distribution de son groupe racial. Ceux qui demandent des « recherches scientifiques » sur cette question le font dans l'espoir de renforcer un jugement préconçu sur des différences raciales qui justifieraient un traitement discriminatoire.

Je ne parle pas de supprimer la recherche scientifique pertinente sur les différences génétiques. S'il y avait une raison de penser que le groupe sanguin et les taux relatifs des formes isomériques pour certaines enzymes constituent un repère génétique utile en ce qui concerne un aspect quelconque de la fonction cognitive, j'envisagerais volontiers une enquête de population destinée à faire la lumière sur cette question. Ce serait bien autre chose que de décider de conférer la respectabilité de la science à un mythe social odieux.

Permettez-moi, pour conclure, d'avancer qu'il existe, en ce qui concerne le comportement humain et les émotions humaines, des problèmes sérieux qui dépassent la biologie, et que l'on doit faire appel à la sociologie, à la psychologie sociale et à l'anthropologie pour les résoudre.

Aux États-Unis, l'année dernière, des nouvelles ont paru dans les journaux, à plusieurs reprises, au sujet du sabotage de la production à la chaîne dans les usines d'automobiles. Je ne parle pas ici de conflits en raison desquels un groupe syndical, pour obliger la direction à accorder certains avantages, tente de nuire aux intérêts de celle-ci. Je me réfère à des actes individuels de colère et de frustration qui conduisent un ouvrier à la chaîne à endommager délibérément une pièce, par une réaction de rage pure et simple devant la vacuité de son travail. Un film de Charlie Chaplin, remarquable de prescience, *les Temps modernes*, montrait très clairement comment les hommes sont aliénés par leur production du fait qu'ils sont réduits à l'exécution d'une tâche purement répétitive. Les sabotages dont je veux parler sont une réponse irrationnelle, mais cependant humaine, à la déshumanisation du travail à la chaîne. En fait, j'ai entendu dire qu'en Suède des firmes automobiles ont, à titre expérimental, commencé à confier à des équipes d'ouvriers la charge de monter les voitures du début jusqu'à la fin. Cela reviendra sans doute plus cher que le travail à la chaîne inventé par M. Ford, mais la question fondamentale concerne le rapport entre valeur reçue et valeur donnée. Je ne prétends pas que M. Ford ait été un malfaiteur. Ni lui ni aucun de nous ne pouvait prévoir les conséquences à long terme de ce qui, à l'époque, semblait être une manière plus efficace et plus rentable de faire un travail.

Le second exemple est un phénomène propre au monde occidental : l'insatisfaction des étudiants en ce qui concerne la vie universitaire, vie qui nous paraissait, je parle des gens de mon âge, tout à fait passionnante. Les universités se sont beaucoup agrandies, l'on n'y est admis qu'après une période de préparation beaucoup plus intense; la compétition est beaucoup plus acharnée que naguère. La conscience qu'ont les étudiants de l'imperfection du monde qui les entoure conduit les nouvelles générations, beaucoup plus sensibles aux problèmes sociaux que nous ne l'étions, à prendre peu de plaisir à des cours dénués de toute application immédiate. Ce qui me semble être le plus démoralisant pour eux, c'est le sentiment qu'au sein de la société de masse contemporaine il y a eu une perte de pouvoir individuel, c'est-à-dire une perte de confiance dans la capacité de chacun d'influer sur son propre avenir ou sur l'avenir des groupes auxquels il appartient. Ce sentiment de désarroi et de désespoir devant un monde bureaucratisé me semble être l'une des causes du retour au mysticisme, au culte de l'irrationnel et au solipsisme. Peut-être suis-je simplement victime de mon propre passé : néanmoins, je me refuse à croire que l'on puisse apporter de meilleures réponses aux problèmes auxquels nous sommes confrontés en faisant fi de la raison et de la connaissance. Je voudrais demander instamment que la raison se double d'un engagement moral.

J'ai parfaitement conscience de ne pas avoir apporté de solution aux problèmes éthiques que j'avais posés, mais je me permets de suggérer que le premier pas vers une solution consiste à admettre l'existence et l'étendue du problème.

Discussion

Edgar Morin Je pensais, en écoutant Léon Eisenberg, que je lui confierais très volontiers la tâche de contrôler le président des États-Unis, à condition évidemment qu'Eisenberg soit à son tour contrôlé par moi-même, ce qui nous montre du reste que le problème dramatique et central, c'est le contrôle du contrôle. Le problème n'est pas de maîtriser la nature, ni de mépriser la nature, mais, comme dit Michel Serres, de maîtriser la maîtrise, et je crois qu'Eisenberg l'a posé de façon fondamentale.

Jacques Monod Le problème ici soulevé est d'une actualité particulière pour le scientifique et, plus particulièrement, pour le chercheur des sciences humaines, l'anthropologue, le sociologue ou le psychiatre. Eisenberg a souligné qu'une théorie ou un concept scientifique ont des retombées politiques inévitables, indépendamment de la vérité ou de la fausseté de leur contenu. Pourtant, en tant que scientifiques, nous ne cessons de rechercher la vérité tout en discutant indéfiniment sa définition. Ma question est donc celle-ci : supposez qu'un concept véritablement scientifique ait des conséquences sociales et politiques dangereuses, comme cela s'est déjà vu et se verra encore (je ne parle pas ici d'une présentation erronée ou déformée de cette vérité scientifique), que faites-vous alors? Je sais que la réponse est extraordinairement difficile, mais c'est une question que nous ne pouvons éviter, je pense. Je serais donc intéressé par la réponse d'Eisenberg ou par celle d'un des membres de cette conférence.

J'aimerais vous indiquer un ou deux exemples que je ne rangerai pas dans la catégorie des concepts véritablement scientifiques. Dans l'exposé, ont été soulignées les implications néfastes de quelques-unes des théories freudiennes. Ces dernières présentent en particulier les rapports de la génétique et de l'anthropologie sous une forme pseudo-scientifique qui devient de plus en plus dangereuse. Or il me semble qu'en formulant sa théorie de l'inconscient et des « soi-disant » pulsions instinctives, Freud lui-même pensait qu'ils devaient être contrôlés en dernière instance par le sur-moi. Toutefois, une partie importante de notre culture moderne, et c'est là un de ses traits caractéristiques, tire de Freud ou du freudisme des conclusions opposées. Tout ce qui jaillit du prétendu inconscient, des pulsions fondamentales, ce qui est hérité des origines animales de l'homme, comme l'agression, l'instinct du territoire et ainsi de suite, apparaît à de nombreux écrivains pseudo-scientifiques, et au public en général, comme quelque chose de plus respectable que le sur-moi et le pouvoir de la raison.

C'est là une position très dangereuse, et il appartient, me semble-t-il, aux anthropologues et aux psychiatres de la combattre et de montrer à quel point elle est fausse.

On a aussi parlé dans cet exposé du psychiatre utilisé par différentes sociétés comme une sorte de ramasseur de poubelles qui les débarrasserait des fauteurs de troubles, spécialement de type intellectuel et politique. Il y a quelques années, nous sommes allés à Moscou, en compagnie d'un psychiatre français très connu, et il nous racontait les difficultés qu'il avait à discuter de certains problèmes avec les psychiatres russes. En Russie, seuls les états psychotiques sont légitimes et relèvent de la psychiatrie, tandis que les névroses ne sont pas reconnues : pour la raison qu'Eisenberg a mentionnée; puisque la névrose naît des contradictions chez les individus, c'est-à-dire de la société, et qu'il ne peut y avoir de contradictions dans un État socialiste, il ne peut y avoir de névroses chez les citoyens de l'Union soviétique. C'était la doctrine officielle; j'aimerais savoir si la situation a changé au cours de ces dix dernières années.

Léon Eisenberg Je répondrai d'abord à la dernière question. Les Soviétiques évitent d'avoir à admettre que des conflits peuvent exister dans une société idéale, et ils qualifient de « psychoneurologiques » les cliniques où l'on soigne les troubles névrotiques. Voilà qui place le problème dans le domaine de la physiologie, de même que d'autres maladies. D'autre part, des observateurs américains ayant visité des cliniques psychoneurologiques en Union soviétique ont rapporté à quel point la psychothérapie y est utilisée. Le problème y est conceptualisé différemment, mais ce qui semble importer c'est le rapport entre le médecin et le malade, rapport où la volonté de rassurer, la sollicitude de la part du médecin et l'individualisation du traitement aident le malade à surmonter sa détresse. J'ai récemment lu un rapport

qui semblerait indiquer qu'en République populaire de Chine
la psychiatrie met davantage l'accent sur ce qu'aux États-Unis
nous appelons la thérapie d'environnement et le traitement
de groupe. Les drogues psychotropes, apparemment, sont utilisées moins massivement que chez nous. Les malades sont
réunis, dans des séances de groupe, avec des médecins, des infir-
mières et des travailleurs sociaux pour étudier les écrits du président Mao, discuter de la responsabilité du citoyen dans un État
socialisé et de l'importance du travail dans la réhabilitation individuelle. La maladie n'est pas la faute du malade; elle est le
plus souvent considérée comme un reliquat des maux dus au
capitalisme. Il ne s'agit pas d'une faille dans la nouvelle société,
mais d'un problème de transition de l'ancienne à la nouvelle.
Là aussi, de même qu'en Union soviétique, la réhabilitation
s'effectue considérablement plus vite que dans les pays de l'Ouest,
du fait de la possibilité, pour le malade, de retrouver du travail
et une place dans la communauté après son retour de l'hôpital.
Il existe des questions intéressantes en ce qui concerne la névrose
et la société. Pendant la Seconde Guerre mondiale, il y a eu
plusieurs rapports de psychiatres américains sur ce qui a fini
par être connu sous le nom de « signe local » de la « fatigue de
combat ». C'est-à-dire que l'ensemble des symptômes observés
sur la tête de pont d'Anzio était différent des symptômes observés pendant la campagne d'Afrique du Nord. C'est comme si
les symptômes que peuvent présenter les gens étaient fonction
de la culture à laquelle ils participent en tant que groupe, du
moral de l'unité, du sentiment de participer à un effort commun,
de la façon dont on croit que les symptômes seront accueillis.
On m'a dit une fois — et je ne sais si cela est vrai — que, pendant la guerre de Corée, on n'a pas reconnu, chez les soldats
de la République de Corée, de symptômes de « fatigue de
combat » tant que les unités américaines et coréennes ne se sont
pas battues côte à côte. Une fois les unités « intégrées », les
soldats coréens ont présenté le même ensemble de symptômes
que les soldats américains. Qu'arrivait-il, avant l'« intégration »,
aux soldats coréens sous tension ? Étaient-ils considérés comme
souffrant de diarrhée, de troubles neurologiques, de désertion,
ou bien n'étaient-ils pas « reconnus » du tout ? Il est possible
qu'ils n'aient tout simplement pas ressenti de « fatigue de combat », jusqu'au moment où le système social leur a permis d'en
ressentir.
Nous ne pouvons adopter que les conduites qui nous semblent

possibles selon le code de règles sociales du groupe au sein duquel nous sommes élevés. Lorsqu'un habitant des îles Trobriand décrit par Malinowski se suicide parce qu'il a perdu la face, il fait la seule chose qu'il puisse faire. J'ai été frappé par un commentaire de Godelier au sujet du film de Eibl-Eibesfeldt, sur les enfants Boschimans. Ce que faisaient ces enfants, aucun enfant Pygmée n'aurait pu le faire. L'enfant Pygmée possède un équipement neurologique adéquat pour un tel comportement, mais il existe, quant aux comportements qu'il peut adopter, des contraintes établies par les attentes des adultes de sa société.

Je ne veux pas dire qu'il nous soit possible de supprimer la névrose d'un trait de plume; il se peut que, si nous le faisions, le prix en serait plus grand que ce que nous sommes disposés à payer sous forme de troubles psychosomatiques. Mais je pense que nous devrions au moins nous demander si la mesure des troubles fonctionnels du comportement est donnée par ce que la société permet, attend, ou même encourage, en tant que moyens pour résoudre les conflits.

Irenaüs Eibl-Eibesfeldt Comment faire en pratique pour prévenir les abus de la recherche? On a mentionné l'exemple de l'agression. Ce n'est certainement pas une solution d'arrêter les recherches sur l'agression; il est important de savoir s'il s'agit là d'une force, d'une motivation interne construite dans le système.

La seule façon de contrecarrer l'abus est de montrer que nous ne sommes pas liés à une fatalité, que nous sommes des êtres de culture et, dans cette mesure, doués d'une grande capacité. Le malentendu qui consiste à croire que ce qui est hérité devient notre destin inexorable est si répandu qu'il doit être dénoncé. Néanmoins, s'il existe un phénomène disons d' « impression », alors, il faudrait se demander s'il est bon d'exposer les enfants et les adolescents en période de crise à des systèmes de valeurs autres que ceux qui pourraient être communément admis au sein de l'humanité en tant qu'espèce. Il faudrait savoir (et cette question devrait faire l'objet d'une analyse attentive) quelles sont les valeurs, les normes éthiques susceptibles d'être admises d'un commun accord par tous les hommes, et si nous agissons selon l'impératif kantien lorsque nous les outrepassons.

Dans ma discipline, je fais chaque jour l'expérience de la façon déplorable dont nous avons été programmés à voir le monde.

Chacun dans notre culture se croit supérieur sous prétexte qu'il sait lire et écrire et, de ce fait, s'arroge le droit d'envahir d'autres cultures sans y être invité, de se livrer au pillage, d'apporter ce qu'il pense être bon. J'ai travaillé en Australie. Les derniers aborigènes australiens, les Pintabes, furent contactés en 1957 et amenés dans des camps par des gens « profondément altruistes ». Nous devons apprendre que nos critères pour mesurer l'intelligence ne sont pas pertinents. J'aime ces Boschimans et j'apprécie leur culture; ils ne tirent sur personne. Notre utilité, me semble-t-il, est de montrer aux gens que les systèmes de valeurs que nous imposons au reste du monde ne sont pas les seuls.

J. Monod Pourtant, je peux citer des opinions différentes des nôtres. Il y a quelques mois, j'ai eu le plaisir d'entendre à Genève, dans le cadre de l'OMS, une conférence de Cavalli-Sforza sur les Pygmées; évidemment, en tant que bon anthropologue humaniste, il défendait les mêmes thèses que vous, pour lesquelles j'ai personnellement beaucoup de sympathie. Il disait à peu près : « Ces gens sont heureux comme ils sont, laissez-les tranquilles. » Or j'étais assis près du représentant d'un de ces pays africains, un homme extrêmement sympathique, que les propos de Cavalli-Sforza avaient rendu absolument furieux. Il y a donc là un problème.

I. Eibl-Eibesfeldt C'est évidemment le problème du contact avec une culture matériellement plus avancée. Les Boschimans, par exemple, réclament du thé, du sucre, du tabac; ils veulent pouvoir acheter quelque chose. Alors, il faut évidemment penser, à leur approche, à des moyens possibles. Mon ami l'anthropologue allemand Hans a un programme en Botswana qui diffère quelque peu du « programme aborigène » du gouvernement australien. Hans a étudié ces Boschimans, les a visités durant de nombreuses années, et il en est venu à la conclusion qu'il leur fallait une base de revenu, quelque chose à vendre pour de l'argent afin d'être indépendants, et cela sur la base d'un effort personnel. La solution était d'introduire un élevage de bétail dans leur territoire. Mon ami construisit alors à ses frais un puits de 5 000 D.M., afin qu'il y ait une réserve d'eau permanente sur le territoire Boschiman. Il a plaidé auprès du gouvernement de Botswana afin que les Boschimans deviennent légalement propriétaires de la terre qu'ils occupaient depuis des générations. Chacun pensait que les Boschimans finiraient par tuer les bêtes et par les manger. Il n'en fut rien, le troupeau s'accroît, ils le vendent, en tirent de l'argent et achètent ce dont ils ont besoin. Leur culture n'a changé que de ce point de vue, ce qui constitue, me semble-t-il, un progrès; leur vie sociale continue comme avant. C'est une solution possible. Mais le programme australien concernant les aborigènes est différent; la patrouille débarque avec du thé et du sucre : « Vous en aurez plus si vous venez dans les camps. » Et là ils sont parqués, déroutés, loin de chez eux, sans terre, sans bétail, alors qu'ils pourraient faire de bons éleveurs, semble-t-il.

Salvador E. Luria Cet exemple des aborigènes, la différence entre votre attitude et celle d'autres gens, montrent l'importance de la question. N'est-il pas vrai que, quel que soit son intention consciente, chacun regarde la culture de l'autre en tant qu'elle favorise les intérêts de la classe ou de la nation ou du groupe qu'il représente en tant que scientifique? En tant que scientifique, vous voulez préserver cette culture, non dans l'intérêt des aborigènes mais dans celui de la culture occidentale. Les hommes d'affaires australiens veulent les terres et tout ce qui peut les avantager. Ils n'agissent pas forcément sur un plan conscient, d'ailleurs. Sous la surface, me semble-t-il, apparaît le conflit des intérêts qui règne dans notre société, accompagné d'une faible préoccupation pour les individus représentant la culture étudiée. Le problème que je veux aborder, en liaison avec la communication d'Eisenberg, concerne l'une des caractéristiques des temps modernes, de la société technologique qui a entamé la course du changement; existe-t-il des sociétés qui se soient vraiment adaptées à de rapides changements de conditions, d'institutions, de mythologies et de relations sociales? Ce que vous avez dit à propos de l'introduction du bétail chez les Boschimans est déjà le commencement d'une réponse. Je crois que nous avons besoin, dans les vingt ou quarante ans à venir, d'une « nouvelle mythologie ». Comme le laissait entendre Eisenberg, les ouvriers dans les usines, les étudiants à l'université et même les gens de notre âge recherchent cette nouvelle mythologie, car ni les religions ni le sens de l'existentialisme, qui nous maintenaient à flot, ne sont et ne seront désormais suffisants. Combien de temps cela prendra-t-il? La question est naïve, bien sûr, mais je la pose exprès de façon provocante.

Michael Si vous envisagez le futur, vous voyez très vite que le cours
Chance productiviste caractéristique de notre civilisation occidentale, et
qui s'étend rapidement au reste du monde, doit aboutir à un
arrêt, à une stabilisation. Le problème crucial est celui-ci :
comment parvenir à cette stabilisation dans un monde où les
ambitions personnelles s'engrènent dans l'exploitation de ce
même monde et dans la prétendue expansion continue des
chances? Très peu d'entre nous verrons au cours de leur vie
la solution de ce problème.
Je voudrais mettre l'accent ici sur l'extrême importance du
modèle que j'ai proposé concernant « l'agonisme » et « l'hédo-
nisme »[1], et que l'on peut appliquer immédiatement dans sa
propre vie, dans l'enseignement universitaire et dans un certain nombre de professions; ce modèle implique le concept de
polycentrisme opposé à celui, si je ne me trompe, d'organisation hiérarchique. Ce concept renvoie à un champ d'étude
très important et renouvelle le problème du contrôle du pouvoir
dans nos sociétés.
Si, dans n'importe quel organisme de pouvoir, il est possible
de montrer que l'information est volontairement ou involontairement réduite, on possède alors un critère éthique qui
permet de condamner cette organisation.

Maurice Pour moi, le problème éthique majeur est d'inventer une démo-
Godelier cratie radicale dans les rapports sociaux et aussi, peut-être,
dans la pensée; je veux dire par là qu'en tant que scientifique
j'aimèrais pouvoir mener des analyses jusqu'au bout, quels
que soient les inconforts que cela peut entraîner pour moi. Le
premier problème est général, le second est particulier aux
travailleurs scientifiques.

J. Monod Je partage l'opinion de Godelier : on devrait arriver à définir
les conditions anthropologiques d'une véritable démocratie.

S. E. Luria Les généticiens et les gens qui appliquent les résultats de la
génétique ont la possibilité de manipuler le patrimoine héré-
taire de l'homme. Alors chacun s'interroge sur la légitimité de
l'application de telles possibilités, sur les critères sociaux d'utilisation, et même de développement, de cette sorte de technique,
enfin sur les conséquences possibles de ces choix. Ici, l'avis des

1. Voir *l'Unité de l'homme*, t. 1, *le Primate et l'Homme*, p. 83-100.

anthropologues et des autres scientifiques serait tout à fait capital, car le fait de savoir si on peut ou non altérer le patrimoine génétique de l'homme ressortit en dernière analyse à la question des valeurs.

Quel type de société aurions-nous si certains êtres humains, de fins en soi, étaient transformés en simples moyens, en sujets d'étude plutôt qu'en membres de l'espèce humaine? Il y a ainsi des problèmes soulevés par le biologiste et qui ont des répercussions dans les sciences humaines.

Léon isenberg J'accepte, puisque l'on m'y invite, de conclure ce débat, même si la tâche est au-dessus de mes moyens. Je devrais peut-être vous mettre en garde contre l'acceptation, sans un plus ample examen, de certaines des possibilités que je vous ai présentées. Dans un effort tendant à orienter la discussion le plus rigoureusement possible, j'ai exagéré certaines des « positions » que j'ai adoptées. Par exemple, nombre de postulats soutenant l'hypothèse d'une catastrophe écologique imminente sont dénués de valeur. Le type d'analyse systématique de l'avenir que représente le livre célèbre aujourd'hui du groupe de Forrester au MIT propose des équations mathématiques qui n'ont que peu ou pas de fondement empirique. Ainsi que Kayse l'a signalé, en ne faisant que modifier quelques valeurs dans les constantes, il est possible d'avancer, de reculer ou même de nier les conclusions qui nous ont été offertes d'une manière aussi lugubre. La question de la véritable durée *(time course)* est essentielle. Nous devons tenir compte de l'effet même qu'ont sur le comportement des gens les prédictions de ceux qui représentent la tendance alarmiste la plus extrême. A quel point il est difficile de prévoir le comportement humain, c'est peut-être ce qui ressort de la récente baisse du taux de natalité aux États-Unis, baisse que nul n'avait prévue. Même si nous admettons que les ressources terrestres sont limitées et que nous allons devoir ralentir la cadence à laquelle nous les consommons, il reste d'autres domaines analysables à l'infini; je pense ici à la satisfaction de notre curiosité en ce qui concerne la nature et le fonctionnement de l'univers. Chaque réponse engendre une nouvelle question. Il est peut-être illusoire de penser que tous les hommes sont capables de tirer leurs satisfactions de la vie intellectuelle, mais je suis convaincu que, pour chacun de nous, il existe ce que le psychologue et philosophe américain William James considérait comme l'équivalent moral de la guerre : une manière

d'investir les efforts des hommes et des femmes, efforts actuellement orientés vers la domination des autres, dans la tâche qui
consiste à rendre noble la qualité de la vie pour tous. Je ne puis
accepter l'attitude pessimiste qui consiste à reculer devant
l'ampleur des difficultés. Un tel pessimisme, en fait, assure à
ceux qui pillent actuellement le monde la possibilité de continuer
à le faire. Pouvons-nous créer une culture fondée sur le respect
de la vie humaine et du bonheur humain, à l'échelle mondiale,
face à une population énorme, et dans la dépendance d'une
immense technologie, qui, nécessaire pour faire vivre cette
population, ne peut être livrée à l'anarchie des décisions individuelles?

L'anthropologue danois Bent Jensen a étudié les Esquimaux
du Groenland. Leur économie est fondée essentiellement sur la
chasse aux phoques. Leur culture s'est constituée autour d'un
jeu complexe de relations interpersonnelles déterminant la distribution du gibier lorsqu'un pêcheur revient vainqueur. Ce partage de la nourriture non seulement assure la survie des Esquimaux, mais crée tout un réseau de liens sociaux en raison de
règles elles-même extrêmement complexes, déterminant ce qui
doit être donné, et par qui et à qui, déterminant également qui
est le parent (non nécessairement sanguin) de quelqu'un d'autre.
Le gouvernement danois a construit au Groenland une conser-
verie qui permet aux Esquimaux de mettre sur pied une économie
de marché (possibilité d'exporter les surplus). La vie des Esquimaux est rude : il est clair qu'il s'agit là d'un pas en avant. Mais
cela est-il certain? Chaque homme étant désormais rétribué
proportionnellement à sa pêche, les rapports sociaux au sein du
groupe Esquimau sont en voie de désintégration. Jensen a sup-
plié et supplie encore le gouvernement d'envisager la distribution du produit à la collectivité, selon les normes de la culture
préexistante; il espère qu'il sera possible d'améliorer le niveau
de vie des Esquimaux sans condamner leur mode de vie.

Il me semble que ce cas constitue une illustration des problèmes
auxquels la société humaine doit faire face dans le monde entier.
Nous devons mettre au point des valeurs éthiques, des comportements culturels régionaux et des mécanismes politiques en vue
de l'évaluation de notre virtuosité technique, de manière que
celle-ci ne serve pas uniquement à faire ce qui peut être fait, ou
à produire plus que ce que l'on a produit jusqu'à présent, mais
plutôt à décider sur quelles sortes de produits, sur quelles sortes
de rapports entre les gens découlant de ces produits et sur quels

aspects de la qualité et de la dignité de la vie humaine nous voulons concentrer nos efforts. Il faut que nous soyons à même de
mesurer les conséquences secondaires de nos idées avant d'avoir
à en subir le contrecoup en vertu d'un processus alors irréversible. Nous avons besoin de procéder à des tentatives expérimentales, mettant l'accent sur le *feed-back* à court terme,
et de prévoir des solutions de rechange. Notre critère doit être
l'effet sur l'humanité, ou mieux encore sur l'humanité-dans-le-
monde, plutôt que l'avantage individuel ou national. La mesure
suprême de notre norme éthique doit être l'homme, si nous
pouvons revenir aux Grecs (Protagoras) comme nous en sommes partis.

Les normes sanctifiées par la religion ont trop souvent justifié
l'exploitation d'hommes considérés comme des sous-espèces
parce qu'ils ne partageaient pas les mêmes convictions religieuses. En Nouvelle-Zélande, les Maoris disent : « Au commencement, l'Homme Blanc avait la Bible et le Maori avait la terre;
maintenant, l'Homme Blanc a la terre et le Maori la Bible. »
Même si nous sentimentalisons le mode de vie des Maoris, ou des
Pygmées, ou des Boschimans, leur culture n'est plus viable;
le monde s'est trop rétréci par rapport à l'espace qui leur est
nécessaire. On ne peut pas, comme les étudiants français en
mai 1968 l'ont cru possible, décentraliser la complexité de la
société occidentale contemporaine de manière à placer les décisions entre les mains de l'individu; la nature de la production
moderne exige des groupements, des organisations et des hiérarchies; la survie de l'humanité dépend de cette production organisée. Comment, alors, pouvons-nous contrôler ces hiérarchies,
qui sont maintenant devenues autonomes au lieu de servir à nos
besoins?

Avant et après la diaspora

Edgar Morin

Il n'est pas question de conclure ici, car nous arrivons à un point de départ. Je ne me doutais pas, au début de cette rencontre, à quel point nous étions tenus à en rester au stade exploratoire, et je me demande maintenant si notre rôle, je veux dire aussi le rôle du Centre Royaumont, n'est pas de se vouer à l'exploration.

Nous avons exploré le thème de l'unité de l'homme, thème à multiples faces. Unité est un de ces mots polysémiques, mot instable, un grand mot, creux et plein comme tous les grands mots, selon ce qu'on y met ou ce qu'on en retire. Personnellement, quand j'ai vu, dans le premier film d'Eibl-Eibesfeldt, cette succession de visages de toutes couleurs, de toutes races, de toutes ethnies, de toutes cultures, qui tous souriaient avec des variantes infinies mais toujours du même sourire, et qui soudain faisaient apparaître cet étonnant eyebrow flash, *qui existe partout mais que nous avions été jusque-là incapables de voir (tant les choses évidentes nous échappent), alors je n'ai pas tant compris qu'il y avait de petites unités sémiotiques de comportement conservées à travers la diaspora anthropologique, que senti la profonde unité affective de l'espèce humaine. C'est Cavalli-Sforza qui nous avait fait remarquer un jour qu'en dépit de la prodigieuse dispersion sur la planète d'Homo sapiens depuis cinquante à cent mille ans, dispersion à travers laquelle la couleur des peaux, la forme du nez, les rites, les mythes et les expériences s'étaient diversifiées à l'extrême, eh bien, il restait cette unité fondamentale du sourire, du rire et des larmes. Ce film m'a fait vivre subjectivement cette constatation objective, j'ai ressenti profondément en moi, en termes de parenté, que je faisais partie de ces autres humains par ailleurs si étrangers; et, pour exprimer mon sentiment, laissez-moi dire ce mot presque obscène d'amour.*

Cet exemple montre comment le mot d'unité se promène. En premier lieu, il signifie ici une petite unité quasi universelle de comportement, le eyebrow flash; *puis il signifie l'unité affective de l'espèce humaine, puis enfin il signifie ce qui m'unit, moi (nous) observateur(s), subjectivement, à l'ensemble de l'humanité, et ce dernier sens porte en lui le germe d'une éthique, le principe d'une politique.*

Arrêtons-nous d'abord à tout ce que peut signifier scientifiquement le terme d'unité. Tout d'abord, il s'est agi de l'unité primatique qui englobe l'homme, le relie aux primates. Et cela, nous l'avons non seulement étudié, nous l'avons ressenti aussi, je l'ai ressenti sur le plan abstrait en écoutant Premack, je l'ai ressenti sur le plan concret et quasi physique en voyant Washoe dans le film de Gardner. Je dirais même que, désormais, je vois de façon nouvelle le chimpanzé : c'est un être à qui j'ai envie de parler, dont j'ai envie qu'il me parle. Mais, cela dit, si l'unité de l'homme implique l'unité primatique, elle s'en détache, s'en sépare, puisqu'un de ses premiers traits est de définir biologiquement l'homme par distinction, voire opposition à l'égard des autres primates. C'est l'unité propre à l'espèce humaine. Ici encore, il ne faut pas poser en alternative ces deux types d'unité, mais les faire communiquer, c'est-à-dire les poser simultanément.

Venons-en maintenant au problème central : l'unité de l'homme. Cette notion n'est pas explicative, elle est à expliquer. Il est bien clair qu'il y a une unité biologique de l'espèce humaine, qui peut être définie en termes morphologiques et, de plus en plus, génétiques et cérébraux. Il est moins clair à beaucoup, mais il peut être également avancé, qu'il y a des structures mentales communes à tous les individus, des structures organisationnelles fondamentales communes à toutes sociétés et toutes cultures. Mais il est non moins clair qu'il y a une extraordinaire diversité biologique, génotypique et, plus encore, phénotypique d'individus à individus, de races à races, d'ethnies à ethnies; il est non moins évident qu'il y a une extraordinaire variété des cultures et des sociétés. Alors, faut-il mettre en balance unité et diversité et choisir l'une comme principe, rejeter l'autre comme phénomène secondaire, voire épiphénomène ? Ici encore, l'essentiel est d'échapper à cette alternative. Dès lors, il faut chercher le lien entre le principe incontestable d'unité et le principe de l'extraordinaire variété. Non pas opposer un principe abstrait (unité) à une réalité concrète (variété), une apparence phénoménale (variété) à une logique fondamentale (unité), mais la relation entre le principe universel — présent dans le concret de la différence — et la production de la différence — présente dans le principe universel.

Tout d'abord, il faut radicalement écarter l'idée, dépourvue de tout fondement, mais encore vivace dans la province des sciences de l'homme, selon laquelle la biologie serait le royaume de l'unité rigide de l'espèce, tandis que société et culture seraient le royaume de la libre diversité. Le principe théorique de la biologie moderne est celui de l'unité /diversité; plus une espèce est complexe, plus elle produit des individus divers et, avec l'homme, elle atteint l'extrême diversité géno-phénotypique. La sexualité entretient sans cesse cette diversité; et, depuis l'institution archaïque de l'exogamie et de la prohibition de l'inceste, la culture elle-même stimule et accroît le brassage génétique. Ainsi donc, aussi bien dans le biologique que dans le psychologique, le culturel, le social, un principe double d'unité/diversité est à l'œuvre.

C'est dans ce cadre qu'il faut poser le difficile problème des universaux. Nous avons vu qu'il y a des universaux de comportement plus nombreux que ceux que l'on croyait (Eibl-Eibesfeldt); qu'il y a des universaux psycho-affectifs, mais le noyau même des universaux anthropologiques se situe plus profondément au niveau d'une structure complexe organisatrice et transformatrice qui se cache encore derrière les brouillards, car elle concerne l'interrelation entre le système génétique, le système cérébral et le système socioculturel. Dire ici structure mentale est important, mais insuffisant puisque la structure mentale renvoie à la structure génétique (Changeux) et à la structure socioculturelle, qui à leur tour renvoient à l'une et à l'autre, etc.

Mais, en tout état de cause, ce terme d'universaux, dans ce cadre-là et dans ce sens fondamental, ne signifie pas que l'universalité réside dans l'identité de traits empiriques apparaissant dans les sociétés les plus diverses; au contraire les universaux concernent des traits éventuellement différents de société à société, d'individu à individu, mais qui obéissent à des principes organisationnels premiers dont ils constituent des transformations et des actualisations diverses, selon l'influence de l'environnement (naturel ou socioculturel) et des circonstances aléatoires de tous ordres. Comme le dit Murdock cité par Katz ici même, il s'agit de « similitudes dans les catégories et non dans les contenus »; comme le dit Geertz cité par le même Katz, il s'agit de « rechercher des relations systématiques entre divers phénomènes et non pas des identités substantives entre phénomènes similaires ». Les universaux sont de « compétences », et non de « performances ». Les universaux sont des principes génératifs de nature organisationnelle qui commandent et contrôlent la diversité phénoménale. Du coup, on voit que le champ d'étude de ces universaux déborde de beaucoup le champ des disciplines connues; à la fois bio-psycho-anthropo-sociologiques, ils ne peuvent apparaître, comme les figures d'un puzzle, en accolant biologie, psychologie, anthropologie, sociologie, etc. Ils concernent un champ sous-jacent qui est celui de la logique auto-organisationnelle, ce champ-là, qui n'a pas encore émergé, mais qui doit émerger, c'est très exactement le champ de l'anthropologie fondamentale.

Est-ce que je me suis éloigné, par cette démarche récurrente, du problème de nos derniers débats : « Science de l'homme, éthique, société »? A mon sentiment, je m'y suis projeté en plein. A la tâche théorico-scientifique, qui est de retrouver conjointement l'unité et la diversité de l'homme, correspond, sur le plan de la normativité éthico-politique, une double mission : accomplir dans le même mouvement l'unité et la diversité de l'humanité.

Nous devons à la fois retrouver et accomplir l'unité de l'homme. L'unité de l'homme a été perdue dès la préhistoire, il y a treize cent mille ans, avec la diaspora de sapiens *et à partir du moment où chaque culture s'est refermée sur elle-même, n'attribuant la notion d'homme qu'à ses propres membres, et considérant l'autre, l'étranger, soit comme un chien, soit comme un dieu. L'unité a été perdue aussi dans les sciences de l'homme qui se sont parcellisées, qui se sont divisées et qui n'ont constitué chacune qu'un fragment d'humanité. Mais aujourd'hui, aux deux extrémités de la science de l'homme, cette unité vient d'être retrouvée; d'une part dans la nuit préhistorique des origines, d'autre part à l'avant-garde du devenir planétaire. A l'extrémité préhistorique, en effet, les découvertes de ces dernières années nous font remonter, au sein de la grande matrice africaine, vers la souche qui a essaimé, au cours de dizaines de milliers d'années, sur toute l'étendue de la planète. A l'extrémité de la prospective, à l'autre bout de la chaîne, pour la première fois dans l'histoire de l'homme, une étude systémique a tenté de réunir dans le même modèle l'ensemble des phénomènes humains, mieux : d'intégrer le problème de l'humanité dans sa relation écologique avec la planète. Je pense évidemment à la recherche du M.I.T. commandée par le Club de Rome. Il s'agit, bien entendu, d'un premier pas, aussi rudimentaire, maladroit, insuffisant que les premières cartes géographiques tracées par les navigateurs arabes ou portugais, il y a plusieurs siècles. Mais il est admirable qu'une unité qui se fonde à l'origine du hardware — l'outil paléolithique — se retrouve dans les débuts du software — le computer ultra-moderne. Entre les deux, c'est la fabuleuse diaspora où l'humanité s'est perdue de vue à elle-même, séparée, déchirée, ne réapparaissant que tardivement et seulement comme idée abstraite.*

L'idée d'unité de l'humain est devenue concrète. A l'ancien substrat anthropologique se joint désormais un tissu économique, communicationnel; la planète est en fait devenue une. Mais cette unité n'est encore, ni une unité de société (Gesellschaft) ni de communauté (Gemeinschaft). Et c'est bien pour cette unité-là que nous sommes tenus de militer. Ici, la tendance profonde et l'aspiration à dépasser l'état de diaspora rejoint l'aspiration profonde à retrouver la source commune, la Matrice, peut-on dire aujourd'hui, dans le double sens logique et utérin du terme — la Matrie, comme disait Auguste Comte. Mieux encore, nous sentons aujourd'hui que cette matrice ne peut être isolée, séparée de la matrice naturelle. L'unité de l'homme doit s'emboîter dans l'unité de la vie.

Mais l'unité humaine à laquelle nous aspirons ne saurait être l'unifi-

cation hégémonique qui détruit la variété. Elle ne peut véritablement s'accomplir que dans l'épanouissement et l'interfécondation des différences. Autrement dit, la civilisation nouvelle ne saurait se fonder sur l'image hégémonique de l'homme blanc, adulte, occidental; elle doit au contraire révéler et réveiller le ferment civilisationnel féminin, juvénile, sénile, multiethnique, multiculturel. La société nouvelle ne saurait être fondée sur la domination homogénéisante d'un empire. Il s'agit véritablement d'une nouvelle forme de société fondée sur le génie de la différence et non sur le manque de génie de la contrainte[1]*. L'univers de la différence ne peut que s'épanouir latéralement, dans la prolifération des possibles, et non verticalement, dans la hiérarchie rigide. Nous voici avec un double impératif, qui porte en lui effectivement des contradictions, mais qui ne peut se féconder et s'affirmer que dans la contradiction : partout préserver, étendre, cultiver, développer l'unité; partout préserver, étendre, cultiver, développer la différence!*

Mais je ne voudrais pas terminer ici sur une sorte de coup de clairon. Il est trop fréquent, dans les assemblées scientifiques, qu'après s'être penché sur des problèmes objectifs, pasteurisés et aseptisés, l'on termine sur une sorte de prière éthique ou de cantique spirituel où nous annonçons aux populations la bonne nouvelle scientifique. Nous avons eu raison d'éviter les résolutions pieuses, c'est-à-dire de faire, sur le mode laïque, les mêmes prières que l'on fait à une statue, avec en plus la tristesse d'avoir un socle sans statue au-dessus. Et le pire aurait été, comme il arrive, que nous nous prenions nous-mêmes pour la statue. Je crois que nous devons sentir de plus en plus profondément que, désormais, le problème éthique du savant n'est pas tellement de parler aux autres, mais d'abord de se parler à lui-même. Tout d'abord, quelle est la relation entre notre objectivité, c'est-à-dire notre tentative d'une science objective de l'homme, et notre objectif (target), *c'est-à-dire le développement de l'homme, qui, lui, concerne notre subjectivité? Objectivité/ subjectivité : deux domaines irréductibles l'un à l'autre et pourtant inséparables : nous avons dans nos vies, sans cesse, à nous poser cette incertitude, et nous l'aurons de plus en plus à la poser dans nos travaux. Nous savons que les valeurs ne peuvent être déduites de la science, mais que pourtant celle-ci implique des valeurs; nous savons que la science doit se dégager de tout sociocentrisme, mais pourtant qu'elle subit la détermination sociale et qu'à son tour elle suscite, détermine, de plus en plus, et la structure et le devenir de la société. Nous devons désormais savoir que l'ascèse de la connaissance scientifique, qui a rejeté tout jugement de*

---

1. Fourier disait : « Tout ce qui se fonde sur la contrainte dénote un manque total de génie. »

valeur et de finalité, pose désormais un problème très grave parce que la science se trouve non seulement contrôlée par les forces politiques et sociales, mais aussi emportée dans le dynamisme d'une croissance incontrôlée et généralisée de caractère exponentiel. C'est le mouvement même de la science qui dynamise la technologie, qui dynamise l'industrie de paix et de guerre, qui dynamise en même temps les forces de développement et les forces de mort dans la société, les forces de libération et les forces de contrainte. Joliot ne savait pas que le neutron conduisait, par une chaîne implacable, à la bombe atomique. Aujourd'hui, nous savons que tout contrôle d'une enzyme, d'une molécule, va conduire à une intervention sur l'homme et sur la société. Le biologiste sait que toute découverte de laboratoire conduit potentiellement à une arme et un pouvoir sur quoi il n'aura, bien entendu, aucun droit de contrôle. Et, si un jour devaient vraiment se développer les sciences de la société, les risques seraient encore plus grands. A l'heure actuelle, comme l'a dit fortement Michel Serres, sur le plan des probabilités, le seul contrôle possible est la mort. Évidemment, il faut trouver un autre contrôle. Et ici se retrouve le problème posé par Eisenberg : qui sont (seront) les contrôleurs, qui contrôlera les contrôleurs? Quel est notre contrôle à nous? Et c'est chez nous, contrôleurs sans contrôle, décontrôlés et décontrôleurs inconscients, que doit s'approfondir une crise, c'est-à-dire les conditions d'une nouvelle prise de conscience. On ne peut plus dire que la science est « bonne », que la technologie est « neutre », que la politique est « mauvaise ». On ne peut plus scientifiser innocemment. On ne peut plus scientifiser pontificalement.

Le paysage a bien changé. Il y a quarante années, avant la Seconde Guerre mondiale, le savant qui prenait conscience des implications politiques et sociales du monde dans lequel et pour lequel il œuvrait, pouvait, comme Einstein, se poser en Moïse. Il pouvait donner en modèle la vie désintéressée de la petite communauté studieuse, proposer en exemple la libre critique, l'examen rationnel, et s'exclamer : « Voici la vérité, voici la sagesse. » Puis les années ont passé, la bombe atomique a explosé, et on est passé soudain du stade de Moïse à celui de Jérémie, c'est-à-dire d'Oppenheimer, mettant en garde les peuples et les puissants contre les périls mortels d'une mécanique de mort, du reste déclenchée par la science elle-même. Aujourd'hui, nous sommes arrivés au stade de Job sur son fumier; nous devons attirer les regards du monde et concentrer nos propres regards sur une crise qui n'est pas hors de nous, mais en nous : nous nous trouvons à l'épicentre, au niveau crucial et critique de la crise de la société et de l'humanité. Nous devons prendre conscience de cette crise, entrer en crise, si nous voulons avoir quelque espoir de trouver une issue.

Index analytique

Nous n'avons retenu, pour cet index analytique, que des concepts cruciaux, dont la localisation des occurrences ne peut procéder directement de la lecture de la table des matières, et qui s'inscrivent simultanément dans différents champs du savoir (*e.g.* : « apprentissage », « enfant »), ou encore, sont attachés à des problématiques peu connues (*e.g.* : « autopoièse », « bruit »). (Le chiffre en gras renvoie à chacun des trois tomes.)

49-81; - du cerveau, **(1)** 187-190; - phylogénétique et ontogénétique du rêve, **(2)** 108-110; sécurité comme condition de l' -, **(1)** 184; théorie des systèmes et -, **(3)** 159-161. *Voir aussi :* cerveau, complexité, culture, différenciation, hominisation, langage, ontogenèse, phylogenèse.

EXOGAMIE, **(3)** 188, 192-193, 202-212, 218-219, 221, 274-275, 278.

HASARD, **(2)** 15-16, 24, 100, 128-130, 146, 154, 187-213. *Voir aussi :* auto-organisation, bruit, complexité, déterminisme.

HOMINISATION, **(1)** 58, 107-137, 170-173, 213; **(2)** 196; **(3)** 73-75, 156-159, 274-275, 295-296. *Voir aussi :* cerveau, complexité, culture, évolution, langage, ontogenèse, phylogenèse.

INFORMATION, **(1)** 40, 75, 88-89, 129; **(2)** 198, 210; **(3)** 16, 151-152, 161-162, 280-281; environnement exempt d' -, **(2)** 134, 146, 154; - de position, **(2)** 79, 208; - et bruit, **(2)** 181; - et organisation, **(2)** 157-159. *Voir aussi :* bruit, code, communication, environnement, langage, signe, symbole.

INNÉ, **(1)** 8, 210, 212, 229-245; **(2)** 15-16, 41, 52, 63, 72, 133, 214-216; **(3)** 29-39, 77; aptitude à acquérir est - e, **(1)** 129, 234; mécanisme déclencheur -, **(1)** 240-241, 248-249; prédisposition - e, **(1)** 137; **(2)** 23-24; schéma moteur - **(1)** 235-236. *Voir aussi :* acquis, compétence, nativisme.

INSTRUCTION, **(2)** 20, 72-74, 84, 95. *Voir aussi :* apprentissage, sélection.

INVARIANT, **(1)** 7-11, 81-101, 220, 229-245; **(2)** 49, 142, 146-148; **(3)** 62-63, 306. *Voir aussi :* universaux.

LANGAGE, acquisition du - et renforcement, **(1)** 54-56; apprentissage du -, **(2)** 22-23, 26-27; construction logique du -, **(1)** 37-42; inaptitude congénitale au -, **(2)** 74; intégrations sensori-motrices et capacité de -, **(2)** 40; - dénotatif, **(2)** 161; - des chimpanzés **(1)** 17-56; **(3)** 306; - des sourds-muets, **(1)** 32-36, 54-56; - et génome, **(2)** 52-53; **(3)** 30-39; - et motivation, **(1)** 48; - par signes, **(1)** 32-36, 54-56; - symbolique, **(2)** 199; - visuel, **(1)** 42; localisation des centres du -, **(2)** 94; traits distinctifs du -, **(1)** 23-25; unicité du -, **(1)** 68-69; valeur sélective du -, **(1)** 136-137; **(3)** 73-75. *Voir aussi :* apprentissage, communication, culture, enfant, hominisation, signe, symbole.

MATURATION, - cérébrale et taux de sommeil paradoxal, **(1)** 181; **(2)** 110; - comme corrélat physiologique du développement, **(2)** 215; - et ontogenèse, **(1)** 235; **(2)** 19-24; **(3)** 276-277; - postnatale du système nerveux, **(2)** 75; - primitive, **(2)** 65-66; - sexuelle, **(3)** 68-72, 137-147. *Voir aussi :* acquis, apprentissage, conditionnement, développement, ontogenèse.

MÉMOIRE, biochimie de la -, **(2)** 79-80; capacité de - des enfants, **(2)** 33-34; capacité de - et performance, **(1)** 76-77; **(2)** 185; localisation cérébrale de la -, **(2)** 92-94; - à court terme et - à long terme, **(2)** 90, 128; - des chimpanzés, **(1)** 30; - et auto-organisation, **(2)** 187-213; - et « calcul », **(2)** 134, 143, 148; - et engrammes, **(2)** 20; - et évolution, **(1)** 128; - et hystérésis, **(2)** 193; - et mythe, **(3)** 257-259; - et phases du sommeil, **(2)** 100; - génétique, **(2)** 210, 215. *Voir aussi :* auto-organisation, cerveau, évolution, rêve, sommeil.

NATIVISME, **(2)** 40, 49, 54-55. *Voir aussi :* compétence, inné.

ONTOGENÈSE, - de l'activité électrique cérébrale, **(1)** 181; - des signes, **(1)** 65; - du comportement, **(1)** 230, 235; - du rêve, **(2)** 110; - et diversité humaine, **(2)** 159, 171; - et embryologie causale, **(2)** 19; - et néoténie, **(3)** 68-69. *Voir aussi :* enfant, épigenèse, évolution, phylogenèse.

ORGANISATION, - et information, **(2)** 157-159; - et structure, **(2)** 135, 162, 166, 176-178; - flexible, **(1)** 89-91,

Table

T. 1 : Le primate et l'homme

T. 2 : Le cerveau humain

FIRMIN-DIDOT S.A. PARIS-MESNIL (2.82)
D. L. 1er TRIM. 1978. No 4824-2 (9369)

Collection Points